A MODERN COURSE IN

German

C. R. GOEDSCHE *Northwestern University*

STEN FLYGT *Vanderbilt University*

MENO SPANN *Northwestern University*

Houghton Mifflin Company

The Riverside Press Cambridge

The Riverside Press Cambridge
PRINTED IN THE U.S.A.

Preface

This book is intended for use in normally-paced courses which meet from three to five hours per week and also in intensive programs. It is even very suitable for independent study.

The text has been thoroughly tested by several people in many different situations: regular classes, semi-intensive classes, evening classes and private instruction. The results have been uniformly gratifying. As a matter of fact, it may be used in high schools as well as colleges. In subject matter the texts are sufficiently close to the student's own experience to give him pleasure while at the same time appealing to his imagination. The volume contains, in addition to an abundant variety of reading material, such comments on grammar as are necessary to a good understanding of the text, as well as a great deal of exercise and practice material. Subject matter, treatment of grammar, and exercises are completely integrated.

The writers of this book are convinced that a modern language course should not neglect any of the three important aspects of language competence: reading, speaking, and writing. They have therefore designed the book in such a way that the teacher, if he so desires, may use it for an aural-oral approach to reading proficiency. But the purpose of the book is to guide the student toward real independence in his use of the language.

Even from a casual examination it is apparent that this manual is very different from other language texts, that it employs a variety of techniques to achieve its aim, and that few of the techniques are traditional. Every innovation which now appears in this book has, however, been tested in average classes and found successful in achieving its purpose. It may be well to point out the main difference from conventional methods.

In the first place, the writers believe that the subject matter of the first stages of language learning should be as familiar to the student as possible. Obscurity or unfamiliarity of subject matter complicates language difficulties, because the student is never sure whether the combination of words he has before him means what it seems to mean. Therefore the basic situations in the early part of the book are extremely familiar, and only as the student's grasp of the language becomes more secure are new situations and ideas presented to him in German.

In the second place, English translations of the basic texts are an integral part of the plan. Among the advantages in using a translation in the beginning stages are the following:

1) When a translation is used it is not necessary to grade the vocabulary in the way that necessarily produces the painful "baby German" texts that are so well known, but it is possible from the very beginning to use texts which have greater maturity and interest.

2) The translation saves the student a great deal of time and energy usually expended on the completely unprofitable task of thumbing the pages of vocabularies, and allows him to devote this time and energy to building up a large stock of words and mastering difficulties of syntax.

3) The use of English translations makes possible the standard of complete perfection. The very lowest attainment required of the student is certainty of the meaning of every German word and sentence.

4) It cannot have escaped the observation of the teacher that language difficulty in a given sentence causes the student to forget in what logical relation that sentence stands to the rest of the text. The translation helps the student keep the continuity of thought constantly in mind, because he is not painfully groping from one obscure sentence to the next. Not only that, but it makes him carefully work out the relation of the individual words to the total meaning of a sentence and accustoms him to casting his translation in acceptable English form. One of the most important features of the technique of teaching by means of a translation as it is employed in this book is that it sharpens the student's sensitivity to the different genius of the two languages as no other method can. Even in the early lessons he is taught something about the art of translation. As an example let us take the sentence from Lesson Three: **Immer eins nach dem andern!** In the usual situation the beginner would look these words up in the vocabulary and learn that their transverbalization is *Always one thing after the other!* And, if he is not otherwise informed, he will render them thus or else he will guess at another meaning. If he is content to render them *Always one thing after the other* he shows that he hasn't understood the sentence. If he guesses at another meaning he is likely to guess wrong, because the English words suggest some idea like *If it isn't one thing, it's another* or *It's always one confounded thing after the other*. With this misconception in mind he goes on and he now has difficulty in connecting this idea with the context. But in the present text the sentence is first analyzed and then rendered in normal English idiom so that the student learns not only what the individual words mean but also that in this particular combination they mean "One thing at a time!" Thus from the very beginning he learns that the two languages frequently express similar ideas very differently, and he is trained in finding the most suitable and accurate English form to render a German sentence completely lucid to himself and others.

But, of course, not all of the work, and not even the bulk of it, consists of studying a translated text. When the student has thoroughly mastered a given text he goes on to practice and exercise material, which is a reworking of the words and constructions that the student already knows. If the student has worked through the basic text by means of the translation as he should, the practice and exercise material will cause him no difficulties. Although the practice and exercises are designed to drive home important principles, the readiness with which they can be done is a quick and sure test of whether the student has used the translation correctly. And it may be said here that the student should be warned about and guided in the correct use of the translation.

The "Practice" material, as distinguished from the "Exercise" material, consists of a great many variations of basic patterns which the student is expected to master. In so doing his efforts are directed to learning correct German, not to puzzling over mutilated words and sentences and trying to add endings to truncated forms, only to learn in class that most of his guesses were wrong anyway. The writers of this book believe that the student should not puzzle over incorrect and incomplete forms but should concentrate on learning patterns which he knows are right.

The "Exercise" material sets certain problems for the student to solve: — answering questions, translating new sentences, choosing the correct concluding clause, finding the sentence which applies to the key word, connecting dependent and independent clauses, and so on. Again, the student is not allowed to become uncertain about the correctness of forms and syntax, and the growing sureness of his **Sprachgefühl** is not confused by a multiplicity of possible incorrect choices. The tasks which he has to perform interest him because they have a purposiveness that derives from the subject matter, and in performing these tasks he learns correct expression, because the information for which he is called upon is evoked along established patterns.

Another innovation in this book is a feature called "Securing the Vocabulary." Certain words, especially elusive words like **doch, noch, sicher, denn, übrigens, ungefähr,** which experience has shown to be troublesome to the student and essential to a good knowledge of the language, are starred when they are first introduced. After that they are constantly and systematically reviewed by a device which focusses the student's attention upon them.

It should be a paramount aim of the instruction to give the student so secure a knowledge of all the words in the lesson as he goes along as to reduce to a minimum the need of using either a standard dictionary or the special vocabulary.

Suggestions for Using the Text

Of course, every teacher using this text will adapt it to his own needs and purposes, but even so it may be useful to know in some detail how the book has been used and what purposes are served by the various parts.

The first part of the book is built on the fiction that the students are reading some of the correspondence of a college freshman named Richard Neumann. This section is composed of sixteen chapters, the first fifteen of which follow the same plan.

At the beginning of each chapter comes a section known as Words and Phrases. This is the student's first contact with the material of the chapter and he must master it completely before going on.* In this section the sentences

---

* The writers believe that the students should learn pronunciation in class through direct imitation of the teacher. For the students' convenience, however, a section on pronunciation has been incorporated in the Appendix.

of the basic text are broken down and analyzed, one by one, and then recon-
structed. It is the student's task to study the Words and Phrases, paying particular attention to the starred words until he knows the meaning of every word
in the passage *out of context* and can easily and smoothly translate the Connected Text as it appears in the second section of the chapter. Indeed, he should
know it so well that he can with his book closed translate accurately and un-
hesitatingly words, phrases, and sentences read to him by the teacher in random
order. If the book is used in regular classes the Words and Phrases are assigned
for home study, but if it is used in intensive or semi-intensive classes the Words
and Phrases are repeated and drilled in the drill sections until mastery is complete. It cannot be over-emphasized that mastery must be *complete* so that it
becomes unnecessary for the students repeatedly to look up words that they
have had.

The third section of the chapter contains the Comments, to be taken up *after*
the students know the text. The Comments are a discussion of certain matters
of grammar which have occurred in the text and which the student needs to know
for a better understanding of the text. The treatment of grammar is purely
pragmatic, that is, only those features of grammar are commented upon which
are useful to the student at the particular stage where he happens to be. For
instance in the chapter where prepositions requiring the dative case are first discussed (Lesson Three), only those four prepositions are mentioned which have
actually occurred in the texts. A complete list of these prepositions is, however,
given in the Appendix in case the teacher wishes to supply the students with
such an enumeration. The Comments are read aloud in class by the teacher
or by various students, and the teacher makes sure that unfamiliar terms are
explained and that the students understand what they have read. In the classes
where the book has been used the students have liked to ask questions concerning
other points of grammar and, of course, these questions are answered, but the
teachers have had to curb a natural tendency to give a systematic account of
whatever topic was under discussion. It was found to be unnecessary and, in
the long run, confusing, to tell the student about things that he didn't need to
know for his *immediate* purpose. One of the astonishing results of standard im-
partial tests was the demonstration that students who had been trained by this
method, where they had never been called upon to give declension or conjugation, knew much more grammar than students at the same stage in other classes
where the main business had been the learning of paradigms and the filling in of
endings and such grammatical drill.

The fourth section of the chapter is called Practice. It consists of a number
of variations of basic pattern sentences. It is through mastering the practice
sentences that the students trained by this method develop a sensitivity to
grammatical forms as part of their **Sprachgefühl.** The student is required to
learn these variations so well that he not only knows the meaning of all the
variations but also can easily and quickly give the correct response in German.
The Practice is useful not only in teaching important language forms and syntax,
since the sentences drill the points of grammar which have been explained, but

also in aiding the student to acquire some facility in self-expression. The variations are intended to suggest further new and original variations of familiar material and form the basis of composition and conversation. In semi-intensive classes they are drilled until letter perfect and then varied still further as the ingenuity of the teacher and the originality of the students suggest. In classes where reading proficiency is the main objective the Practice may be treated very cursorily or omitted altogether.

The Exercise material may be treated in a variety of ways. In semi-intensive classes, where much effort has been concentrated on the Practice, the Exercises can be done very quickly and chiefly by way of a final clinching of what the students have learned and by way of demonstrating that they have made definite progress. In regular classes the Exercises are assigned as homework and checked and tested in class. Certain portions of the Exercise material, namely those calling for answers to questions, correction of misinformation, and rearrangement of words and phrases to form sentences are usually assigned as written work.

The words which appear in the sixth section, Securing the Vocabulary, are assigned for study. The starred words from previous lessons are arranged in lists which serve two functions: They enable the student to check on his command of the vocabulary and they help him secure the meanings of words he has forgotten. The passing grade for tests based on the starred words should be no less than 96 per cent, and here it may be said parenthetically that since the use of English translation in the section called Words and Phrases makes it possible to set as the very lowest requirement certainty of the meaning of every German word and sentence, the passing grade on all tests may be made much higher than usual.

The second portion of the book is based on the fiction that the students are listening to radio programs and hear about a great variety of subjects from the merits of a marvelous brand of soap-flakes to a discussion of semantics. The basic design of the chapters is the same as in the first portion and therefore the chapters should be treated in substantially the same way as the Richard Neumann chapters.* Since, however, the sentences of the text are not broken down as much as were the sentences in those chapters, it is well for the drill master, where the book is used in semi-intensive courses, to isolate words in the German text and thus make sure that the student really knows the meaning of the words and does not simply recall the sense of the entire passage. Where the student is assigned the Words and Phrases for home study he must be checked in class on his knowledge of the words *out of context*. It is expected that the students will be required to learn the principal parts of the verbs as they occur and therefore the principal parts of all strong and irregular verbs are given for each lesson. There is one very important innovation in this portion of the book, however, and that is the Rewritten Text which concludes each chapter. This is a reading selection which uses no words or constructions which the student has

---

* Gothic type is introduced in this portion of the book (Lesson 17).

not already had. It is based on the original text of the chapter and is a re-working of that text, expressing new and different ideas without going outside the limits of what the student has had. Its purpose is to teach the student to read without having to translate, to grasp new ideas directly as they are expressed in familiar vocabulary. Incidentally, the Rewritten Text affords a convenient check on whether the student has properly mastered the first part of the lesson. If he has done so, the Rewritten Text will offer him little difficulty; if he has not done so, he will have to look up and verify words and constructions which he should already have learned.

The third portion of the book consists of a number of reading selections.* The first one, "**Die Geschichte von Walter Brooks,**" is a lively and entertaining story, meant to be read rapidly. For semi-intensive courses this story will be something in the nature of dessert at the end of the first year. In other courses, however, where less is required of the student in the way of aural comprehension, authenticity of pronunciation, progress towards self-expression, accurate knowledge of forms and syntax, there will be time left to read all or several of the stories following the story about Walter Brooks. New words, of course, occur and they should be studied and learned. More than that, certain idiomatic expressions, three or four to a page, are given separate explanation, and exercises based on them occur at the end of each story. The purpose of this section of the book is to build up the student's vocabulary very far beyond the range of the 1000 to 2000 words usually learned in the first year.

We gratefully acknowledge the tireless and invaluable secretarial assistance we received from Miss Lucie Schneiderbauer and Miss Monica Erlach.

C. R. G.

S. G. F.

M. H. S.

---

* "**Die Geschichte von Walter Brooks**" is original. "**Der Alchimist**" and "**Das Wirtshaus am Berge**" make use of old Novellenmotive. "**Der alte Dolch**" is a new version of a story by Arnold Ulitz called "**Der keltische Dolch,**" and "**Das Juwelenkästchen**" is a free version of E. T. A. Hoffmann's "**Das Fräulein von Scuderi.**"

Contents

PREFACE

* Section I *

1. Der Held der nächsten vierzehn Aufgaben   3
1. *Capital Letters.* 2. *The Three Genders.* 3. *Inverted Word Order.* 4. *Formation of Questions.* 5. *Present Tense Forms.*

2. Was hat Richard an?   11
1. *Conventional Imperative.* 2. *Vowel Change* a > ä, e > i. 3. *Indefinite Article.* 4. *Adjective Endings after* **der** *and* **ein.**

3. Das hübsche Fräulein Anna   18
1. *Familiar Imperative.* 2. *Accusative and Dative Singular of Nouns.* 3. *The Dative as Indirect Object.* 4. *The Dative after Prepositions.* 5. *Definite and Indefinite Articles.* (*Summary*). 6. **Der-***Words:* **jeder.**

4. Eine lustige Szene   27
1. *Capital Letters.* 2. *Familiar Forms of the Personal Pronoun.* 3. *The Accusative after Prepositions.* 4. *Idiomatic Uses of the Accusative.*

5. Eine Überraschung   38
1. *Personal Pronouns.* 2. *Possessive Adjectives.*

6. Mach Dir keine Sorgen   48
1. *Reflexive Pronouns.* 2. *Separable Prefixes.*

7. Alles in bester Ordnung   58
1. *Formation of the Plural of Nouns.* 2. *Declension of the Plural of Nouns.*

8. Der Hedonist   69
1. *Adjective Declension.*

9. Der Tennismeister   79

     1. *Present Perfect and Past Perfect Tenses.* 2. *Position of the Infinitive.*

10. Die Verkäuferin   91

     1. *Prepositions.* 2. *Contractions of the Definite Article with Prepositions.* 3. **Da-** *and* **wo-***Compounds.* 4. *Transposed Word Order.*

11. Die Einladung   102

     1. *The Genitive Case.* 2. *Declension of Nouns.* 3. *Passive Voice (present tense).* 4. *Dates.*

12. Eine gute Nachricht   113

     1. *Future Tense.*

13. Zukunftsträume   123

     1. *Modal Auxiliaries (present and simple past).* 2. **Wissen.**

14. Träumerei   135

     1. *Subjunctive II.* 2. *Word Order in Conditional Clauses.*

15. Erfüllung   146

     1. *Relative Pronouns.* 2. *Interrogative Pronouns.* 3. *Passive Voice (simple past and present perfect).*

16. Aus dem Leben Herbert Beckers.   157

✳   *Section II*   ✳

17. Sender G F S   165

     1. *Simple Past Tense of Weak Verbs.* 2. *Present and Past Participles.* 3. *Idiomatic Uses of* **lassen.**

18. Etwas Reklame   176

     1. *Simple Past Tense of Strong Verbs.* 2. *Subordinating Conjunctions.*

19. Von einer Welle zur andern.   187

     1. *Formation of the Imperative.* 2. *Present Subjunctive I.*

20. Doktor Allwissend 200

> 1. *Uses of the Infinitive.* 2. *Rules for Determining the Gender of Nouns.* 3. *The Long Attribute.*

21. Wie Sie wollen 213

> 1. *Adjectives with* **etwas, nichts** *and* **viel.** 2. *Rules for Determining the Plural of Nouns.* 3. *Passive Voice (future and past perfect).*

22. Die Großstadt spricht 227

> 1. *Variable Prefixes.* 2. *Idiomatic Use of the Past Participle.* 3. *Past Infinitive.* 4. *Modal Auxiliaries (compound tenses).* 5. *Double Infinitive with Modal Auxiliaries.* 6. *Double Infinitive with Other Verbs.*

23. Die Großstadt spricht (Schluß) 242

> 1. *Mixed Verbs.* 2. *The Future Perfect Tense.*

24. Frag mich was 257

> 1. *Comparison of Adjectives.* 2. *Inversion for Condition.* 3. *Indirect Statement.*

25. Frag mich was (*Rewritten*) 274

> 1. *The Long Attribute.*

Section III

---

26. Walter Brooks 283

27. Der alte Dolch 304

28. Der Alchimist 311

29. Das Wirtshaus am Berge 322

30. Das Juwelenkästchen 333

APPENDIX 359

VOCABULARY 383

INDEX 423

20. Doktor Allwissend   209

1. Uses of the Indicative. 2. Rules for Determining the Gender of Nouns. 3. The Long Attribute.

21. Wie Sie wollen   213

1. Adjectives with etwas, nichts and viel. 2. Rules for Determining the Plural of Nouns. 3. Present, Future (future and past perfect).

22. Die Großstadt spricht   221

1. Variable Prefixes. 2. Intransitive Use of the Past Participle. 3. Past Infinitive. 4. Modal Auxiliaries (compound tenses). 5. Double Infinitive with Modal Auxiliaries. 6. Double Infinitive with Other Verbs.

23. Die Großstadt spricht (Schluß)   212

1. Mixed Verbs. 2. The Future Perfect Tense.

24. Frag mich was   227

1. Comparison of Adjectives. 2. Inversion for Condition. 3. Indirect Statement.

25. Frag mich was (Fortsetzung)   274

1. The Long Attribute.

Section III

26. Wetter Brooks   283

27. Der alte Dolch   301

28. Der Alchimist   311

29. Das Wirtshaus am Berge   322

30. Das Juwelenkästchen   333

APPENDIX   339

VOCABULARY   353

INDEX   433

Section One

Erste Aufgabe

* *

Der Held der nächsten vierzehn Aufgaben

I. Words and Phrases: *Memorize the meaning of the following words and phrases.*

* erst–	first
die Aufgabe	the lesson
Erste Aufgabe.	First lesson.
der Held	the hero
* nächst	next
der nächsten vierzehn	of the next fourteen
Aufgaben	lessons
Der Held der nächsten vierzehn Aufgaben.	The hero of the next fourteen lessons.
* lieb	dear
der Student'	the student (*masculine*)
Lieber Student!	Dear student!
die Studen'tin	the student (*feminine*)
Liebe Studentin!	Dear co-ed!
* kennen	(to) know
kennen Sie?	do you know?
Kennen Sie Richard Neumann?	Do you know Richard Neumann?
nein	no
Nein?	You don't?

* The words marked with an asterisk need special attention: They are trouble-makers.

3

* nun	well then
hier	here
sein	(to) be
er ist	he is

Nun, hier ist **er**.   Well, here he is.

nett	nice
der Junge	the boy, fellow
ein netter Junge	a nice fellow
nicht wahr?	not true?

Ein netter Junge, nicht wahr?   A nice fellow, isn't he?

achtzehn	eighteen
das Jahr	the year
alt	old
achtzehn Jahre alt	eighteen years old
* gesund	healthy
intelligent′	intelligent

Er ist achtzehn Jahre alt, gesund und   He is eighteen years old, healthy and
intelligent.   intelligent.

sechs	six
der Fuß	the foot
* groß	large, big, tall
sechs Fuß groß	six feet tall
und	and
haben	(to) have
er hat	he has
breit	broad
die Schulter	the shoulder
breite Schultern	broad shoulders

Er ist sechs Fuß groß und hat breite   He is six feet tall and has broad shoul-
Schultern.   ders.

gut	good
der Schwimmer	the swimmer
ein guter Schwimmer	a good swimmer
* sehr	very
das Tennis	the tennis
der Spieler	the player

der Tennisspieler	the tennis player
ein sehr guter Tennisspieler	a very good tennis player
Er ist ein guter Schwimmer und ein sehr guter Tennisspieler.	He is a good swimmer and a very good tennis player.
* der Herbst	the autumn, fall
im Herbst	in the fall
gehen	(to) go
er geht	he goes
das College	the college
aufs College	to college
• Im Herbst geht er aufs College.	He is going to college in the fall.
* warum'	why
sprechen	(to) speak
wir sprechen	we speak
von	about
Warum sprechen wir von Richard Neumann?	Why are we talking about Richard Neumann?
haben	(to) have
wir haben	we have
der Grund	the reason
Wir haben einen guten Grund.	We have a good reason.
Richard ist der Held der nächsten vierzehn Aufgaben.	Richard is the hero of the next fourteen lessons.

II. Text: *The following is the preceding passage in connected form.   Read and translate.*

Lieber Student, liebe Studentin!   Kennen Sie Richard Neumann?   Nein?
Nun, hier ist er.   Ein netter Junge, nicht wahr?   Er ist achtzehn Jahre alt,
gesund und intelligent.   Er ist sechs Fuß groß und hat breite Schultern.   Er ist
ein guter Schwimmer und ein sehr guter Tennisspieler.   Im Herbst geht er aufs
5 College.   Warum sprechen wir von Richard Neumann?   Wir haben einen guten
Grund.   Richard ist der Held der nächsten vierzehn Aufgaben.

III. Comments:

In these comments on each section of the German text we are going to take
up only a few of the basic principles or striking features of the German language and ignore the rest for the time being.   Don't expect a complete explanation of every principle that may be found in the text and if you wonder why you
must say certain things that haven't been taken up, don't worry.   Just accept
the necessity of saying them.   You will get the explanations in the course of time.
Right now the important thing is to let a lot of vocabulary and language patterns
soak in so that a full explanation of the basic principles will make good sense
later on.   If technical terms are used that you don't know, be sure to find out
what they mean.

1. *Capital Letters:*

German differs from English in the use of capital letters in two important respects: (1) All nouns are capitalized; and (2) the word **Sie** meaning *you* is capitalized.

2. *The Three Genders:*

You will have noticed that the definite article (*the*) has three forms in German: **der, die, das. Der** is used with masculine nouns, **die** with feminine nouns, and **das** with neuter nouns. Generally speaking, the natural gender of living beings determines the grammatical gender of the designating noun: **der Student, die Studentin.** Noteworthy exceptions are **das Mädchen,** *girl;* **das Fräulein,** *Miss, young lady* whose neuter gender is determined by the suffixes **–chen** and **–lein.** Inanimate objects are either masculine, feminine or neuter. Consequently you must learn the definite article as part of the noun: **der Fuß, die Schulter, das Jahr.**

3. *Inverted Word Order:*

In German as well as in English the subject usually begins the sentence: **Richard ist ein guter Schwimmer.** When, however, a German sentence begins with an element that is not the subject, the subject follows the inflected verb. This is called *inverted order*.

Examples:

1. Hier ist er. *Here he is.*
2. Im Herbst geht er aufs College. *He is going to college in the fall.*

4. *Formation of Questions:*

In questions German does not use an auxiliary verb corresponding to the English verb *do* but simply uses the inverted order.

Example:

Kennen Sie Richard Neumann? *Do you know Richard Neumann?*

5. *Present Tense Forms:*

For your immediate needs you will have to know the following present tense forms:

ich kenne	*I know*	ich gehe	*I go*
er, sie, es kennt	*he, she, it knows*	er, sie, es geht	*he, she, it goes*
wir kennen	*we know*	wir gehen	*we go*
sie kennen	*they know*	sie gehen	*they go*
Sie kennen	*you know*	Sie gehen	*you go*
ich bin	*I am*	ich habe	*I have*
er, sie, es ist	*he, she, it is*	er, sie, es hat	*he, she, it has*
wir sind	*we are*	wir haben	*we have*
sie sind	*they are*	sie haben	*they have*
Sie sind	*you are*	Sie haben	*you have*

IV. Practice: *Master the following basic sentence patterns and their variations.*

1. Ich   kenne   Richard   Neumann   sehr gut.
   Der Student   kennt
   Er
   Die Studentin
   Sie
   Der Student und ich   kennen
   Wir
   Der Student und die Studentin
   Sie
   Kennen Sie Richard Neumann, Herr (*Mr.*) Weber?
                                          Fräulein (*Miss*) Schmidt?

2. Ich   bin achtzehn Jahre alt.
   Richard Neumann   ist
   Fräulein Schmidt
   Herr Neumann und ich   sind
   Wir
   Herr Neumann und Fräulein Schmidt
   Sind Sie achtzehn Jahre alt, Herr Meier?
   Wie (*how*) alt sind Sie, Herr Weber?

3. Ich   spreche von Wilhelm Weber.
                                       Elsa Schneider.
   Wir   sprechen
   Sprechen Sie von Richard Neumann, Herr Jones?

4. Ich   gehe   im Herbst   aufs College.
   Richard   geht   bald (*soon*)
   Elsa
   Elsa und ich   gehen dann (*then*)
   Wir
   Elsa und Richard

5. Im Herbst gehe   ich   aufs College.
   Bald   geht   Richard
                     Elsa
   Dann   gehen Elsa und ich
                     wir

6. Diesen (*this*) Herbst bin ich   achtzehn   Jahre alt.
            Sommer (*summer*) neunzehn (19)
            Winter (*winter*) zwanzig (20)
            Frühling (*spring*) einundzwanzig (21)

7. Gehen Sie diesen Herbst aufs College?
      Elsa und Wilhelm Sommer
Geht Herr Weber Winter
      Fräulein Schneider Frühling

V. Exercises:

A. *Copy the German text under II. Check your copy carefully for mistakes.*

B. *Questions: Answer always in a complete sentence. Use the words, phrases and grammatical forms which the text provides, regardless of whether the question concerns the "story" of the text or not.*

1. Ist Richard Neumann ein Professor?
2. Wie (*how*) alt ist Richard?
3. Ist er acht Fuß groß?
4. Spielt er Tennis?
5. Schwimmt er?
6. Wann (*when*) geht er aufs College?
7. Warum sprechen wir von Richard Neumann?
8. Wer (*who*) ist der Held der nächsten vierzehn Aufgaben?

C. *Translate into English. Then reproduce the German sentences from the English.*

1. Hier ist der Held der nächsten vierzehn Aufgaben.
2. Richard Neumann ist ein netter Junge.
3. Der Held der nächsten vierzehn Aufgaben ist ein guter Schwimmer.
4. Der Student ist sechs Fuß groß und hat breite Schultern.
5. Die Studentin ist achtzehn Jahre alt, gesund und intelligent.
6. Im Herbst geht Richard aufs College.
7. Wir gehen im Herbst aufs College.
8. Gehen Sie im Herbst aufs College?

D. *The following sentences are grammatically correct but give wrong information. Change them so as to make them correct.*

1. Richard Neumann ist vierzehn Jahre alt.
2. Er ist fünf Fuß groß.
3. Er ist der Held der nächsten achtzehn Aufgaben.
4. Richard Neumann ist eine intelligente Studentin.
5. Im Sommer geht er aufs College.

VI. Securing the Vocabulary: *The plan of this section is as follows:*

Part A lists the words which appear marked with a star in Section I. Do not fail to learn these words perfectly. Beginning with the next lesson, Part B repeats se-

*lected starred words from previous lessons in order to give you the chance to review
their meanings at intervals.*

A. erst–   *first*   gesund   *healthy*
   nächst   *next*   groß   *large, big, tall*
   lieb   *dear*   sehr   *very*
   kennen   *(to) know*   warum   *why*
   nun   *well then*   der Herbst   *autumn, fall*

Zweite Aufgabe

* *

Was hat Richard an?

I. Words and Phrases:

Zweite Aufgabe.

Second lesson.

was	what
Richard hat an	Richard has on
Was hat Richard an?	What is Richard wearing?
sagen	(to) say
Sie sagen	you say
* jetzt	now
* wahrschein'lich	probably
Sie sagen jetzt wahrscheinlich:	You are probably saying now:
kennen	(to) know
wir kennen	we know
* noch	still, yet
nicht	not
* noch nicht	not yet
gut	good, well
* genug	enough
gut genug	good enough
„Wir kennen Richard noch nicht gut genug.	"We don't know Richard well enough yet.
* erzählen	(to) tell, narrate
erzählen Sie!	tell!
uns	us, to us
mehr	more
von	about
Erzählen Sie uns mehr von Richard!"	Tell us more about Richard!"

11

schön	beautiful, fine; very well
haben	(to) have
Richard hat	Richard has
braun	brown
das Haar	the hair
braunes Haar	brown hair
grau	gray
das Auge	the eye
graue Augen	gray eyes

Schön — Richard hat braunes Haar und graue Augen.
Very well then, Richard has brown hair and gray eyes.

* tragen	(to) carry; wear
er trägt	he wears
* meistens	mostly, generally
der Sport	the sport
der Anzug	the suit
der Sportanzug	the sport suit

Er trägt meistens einen Sportanzug.
Generally he wears a sport suit.

* heute	today
das Beispiel	the example
zum Beispiel	for example
grau	gray
die Hosen	the trousers
graue Hosen	gray trousers
er hat graue Hosen an	he has gray trousers on
weiß	white
das Hemd	the shirt
er hat ein weißes Hemd an	he has a white shirt on
braun	brown
der Rock	the coat, jacket, skirt
er hat einen braunen Rock an	he has a brown jacket on

Heute z.B. (zum Beispiel) hat er graue Hosen, ein weißes Hemd und einen braunen Rock an.
Jacke

Today, for example, he is wearing gray trousers, a white shirt, and a brown jacket.

sein	his
der Schuh	the shoe
seine Schuhe	his shoes

Seine Schuhe sind weiß.
His shoes are white.

* nur	only
der Fehler	the mistake, fault
er hat nur einen Fehler	he has only one fault

* viel	much
nicht viel	not much
* das Geld	the money
nicht viel Geld	not much money
Er hat nur einen Fehler, er hat nicht viel Geld.	He has only one fault, he doesn't have much money.
jetzt	now
sein	(to) be
es ist	it is
aber	but, however
* die Zeit	the time
es ist Zeit	it is time
daß	that
ihn	him
das College	the college
zum College	to the college
* schicken	(to) send
wir schicken	we send
wir schicken ihn zum College	we send him off to college
Jetzt ist es aber Zeit, daß wir ihn zum College schicken.	But now it's time that we send him off to college.
der Vater	the father
geben	(to) give
er gibt	he gives
sein	his
der Junge	the boy, young man
seinem Jungen	to his boy
der Scheck	the check
er gibt seinem Jungen einen Scheck	he gives his boy a check
die Mutter	the mother
ihr	her
ihrem Jungen	to her boy
der Kuß	the kiss
sie gibt ihrem Jungen einen Kuß	she gives her boy a kiss
Fräulein Becker	Miss Becker
das Paket'	the package
ein kleines Paket	a small package
Vater Neumann gibt seinem Jungen einen Scheck, Mutter Neumann gibt ihrem Jungen einen Kuß, und Fräulein Becker gibt Richard ein kleines Paket.	Father Neumann gives his boy a check, Mother Neumann gives her boy a kiss, and Miss Becker gives Richard a small package.

II. Text:

Sie sagen jetzt wahrscheinlich: „Wir kennen Richard noch nicht gut genug. Erzählen Sie uns mehr von Richard!" Schön — Richard hat braunes Haar und graue Augen. Er trägt meistens einen Sportanzug. Heute z.B. (zum Beispiel) hat er graue Hosen, ein weißes Hemd und einen braunen Rock an. Seine Schuhe
5 sind weiß. Er hat nur einen Fehler, er hat nicht viel Geld. Jetzt ist es aber Zeit, daß wir ihn zum College schicken. Vater Neumann gibt seinem Jungen einen Scheck, Mutter Neumann gibt ihrem Jungen einen Kuß, und Fräulein Becker gibt Richard ein kleines Paket.

III. Comments:

1. *Conventional Imperative:*

Observe the two sentences:

Sprechen Sie von Richard Neumann? *Are you talking about Richard Neumann?*

Sprechen Sie von Richard Neumann! *Talk about Richard Neumann!*

The difference in tone of voice and punctuation makes the difference between a question and a command or request (imperative) in the above examples.

2. *Vowel Change* **a** $>$ **ä** *and* **e** $>$ **i:**

In some verbs there is a change of vowel in the present tense, *e.g.* **ich trage** — but — **er trägt,** and **ich spreche** — but — **er spricht,** which is somewhat like the change of vowel in the English *I do, he does,* and *I say, he says.*

3. Indefinite Article:

The masculine and neuter indefinite articles are identical in the nominative case, the case of the subject: **ein Paket, ein Scheck.** In the accusative case, the case of the direct object, the forms are: **ein Paket,** but **einen Scheck.** The feminine indefinite article is **eine** both in the nominative and the accusative.

Examples:

1. **Ein Hemd** ist in dem Paket. *A shirt is in the package.*
   Vater Neumann gibt Richard **ein Hemd.** *Father Neumann gives Richard a shirt.*
2. **Ein Sportanzug** ist in dem Paket. *A sport suit is in the package.*
   Vater Neumann gibt Richard **einen Sportanzug.** *Father Neumann gives Richard a sport suit.*
3. Martha Müller ist **eine** intelligente **Studentin.** *Martha Müller is an intelligent student.*
   Kennen Sie **eine Studentin** Martha Müller? *Do you know a student (by the name of) Martha Müller?*

4. Adjective endings after **der** *and* **ein:**

You have become aware that adjectives preceding nouns have various endings. For the time being it will suffice to learn that the ending of the adjective depends upon the noun it modifies and also upon the introductory word, as illustrated in the following examples:

M.	F.	N.
der gute Schwimmer	**die** intelligente Studentin	**das** graue Hemd
ein guter Schwimmer	**eine** intelligente Studentin	**ein** graues Hemd

IV. Practice:

1. a. Trägt Richard meistens einen Sportanzug?
   er
   Tragen Sie   , Herr Neumann?
   b. Schickt Herr Neumann den Jungen zum College?
   Frau (*Mrs.*)
   Schicken Sie   , Frau Neumann?
2. a. Geben Sie mir (*me*) einen Scheck, bitte (*please*)!
   Rock
   Anzug
   b. Geben Sie mir ein Hemd, bitte!
   Päckchen Zigaretten (*package of cigarettes*)
   c. Erzählen Sie uns mehr von Richard!
   Vater Neumann!
   Mutter Neumann!
   d. Bitte, schicken Sie dem Jungen ein Hemd!
   Päckchen Zigaretten!
   Paar (*pair*) weiße Hosen.

Bitte, schicken Sie dem Jungen einen Scheck!

Rock!

Sportanzug!

e. Sagen Sie mir, bitte, wie (how) alt Richard ist!

groß

intelligent

f. Sagen Sie mir, bitte, wie alt Sie sind!

3. a. Heute hat Richard einen braunen Rock an.

grauen

weißen Anzug

blauen (blue)

schwarzen (black)

b. Heute hat er ein graues Hemd an.

weißes

blaues

braunes

c. Richard hat heute einen braunen Rock an, etc.

Er hat heute ein graues Hemd an, etc.

4. a. *Make questions based on the sentences in 3 above as follows:*

Haben Sie heute einen blauen Anzug an?

Hat Richard heute ein graues Hemd an?

V. Exercises:

A. *Copy the German text under II. Check your copy carefully for mistakes.*

B. *Questions:*

1. Kennen Sie Richard jetzt gut genug?
2. Hat Richard graues Haar?
3. Hat er braune Augen?
4. Was trägt er meistens?
5. Hat er heute braune Hosen an?
6. Sind seine Schuhe braun?
7. Was für einen (what kind of a) Fehler hat er?
8. Wer gibt Richard einen Scheck?
9. Was gibt Frau Neumann ihrem Jungen?
10. Gibt Fräulein Becker Richard ein großes Paket?

C. *Translate.*

1. Anna erzählt uns viel von Richard.
2. Ich habe nicht viel Geld.
3. Herr Neumann schickt seinen Jungen diesen Herbst aufs College.
4. Anna trägt meistens einen grauen Rock.
5. Ich gebe meiner Mutter einen Kuß.
6. Mein Vater hat graues Haar und blaue Augen.

7. Kennen Sie meine Mutter?

8. Erzählen Sie uns mehr von dem Helden der nächsten dreizehn Aufgaben.

9. Seine Schuhe sind braun und sein Hemd ist weiß.

10. Ich kenne eine intelligente Studentin.

D. *Correct the misinformation.*

1. Richard hat ein blaues Hemd an.

2. Er hat einen weißen Rock an.

3. Vater Neumann gibt seinem Jungen einen Kuß.

4. Mutter Neumann gibt ihrem Jungen ein kleines Paket.

5. Richards Schuhe sind braun.

6. Richard hat viel Geld.

7. Richard hat braune Augen.

8. Vater Neumann trägt meistens einen Sportanzug.

9. Vater Neumann gibt Richard einen Sportanzug.

10. Heute hat Richard schwarze (*black*) Schuhe an.

VI. Securing the Vocabulary:

A.

jetzt	*now*
wahrscheinlich	*probably*
noch	*still, yet*
noch nicht	*not yet*
genug	*enough*
erzählen	*(to) tell, narrate*
tragen	*(to) carry, wear*
meistens	*mostly, generally*
heute	*to-day*
nur	*only*
viel	*much*
die Zeit	*time*
schicken	*(to) send*
das Geld	*money*

B.

warum (4)	1.	*well then*
der Herbst (7)	2.	*dear*
nächst (5)	3.	*healthy*
gesund (3)	4.	*why*
lieb (2)	5.	*next*
sehr (6)	6.	*very*
nun (1)	7.	*autumn*
erst (8)	8.	*first*

Dritte Aufgabe

****

Das hübsche Fräulein Anna

I. Words and Phrases:

Dritte Aufgabe.

Third lesson.

hübsch
das Fräulein
   das hübsche Fräulein
Das hübsche Fräulein Anna.

pretty
the young lady, Miss
   the pretty young lady
Pretty Miss Anna.

* fragen
   Sie fragen
was
   was ist
das Paket′
   in dem Paket
* wer
   wer ist
Sie fragen: „Was ist in dem Paket? —
   Wer ist Fräulein Becker?"

(to) ask
   you ask
what
   what is
the package
   in the package
who
   who is
You ask, "What is in the package? —
   Who is Miss Becker?"

* immer
eins
* nach
   eins nach dem andern
Immer eins nach dem andern!

always
one
after
   one thing after the other
One thing at a time!

   die Zigaret′te
   Zigaretten
die Tafel
die Schokola′de
   eine Tafel Schokolade
In dem Paket sind Zigaretten und eine
   Tafel Schokolade.

   the cigarette
   cigarettes
the tablet; bar
the chocolate
   a bar of chocolate
In the package are some cigarettes and
   a chocolate bar.

18

* heißen | (to) be called
  sie heißt | she is called
mit | with
der Vorname | the first name
  mit Vornamen | by first name
    sie heißt mit Vornamen | she is called by first name

· Fräulein Becker heißt mit Vornamen Anna. | Miss Becker's first name is Anna.

die Schule | the school
die Kamera'din | the girl friend
  die Schul'kamera'din | the schoolmate (feminine)

Sie ist Richards Schulkameradin. | She is Richard's schoolmate.

das Haar | the hair
  blondes Haar | blond hair
das Auge | the eye
  blaue Augen | blue eyes

Sie hat blondes Haar und blaue Augen. | She has blond hair and blue eyes.

schlank | slender
sehr | very

Sie ist schlank und sehr hübsch. | She is slender and very pretty.

tragen | (to) carry, wear
  sie trägt | she wears
silbern | of silver
der Hals | the neck, the throat
das Band | the ribbon, band
  das Halsband | the necklace
    ein silbernes Halsband | a silver necklace
der Tag | the day
* jeder | each, every
  jeden Tag | every day
das Kleid | the dress
  zu jedem Kleid | with every dress

Sie trägt ein silbernes Halsband; sie trägt es jeden Tag und zu jedem Kleid. | She wears a silver necklace; she wears it every day and with every dress.

die Geburt | the birth
der Tag | the day
  der Geburtstag | the birthday

* das Geschenk	the present
das Geburtstagsgeschenk	the birthday-present

Das Halsband ist ein Geburtstagsgeschenk.

The necklace is a birthday-present.

kochen	(to) cook
* gern	gladly
Anna kocht gern.	Anna likes to cook.
stellen	(to) put
sie stellt	she puts
die Frau	the woman; Mrs.
* die Frage	the question
Fragen	questions
* wie	how, as, like
essen	(to) eat
er ißt	he eats
er ißt gern	he likes to eat
Was ißt er gern?	What does he like to eat?

Anna kocht gern, und sie stellt Fragen
wie: „Was ißt Richard gern?"

Anna likes to cook and she asks questions like: "What does Richard like
to eat?"

bitte	please
das Rezept'	the recipe
für	for
der Apfel	the apple
der Strudel	the whirl-pool, swirl
der Apfelstrudel	the apfelstrudel

Geben Sie mir, bitte, das Rezept für
Apfelstrudel!

Please give me the recipe for apfelstrudel!

Wien	Vienna
Wiener	of Vienna, Viennese
das Schnitzel	the cutlet
das Wiener Schnitzel	the breaded veal cutlet

Ißt Richard gern Wiener Schnitzel?

Does Richard like Wiener Schnitzel?

genug	enough
davon'	of it
genug davon	enough of it
* verstehen	(to) understand
Sie verstehen	you understand
mich	me
nicht wahr	isn't that so?

Genug davon. Sie verstehen mich,
nicht wahr?

That's enough of that. You understand me, don't you?

auf	on, at, in
die Bahn	the train, track
* der Hof	the court, yard
* der Bahnhof	the railroad station
auf dem Bahnhof	at the railroad station
weinen	(to) weep, cry
sie weint	she cries
ein bißchen	a little, a bit

Auf dem Bahnhof weint Anna ein bißchen. | Anna cries a bit at the station.

ihr	her
letzt	last
das Wort	the word
ihre letzten Worte	her last words
schreiben	(to) write
schreib!	write!
* wenigstens	at least
zweimal	two times, twice
die Woche	the week

Ihre letzten Worte sind: „Schreib wenigstens zweimal die Woche!" | Her last words are, "Write at least twice a week!"

müssen	(to) have to
er muß	he has to
natür'lich	naturally, of course
die Eltern	the parents
seine Eltern	his parents
seinen Eltern	to his parents
* auch	also
schreiben	(to) write

Richard muß natürlich seinen Eltern auch schreiben. | Of course Richard has to write his parents, too.

interessieren	(to) interest
das interessiert Sie	that interests you

Das interessiert Sie nicht? | That doesn't interest you?

wie	how
schade	too bad

Wie schade! | What a pity!

* lesen	(to) read
Sie werden lesen	you will read

* der Brief   the letter
   seine Briefe   his letters
     Sie werden seine Briefe lesen   you are going to read his letters

In den nächsten zwölf Aufgaben wer-   In the next twelve lessons you are going
den Sie seine Briefe lesen.   to read his letters.

II. Text:

Sie fragen: „Was ist in dem Paket? — Wer ist Fräulein Becker?" Immer
eins nach dem andern. In dem Paket sind Zigaretten und eine Tafel Schokolade.
Fräulein Becker heißt mit Vornamen Anna. Sie ist Richards Schulkameradin.
Sie hat blondes Haar und blaue Augen. Sie ist schlank und sehr hübsch. Sie
5 trägt ein silbernes Halsband; sie trägt es jeden Tag und zu jedem Kleid. Das
Halsband ist ein Geburtstagsgeschenk. Anna kocht gern, und sie stellt Fragen
wie: „Was ißt Richard gern? — Geben Sie mir, bitte, das Rezept für Apfelstrudel! — Ißt Richard gern Wiener Schnitzel?" Genug davon. Sie verstehen mich,
nicht wahr? Auf dem Bahnhof weint Anna ein bißchen. Ihre letzten Worte
10 sind: „Schreib wenigstens zweimal die Woche!" Richard muß natürlich seinen
Eltern auch schreiben. Das interessiert Sie nicht? — Wie schade! In den nächsten zwölf Aufgaben werden Sie seine Briefe lesen.

III. Comments:

1. *Familiar Imperative:*

You will notice that Anna says to Richard: **Schreib wenigstens zweimal die Woche!** meaning *Write at least twice a week.* She uses the form **schreib** instead of **schreiben Sie** because she and Richard are close friends. **Schreiben Sie** is the conventional imperative and **schreib** is the familiar imperative. Here are the familiar imperative forms of other verbs you have had: **schick, sag, erzähl, gib, sprich.**

2. *The Accusative and Dative Singular of Nouns:*

In the lists of words and phrases you have been given the nominative form of the definite article with each noun, *e.g.* **der Scheck, die Aufgabe, das Auge.** In the accusative form only the masculine definite article is different from the nominative, thus: **den Scheck, die Aufgabe, das Auge.** In the dative form, however, all three are different, thus: **dem Scheck, der Aufgabe, dem Auge.**

While most nouns remain unchanged in form in the accusative and dative cases, there is a group of masculines which end in **–n** or **–en** in every case but the nominative: N. **der Student,** A. **den Studenten,** D. **dem Studenten.**

3. *The Dative as Indirect Object:*

The dative case is the case required for the indirect object.

Examples:

1. Vater Neumann gibt **dem Jungen** einen Scheck.
   Father Neumann gives the boy a check.
2. Richard gibt **der Schulkameradin** ein Halsband.
   Richard gives the (i.e. his) schoolmate a necklace.

4. *The Dative after Prepositions:*

The dative is also used after a number of prepositions of which you have had **mit** — *with;* **nach** — *after, towards;* **von** — *from, about;* **zu** — *to.* (For the complete list see Appendix.)

Example:

Erzählen Sie mir mehr **von dem Tennisspieler!**
Tell me more about the tennis player!

Under certain circumstances, which will be defined later, the dative is used also after another group of prepositions of which you have had, **auf** — *on, at;* and **in** — *in:* **in dem Paket,** *in the package.* (For complete list see Appendix.)

5. *Definite and Indefinite Articles: Summary:*

Definite				Indefinite		
M.	F.	N.		M.	F.	N.
der	die	das	— Nom. —	ein	eine	ein
den	die	das	— Acc. —	einen	eine	ein
dem	der	dem	— Dat. —	einem	einer	einem

6. Der-*Words:* Jeder:

The word **jeder,** meaning *each, every,* belongs to a group of words called **der-**words (see Appendix). Their endings are almost identical with those of the definite article.

	M.	F.	N.
Nom.	jeder	jede	jedes
Acc.	jeden	jede	jedes
Dat.	jedem	jeder	jedem

IV. Practice:

1. a. Erzählen Sie uns mehr von Richard, Herr Professor!
   Erzähl uns mehr von Richard, Anna!

   b. Schicken Sie mir, bitte, einen Scheck, Herr Schmidt!
   Schick mir, bitte, einen Scheck, Vater!

   c. Geben Sie mir ein Päckchen Zigaretten, bitte!
   Gib mir ein Päckchen Zigaretten, Richard!

2. Erzählen Sie uns mehr von dem   Jungen, bitte!

              Tennisspieler
              Bahnhof
              Brief
              Halsband
              Geburtstagsgeschenk
              Paket
        der   Studentin
              Aufgabe
              Schulkameradin

3. Der Vater gibt dem Jungen den   Anzug.
                             Rock.

   Die Mutter   Scheck.
              das   Geld.
                    Paket.
                    Geschenk.

   Das Fräulein   die   Schokolade.
                    Zigarette.

4. Der Junge gibt der Mutter einen Kuß.
              Schulkameradin ein Halsband.
                        eine Zigarette.
                           Tafel Schokolade.

5. Der Rock ist ein Geburtstagsgeschenk vom Vater.
       Scheck.
   Das Kleid   von der Mutter.
       Geld
   Die Schokolade

6. Auf dem Bahnhof weint Anna ein bißchen.
                sagt Anna: „Schreib wenigstens zweimal die Woche!"
                gibt der Vater dem Jungen einen Scheck.

7. In dem Paket ist ein Brief.
                     Scheck.
                     Halsband.
                     Kleid.
                     Geburtstagsgeschenk.
               eine Tafel Schokolade.

8. Richard sagt zum Vater: „Schick mir, bitte, einen Scheck!"
             zu   Anna: „Weine jetzt nicht mehr!"
             zur   Mutter: „Ich schreibe dir wenigstens einmal die Woche!"

9. Richard geht mit dem Vater   zum Bahnhof.
                   Fräulein
            der   Mutter
                   Schulkameradin

10. Ich esse gern Apfelstrudel.
               Wiener Schnitzel.
               Schokolade.
    rauche (*smoke*) gern Zigaretten.
               Zigarren. (*cigars*)
               Pfeife. (*pipe*)

11. a. Anna trägt jeden Tag ihr silbernes Halsband.
                     ein schönes Kleid.

   b. Richard gibt seiner Schulkameradin jedes Jahr ein Geburtstagsgeschenk.

   c. Richard schreibt jede Woche einen Brief an (*to*) seinen Vater.
                            an seine Mutter.

   d. Herr Neumann schickt seinem Jungen jede Woche einen Scheck.

12. Wie heißt der Held der nächsten zwölf Aufgaben?
Er heißt Neumann.
Wie heißt er mit Vornamen?
Richard.
Wie heißen Sie mit Vornamen, Herr Weber?
Ich heiße Wilhelm.

V. Exercises:

  A. *Questions:*

    1. Was ist in dem Paket?
    2. Wer ist Fräulein Becker?
    3. Wie heißt Fräulein Becker mit Vornamen?
    4. Hat Fräulein Becker braunes Haar?
    5. Hat sie graue Augen?
    6. Von wem hat sie das Halsband?

7. Kochen Sie gern?
8. Was ißt Richard gern?
9. Was waren Annas letzte Worte?
10. Wem (*to whom*) muß Richard schreiben?
11. Was werden Sie in den nächsten zwölf Aufgaben lesen?

B. *Translate and then learn to recall the German from the English:*

1. Richards Schulkameradin heißt mit Vornamen Anna.
2. Die Schokolade ist ein Geschenk von meinem Vater.
3. Das Halsband ist ein Geschenk von meiner Mutter.
4. Ich verstehe Sie nicht.
5. Das ist eine interessante Frage.
6. Auf dem Bahnhof weint Richards Mutter ein bißchen.
7. Kennen Sie Richard Neumann nicht? Wie schade!
8. Geben Sie mir eine Tafel Schokolade, bitte!
9. Ich lese einen Brief von meinem Vater.
10. Schreiben Sie wenigstens einmal die Woche!

C. *Correct the misinformation:*

1. Das Halsband ist ein Geschenk von Herrn Neumann.
2. Annas letzte Worte sind: „Schreib wenigstens einmal die Woche!"
3. Fräulein Becker hat schwarzes Haar und blaue Augen.
4. In den nächsten vierzehn Aufgaben werden wir Richards Briefe lesen.
5. Auf dem Bahnhof weint Richard.

VI. Securing the Vocabulary:

A.

fragen	(*to*) *ask*
wer	*who*
immer	*always*
nach	*after*
heißen	(*to*) *be called*
jeder	*every*
das Geschenk	*present*
gern	*gladly*
die Frage	*question*
wie	*how, as, like*
er ißt gern	*he likes to eat*
verstehen	(*to*) *understand*
der Hof	*court, yard*
der Bahnhof	*railroad station*
wenigstens	*at least*
auch	*also*
lesen	(*to*) *read*
der Brief	*letter*

B.

viel (3)	1. *mostly, generally*
noch nicht (8)	2. (*to*) *tell, narrate*
kennen (7)	3. *much*
groß (4)	4. *large, big, tall*
tragen (6)	5. *time*
meistens (1)	6. (*to*) *carry, wear*
die Zeit (5)	7. (*to*) *know*
erzählen (2)	8. *not yet*
erst (9)	9. *first*
der Herbst (4)	1. *healthy*
lieb (7)	2. *still, yet*
schicken (8)	3. *only*
nur (3)	4. *autumn, fall*
noch (2)	5. *probably*
jetzt (6)	6. *now*
gesund (1)	7. *dear*
nun (9)	8. (*to*) *send*
wahrscheinlich (5)	9. *well then*

Vierte Aufgabe

* *

Eine lustige Szene

I. Words and Phrases:

Vierte Aufgabe.	Fourth lesson.
lustig	merry, funny
die Szene	the scene
Eine lustige Szene.	A funny scene.
Liebe Anna!	Dear Anna,
* endlich	finally
der Student'	the student
Endlich bin ich Student.	Finally I am a student.
so	thus, so
so eine	such a
die Immatrikulation'	the matriculation, registration
so eine Immatrikulation	such a registration
* schrecklich	frightful, terrible
* langweilig	boring, dull
So eine Immatrikulation ist schrecklich langweilig.	Such a registration is terribly dull.
* man	one, a person
warten	(to) wait
man wartet	one waits
der Tag	the day
* ganz	entire, quite
den ganzen Tag	the entire day
zwischendurch	in the intervals
schreiben	(to) write
man schreibt	one writes
sein	his

27

der Name	the name
man schreibt seinen Namen	one writes his name
die Geburt	the birth
* der Ort	the place
der Geburtsort	the place of birth
die Heimat	the native-place, homeland
* die Stadt	the city
die Heimatstadt	the home town
weiter	on, farther
und so weiter	and so on
hundert	hundred
der Zettel	the piece of paper
antworten	(to) answer
man antwortet	one answers
die Frage	the question
man antwortet auf eine Frage	one answers a question

Man wartet den ganzen Tag und zwischendurch schreibt man seinen Namen, Geburtsort, Heimatstadt usw. (und so weiter) auf hundert Zettel und antwortet auf hundert Fragen.

You wait around all day and every now and then you write your name, place of birth, home address, etc. on a hundred slips of paper and answer a hundred questions.

* beschreiben	(to) describe
ich beschreibe	I describe
dir	for you, to you
eine lustige Szene	a funny scene
* einzig	single, only
die einzige lustige Szene	the only funny scene
ganz	entire; quite
der Tag	the day
des ganzen Tages	of the entire day

Ich beschreibe Dir die einzige lustige Szene des ganzen Tages.

I'll describe the only funny scene of the entire day for you.

unfreundlich	unfriendly
älter	older, elderly
der Herr	the gentleman
ein älterer Herr	an older gentleman
fragen	(to) ask
er fragt	he asks
mich	me
er fragt mich	he asks me

heißen	(to) be called, be named
wie heißen Sie?	what is your name?

Ein unfreundlicher, älterer Herr fragt mich: „Wie heißen Sie?"

A stern, elderly gentleman asks me, "What's your name?"

Ich: „Richard."

I: "Richard."

* das Kind	the child
die Kinder	the children
der Garten	the garden
der Kindergarten	the kindergarten
im Kindergarten	in the kindergarten

Er: „Sie sind hier nicht im Kindergarten.

He: "You're not in kindergarten here.

* ich möchte	I would like to
die Fami'liĕ	the family
der Name	the name
der Fami'liĕnna'me	the family name
* wissen	(to) know
ich möchte wissen	I would like to know

·Ich möchte Ihren Familiennamen wissen."

I would like to know your family name."

Ich: „Neumann, n wie in Napoleon."

I: "Neumann, n as in Napoleon."

interessant'	interesting

Er: „Sehr interessant.

He: "Very interesting.

* wann	when
die Geburt	the birth
der Tag	the day
der Geburtstag	the birthday

Wann haben Sie Geburtstag?"

When is your birthday?"

der Montag	the Monday
nächsten Montag	next Monday

Ich: „Nächsten Montag."

I: "Next Monday."

der Donner	the thunder
das Wetter	the weather
das Donnerwetter	the thunder-weather, thunderstorm

Zum Donnerwetter!

  to the thunder-weather; Confound it!

machen   (to) make
  machen Sie?   are you making?
sich   yourself
über   over, about, concerning
  über mich   about me
lustig   merry, funny
  machen Sie sich über mich lustig?   are you making yourself merry
      about me?

Er: „Zum Donnerwetter! Machen Sie   He: "Confound it! Are you making
sich über mich lustig?"   fun of me?"

Ich: „Nein."   I: "No."

da   then
sagen   (to) say
  einer sagt   someone says
mir   to me
das Ohr   the ear
  ins Ohr   into the ear
  einer sagt mir ins Ohr   somebody says to me into the ear
* die Vorsicht   the caution
* der Mensch   the human being, man
  Vorsicht, Mensch!   Careful, bud!
der Dekan'   the dean
kommen   (to) come
  der Dekan kommt   the dean comes

Da sagt mir einer ins Ohr: „Vorsicht, Then a fellow whispers into my ear,
Mensch, der Dekan kommt!"   "Watch out, bud, the dean is coming!"

* übrigens   incidentally, by the way
der Dank   the thanks, gratitude
  vielen Dank   much gratitude, many thanks
für   for
die Zigaret'te   the cigarette
  die Zigaretten   the cigarettes

Übrigens, vielen Dank für die Schoko- Incidentally, thanks ever so much for
lade und die Zigaretten.   the chocolate and the cigarettes.

war	was
lieb	dear, sweet, nice
von	about
von dir	of you
dein	your
deine Mutter	your mother
von deiner Mutter	of your mother

Das war lieb von Dir und Deiner Mutter.

That was sweet of you and your mother.

ihr	you (*pl.*)
sein	(to) be
ihr seid	you are
immer	always
nett	nice
zu mir	to me

Ihr seid immer so nett zu mir.

You are always so nice to me.

wie schade	what a pity
sein	(to) be
du bist	you are

Wie schade, daß Du nicht hier bist.

I am sorry you are not here.

denken	(to) think
ich denke	I think
oft	often
an	at, by, to, about
ich denke an dich	I think of you

·Ich denke oft an Dich.

I think about you often.

* schon	already
* spät	late
es ist schon spät	it is already late
* müde	tired

Es ist schon spät, und ich bin müde.

It's already late and I'm tired.

| treu | faithful, loyal |
| Dein treuer Richard | your devoted Richard |

Dein treuer Richard.

Yours always, Richard.

II. Text:

Liebe Anna!

Endlich bin ich Student. So eine Immatrikulation ist schrecklich langweilig. Man wartet den ganzen Tag und zwischendurch schreibt man seinen Namen, Geburtsort, seine Heimatstadt usw. auf hundert Zettel und antwortet auf hun-
5 dert Fragen. Ich beschreibe Dir die einzige lustige Szene des ganzen Tages. — Ein unfreundlicher, älterer Herr fragt mich: „Wie heißen Sie?" Ich: „Richard." Er: „Sie sind hier nicht im Kindergarten. Ich möchte Ihren Familiennamen wissen." Ich: „Neumann, n wie in Napoleon." Er: „Sehr interessant. Wann haben Sie Geburtstag?" Ich: „Nächsten Montag." Er: „Zum Donnerwetter,
10 machen Sie sich über mich lustig?" Ich: „Nein." Da sagt mir einer ins Ohr: „Vorsicht Mensch, der Dekan kommt!"

Übrigens, vielen Dank für die Schokolade und die Zigaretten. Das war lieb von Dir und Deiner Mutter. Ihr seid immer so nett zu mir. Wie schade, daß Du nicht hier bist. Ich denke oft an Dich. Es ist schon spät, und ich bin müde.

Dein treuer Richard

15

III. Comments:

1. *Capital Letters:*

In a letter every pronoun and possessive adjective referring to the person addressed is capitalized.

2. *The Familiar Forms of the Personal Pronoun:*

There is in German a familiar verb form and the corresponding pronoun. The pronoun is **du** and the verb ending is **–st.** (Compare the obsolete English form *thou knowest.*) This form is used in addressing the deity, members of one's family, intimate friends, children, and animals. The plural of **du** is **ihr.** Here are present tense forms of a few verbs:

ich schreibe	*I write*	ich antworte	*I answer*
du schreibst	*you write*	du antwortest	*you answer*
er, sie, es schreibt	*he, she, it writes*	er, sie, es antwortet	*he, she, it answers*
wir schreiben	*we write*	wir antworten	*we answer*
ihr schreibt	*you write*	ihr antwortet	*you answer*
sie schreiben	*they write*	sie antworten	*they answer*
Sie schreiben	*you write*	Sie antworten	*you answer*
ich gebe	*I give*	ich lese	*I read*
du gibst	*you give*	du liest	*you read*
er, sie, es gibt	*he, she, it gives*	er, sie, es liest	*he, she, it reads*
wir geben	*we give*	wir lesen	*we read*
ihr gebt	*you give*	ihr lest	*you read*
sie geben	*they give*	sie lesen	*they read*
Sie geben	*you give*	Sie lesen	*you read*
ich habe	*I have*	ich bin	*I am*
du hast	*you have*	du bist	*you are*
er, sie, es hat	*he, she, it has*	er, sie, es ist	*he, she, it is*
wir haben	*we have*	wir sind	*we are*
ihr habt	*you have*	ihr seid	*you are*
sie haben	*they have*	sie sind	*they are*
Sie haben	*you have*	Sie sind	*you are*

3. *The Accusative after Prepositions:*

The accusative case is the case required for the direct object and after a number of prepositions, the most frequent of which is **für.** (For complete list see Appendix.)

Examples:

1. Direct Object: Sie trägt **ein silbernes Halsband.**
   She wears a silver necklace.
2. Prepositional Object: Vielen Dank **für die Schokolade.**
   Thanks ever so much for the chocolate.

4. *Idiomatic Uses of the Accusative:*

There are other special uses of the accusative which are worth noting:

a. Stereotyped expressions for *Good morning, Good evening, Many thanks,* etc. are in the accusative.

Examples:

Guten Morgen	*Good morning*
Guten Tag	*Good day*
Guten Abend	*Good evening*
Gute Nacht	*Good night*
Vielen Dank	*Many thanks*

b. The accusative is used to express duration of time or definite time.

Examples:

1. den ganzen Tag — *the whole day*   2. nächsten Montag — *next Monday*
   den ganzen Monat — *the whole month*   nächsten Monat — *next month*
   das ganze Jahr — *the whole year*   nächstes Jahr — *next year*
   die ganze Nacht — *the whole night*   nächste Woche — *next week*
   die ganze Woche — *the whole week*

IV. Practice:

1. Ich habe nächsten   Montag Geburtstag.
                        Dienstag
   Du hast   Mittwoch
   Er hat   Donnerstag
   Wir haben   Freitag
   Sie   Sonnabend

   Haben Sie nächsten Sonntag Geburtstag, Herr Jones?

2. Nächste Woche schickt Herr Neumann den Jungen zum College.
   Nächsten Monat
   Nächstes Jahr

3. Ich warte schon den ganzen Abend auf Sie, Herr Neumann.
                           Morgen   dich, Richard.
                           Tag   ihn.

4. Möchten Sie meinen Familiennamen wissen?
                     Vornamen
                     Geburtstag
                     Geburtsort

5. Ich esse Wiener Schnitzel gern.
         Apfelstrudel
   Richard ißt Sauerkraut
              Wiener Wurst
   Wir essen Schinken (*ham*)
            Kalbfleisch (*veal*)
   Essen Sie Bratkartoffeln (*fried potatoes*) gern?

6. Vielen Dank für die Zigaretten. Bitte sehr. (*You're welcome.*)
     Schokolade
   das Geschenk
     Paket
     Hemd
   den Scheck
     Brief

7. a. Ich denke oft an Richard Neumann.
      den Jungen.
      die Schulkameradin.

 b. Denken Sie oft an Richard Neumann? etc.
      mich, Herr Jones?

 Ja, ich denke oft an Sie.
 Denkst du oft an mich, Richard?
 Ja, ich denke jeden Tag an dich, Anna.

8. Wie heißen Sie?
Ich heiße Richard
Wie heißen Sie mit Familiennamen?
Neumann, mit zwei n.
Wo wohnen Sie?
Ich wohne in Newington.
Wann haben Sie Geburtstag?

V. Exercises:

A. *Questions:*

1. So eine Immatrikulation ist sehr interessant, nicht wahr?
2. Was schreiben die Studenten auf die Zettel?
3. Was beschreibt Richard in seinem ersten Brief?
4. Was fragt ihn der ältere, unfreundliche Herr?
5. Wie heißen Sie?
6. Wie heißt Richard mit Familiennamen?
7. Wie heißen Sie mit Vornamen?
8. Was sagt ihm der Student ins Ohr?
9. Denkt Richard an Anna?
10. Warum ist der erste Brief nicht lang?

B. *Memorize the names of the days of the week and the months of the year:*

1. der Sonntag	2. der Januar	der Juli
Montag	Februar	August'
Dienstag	März	September
Mittwoch	April'	Oktober
Donnerstag	Mai	November
Freitag	Juni	Dezember
Sonnabend (Samstag)		

C. *Translate and learn to recall:*

1. Richard ist jetzt Student.
2. Wir beschreiben eine Immatrikulation.
3. Richard möchte wissen, wie das hübsche Fräulein heißt.
4. Sagen Sie mir, bitte, was Sie wissen möchten!
5. Ich denke oft an meinen Freund (meine Freundin).
6. Schreiben Sie Ihren Namen auf diesen Zettel, bitte!
7. Möchten Sie eine Zigarette oder eine Zigarre?
8. Es interessiert mich nicht, wann Sie Geburtstag haben.
9. Antworten Sie auf meine Frage, bitte!
10. Vielen Dank für den Scheck.

D. *Correct the misinformation:*

1. So eine Immatrikulation ist schrecklich lustig.
2. Ein älterer, freundlicher Herr fragt Richard: „Wie heißen Sie?"
3. Richard hat nächsten Monat Geburtstag.
4. Der Dekan möchte Richards Vornamen wissen.
5. Richard beschreibt Anna die einzige langweilige Szene des ganzen Tages.

E. *Learn the stereotyped expressions for* Good morning, etc. *and the expressions of time listed in the comments.*

VI. Securing the Vocabulary:

A.

endlich	*finally*
schrecklich	*frightful*
langweilig	*boring, dull*
man	*one, a person*
ganz	*entire, quite*
der Ort	*place*
die Stadt	*city*
beschreiben	*(to) describe*
einzig	*only, single*
das Kind	*child*
ich möchte	*I would like to*
wissen	*(to) know*
wann	*when*
die Vorsicht	*caution*
der Mensch	*human being, man*
übrigens	*incidentally, by the way*
schon	*already*
spät	*late*
müde	*tired*

B.

genug (5)	1. *(to) send*
noch (10)	2. *mostly, generally*
heute (3)	3. *today*
heißen (7)	4. *who*
schicken (1)	5. *enough*
die Zeit (9)	6. *every*
verstehen (8)	7. *(to) be called*
wer (4)	8. *(to) understand*
meistens (2)	9. *time*
jeder (6)	10. *still, yet*
tragen (8)	1. *railroad station*
das Geld (2)	2. *money*
wenigstens (9)	3. *why*
warum (3)	4. *next*
der Bahnhof (1)	5. *court, yard*
erzählen (10)	6. *(to) know*
nächst (4)	7. *after*
wissen (6)	8. *(to) carry; wear*
nach (7)	9. *at least*
der Hof (5)	10. *(to) tell, narrate*

jetzt (5)   1. *he likes to eat*
viel (4)   2. *(to) read*
er ißt gern (1)   3. *how, as, like*
wie (3)   4. *much*
wahrscheinlich (6)   5. *now*
lesen (2)   6. *probably*

Fünfte Aufgabe

* *

Eine Überraschung

I. Words and Phrases:

Fünfte Aufgabe.	Fifth lesson.
* die Überra'schung	the surprise
Lieber Richard!	Dear Richard,
machen	(to) make
er hat gemacht	he has made, he made
groß	great
* die Freude	the joy, pleasure
große Freude	great pleasure
es macht mir Freude	it gives me pleasure
es hat mir Freude gemacht	it gave me pleasure
Dein erster Brief hat mir große Freude gemacht.	Your first letter gave me a lot of pleasure.
lesen	(to) read
ich lese	I read
sie liest	she reads
immer	always
* wieder	again
* immer wieder	again and again
der Morgen	the morning
morgens	in the morning
der Mittag	the midday
mittags	at noon
der Abend	the evening
abends	in the evening
auch	also
Ich lese ihn immer wieder, morgens, mittags und abends, und Mutter liest ihn auch.	I read it again and again, morning, noon, and night, and Mother reads it too.

38

lachen	(to) laugh
wir lachen	we laugh
* jedesmal	every time
* wenn	when, whenever, if
* die Stelle	the place, passage, position

Mutter und ich lachen jedesmal, wenn wir die Stelle lesen: „Wann haben Sie Geburtstag?" — „Nächsten Montag."

Mother and I laugh every time that we read the passage, "When is your birthday?" — "Next Monday."

aber	but
übertrei'ben	(to) exaggerate
übertreib es nicht	don't exaggerate it
nur	only

Aber Richard, übertreib es nur nicht!

But Richard, just don't go too far!

wissen	(to) know
ich weiß	I know
der Humor'	the humor, sense of humor
meinen	(to) mean
* böse	bad, angry
der Profes'sor	the professor
die Professo'ren	the professors
* vielleicht'	perhaps

Ich weiß, Du hast Humor und meinst es nicht böse, aber Deine Professoren haben vielleicht keinen Humor.

I know you have a sense of humor and don't mean anything bad by it, but perhaps your professors don't have a sense of humor.

genug	enough
davon	of it, of that

Genug davon!

That's enough of that!

* etwas	something
neu	new
etwas Neues	something new
zu erzählen	(to) tell

• Ich habe etwas Neues zu erzählen.

I have some news to tell.

setz dich hin	sit down
kommen	(to) come

groß	great, big
Setz Dich hin, hier kommt die große Überraschung.	Grab a chair, here comes the big surprise.
* arbeiten	(to) work
Ich arbeite.	I am working.
jawohl′	yes indeed
* verdienen	(to) earn
ich verdiene	I earn
das Geld	the money
Jawohl, und ich verdiene Geld.	Yes indeed, and I am earning money.
die Nummer	the number
achtundfünfzig	eight and fifty, 58
die Verkäuferin	the salesgirl
die Waren	the wares, goods
das Haus	the house
das Warenhaus	the department store
Ich bin Nummer achtundfünfzig, Verkäuferin in Webers Warenhaus.	I am number fifty-eight, salesgirl in Weber's department store.
* verkaufen	(to) sell
die Seide	the silk
der Strumpf	the stocking
der Seidenstrumpf	the silk stocking
die Seidenstrümpfe	the silk stockings
all	all
die Größe	the size
sieben	seven
* bis	until, to
elf	eleven
Ich verkaufe Seidenstrümpfe in allen Größen, von Größe sieben bis Größe elf.	I sell stockings in all sizes, from size seven to size eleven.
müssen	(to) have to
ich muß	I have to
* der Schluß	the end
ich mache Schluß	I make (an) end
Jetzt muß ich aber Schluß machen.	But now I have to close.
elf	eleven
*die Uhr	the watch, clock
elf Uhr	eleven o'clock

abends	in the evening
todmüde	dead tired

Es ist elf Uhr abends, und ich bin tod-müde.

It's eleven at night and I am dead tired.

müssen	(to) have to
ich muß	I have to
morgen	tomorrow
früh	early
morgen früh	tomorrow morning
um	around, at
halb	half
acht	eight
halb acht	half past seven
*aufstehen	(to) get up

. Ich muß morgen früh um halb acht auf-stehen.

I have to get up tomorrow morning at half past seven.

* die Abtei'lung	the department
der Chef	the chief, head
der Abteilungschef	the head of the department
viel	much
* die Geduld	the patience
er hat Geduld mit mir	he has patience with me
haben	(to) have
es	it
gern	gladly
* er hat es gern	he likes it
wenn	if
zu	too
spät	late
kommen	(to) come

Mein Abteilungschef hat viel Geduld mit mir, aber er hat es nicht gern, wenn wir zu spät kommen.

My boss is very patient with me, but he doesn't like it if we come late.

die Liebe	the love

In Liebe — Anna.

Love, Anna.

II. Text:

Lieber Richard!

Dein erster Brief hat mir große Freude gemacht. Ich lese ihn immer wieder, morgens, mittags und abends, und Mutter liest ihn auch. Mutter und ich lachen jedesmal, wenn wir die Stelle lesen: „Wann haben Sie Geburtstag?"—„Nächsten
5 Montag." Aber Richard, übertreib es nur nicht! Ich weiß, Du hast Humor und meinst es nicht böse, aber Deine Professoren haben vielleicht keinen Humor. Genug davon!

Ich habe etwas Neues zu erzählen. Setz Dich hin, hier kommt die große Überraschung. Ich arbeite. Jawohl, und ich verdiene Geld. Ich bin Nummer 58,
10 Verkäuferin in Webers Warenhaus und verkaufe Seidenstrümpfe in allen Größen, von Größe sieben bis Größe elf.

Jetzt muß ich aber Schluß machen. Es ist elf Uhr abends, und ich bin todmüde. Ich muß morgen früh um halb acht aufstehen. Mein Abteilungschef hat viel Geduld mit mir, aber er hat es nicht gern, wenn wir zu spät kommen.
15   In Liebe
                                                            Anna

III. Comments:

1. *Personal Pronouns:*

In German, as in English, pronouns are declined. Here are the nominative, accusative, and dative cases of the personal pronouns you have had:

	Singular			Plural
N.	ich — *I*			wir — *we*
A.	mich	1. Person		uns
D.	mir			uns
N.	du — *you*			ihr — *you*
A.	dich	2. Person Familiar		euch
D.	dir			euch
N.	er — *he*			
A.	ihn			
D.	ihm			
N.	sie — *she*	3. Person		sie — *they*
A.	sie			sie
D.	ihr			ihnen
N.	es — *it*			
A.	es			
D.	ihm			
N.	Sie — *you*	2. Person		Sie — *you*
A.	Sie	Conventional		Sie
D.	Ihnen			Ihnen

The three third person singular pronouns correspond to the three genders of nouns. The masculine pronoun is used to refer to a masculine noun, the feminine pronoun to a feminine noun, and the neuter pronoun to a neuter noun.

Examples:

1. Wo ist der Brief?   *Where is the letter?*
   Er ist in meinem Rock.   *It is in my coat.*

2. Wo ist die Tafel Scho-   *Where is the chocolate bar?*
   kolade?
   Sie ist in dem Paket.   *It is in the package.*

3. Wo ist das Halsband?   *Where is the necklace?*
   Es ist in dem Paket.   *It is in the package.*

    4. Wo sind die Zigaretten?   *Where are the cigarettes?*
        Sie sind dort.   *They are there.*

2. *Possessive Adjectives:*

The following are the possessive adjectives:

Singular			Plural	
mein	*my*		unser	*our*
dein	*your*		euer	*your*
sein	*his*			
ihr	*her*		ihr	*their*
sein	*its*			
Ihr	*your* Conventional form	Ihr	*your*	

These possessives take endings depending upon the gender and case of the noun they modify.

	M.	F.	N.
N.	mein Geburtstag	meine Mutter	mein Geschenk
A.	meinen Geburtstag	meine Mutter	mein Geschenk
D.	meinem Geburtstag	meiner Mutter	meinem Geschenk

The possessive adjectives and **kein** (*no, not a*) are declined like the indefinite article **ein.**

	M.	F.	N.
N.	ein	eine	ein
A.	einen	eine	ein
D.	einem	einer	einem

Therefore, the possessive adjectives (**mein, dein, sein,** *etc.*) and **kein** are called **ein**-words.

IV. Practice:

1. a. Dein Brief macht mir große Freude.
      Sein
      Ihr (*three meanings*)

   b. Dein Geschenk macht mir große Freude.
      Sein
      Ihr

2. Kennen Sie meinen Professor?   Ja, ich kenne ihn.
              seinen Vater?
              unseren Dekan?
              meine Mutter?   Nein, ich kenne sie nicht.
              seine Schulkameradin?

3. a. Haben Sie meine Größe?
     Was ist Ihre Größe, bitte?
     Ich trage Größe neun.

   b. Was ist deine Größe?
          seine
          ihre

4. Haben Sie keine Strümpfe in meiner Größe?
                              seiner
                              ihrer

5. Geben Sie mir meinen Scheck, bitte! Jawohl, hier ist er.
                    Rock,
        mein Halsband,   Jawohl, hier ist es.
        meine Schokolade,   Jawohl, hier ist sie.
                    Uhr,

6. a. Was machen Sie da (*there*) mit meinem Brief?
     Ich lese ihn zum zweiten Mal. (*I'm reading it for the second time.*)

   b. Was machen Sie da mit meinem Rezept für Apfelstrudel?
     Ich lese es zum zweiten Mal.

7. a. Ich habe etwas Neues zu erzählen.
                Interessantes (*interesting*)
                Schönes
                Lustiges
                Schreckliches

   b. Ich habe nichts (*nothing*) Neues zu erzählen, etc.

8. Wann stehen Sie auf, Herr Jones?
   Ich stehe jeden Morgen um sieben Uhr auf.
   Warum stehen Sie denn so früh (*early*) auf?
   Mein Professor hat es nicht gern, wenn ich zu spät komme.

V. Exercises:

A. *Questions:*

1. Wann liest Anna Richards ersten Brief?
2. Ist Anna die einzige Leserin des Briefes?
3. Über welche (*which*) Stelle lachen Anna und Frau Becker?
4. Was ist die große Überraschung?
5. Wo (*where*) arbeitet Anna?
6. Wer ist Nummer achtundfünfzig in Webers Warenhaus?
7. Was verkauft Anna?
8. Welche Größen verkauft sie?
9. Warum muß Anna Schluß machen?
10. Wann muß Anna morgens aufstehen?
11. Was hat der Abteilungschef nicht gern?

B. *Translate:*

1. Anna lacht jedesmal, wenn sie die Stelle liest: „Wann haben Sie Geburtstag?"
2. Ich habe etwas Interessantes zu erzählen.
3. Gretel, es ist jetzt zehn Uhr. Du mußt Schluß machen.
4. Ich weiß, daß Sie Humor haben, Fräulein Haskell, aber der Dekan weiß das vielleicht nicht.
5. Lesen Sie Richards Brief schon zum zweiten Mal, Herr Noyes? Ja, er ist sehr interessant.
6. Paul ist Verkäufer in Webers Warenhaus und verkauft Tennisschuhe.
7. Nächsten Donnerstag hat meine Freundin Geburtstag, und ich möchte ihr etwas Schönes geben.
8. Sie müssen ihm erzählen, daß Sie Geld verdienen.
9. Kennen Sie meinen Professor? Nein, ich kenne ihn nicht.
10. Ich muß Ihnen etwas sagen, Fräulein Weaver: Ich habe es nicht gern, wenn Sie zu spät kommen.

C. *Correct the misinformation:*

1. Anna liest Richards Brief immer wieder und ihr Vater liest ihn auch.
2. Richard hat Humor und seine Professoren wissen das auch.
3. Anna arbeitet in Webers Warenhaus und ihre Nummer ist fünfundachtzig.
4. Anna muß morgens um halb sieben aufstehen.
5. Ihr Abteilungschef hat es gern, wenn sie zu spät kommt.

VI. Securing the Vocabulary:

A.

die Überraschung	*surprise*
die Freude	*joy, pleasure*
immer wieder	*again and again*
wieder	*again*
jedesmal	*every time*
wenn	*when, whenever, if*
die Stelle	*place, passage*
böse	*bad, angry*
vielleicht	*perhaps*
etwas	*something*
arbeiten	*(to) work*
verdienen	*(to) earn*
verkaufen	*(to) sell*
bis	*until, to*
der Schluß	*end*
die Uhr	*watch, clock*
aufstehen	*(to) get up*
die Abteilung	*department*
die Geduld	*patience*
er hat es gern	*he likes it*

B.

jeder (6)		1.	*one, a person*
wer (7)		2.	*mostly, generally*
nur (5)		3.	*incidentally*
man (1)		4.	*large, big, tall*
groß (4)		5.	*only*
erst (9)		6.	*every*
meistens (2)		7.	*who*
heißen (10)		8.	*already*
übrigens (3)		9.	*first*
schon (8)		10.	*(to) be called*
immer (4)		1.	*tired*
schrecklich (8)		2.	*also*
kennen (9)		3.	*(to) send*
auch (2)		4.	*always*
müde (1)		5.	*time*
warum (7)		6.	*at least*
die Zeit (5)		7.	*why*
noch nicht (10)		8.	*frightful*
wenigstens (6)		9.	*(to) know*
schicken (3)		10.	*not yet*

beschreiben (1)	1.	(to) describe
ganz (5)	2.	when
ich möchte (7)	3.	place
die Vorsicht (9)	4.	city
wahrscheinlich (8)	5.	entirely, quite
die Stadt (4)	6.	how, as, like
fragen (10)	7.	I would like to
wie (6)	8.	probably
wann (2)	9.	caution
der Ort (3)	10.	(to) ask

Sechste Aufgabe

* *

Mach Dir keine Sorgen!

I. Words and Phrases:

Sechste Aufgabe.	Sixth lesson.
machen	(to) make
mach	make!
dir	for yourself
kein	not any, no
* die Sorge	the worry, care
keine Sorgen	no worries
Mach Dir keine Sorgen!	Don't worry.
Liebe Mutter!	Dear Mother,
Bitte, mach Dir keine Sorgen!	Please don't worry.
schlafen	(to) sleep
ich schlafe	I sleep
die Nacht	the night
jede Nacht	every night
neun	nine
* die Stunde	the hour
die Stunden	the hours
essen	(to) eat
ich esse	I eat
gut	good, well
der Student'	the student
die Studenten	the students
das Haus	the house
in unserem Haus	in our house
* ruhig	quiet
der Junge	the boy, young man, the fellow
ruhige Jungen	quiet fellows
Ich schlafe jede Nacht neun Stunden, ich esse gut, und die Studenten in unserem Haus sind ruhige Jungen.	I sleep nine hours every night, my appetite is good, and the students in our house are quiet fellows.

arbeiten	(to) work
alle	all
wir arbeiten alle	we all work
viel	much
dann	then
wann	when
* dann und wann	now and then
das Kino	the movies
ins Kino	to the movies

Wir arbeiten alle viel und dann und wann gehen wir ins Kino.

We all work a lot and now and then we go to the movies.

beschreiben	(to) describe
ich beschreibe	I describe
dir	for you
typisch	typical
der Tag	the day

Ich beschreibe Dir einen typischen Tag.

I'll describe a typical day for you.

der Punkt	the point, dot
sieben	seven
Punkt sieben Uhr	at seven o'clock sharp
aufstehen	(to) get up
ich stehe auf	I get up
rasie'ren	(to) shave
ich rasiere mich	I shave myself
waschen	(to) wash
ich wasche mich	I wash myself
* anziehen	(to) dress
ich ziehe mich an	I dress myself

Punkt sieben Uhr stehe ich auf, rasiere mich, wasche mich und ziehe mich an.

At seven o'clock sharp I get up, shave, wash and dress.

dann	then
* das Zimmer	the room
der Genosse	the comrade
der Zimmergenosse	the roommate
frühstücken	(to) breakfast

Dann gehe ich mit meinem Zimmergenossen frühstücken.

Then I go to eat breakfast with my roommate.

trinken	(to) drink
die Milch	the milk
* manchmal	sometimes

| die Tasse | the cup |
| der Kaffee | the coffee |

Ich trinke meine Milch und manchmal eine Tasse Kaffee. / I drink my milk, and sometimes, a cup of coffee.

| natür'lich | naturally, of course |

Er ist natürlich nicht so gut wie Dein Kaffee. / Of course, it isn't as good as your coffee.

das Ei	the egg
die Eier	the eggs
der Speck	the bacon
die Minu'te	the minute
die Minuten	the minutes
der Weg	the road
auf dem Weg	on the way
die Klasse	the class
zur Klasse	to the class

Ich esse Eier mit Speck und zehn Minuten vor acht bin ich auf dem Weg zur Klasse. / I eat bacon and eggs and at ten minutes to eight I'm on my way to class.

kommen	(to) come
* nie	never
zu	too
spät	late

Ich komme nie zu spät. / I never come late.

der Punkt	the point
Punkt acht Uhr	at eight o'clock sharp
sitzen	(to) sit
der Platz	the place, seat
auf meinem Platz	at my place, in my seat
aufpassen	(to) pay attention
ich passe auf	I pay attention

Punkt acht Uhr sitze ich auf meinem Platz und passe gut auf. / At eight sharp I am sitting in my seat and listening carefully.

* die Stunde	the hour, class, lesson
der Plan	the plan
der Stundenplan	the class schedule
die Psychologie'	the psychology
anorganisch	inorganic
die Chemie'	the chemistry

Spanisch | Spanish
Englisch | English

Hier ist mein Stundenplan für Montag, Dienstag, Donnerstag und Freitag: Um acht Uhr Psychologie, um zehn anorganische Chemie, um elf Spanisch, um eins Englisch.

Here is my class schedule for Monday, Tuesday, Thursday and Friday: At eight o'clock psychology, at ten inorganic chemistry, at eleven Spanish, at one English.

der Nachmittag | the afternoon
  nachmittags | in the afternoon, afternoons
zwei | two
chemisch | chemical
das Laborato'rium | the laboratory
  Labor' | lab

Mittwoch nachmittags habe ich zwei Stunden chemisches Labor.

Wednesday afternoons I have two hours chem lab.

* außerdem | besides, in addition
aufhaben | (to) have assigned work to do
  ich habe viel auf | I have much assigned work to do

Außerdem habe ich natürlich viel auf.

Of course, I have big assignments besides.

sehen | (to) see
  du siehst | you see
die Zeit | the time
  keine Zeit | no time
der Unfug | the mischief
treiben | (to) drive, carry on, perform
  er treibt Unfug | he performs mischief

Du siehst, ich habe keine Zeit, Unfug zu treiben.

You see, I have no time to get into mischief.

die Wäsche | the laundry
das Paket' | the package
  das Wäschepaket' | the laundry package

Am Sonnabend schicke ich Dir mein erstes Wäschepaket.

I'll send you my first laundry box Saturday.

spät | late
müde | tired

Es ist spät, und ich bin müde.

It's late and I'm tired.

das Mal	the time, occasion
das nächste Mal	the next time
mehr	more
Das nächste Mal mehr.	More next time.
alles	everything
gut	good
alles Gute	everything good, i.e. I wish you everything good
Alles Gute, liebe Mutter.	I wish all sorts of nice things for you, mother dear. (*literally*)
Dein Richard.	Your Richard.

II. Text:

Liebe Mutter!

Bitte, mach Dir keine Sorgen! Ich schlafe jede Nacht neun Stunden, ich esse gut, und die Studenten in unserem Haus sind ruhige Jungen. Wir arbeiten alle viel und dann und wann gehen wir ins Kino. Ich beschreibe Dir einen typischen Tag. Punkt sieben Uhr stehe ich auf, rasiere mich, wasche mich und ziehe mich 5 an. Dann gehe ich mit meinem Zimmergenossen frühstücken. Ich trinke meine Milch und manchmal eine Tasse Kaffee. Er ist natürlich nicht so gut wie Dein Kaffee. Ich esse Eier mit Speck und zehn Minuten vor acht bin ich auf dem Weg zur Klasse. Ich komme nie zu spät. Punkt acht Uhr sitze ich auf meinem Platz und passe gut auf. Hier ist mein Stundenplan für Montag, Dienstag, Donners- 10 tag und Freitag: Um acht Uhr Psychologie, um zehn anorganische Chemie, um elf Spanisch, um eins Englisch. Mittwoch nachmittags habe ich zwei Stunden chemisches Labor. Außerdem habe ich natürlich viel auf. Du siehst, ich habe keine Zeit, Unfug zu treiben. Am Sonnabend schicke ich Dir mein erstes Wäsche- paket. Es ist spät, und ich bin müde. Das nächste Mal mehr. Alles Gute, liebe 15 Mutter.

Dein Richard

III. Comments:

1. *Reflexive Pronouns:*

When the object of a verb, direct or indirect, refers to the subject of that verb, it is called a reflexive object. English reflexive pronouns end in *–self* or *–selves* e.g. *myself, themselves*. German uses personal pronouns as reflexives and has only one special reflexive form, **sich**, for the third person singular and plural and also for the conventional second person. The form **sich** functions as both direct and indirect object. Following are examples of verbs used with reflexive objects:

Direct Object

ich ziehe mich an	*I dress myself*
du ziehst dich an	*you dress yourself*
er zieht sich an	*he dresses himself*
sie zieht sich an	*she dresses herself*
es zieht sich an	*it dresses itself*
wir ziehen uns an	*we dress ourselves*
ihr zieht euch an	*you dress yourselves*
sie ziehen sich an	*they dress themselves*
Sie ziehen sich an	*you dress yourself (–selves)*

Indirect Object

ich kaufe mir Schokolade	*I buy myself some chocolate*
du kaufst dir Schokolade	*you buy yourself some chocolate*
er kauft sich Schokolade	*he buys himself some chocolate*
sie kauft sich Schokolade	*she buys herself some chocolate*
es kauft sich Schokolade	*it buys itself some chocolate*
wir kaufen uns Schokolade	*we buy ourselves some chocolate*
ihr kauft euch Schokolade	*you buy yourselves some chocolate*
sie kaufen sich Schokolade	*they buy themselves some chocolate*
Sie kaufen sich Schokolade	*you buy yourself (–selves) some chocolate*

2. *Separable Prefixes:*

In English many adverbs and prepositions may be used in such close connection with a verb as to form a single verbal idea with it. Thus we say: *The earth turns on its axis* but *The cake turned out well; He turned up at twelve o'clock; We have to turn in at ten.* In German also there are very many instances of this sort. The German equivalent of our expression *get up* is **aufstehen.** Here the connection is felt to be so close that the modifying word **auf** is prefixed to the infinitive **stehen.** Similar verbs are **aufpassen** — *pay attention*, **anhaben** — *wear*, **anziehen** — *dress*. But in the present tense in independent clauses and in the imperative these prefixes are separated from the verb and come at the end of the clause.

Examples:

1. Ich stehe jeden Morgen um sieben Uhr auf. *I get up at seven every morning.*
2. Ziehe dich schnell an! *Get dressed quickly!*

Separable prefixes will be indicated in the lists of Words and Phrases as follows: **er steht . . . auf, ich habe . . . an.**

IV. Practice:

1. a. Ich mache mir keine Sorgen.
   viele Sorgen.
   b. Herr Schmidt   macht sich keine Sorgen.
   Richard
   Frau Neumann
   Richard und Anna machen sich keine Sorgen.
   Richard und ich machen uns keine Sorgen.
   Machst du dir keine Sorgen, Richard?
   Machen Sie sich keine Sorgen, Herr Neumann?
   c. Substitute **viele Sorgen** and **viel Arbeit** for **keine Sorgen** in b. above.
2. a. Ich kaufe mir einen neuen   Anzug.
   einen neuen   Rock.
   ein   neues   Hemd.
   ein   schönes Halsband.

    b. Herr Neumann kauft sich einen neuen Anzug.
       Richard
       Kaufen Sie sich einen neuen Anzug, Herr Jones?

3. a. Ich wasche mich   jeden Morgen um sieben Uhr.
       Richard wäscht sich
       Wir waschen uns
       Richard und Wilhelm waschen sich
       Sie waschen sich
    b. Rasierst du dich jeden Morgen, Fritz?
       Rasieren Sie sich jeden Morgen, Herr Spaeth?

4. a. Ich mache mich über meinen Zimmergenossen lustig.
                    meinen Professor
  Er macht sich   meinen Anzug
                  meine   Schuhe
    b. Richard macht sich über seinen Zimmergenossen lustig, etc.
    c. Machen Sie sich nicht über mein Halsband   lustig!
                         mein Kleid
                         meine Schulkameradin

5. a. Richard zieht sich jeden Morgen um sieben Uhr an.
                        halb sieben
                        acht Uhr
                        halb acht
    b. Zieh dich an, Richard!
       Ziehen Sie sich an, Herr Woodbridge!

6. a. Ich stehe jeden Montag um halb acht auf.
       Anna steht
       Wir stehen
    b. Stehen Sie jetzt auf, Herr Webster!

7. a. Ich habe in Psychologie sehr viel auf.
       Richard hat in Spanisch
       Anna hat in Deutsch
       Wir haben in Chemie
       Sie haben in Physik
       Er hat in Mathematik nur wenig (*only little*) auf.
    b. Was haben wir in Geschichte (*history*) auf?
       Das nächste Kapitel (*chapter*).

8. Passen Sie auf, jetzt kommt die große Überraschung.
               jetzt erzähle ich Ihnen etwas über Anna.
               jetzt beschreibe ich Ihnen einen typischen Tag.
               jetzt gebe ich Ihnen die Aufgabe für Mittwoch.
               (*now I'll give you the assignment for Wednesday.*)

9. Hören Sie gut zu (*listen carefully*), jetzt kommt die große Überraschung, etc., etc.

V. Exercises:

A. *Questions:*

1. Wie lange schläft Richard jede Nacht?
2. Arbeitet Richard jeden Abend?
3. Wann steht er morgens auf?
4. Rasiert sich Richard jeden Tag oder zweimal die Woche?
5. Was trinkt Richard morgens?
6. Was ißt er?
7. Wann beginnt Richards erste Klasse?
8. Wann hat Richard anorganische Chemie?
9. Was hat er um eins?
10. Wann hat er chemisches Labor?
11. Was schickt er seiner Mutter?
12. Hat er viel auf?

B. *Translate:*

1. Richard schreibt mir, er schläft jede Nacht neun Stunden.
2. Wir machen uns viele Sorgen.
3. Sie hat in Chemie sehr viel auf.
4. Passen Sie gut auf! Jetzt kommt die große Überraschung.
5. Stehen Sie jeden Morgen um halb sieben auf, Herr Noyes?
6. Das nächste Mal schreiben wir mehr.
7. Ich beschreibe Ihnen meinen Zimmergenossen.
8. Er ist ein ruhiger Junge, aber dann und wann treibt er gerne Unfug.
9. Robert hat heute einen braunen Anzug an.
10. Was ziehst du heute an?

C. *Learn the cardinal numerals 1–25:*

1. eins	6. sechs	11. elf	16. sechzehn
2. zwei	7. sieben	12. zwölf	17. siebzehn
3. drei	8. acht	13. dreizehn	18. achtzehn
4. vier	9. neun	14. vierzehn	19. neunzehn
5. fünf	10. zehn	15. fünfzehn	20. zwanzig

21. einundzwanzig
22. zweiundzwanzig
23. dreiundzwanzig
24. vierundzwanzig
25. fünfundzwanzig

D. *Correct the misinformation:*

1. Richard schläft jede Nacht acht Stunden.
2. Er geht jeden Abend ins Kino.
3. Er geht mit seinem Professor frühstücken.
4. Zehn Minuten nach acht ist er auf dem Weg zur Klasse.
5. Er hat viel Zeit, Unfug zu treiben.
6. Am Sonntag schickt er seiner Mutter sein erstes Wäschepaket.

VI. Securing the Vocabulary:

A.

die Sorge	worry, care
die Stunde	hour, class, lesson
ruhig	quiet
dann und	now and
wann	then
anziehen	(to) dress
das Zimmer	room
manchmal	sometimes
außerdem	besides, in addition
nie	never

B.

die Überraschung (4)	1. human being, man
noch (9)	2. he likes it
der Mensch (1)	3. end
lieb (7)	4. surprise
er hat es gern (2)	5. only, single
der Schluß (3)	6. (to) be called
sehr (10)	7. dear
einzig (5)	8. again
wieder (8)	9. still, yet
heißen (6)	10. very

erst (5)	1. caution
nach (6)	2. child
die Vorsicht (1)	3. gladly
das Geld (7)	4. at least
wenigstens (4)	5. first
der Brief (9)	6. after
gern (3)	7. money
vielleicht (10)	8. incidentally
das Kind (2)	9. letter
übrigens (8)	10. perhaps

ganz (4)	1. place, passage
die Frage (6)	2. already
verstehen (9)	3. (to) earn
die Stadt (5)	4. entire, quite
man (7)	5. city
schon (2)	6. question
endlich (10)	7. one, a person
die Stelle (1)	8. every
jeder (8)	9. (to) understand
verdienen (3)	10. finally

Siebente Aufgabe

* *

Alles in bester Ordnung

I. Words and Phrases:

Siebente Aufgabe.	Seventh lesson.
alles	everything
best	best
die Ordnung	the order
in bester Ordnung	in best order
Alles in bester Ordnung.	Everything in fine shape.
der Vater	the father
Lieber Vater!	Dear Father,
ich bin	I am
schon	already
* seit	since
der Tag, die Tage	the day, the days
seit acht Tagen	since eight days
hier	here
Ich bin schon seit acht Tagen hier, und alles ist in bester Ordnung. ⟋	I have been here a week and everything is in fine shape.
* wohnen	(to) live, dwell
* bei	at, with, near, at the house of
die Fami′lië	the family
Ich wohne bei einer netten Familie.	I'm living with a nice family.
dersel′be, diesel′be, dassel′be	the same
im selben	in the same

das Haus | the house
noch | still, yet
* ander | other
der Student', die Studen'ten | the student, the students

Im selben Haus wohnen noch fünf andere Studenten. | Five other students are living in the same house.

der Osten | the east
   vom Osten | from the east
* beide | both
der Süden | the south
* der Staat | the state
   der Südstaat, die Südstaaten | the southern state, the southern states

Drei sind vom Osten, von Pennsylvanien und Neu York; die anderen beiden kommen aus den Südstaaten, aus Virginien und Nordkarolina. | Three are from the East, from Pennsylvania and New York; the other two come from the South, from Virginia and North Carolina.

die Stunde, die Stunden | the hour, class; the hours, classes
der Spaß | the joke, fun
   das macht mir Spaß | that makes fun for me

Meine Stunden machen mir viel Spaß. | My classes are a lot of fun.

interessie'ren | (to) interest
   das interessiert mich | that interests me
* besonders | especially

Psychologie interessiert mich besonders. | I'm especially interested in Psychology.

der Profes'sor | the professor
international' | international
die Autorität' | the authority

Unser Psychologieprofessor ist eine internationale Autorität. | Our psychology professor is an international authority.

spezial' | special
* das Gebiet | the territory, region
   das Spezialgebiet, die Spezialgebiete | the special field, the special fields
die Rekla'me | the advertising
   der Reklame | of advertising

das Kind, die Kinder | the child, the children
die Psychologie′ | the psychology
   die Kin′derpsychologie | the child psychology

Seine Spezialgebiete sind Psychologie der Reklame und Kinderpsychologie. | His special fields are the psychology of advertising and child psychology.

haben | (to) have
  ich hatte | I had
länger | longer
* die Unterhal′tung | the conversation
über | over, about
solch | such
die Frage, die Fragen | the question, the questions
wie | how, as
warum′ | why
* rauchen | (to) smoke
tanzen | (to) dance
gern(e) | gladly
  wir tanzen gern | we like to dance
der Swing | the swing

Ich hatte eine längere Unterhaltung mit ihm über solche Fragen wie: Warum rauchen wir? Warum tanzen wir gerne Swing? | I had a rather long conversation with him about such questions as: Why do we smoke? Why do we like to dance swing?

* glauben | (to) believe
der Hedonist′ | the hedonist

Er glaubt, ich bin Hedonist. | He thinks I'm a hedonist.

übrigens | by the way
das Buch, die Bücher | the book, the books
teuer | dear, expensive

Übrigens, meine Bücher sind sehr teuer. | By the way, my books are very expensive.

außerdem | besides
müssen | (to) have to
  er muß | he has to
man | one (*i.e.* a person)
die Miete | the rent
der Monat | the month

voraus
* im voraus
* bezahlen

Außerdem muß man hier die Miete einen Monat im voraus bezahlen.

ahead
in advance
(to) pay

Besides, you have to pay the rent here a month in advance.

bitte

Bitte, schick mir einen Scheck mit dem nächsten Brief.

please

Please send me a check with your next letter.

* brauchen
* weniger
das Geld

Nächsten Monat brauche ich weniger Geld.

(to) need
less
the money

I'll need less money next month.

verstehen
all
der Anfang
* schwer

Du verstehst, aller Anfang ist schwer.

(to) understand
all, every
the beginning
difficult, heavy

You understand, it isn't so easy to get started.

* bald
lang

Bitte, schreib mir bald einen langen Brief.

soon
long

Please write me a long letter soon.

viel
viele
der Klient', die Klien'ten

Hast Du viele Klienten?

much
many
the client, the clients

Do you have many clients?

zahlen
* die Rechnung, die Rechnungen

Zahlen sie ihre Rechnungen?

(to) pay
the bill, the bills

Do they pay their bills?

erkältet

Ist Mutter noch erkältet?

ill with a cold

Does Mother still have a cold?

hoffentlich
die Sorge, die Sorgen

Hoffentlich macht sie sich keine Sorgen um mich.

it is to be hoped
the care, worry; the worries

I hope she doesn't worry about me.

immer	always
noch	yet
* immer noch	still, after all this time
* traurig	sad
* weil	because
fort	gone, away

Ist Prinz immer noch traurig, weil ich fort bin?   Is Prince still sad because I'm away?

vergessen	(to) forget
vergiß!	forget!
das Gold	the gold
der Fisch	the fish
der Goldfisch, die Goldfische	the goldfish
füttern	(to) feed

Vergiß nicht, die Goldfische zu füttern! · Don't forget to feed the goldfish!

* schließen	(to) close
die Zeit	the time
die Klasse	the class

Ich schließe jetzt; es ist Zeit, zur Klasse zu gehen.   I'll close now; it's time to go to class.

die Mutter	the mother
herzlichst	heartiest
der Gruß, die Grüße	the greeting, the greetings

Dir und Mutter die herzlichsten Grüße.   My best to you and Mother.

Dein Richard.   Yours, Richard.

P.S. (Post Scriptum)	P.S.
der Schläger	the racquet
der Tennisschläger	the tennis racquet
der Schuh	the shoe
der Tennisschuh, die Tennisschuhe	the tennis shoe, the tennis shoes

P.S. Bitte, schick mir meinen Tennis-schläger und die Tennisschuhe.   P.S. Please send me my tennis racquet and tennis shoes.

* sonst	otherwise
* nichts	nothing

Sonst habe ich nichts vergessen.   I haven't forgotten anything else.

II. Text:

Lieber Vater!

Ich bin schon seit acht Tagen hier, und alles ist in bester Ordnung. Ich wohne bei einer netten Familie. Im selben Haus wohnen noch fünf andere Studenten. Drei sind vom Osten, von Pennsylvanien und Neu York; die anderen beiden kommen aus den Südstaaten, aus Virginien und Nordkarolina. Meine Stunden 5 machen mir viel Spaß. Psychologie interessiert mich besonders. Unser Psychologieprofessor ist eine internationale Autorität. Seine Spezialgebiete sind Psychologie der Reklame und Kinderpsychologie. Ich hatte eine längere Unterhaltung mit ihm über solche Fragen wie: Warum rauchen wir? Warum tanzen wir gerne Swing? Er glaubt, ich bin Hedonist. Übrigens, meine Bücher sind 10 sehr teuer. Außerdem muß man hier die Miete einen Monat im voraus bezahlen. Bitte, schick mir einen Scheck mit dem nächsten Brief. Nächsten Monat

brauche ich weniger Geld. Du verstehst, aller Anfang ist schwer. Bitte, schreib
mir bald einen langen Brief. Hast Du viele Klienten? Zahlen sie ihre Rechnungen? Ist Mutter noch erkältet? Hoffentlich macht sie sich keine Sorgen um
mich. Ist Prinz immer noch traurig, weil ich fort bin? Vergiß nicht, die Gold-
5 fische zu füttern! Ich schließe jetzt; es ist Zeit, zur Klasse zu gehen. Dir und
Mutter die herzlichsten Grüße.

Dein Richard

P.S. Bitte, schick mir meinen Tennisschläger und die Tennisschuhe. Sonst
habe ich nichts vergessen.

III. Comments:

1. *Formation of the Plural of Nouns:*

Nouns themselves are made plural by the addition of endings to the nominative
singular form, *e.g.* **das Kleid, die Kleider;** by the modification of the stem vowel,
der Garten, die Gärten; or by both at once, **der Gruß, die Grüße.**

On the basis of their endings or the absence of endings in the plural, nouns may
be classified into five groups: 1) no ending; 2) ending –**e;** 3) ending –**er;** 4) ending –**n;** 5) ending –**s.** Nearly all German nouns belong to the first four groups.
A few but rather common nouns belong to the fifth group and may be considered
exceptions to the general classification. Examples of each group follow. Note
that the definite article in the plural is the same for the three genders.

	Singular	*Plural*
1. No ending	der Fehler	die Fehler
	der Vater	die Väter
	der Garten	die Gärten
	die Mutter	die Mütter
2. Ending –e	der Tag	die Tage
	der Brief	die Briefe
	der Strumpf	die Strümpfe
3. Ending –er	das Kleid	die Kleider
	das Buch	die Bücher
	das Haus	die Häuser
4. Ending –(e)n	der Student	die Studenten
	die Rechnung	die Rechnungen
	die Klasse	die Klassen
	die Sorge	die Sorgen
5. Ending –s	der Scheck	die Schecks
	der Chef	die Chefs
	das Auto	die Autos
	das Radio	die Radios

2. *Declension of the Plural of Nouns:*

In the plural the same declensional pattern is followed by the definite article and the **der-** and **ein-**words. Nouns belonging to groups 1 to 3 add the case ending –**n** in the dative plural, unless they already end in –**n** in the singular, *e.g.* **der Garten.**

> N. die, solche, unsere Fehler, Briefe, Bücher
> A. die, solche, unsere Fehler, Briefe, Bücher
> D. den, solchen, unseren Fehlern, Briefen, Büchern

Nouns of group 4 and 5 do not add an –**n** in the dative.

> N. die Studenten, Autos
> A. die Studenten, Autos
> D. den Studenten, Autos

Plurals will be indicated in the lists of Words and Phrases as follows: **der Fehler, —; der Vater, ˮ; der Tag, –e; der Gruß, ˮe; das Kleid, –er; das Buch, ˮer; der Student, –en; die Klasse, –n; das Auto, –s.**

IV. Practice:

A. *Make a list of the nouns in this lesson and the following lessons as they are taken up, classifying them according to the plural endings.*

B. *Practice until mastered:*

1. a. Ich bin nur einen Tag   hier.
                einen Monat
                ein   Jahr
                eine   Woche

    b. Ich bin seit vier Tagen   hier.
                zwei Monaten
                drei Jahren
                fünf Wochen

2. a. Im selben Haus wohnt ein Student aus Neu York.
                          ein Professor   Kalifornien.

    b. Im selben Haus wohnen drei Studenten vom Norden. *(north)*
                            zwei Professoren   Westen. *(west)*

3. a. Unser Professor ist eine internationale Autorität.
                          ein guter Tennisspieler.
                          ein guter Schwimmer.

    b. Unsere Professoren sind internationale Autoritäten.
                            gute Tennisspieler.
                            gute Schwimmer.

4. a. Richard hat nur ein   Radio.
                        ein   Auto.
                        eine Klasse.
                        einen Tennisschläger.

    b. Herr Weber hat drei   Radios.
                        zwei Autos.
                        fünf Klassen.
                        keine Tennisschläger.

5. a. Sehen Sie das Buch   dort (*there*)?
                  das Haus
                  das Halsband
                  den Brief
                  den Schuh
                  den Goldfisch
                  den Studenten
                  die Studentin

    b. Sehen Sie die Bücher   dort?
                  Häuser
                  Halsbänder
                  Briefe
                  Schuhe
                  Goldfische
                  Studenten
                  Studentinnen

6. Ich hatte eine längere Unterhaltung mit ihm über meine Klassen.
                                    seine Patienten.
                                    die   Südstaaten.
                                    seine Spezialgebiete.
                                    die   Colleges im
                                         Osten.

V. Exercises:

    A. *Questions:*
      1. Seit wann ist Richard in der Universitätsstadt?
      2. Wo wohnt Richard?
      3. Wie viele Studenten in seinem Haus kommen aus Virginien?
      4. Was interessiert Richard besonders?
      5. Was sind die Spezialgebiete des Psychologieprofessors?
      6. Mit wem hatte Richard eine längere Unterhaltung?
      7. Warum ist Prinz traurig?
      8. Wer füttert die Goldfische?
      9. Warum braucht Richard mehr Geld?
    10. Warum hat Richard keine Zeit, einen längeren Brief zu schreiben?

    B. *Translate:*
      1. Wohnen Sie bei einer netten Familie?
      2. Anna schreibt, ihre Klassen machen ihr viel Spaß.
      3. Sie interessiert sich besonders für Chemie.
      4. Ich glaube, sie kommt aus Oklahoma.

5. Ich habe nur einen Tennisschläger. Wie viele Tennisschläger haben Sie?
6. Herr Doktor Neumann hat zwei Autos.
7. Es ist Zeit, die Goldfische zu füttern.
8. Richard unterhält sich gern mit seinen Professoren.
9. Die Fragen interessieren mich besonders.
10. Du verstehst, ich brauche nächsten Monat mehr Geld.
11. Es ist Zeit aufzustehen.
12. Bitte, schick mir einen langen Brief mit dem nächsten Scheck.
13. Wie viele Patienten hast du jetzt?
14. Ich bin schon seit Montag erkältet.
15. Das ist ein sehr interessantes Buch.

C. *Learn the cardinal numerals 26–150:*

26.	sechsundzwanzig	31.	einunddreißig	80.	achtzig
27.	siebenundzwanzig	40.	vierzig	90.	neunzig
28.	achtundzwanzig	50.	fünfzig	100.	hundert
29.	neunundzwanzig	60.	sechzig	101.	hunderteins
30.	dreißig	70.	siebzig	150.	hundertfünfzig

D. *Correct the misinformation:*

1. Richard ist seit acht Wochen hier.
2. Im selben Hause wohnen noch zehn andere Studenten.
3. Seine Klassen machen ihm viel Spaß. Chemie interessiert ihn besonders.
4. Richard braucht diesen Monat weniger Geld.
5. Prinz macht sich Sorgen um Richard.

E. *Rearrange the following words and groups of words to make a correct sentence. Translate your sentence:*

1. bei einer netten Familie, wohnt, seit acht Tagen, Richard.
2. wohnen, aus den Südstaaten, fünf Studenten, im selben Haus.
3. er, die Miete, eine Woche im voraus, muß, bezahlen.
4. über viele interessante Fragen, mit ihm, hatte, eine längere Unterhaltung, er.
5. ich, jetzt, muß, gehen, zur Klasse.

VI. Securing the Vocabulary:

A.

seit	*since*	die Unterhaltung	*conversation*
wohnen	*(to) live, dwell*		
bei	*at, with, near, at the house of*	rauchen	*(to) smoke*
		glauben	*(to) believe*
ander	*other*	im voraus	*in advance*
beide	*both*	bezahlen	*(to) pay*
der Staat	*state*	brauchen	*(to) need*
besonders	*especially*	weniger	*less*
das Gebiet	*territory, region, special field*	schwer	*heavy, difficult*
		bald	*soon*

immer noch   *still, after all this*   schließen   *(to) close*
                    time   die Rechnung   *bill*
traurig   *sad*   sonst   *otherwise*
weil   *because*   nichts   *nothing*

B. die Geduld (2)   1. *always*   fragen (8)   1. *(to) know*
    kennen (9)   2. *patience*   noch nicht (6)   2. *surprise*
    der Ort (6)   3. *sometimes*   wahrscheinlich   3. *only*
    auch (8)   4. *something*   (9)
    immer (1)   5. *frightful*   heute (10)   4. *quiet*
    etwas (4)   6. *place*   nur (3)   5. *(to) get up*
    spät (10)   7. *when, when-*   ruhig (4)   6. *not yet*
                           ever, if   die Überraschung   7. *every time*
    manchmal (3)   8. *also*   (2)
    wenn (7)   9. *(to) know*   aufstehen (5)   8. *(to) ask*
    schrecklich (5)   10. *late*   wissen (1)   9. *probably*
                                                 jedesmal (7)   10. *today*

        außerdem (8)   1. *(to) carry*
        verdienen (10)   2. *(to) sell*
        endlich (12)   3. *boring, dull*
        der Schluß (5)   4. *hour, class, lesson*
        die Abteilung (9)   5. *end*
        langweilig (3)   6. *I would like to*
        die Stunde (4)   7. *never*
        tragen (1)   8. *besides, in addition*
        die Uhr (11)   9. *department*
        verkaufen (2)   10. *(to) earn*
        ich möchte (6)   11. *watch, clock*
        nie (7)   12. *finally*

Achte Aufgabe

★ ★

Der Hedonist

I. Words and Phrases:

Achte Aufgabe.	Eighth lesson.
der Hedonist	the hedonist
Liebe Anna!	Dear Anna,

* allerdings′
  die Überra′schung, –en
	indeed, to be sure
	  the surprise

Das ist allerdings eine Überraschung.	That really is a surprise.

* also
  die Verkäuferin, –nen
  das Warenhaus, ̈er
	well then, and so, therefore
	  the salesgirl
	  the department store

Anna Becker ist also Verkäuferin in Webers Warenhaus!	So, Anna Becker is a clerk in Weber's department store.

* können
  ich kann
* kaum
  sich vorstellen
	(to) be able to
	  I can
	hardly, scarcely
	  (to) imagine

Das kann ich mir kaum vorstellen.◄	I can scarcely imagine that.

die Geduld
  Geduld haben
nur
	the patience
	  (to) have patience
	only

Aber hab nur Geduld!	But just be patient!

der Seidenstrumpf, ̈e
* anfangen
  du fängst an
  der Pelzmantel, ̈
	the silk stocking
	(to) begin
	  you begin
	  the fur coat

69

| verkaufen | (to) sell |
| du wirst verkaufen | you will sell |

Mit Seidenstrümpfen fängst Du an, aber bald wirst Du Pelzmäntel verkaufen.

You start with silk stockings, but soon you will be selling fur coats.

heute	today
haben	(to) have
ich hatte	I had
* schlecht	bad

Heute hatte ich einen schlechten Tag.

I had a tough day today.

fragen	(to) ask
er fragt	he asks
rauchen	(to) smoke

In Psychologie fragt mich Professor Berg: „Herr Neumann, rauchen Sie?"

In psychology Professor Berg asked me: "Mr. Neumann, do you smoke?"

antworten	(to) answer
ich antworte	I answer
der Liebling, -e	the darling, favorite
die Marke, -n	the brand
die Lieblingsmarke, -n	the favorite brand

Ich antworte: „Ja. Meine Lieblingsmarke ist —."

I answered: "Yes, my favorite brand is —."

wollen	(to) want to
ich will	I want to
wissen	(to) know
warum	why

„Das will ich nicht wissen. Warum rauchen Sie?"

"I don't want to know that. Why do you smoke?"

sagen	(to) say
ich sage	I say
* schnell	quickly

Ich sage schnell: „Es macht mir Spaß."

I said quickly: "I enjoy it."

schön	beautiful, fine
sehr	very
intelligent'	intelligent
originell'	original
die Antwort, -en	the answer

„Schön," sagt Berg, „eine sehr intelligente und originelle Antwort.

"Fine," said Berg, "A very intelligent and original answer.

die Welt, –en	the world
die Anschauung, –en	the view
die Weltanschauung, –en	the view of the world, philosophy of life

Sie haben eine Weltanschauung, Sie sind Hedonist." / You have a philosophy of life, you are a hedonist."

das Fräulein, —	the young lady
hübsch	pretty
* schwarz	black
* der Kopf, ⸚e	the head
der Schwarzkopf, ⸚e	the brunette
die Reihe, –n	the row

Dann fragt er Fräulein Blake, einen hübschen Schwarzkopf in der ersten Reihe: „Fräulein Blake, tanzen Sie Swing?" / Then he asked Miss Blake, a pretty brunette in the first row: "Miss Blake, do you dance swing?"

lachen	(to) laugh
ein bißchen	a bit, a little
sehr gerne	very gladly

Fräulein Blake lacht ein bißchen und sagt: „Sehr gerne." / Miss Blake laughed a bit and said: "I love to."

die Tänzerin, –nen	the dancer (*feminine*)
der Campus, –se	the campus
man sagt	one says, it is said

Fräulein Blake ist die beste Tänzerin auf dem Campus, sagt man. / They say Miss Blake is the best dancer on the campus.

schlank	slender
mittelgroß	medium tall

Sie ist schlank und mittelgroß. / She is slender and not very tall.

die Psychologie'stun'de, –n	the psychology class
anorganisch	inorganic
die Chemie'	the chemistry

Nach meiner Psychologiestunde hatte ich anorganische Chemie. / After my psychology class I had inorganic chemistry.

kommen	(to) come
spät	late
zu spät	too late
sarka'stisch	sarcastic
das Kino, –s	the movie

| jung | young |
| der Mann, ⸗er | the man |

| Ich komme zu spät, und der Professor sagt sarkastisch: „Das ist hier kein Kino, junger Mann. | I came late and the professor said sarcastically: "This is not a movie, young man. |

| rechtzeitig | on time |
| * gar nicht | not at all |

| Kommen Sie bitte rechtzeitig oder gar nicht." | Please come on time or not at all." |

| wahrschein'lich | probably |
| das Militär' | the military, service |

| Der Mann war wahrscheinlich beim Militär. | The fellow probably used to be in the service. |

außerdem	besides
können	(to) be able to
ich kann	I can, am able to
fünfmal	five times
schwänzen	cut class
wenn	if
wollen	(to) want to
ich will	I want to

| Außerdem kann ich fünfmal schwänzen, wenn ich will. | Besides, I can cut five times if I want to. |

können	(to) be able to
du kannst	you are able to
natür'lich	naturally, of course
so	thus, so
* arm	poor

| Du kannst natürlich nicht so schwänzen, arme Anna. | Poor Anna, of course, you can't simply cut. |

verdienen	(to) earn, deserve
die Arbeit, –en	the work
ausgeben	(to) spend
ich gebe . . . aus	I spend

| Aber Du verdienst Geld für Deine Arbeit, und ich gebe Geld aus für meine Arbeit. | But you earn money for your work and I spend money for my work. |

| Schreib bald! | Write soon! |

| treu | loyal, faithful |
| Dein treuer Richard | Ever yours, Richard |

II. Text:

Liebe Anna!

Das ist allerdings eine Überraschung. Anna Becker ist also Verkäuferin in Webers Warenhaus! Das kann ich mir kaum vorstellen. Aber hab nur Geduld! Mit Seidenstrümpfen fängst Du an, aber bald wirst Du Pelzmäntel verkaufen. Heute hatte ich einen schlechten Tag. In Psychologie fragt mich Pro- 5 fessor Berg: „Herr Neumann, rauchen Sie?" Ich antworte: „Ja. Meine Lieblingsmarke ist —." „Das will ich nicht wissen. Warum rauchen Sie?" Ich sage schnell: „Es macht mir Spaß." „Schön," sagt Berg, „eine sehr intelligente und originelle Antwort. Sie haben eine Weltanschauung. Sie sind Hedonist." Dann fragt er Fräulein Blake, einen hübschen Schwarzkopf in der ersten Reihe: 10 „Fräulein Blake, tanzen Sie Swing?" Fräulein Blake lacht ein bißchen und sagt: „Sehr gerne." Fräulein Blake ist die beste Tänzerin auf dem Campus, sagt man. Sie ist schlank und mittelgroß. Nach meiner Psychologiestunde hatte ich anorganische Chemie. Ich komme zu spät, und der Professor sagt sarkastisch: „Das ist hier kein Kino, junger Mann. Kommen Sie bitte rechtzeitig oder gar nicht!" 15 Der Mann war wahrscheinlich beim Militär. Außerdem kann ich fünfmal schwänzen, wenn ich will. Du kannst natürlich nicht so schwänzen, arme Anna. Aber du verdienst Geld für Deine Arbeit, und ich gebe Geld aus für meine Arbeit. Schreib bald!

Dein treuer Richard 20

III. Comments:

1. *Adjective Declension:*

The seeming complexity of adjective endings in German can be systematized and mastered rather easily. In Lesson 2 you observed that an adjective preceded by the definite article or a **der**-word in the nominative case always has the ending –**e**; if preceded by **ein** or an **ein**-word it has –**er** for the masculine, –**e** for the feminine, –**es** for the neuter. Since, for the feminine and neuter, the accusative case of these introductory words is the same as the nominative, the adjective endings are also the same in the accusative as in the nominative. In all other cases the adjective has the ending –**en**, if preceded by an inflected form of **der** or **ein** or of a **der**-word or an **ein**-word. By all other cases, of course, is meant the accusative singular of the masculine, the dative and genitive * singular of all three genders, and all plural forms. The following patterns sum up this rule:

N.	der –**e** Mann	ein –**er** Mann
N. & A.	die –**e** Frau	eine –**e** Frau
N. & A.	das –**e** Mädchen	ein –**es** Mädchen

All other cases –**en**

If the adjective is not preceded by a **der**- or **ein**-word, it has the endings of the **der**-words, which you already know: masculine: –**er**, –**en**, –**em**; feminine: –**e**, –**e**, –**er**; neuter: –**es**, –**es**, –**em**; plural: –**e**, –**e**, –**en**.

So the phrases for *black coffee, sweet milk, hot water,* and *fresh eggs* are declined as follows:

	Masculine	*Feminine*	*Neuter*	*Plural*
N.	schwarzer Kaffee	süße Milch	heißes Wasser	frische Eier
A.	schwarzen Kaffee	süße Milch	heißes Wasser	frische Eier
D.	schwarzem Kaffee	süßer Milch	heißem Wasser	frischen Eiern

The predicate adjective, that is, the adjective which "belongs" to the verb and not to the noun, has no endings. Contrast: **Unser Professor ist sarkastisch** with **unser sarkastischer Professor** and **Die Antwort ist intelligent** with **eine intelligente Antwort.**

IV. Practice:

1. Memorize the following phrases:

a.	ein junger Freund	eine junge Freundin	ein junges Kind
	mein lieber Freund	meine liebe Freundin	mein liebes Kind
	kein guter Freund	keine gute Freundin	kein gutes Kind
b.	der junge Freund	die junge Freundin	das junge Kind
	der liebe Freund	die liebe Freundin	das liebe Kind
	der gute Freund	die gute Freundin	das gute Kind

* The genitive case will be discussed in Lesson 11.

2. a. Richard ist ein intelligenter junger Mann.
       origineller
       lustiger
 Richards Mutter ist eine ruhige ältere Frau.
        mittelgroße
 Anna ist ein hübsches junges Fräulein.
      interessantes

 b. Richard ist der einzige intelligente junge Mann in der Klasse.
        originelle
        lustige
 Anna ist das einzige hübsche junge Fräulein in der Klasse.
      interessante

3. Heute hatte ich einen schlechten Tag.
 Gestern (*yesterday*)
 Vorgestern (*day before yesterday*) hatte ich einen guten Tag.

4. Richard hat einen sarkastischen Professor.
       guten   Vater.
    eine hübsche   Freundin. (*girl friend*)
      liebe   Mutter.
    ein schönes   Zimmer.
      interessantes Buch.

5. In der ersten Reihe sitzt ein hübscher Schwarzkopf.
         eine hübsche Blondine. (*blonde*)
 zweiten   ein guter Student.
 dritten   ein ruhiges Mädchen.
 vierten   ein guter Freund von Richard.
 fünften   eine gute Freundin von mir.

6. a. Richard spricht gerade mit der besten Tänzerin in der Schule.
          Studentin   Klasse.
       dem besten Studenten
       den besten Studenten

 b. Wer spricht gerade mit der besten Tänzerin in der Schule?
 Mit wem spricht Richard?

7. Marie und Elsa sind die besten Tänzerinnen in der Schule.
 Richard und Wilhelm sind die besten Tennisspieler in der Schule.

8. a. Richard hat seinen neuen Anzug an.
     seinen braunen Rock
    sein graues Hemd
    seine weißen Schuhe
 Anna hat ihr neues Kleid an.
     ihre braunen Schuhe an.

 b. Haben Sie Ihren neuen Anzug an, Herr Jones?
 Ja, ich habe meinen neuen Anzug an, etc.

9. Nach der Psychologiestunde habe ich organische Chemie.

europäische Geschichte.

(*European history*)

moderne Philosophie.

(*modern philosophy*)

deutsche Konversation.

(*German conversation*)

V. Exercises:

A. *Questions:*

1. Was wird Anna bald verkaufen?
2. Hatte Richard heute einen guten Tag?
3. Raucht er?
4. Was raucht er?
5. Warum raucht er?
6. Hat er eine pessimistische Weltanschauung?
7. Wo sitzt Fräulein Blake?
8. Wer ist die beste Tänzerin auf dem Campus?
9. Was ist Ihr Lieblingstanz? Rhumba? Tango? Fox Trott? Walzer?
10. Wie oft kann Richard schwänzen?
11. Warum kann Anna nicht schwänzen?

B. *Translate:*

1. Richard hat eine hedonistische Weltanschauung.
2. Dann fragt er mich: „Tanzen Sie gern?"
3. Haben Sie einen sarkastischen Professor, Fräulein Haskell?
4. Anna Becker ist ein hübsches junges Fräulein.
5. Richard hat seine weißen Schuhe an.
6. Er verdient viel Geld für seine Arbeit.
7. Das ist die beste Antwort auf diese Frage.
8. Er ist eine weltbekannte Autorität.
9. Sie schreibt immer interessante Briefe an ihre Freunde.
10. Passen Sie gut auf, junger Mann!

C. *Correct the misinformation:*

1. Heute hatte Richard einen guten Tag.
2. Professor Berg hat eine hedonistische Weltanschauung.
3. Fräulein Blake ist eine hübsche Blondine.
4. Anna Becker ist die beste Tänzerin auf dem Campus.
5. Fräulein Blake sitzt in der dritten Reihe.
6. Nach der Psychologiestunde hatte Richard organische Chemie.
7. Richards Chemieprofessor ist ein freundlicher Mann.
8. Anna gibt Geld aus für ihre Arbeit.

D. *Rearrange the following words and groups of words to make correct sentences and translate:*

1. nur dreimal, arme Marie, schwänzen, kannst, du.
2. er, nach der Philosophiestunde, hatte, europäische Geschichte.
3. heute, sie, ein neues Kleid, hat ... an.
4. zur Klasse, können Sie, kommen, nicht rechtzeitig?
5. Richard und ich, uns, über unsere Stunden, unterhalten.
6. das kleine Paket, von seiner Mutter, ist, ein Geschenk.
7. die beiden Mädchen, um halb elf, haben, deutsche Konversation.

VI. Securing the Vocabulary:

A.

allerdings	*indeed, to be sure*
also	*well then, and so, therefore*
können	*(to) be able to*
kaum	*hardly, scarcely*
anfangen	*(to) begin*
schlecht	*bad*
schnell	*quickly*
schwarz	*black*
der Kopf	*head*
arm	*poor*
gar nicht	*not at all*

B.

das Zimmer (4)	1. *much*	übrigens (5)	1. *until*
sehr (6)	2. *hour, class,*	wenn (8)	2. *since*
die Freude (7)	*lesson*	der Mensch (10)	3. *railroad*
viel (1)	3. *still, after all*	das Geschenk (7)	*station*
die Stunde (2)	*this time*	der Bahnhof (3)	4. *at, with, near,*
immer noch (3)	4. *room*	bis (1)	*at the house*
immer (10)	5. *(to) work*	lesen (11)	*of*
arbeiten (5)	6. *very*	bei (4)	5. *incidentally*
traurig (11)	7. *joy, pleasure*	seit (2)	6. *how, as, like*
vielleicht (9)	8. *never*	wie (6)	7. *present*
nie (8)	9. *perhaps*	nichts (9)	8. *when, when-*
	10. *always*		*ever, if*
	11. *sad*		9. *nothing*
			10. *human being,*
			man
			11. *(to) read*

schon (4)	1. *bad*
anziehen (8)	2. *(to) need*
schwer (9)	3. *(to) get up*
aufstehen (3)	4. *already*
brauchen (2)	5. *state*
böse (1)	6. *because*

immer wieder (10)   7. *now and then*

dann und wann (7)   8. *(to) dress*

der Staat (5)   9. *heavy, difficult*

wieder (11)   10. *again and again*

weil (6)   11. *again*

Neunte Aufgabe

* *

Der Tennismeister

I. Words and Phrases:

Neunte Aufgabe.	Ninth lesson.
das Tennis	the tennis
der Meister, —	the master
der Tennismeister, —	the tennis champion
Lieber Vater!	Dear Dad,
* die Zeitung, –en	the newspaper
lesen	(to) read
ich habe gelesen	I have read
Hast Du es in der Zeitung gelesen?	Have you read it in the newspaper?
schon	already
hören	(to) hear
ich habe gehört	I have heard
Hast Du es schon gehört?	Have you heard it?
also	well then, and so; therefore
die Meisterschaft	the mastery, championship
die Tennismeisterschaft, –en	the tennis championship
die Freshman-Klasse, –n	the freshman class
der Freshman-Klasse	of the freshman class
* gewinnen	(to) win
ich habe gewonnen	I have won
Also, ich habe die Tennismeisterschaft der Freshman-Klasse gewonnen.	Well, I have won the tennis championship of the freshman class.
sich vorstellen	(to) imagine
ich stelle mir vor	I imagine
stell dir vor!	imagine!
Stell Dir vor!	Just imagine!

79

* vor	before
die Meisterschaft, –en	the championship, championship games
* der Fremde, –n	the stranger
ein Fremder	a stranger
der Platz, ⸚e	the place, square
der Tennisplatz, ⸚e	the tennis court
kommen	(to) come
ich bin gekommen	I have come
fragen	(to) ask
ich habe gefragt	I have asked

Am Tage vor der Meisterschaft ist ein Fremder zu mir auf den Tennisplatz gekommen und hat mich gefragt:

On the day before the championship games a stranger came out on the tennis court to me and asked me:

der Winter, —	the winter
letzten Winter	last winter
* verschieden	different, various
die Stadt, ⸚e	the city
* spielen	(to) play
ich habe gespielt	I have played
nicht wahr?	isn't that so?

„Sie haben letzten Winter in verschiedenen Städten Floridas gespielt, nicht wahr?

"You played last winter in various Florida cities, didn't you?

sein	(to) be
Sie waren	you were
der Lehrer, —	the teacher
der Tennislehrer, —	the tennis coach
das Hotel', –s	the hotel

Sie waren Tennislehrer für vier Hotels in Kalifornien, nicht wahr?

You were a tennis coach for four hotels in California, weren't you?

* der Beruf, –e	the vocation, profession
der Spieler, —	the player
der Berufsspieler, —	the professional player

Sie sind Berufsspieler.

You're a professional.

wissen	(to) know
können	(to) be able

als   as

der Amateur', –e   the amateur

Sie wissen, Sie können nicht als Amateur spielen."   You know you can't play as an amateur."

erst   first, at first

können   (to) be able

   ich konnte nicht   I was not able

vor   before

das Erstaunen   the amazement

   vor Erstaunen   because of amazement

* reden   (to) speak

dann   then

der Mann, ⸚er   the man

* gründlich   thorough, thoroughly

* die Meinung, –en   the opinion

sagen   (to) say

   ich habe gesagt   I have said

Erst konnte ich vor Erstaunen nicht reden; dann habe ich dem Mann aber gründlich meine Meinung gesagt.   At first I couldn't talk, I was so flabbergasted; but then I really gave the fellow a piece of my mind.

* verwechseln   (to) confuse

   ich habe verwechselt   I have confused

Er hat mich mit dem Berufsspieler Richard Niemann verwechselt.   He took me for the professional Richard Niemann.

so   such

der Esel, —   the donkey

So ein Esel!   What a dope!

die Meisterschaft, –en   the championship

der Kampf, ⸚e   the fight, contest

   der Meisterschaftskampf, ⸚e   the championship contest

sein   (to) be

   ich war   I was

nie   never

Ich war nie in Kalifornien.   I have never been in California.

schwer   heavy, difficult

Der Meisterschaftskampf war schwer.   The final match was tough.

einzeln — single, individual
das Spiel, –e — the game
  das Einzelspiel, –e — the game of singles
der Satz, ̈e — set
verlieren — (to) lose
  ich habe verloren — I have lost
Ich habe im Einzelspiel einen Satz ver- — I lost one set in the singles.
loren.

das Ende — the end
das Resultat', –e — the result
die Null, –en — the zero
Das Endresultat war: sechs zu vier, — The final score was six-four, love-six,
null zu sechs, zehn zu acht. — ten-eight.

der Gegner, — — the opponent
ganz — entire
das Jahr, –e — the year
trainie'ren — (to) train
  ich hatte trainiert — I had trained
Mein Gegner hatte das ganze Jahr — My opponent had been training all
trainiert; er kommt aus Kalifornien. — year; he comes from California.

* eben — just, just now
das Glück — the luck, happiness, fortune
haben — (to) have
  ich habe gehabt — I have had
Er hat sehr gut gespielt, aber ich habe — He played very well but I was just
eben Glück gehabt. — lucky.

übrigens — by the way
finden — (to) find
  ich habe gefunden — I have found
Hat Mutter übrigens meinen alten — By the way, has Mother found my old
Tennisschläger gefunden? — tennis racquet?

so — thus, so, as
wie — how, as
  so . . . wie — as . . . as
  * so bald wie — as soon as
* möglich — possible
Schicke ihn, bitte, so bald wie möglich! — Please send it as soon as possible.

immer	always
hinten	at the rear
rechts	to the right
der Schrank, ⸚e	the closet
im Schrank	in the closet
stehen	(to) stand
ich habe gestanden	I have stood
Er hat immer hinten rechts im Schrank gestanden.	It always used to stand at the back of the closet to the right.

vielleicht′	perhaps
das Packen	the packing
beim Packen	in packing, during packing
verlegen	(to) mislay
ich habe verlegt	I have mislaid
Vielleicht habe ich ihn beim Packen verlegt.	Perhaps I mislaid it when I was packing.

müssen	(to) have to
ich muß	I have to
das Bett, –en	the bed
gehen	(to) go
Jetzt muß ich aber zu Bett gehen.	But now I must go to bed.

heute	today
* früh	early
* heute früh	this morning
sehr	very
aufstehen	(to) get up
ich bin aufgestanden	I got up
Ich bin heute sehr früh aufgestanden.	I got up very early this morning.

* berühmt	famous
der Sohn, ⸚e	the son
Dein berühmter Sohn Richard.	Your famous son Richard.

II. Text:

Lieber Vater!

Hast Du es in der Zeitung gelesen? Hast Du es schon gehört? Also, ich habe
die Tennismeisterschaft der Freshman-Klasse gewonnen. Stell Dir vor! Am
Tage vor der Meisterschaft ist ein Fremder zu mir auf den Tennisplatz gekommen
5 und hat mich gefragt: „Sie haben letzten Winter in verschiedenen Städten
Floridas gespielt, nicht wahr? Sie waren Tennislehrer für vier Hotels in Kalifornien, nicht wahr? Sie sind Berufsspieler. Sie wissen, Sie können nicht als Amateur
spielen." Erst konnte ich vor Erstaunen nicht reden; dann habe ich dem Mann
aber gründlich meine Meinung gesagt. Er hat mich mit dem Berufs-
10 spieler Richard Niemann verwechselt. So ein Esel! Ich war nie in Kalifornien.

Der Meisterschaftskampf war schwer. Ich habe im Einzelspiel einen Satz
verloren. Das Endresultat war: sechs zu vier, null zu sechs, zehn zu acht.
Mein Gegner hatte das ganze Jahr trainiert; er kommt aus Kalifornien. Er hat
sehr gut gespielt, aber ich habe eben Glück gehabt.

15 Hat Mutter übrigens meinen alten Tennisschläger gefunden? Schicke ihn,
bitte, so bald wie möglich! Er hat immer hinten rechts im Schrank gestanden.
Vielleicht habe ich ihn beim Packen verlegt. Jetzt muß ich aber zu Bett gehen.
Ich bin heute sehr früh aufgestanden.

Dein berühmter Sohn
Richard

III. Comments:

1. *Present Perfect and Past Perfect Tenses:*

The present forms of **haben** are used as tense auxiliaries with the past participle of most verbs to form their present perfect tense. Hence: **ich habe gemacht,** *I have made.* However, German commonly uses the present perfect tense to express simple past action; thus **ich habe gemacht** can also mean *I made.* However, the verbs **sein** and **haben** themselves frequently use the simple past tense forms to express past action: **ich war** — *I was;* **ich hatte** — *I had.*

ich habe gemacht	*I have made, I made*
du hast gemacht	*you have made, you made*
er, sie, es hat gemacht	*he, she, it has made, he, she, it made*
wir haben gemacht	*we have made, we made*
ihr habt gemacht	*you have made, you made*
sie haben gemacht	*they have made, they made*
Sie haben gemacht	*you have made, you made*

ich habe gefunden	*I have found, I found*
du hast gefunden	*you have found, you found*
er, sie, es hat gefunden	*he, she, it has found, he, she, it found*
wir haben gefunden	*we have found, we found*
ihr habt gefunden	*you have found, you found*
sie haben gefunden	*they have found, they found*
Sie haben gefunden	*you have found, you found*

The simple past tense forms of **haben** (**hatte,** *etc.*) are used as tense auxiliaries with the past participle of most verbs to form their past perfect tense.

ich hatte gemacht	*I had made*
du hattest gemacht	*you had made*
er, sie, es hatte gemacht	*he, she, it had made*
wir hatten gemacht	*we had made*
ihr hattet gemacht	*you had made*
sie hatten gemacht	*they had made*
Sie hatten gemacht	*you had made*

ich hatte gefunden	*I had found*
du hattest gefunden	*you had found*
er, sie, es hatte gefunden	*he, she, it had found*
wir hatten gefunden	*we had found*
ihr hattet gefunden	*you had found*
sie hatten gefunden	*they had found*
Sie hatten gefunden	*you had found*

Under certain circumstances, however, the auxiliary **sein** is employed in the formation of the present and past perfect: **ich bin gekommen,** *I have come, I came;* **ich war gekommen,** *I had come.* Similarly, in older English and in elevated style, you sometimes see such sentences as *Christ is risen* and *I am come to pronounce judgment* instead of *Christ has risen* and *I have come.* This mode of forming the perfect tense is very common in German and follows a definite rule: If a verb is intransitive, that is, if it cannot take an accusative object, and if it also signifies a change of position or condition, it requires the use of **sein** as tense auxiliary. In addition, **sein** and **werden** use **sein** as tense auxiliary. Thus: **ich bin gewesen,** *I have been;* **ich bin geworden,** *I have become.*

Examples:

ich bin gekommen	*I have come, I came*
du bist gekommen	*you have come, you came*
er, sie, es ist gekommen	*he, she, it has come, he, she, it came*
wir sind gekommen	*we have come, we came*
ihr seid gekommen	*you have come, you came*
sie sind gekommen	*they have come, they came*
Sie sind gekommen	*you have come, you came*

ich war gekommen	*I had come*
du warst gekommen	*you had come*
er, sie, es war gekommen	*he, she, it had come*
wir waren gekommen	*we had come*
ihr wart gekommen	*you had come*
sie waren gekommen	*they had come*
Sie waren gekommen	*you had come*

An important fact about the compound tenses in German is that the past participle comes at the end of the clause. The first sentence in Richard's letter to his father is: **Hast Du es in der Zeitung gelesen?** This is as if we were to say, *Have you it in the paper read?* instead of *Have you read it in the paper?* Compare the past participles of basic verbs and verbal compounds: **stehen — gestanden** and **aufstehen — aufgestanden; geben — gegeben** and **ausgeben — ausgegeben.**

Example: Ich bin heute sehr früh aufgestanden.
　　　　　I got up very early this morning.

From now on the lists of Words and Phrases will indicate what the present perfect tense of a verb is, as follows: **fragen, ich habe gefragt; aufstehen, ich bin aufgestanden; verstehen, ich habe verstanden.** Notice that the form of the present perfect tense also indicates whether or not a verb prefix is separable.

2. *Position of Infinitive:*

So far you have learned two elements that must come at the end of an independent clause: the separable prefix and the past participle. The third element that comes at the end of an independent clause is the infinitive.

Examples:

Sie können nicht als Amateur spielen.
You can't play as an amateur.

Jetzt muß ich aber zu Bett gehen.
But now I have to go to bed.

IV. Practice:

1. Hast du   es schon gehört?
   Haben Sie   gelesen?
   Hat er   gesagt?
                     gefunden?

2. Am Tage vor der Meisterschaft ist ein Fremder zu mir gekommen.
                              mein Gegner
                              ein Tennislehrer

3. Ich habe letzten Winter in Florida gespielt.
                   Sommer in Kalifornien trainiert.
   Er hat   Herbst in Iowa Geld verdient.
                   Frühling in Illinois gearbeitet.

4. Das kann ich mir gar nicht vorstellen.
   kannst du dir
   kann er sich
   können wir uns
   können Sie sich

5. Das habe ich mir nie so vorgestellt.
   hast du dir
   etc.

6. a. Ich habe   dem Mann meine Meinung gesagt.
      Richard hat   seine
      Anna hat   der Frau ihre
      Haben Sie   dem Dekan Ihre Meinung gesagt, Herr Jones?
   b. Wer hat dem Mann seine Meinung gesagt?
      Wem haben Sie Ihre Meinung gesagt? etc., etc.

7. a. Ich habe meine Uhr verloren.
             mein Buch
   b. Was haben Sie   verloren?
         hat Richard
      Wer hat seinen Tennisschläger verloren?

8. a. Frau Neumann hat den alten Tennisschläger im Schrank gefunden.
                       die   Tennisschuhe
      Herr Neumann   ein kleines Paket
      Fräulein Schmidt   hat ein schönes Geschenk

b. Was hat Frau Neumann im Schrank gefunden?
Wer hat den alten Tennisschläger im Schrank gefunden?
Wo hat Frau Neumann den alten Tennisschläger gefunden? etc.

9. a. Ich muß jetzt zu Bett gehen.
        morgen sehr früh aufstehen.
        jeden Morgen sehr früh aufstehen.
                um halb sieben aufstehen.

b. Müssen Sie jetzt zu Bett gehen, Herr Jones?
Stehen Sie jeden Morgen um halb sieben auf, Herr Fischer?

10. a. Ich bin heute   sehr früh aufgestanden.
Richard ist gestern
Wilhelm ist vorgestern

b. Sind Sie heute sehr früh aufgestanden, Herr Jones?
Warum ist Wilhelm sehr früh aufgestanden?

11. a. Gestern früh bin ich um halb sieben aufgestanden.
Heute früh   sechs Uhr
Aber morgen früh stehe ich erst (*not until*) um neun Uhr auf.

b. Warum sind Sie um halb neun aufgestanden?
Warum stehen Sie erst um neun Uhr auf?

V. Exercises:

'A. *Questions:*
1. Was kann man in der Zeitung über Richard lesen?
2. Wer hat in verschiedenen Städten Floridas gespielt?
3. Wo war Richard Niemann Tennislehrer?
4. Ist Herr Niemann ein Amateur?
5. Mit wem hat der Fremde den Amateur Richard Neumann verwechselt?
6. War Richard einmal in Kalifornien?
7. Welchen Satz hat Richard sechs zu vier gewonnen?
8. Warum kann Richards Gegner das ganze Jahr trainieren?
9. Wo hat der alte Tennisschläger gestanden?
10. Warum kann Frau Neumann Richards alten Tennisschläger nicht finden?
11. Warum muß Richard jetzt schon zu Bett gehen?

B. *Translate:*
1. Er hatte schon einen Satz verloren.
2. Er hat dem Fremden seine Meinung gesagt.
3. Ich kann mich nicht für Mathematik interessieren.
4. Was für ein Halsband haben Sie verloren?
5. Ich habe Richards letzten Brief an mich verlegt.
6. Können Sie sich das vorstellen?
7. Waren Sie letzten Winter in Kalifornien?
8. Ich bin gestern zu spät zur Stunde gekommen.

9. Er konnte sich das gar nicht vorstellen.
10. Was für Zigaretten möchten Sie?
11. Der Fremde hat sie mit Fräulein Jones verwechselt.
12. Jetzt mußt du zu Bett gehen. Hast du mich verstanden?
13. Wo hat Frau Neumann den alten Tennisschläger gefunden?
14. Unsere Gegner hatten den ganzen Winter trainiert.
15. Wissen Sie nicht, daß Sie als Amateur nicht spielen können?

C. *Rearrange:*
1. in verschiedenen Städten Floridas, er, letzten Winter, hat ... gespielt.
2. dem Dekan, sie, ihre Meinung, hat ... gesagt.
3. ihn, hat ... verwechselt, der Professor, mit dem bekannten Tennis-spieler.
4. bin ... gegangen, zu Bett, ich, gestern, sehr spät.
5. um halb elf, ich muß, zu Bett gehen, jeden Abend.
6. ich, das, konnte, nicht, mir, vorstellen.
7. mein Freund, letzten Montag, zu mir, ist ... gekommen, auf mein Zimmer.
8. sind ... gegangen, gestern abend, wir, ins Theater.

D. *Correct the misinformation:*
1. Am Tage vor der Meisterschaft ist ein Berufsspieler zu Richard auf den Tennisplatz gekommen.
2. Richard Niemann hat letzten Sommer in verschiedenen Städten Floridas gespielt.
3. Er war Tennislehrer für fünf Hotels in Kalifornien.
4. Richard hat keinen einzigen (*single*) Satz verloren.
5. Sein Gegner hatte nicht gut trainiert.
6. Richard hat kein Glück gehabt.
7. Richards alter Tennisschläger hat immer hinten links im Schrank gestanden.
8. Richard ist heute sehr spät aufgestanden.

VI. Securing the Vocabulary:

A.

die Zeitung	*newspaper*	die Meinung	*opinion*
gewinnen	*(to) win*	verwechseln	*(to) confuse*
der Fremde	*stranger*	eben	*just*
verschieden	*different, various*	so bald wie	*as soon as*
spielen	*(to) play*	möglich	*possible*
der Beruf	*vocation, profession*	früh	*early*
vor	*before*	heute früh	*this morning*
reden	*(to) speak*	berühmt	*famous*
gründlich	*thorough*		

B.

seit (4)	1. *especially*
die Stelle (9)	2. *room*
arm (6)	3. *black*
das Zimmer (2)	4. *since*
besonders (1)	5. *head*
schwarz (3)	6. *poor*
die Rechnung (10)	7. *soon*
der Kopf (5)	8. *(to) close*
schließen (8)	9. *place, passage*
bald (7)	10. *bill*

schlecht (9)	1. *because*
wer (10)	2. *besides, in addition*
etwas (8)	3. *frightful*
außerdem (2)	4. *less*
die Unterhaltung (6)	5. *watch, clock*
das Gebiet (7)	6. *conversation*
die Uhr (5)	7. *territory, region, special field*
weil (1)	8. *something*
schrecklich (3)	9. *bad*
weniger (4)	10. *who*

nun (3)	1. *at, with, near, at the house of*
tragen (11)	2. *letter*
schnell (6)	3. *well then*
der Brief (2)	4. *(to) pay*
die Sorge (8)	5. *quiet*
bei (1)	6. *quickly*
kennen (10)	7. *in advance*
ruhig (5)	8. *worry, care*
bezahlen (4)	9. *(to) sell*
im voraus (7)	10. *(to) know*
verkaufen (9)	11. *(to) carry, wear*
gar nicht (12)	12. *not at all*

Zehnte Aufgabe

* *

Die Verkäuferin

I. Words and Phrases:

Zehnte Aufgabe.

Tenth lesson.

die Verkäuferin, –nen

the salesgirl

Lieber Richard!

Dear Richard,

glänzend
* die Zukunft
prophezei'en

shining, brilliant
the future
(to) prophesy, predict

Vielen Dank für Deinen letzten Brief, in dem Du mir eine glänzende Zukunft in Webers Warenhaus prophezeist.

Many thanks for your last letter, in which you predict a brilliant future in Weber's department store for me.

* leider
* es gibt
* so etwas
das Märchen, —
der Film, –e

unfortunately
there is (are), there exists (exist)
such a thing
the fairy-tale
the motion picture, film

Leider gibt es so etwas nur in Märchen oder im Film.

Unfortunately things like that happen only in fairy-tales or in the movies.

nun
komisch
die Idee', –n
lachen, ich habe gelacht
die Abwechslung

well then
comical
the idea
(to) laugh
the change

Nun, ich habe über Deine komischen Ideen gelacht; jetzt kannst Du zur Abwechslung über mich lachen.

Well, I have laughed at your funny ideas, now you can laugh at me for a change.

91

der Laden, ⸚	the store
der Tisch, –e	the table
der Ladentisch, –e	the counter
* gleich	directly, immediately
der Eingang, ⸚e	the entrance

Mein Ladentisch ist gleich beim Ein-   My counter is right at the entrance.
gang.

wer	who, whoever
etwas	something
wissen, ich habe gewußt	(to) know
wollen, ich habe gewollt	(to) want to
er will	he wants to
* gewöhnlich	usually
* zuerst′	at first

Wer etwas wissen will, kommt gewöhn-   Anybody who wants information usu-
lich zuerst zu mir.   ally comes to me first.

täglich	daily
allerlei	all sorts of
antworten, ich habe geantwortet	(to) answer
auf eine Frage antworten	(to) answer a question
mancher (manche, manches)	many a
manche (*plural*)	some
* merkwürdig	remarkable

Täglich muß ich auf allerlei Fragen   I have to answer all sorts of questions
antworten, und manche dieser Fra-   every day and some of these ques-
gen sind sehr merkwürdig.   tions are very peculiar.

| ein paar | a few |
| die Probe, –n | the sample |

Hier sind ein paar Proben.   Here are a few samples.

* entschuldigen, ich habe entschuldigt	(to) excuse
das Fräulein, —	the young lady, Miss
halten, ich habe gehalten	(to) hold, stop
der Autobus, –se	the bus

„Entschuldigen Sie, Fräulein, wo hält   "Excuse me, Miss, where does the
Autobus drei?"   number three bus stop?"

| links | to the left |
| die Ecke, –n | the corner |

„Gleich hier links an der Ecke."   "Right here on the corner to the left."

| die Socke, –n | the sock |
| die Tasche, –n | the pocket |

das Tuch, ⸚er	the cloth
das Taschentuch, ⸚er	the handkerchief
* kaufen, ich habe gekauft	(to) buy
„Können Sie mir sagen, wo ich Socken und Taschentücher kaufen kann?"	"Can you tell me where I can buy socks and handkerchiefs?"
der Stock, —werke	the floor
im dritten Stock	on the fourth floor
* fahren, ich bin gefahren	(to) travel, ride
der Stuhl, ⸚e	the chair
der Fahrstuhl, ⸚e	the elevator
da	there
drüben	yonder
* da drüben	over there
„Im dritten Stock; der Fahrstuhl ist da drüben."	"On the fourth floor; the elevator is over there."
wo	where
* vorig	previous, preceding
der Sommer, —	the summer
die Hand, ⸚e	the hand
die Tasche, –n	the pocket, bag
die Handtasche, –n	the hand-bag
der Schmuck	the adornment
der Arti′kel —	the article
der Schmuck′arti′kel, —	the decorative article
verkaufen	(to) sell
„Wo ist das Fräulein, das im vorigen Sommer hier Handtaschen und Schmuckartikel verkaufte?"	"Where is the salesgirl who sold hand-bags and costume jewelry here last summer?"
* sich verheiraten, ich habe mich ver- heiratet	(to) get married
„Sie hat sich vor einer Woche ver- heiratet."	"She got married a week ago."
* schlimm	bad
am schlimmsten	worst
aufgeregt	excited
die Dame, –n	the lady
sich beschweren, ich habe mich be- schwert	(to) complain
Am schlimmsten sind die aufgeregten alten Damen, die sich bei mir be- schweren:	Worst of all are the excited old ladies who make complaints to me.

kennen, ich habe gekannt	(to) be acquainted with
die Marke, –n	the brand
* der Frühling, –e	the spring
der Traum, ⸚e	the dream
der Frühlingstraum, ⸚e	the spring dream

„Sie verkaufen Seidenstrümpfe und kennen die Marke ‚Frühlingstraum' nicht?"

"You sell silk stockings and don't know the brand 'Spring Dream'?"

tun, ich habe getan	(to) do
das Leid	the sorrow
* es tut mir leid	it causes me sorrow, I'm sorry
* wirklich	really
furchtbar	awful, terrible

„Es tut mir wirklich furchtbar leid."

"I'm really awfully sorry."

sich ansehen, ich habe mir angesehn	(to) look at
ich sehe mir etwas an	I look at something

„Sehen Sie sich diesen Strumpf an, Fräulein!

"Take a look at this stocking, Miss!"

zweimal	twice
waschen, ich habe gewaschen	(to) wash
* laufen, ich bin gelaufen	(to) run
die Masche, –n	the stitch, mesh
die Laufmasche, –n	the run

Ich habe ihn zweimal gewaschen, und schon hat er eine Laufmasche."

"I have washed it twice and it has a run already."

* sicher	sure, certain
das Waschen	the (*act of*) washing

„Sind Sie sicher, daß die Laufmasche nicht schon vor dem Waschen im Strumpf war?"

"Are you sure that the run wasn't already in the stocking before you washed it?"

lesen, ich habe gelesen	(to) read
eben	just now
die Zeitung, –en	the newspaper
das College, –s	the college
das Jahr, –e	the year
das Hundert, –e	the hundred
das Jahrhundert, –e	the century

die Feier, –n
   die Jahrhundertfeier, –n

the celebration
   the centennial celebration

Richard, ich habe eben in der Zeitung gelesen, daß Dein College im November Jahrhundertfeier hat.

Richard, I have just read in the newspaper that your college is going to have its centennial celebration in November.

überra'schen, ich habe überrascht'
Das hat mich sehr überrascht.

(to) surprise
That surprised me very much.

wissen, ich habe gewußt
gar nicht
   ich wußte gar nicht
schon

(to) know
not at all
   I didn't know at all
already

Ich wußte gar nicht, daß Dein College schon so alt ist.

I had no idea that your college is so old.

füllen, ich habe gefüllt
die Feder, –n
   die Füllfeder, –n
*leer
außerdem
* heute abend
das Geschirr
spülen, ich habe gespült

(to) fill
the feather, pen
   the fountain pen
empty
besides, in addition
this evening
the table utensils
(to) rinse

Meine Füllfeder ist leer, und außerdem muß ich heute abend das Geschirr spülen.

My fountain pen is dry and besides, I have to do the dishes tonight.

Schreib bald!
In Liebe — Anna
   übrigens
die Weltanschauung, –en
gefallen, es hat gefallen
   es hat mir gefallen

Write soon!
With love, Anna
   incidentally
the world-view
(to) please
   it pleased me, I liked it

Übrigens, was Professor Berg über Deine Weltanschauung sagte, hat mir gar nicht gefallen.

Incidentally, I didn't at all like what Professor Berg said about your philosophy of life.

II. Text:

Lieber Richard!

Vielen Dank für Deinen letzten Brief, in dem Du mir eine glänzende Zukunft
in Webers Warenhaus prophezeist. Leider gibt es so etwas nur in Märchen oder
im Film. Nun, ich habe über Deine komischen Ideen gelacht; jetzt kannst Du
5 zur Abwechslung über mich lachen. Mein Ladentisch ist gleich beim Eingang.
Wer etwas wissen will, kommt gewöhnlich zuerst zu mir. Täglich muß ich auf
allerlei Fragen antworten, und manche dieser Fragen sind sehr merkwürdig.
Hier sind ein paar Proben: „Entschuldigen Sie, Fräulein, wo hält Autobus
drei?" — „Gleich hier links an der Ecke." — „Können Sie mir sagen, wo ich
10 Socken und Taschentücher kaufen kann?" — „Im dritten Stock, der Fahrstuhl
ist da drüben." — „Wo ist das Fräulein, das hier im vorigen Sommer Handtaschen und Schmuckartikel verkaufte?" — „Sie hat sich vor einer Woche verheiratet." Am schlimmsten sind die aufgeregten alten Damen, die sich bei mir
beschweren: „Sie verkaufen Seidenstrümpfe und kennen die Marke ‚Frühlings-
15 traum' nicht?" — „Es tut mir wirklich furchtbar leid ..." — „Sehen Sie sich
diesen Strumpf an, Fräulein! Ich habe ihn zweimal gewaschen, und schon hat er
eine Laufmasche." — „Sind Sie sicher, daß die Laufmasche nicht schon vor dem
Waschen im Strumpf war?"

Richard, ich habe eben in der Zeitung gelesen, daß Dein College im November Jahrhundertfeier hat. Das hat mich sehr überrascht. Ich wußte gar nicht, daß Dein College schon so alt ist.

Meine Füllfeder ist leer, und außerdem muß ich heute abend das Geschirr spülen. Schreib bald! 5

In Liebe
Anna

Übrigens, was Professor Berg über Deine Weltanschauung sagte, hat mir gar nicht gefallen.

III. Comments:

1. *Prepositions:*

It is important to realize that the meaning of a preposition is very hard to define and that you must not expect a preposition always to mean one or two specific things and to have one or two specific uses. Think of the widely differing meanings of the English preposition *for* in the sentences: *Please do it for me, I'll be gone for ten days, Let's go for a walk.* Thus, any meanings which are attached to the German prepositions in this unit are meant simply to indicate their more common use or merely the meanings which they tend to have.

Some prepositions always require the dative case. The most common ones are: **aus** — *out of;* **außer** — *besides, in addition to;* **bei** — *with, at the house of;* **mit** — *with;* **nach** — *after, to(wards);* **seit** — *since;* **von** — *of, from;* **zu** — *to.*

Some prepositions always require the accusative case. The most common ones are: **durch** — *through;* **für** — *for;* **gegen** — *against;* **ohne** — *without;* **um** — *around, about.*

A third group of prepositions requires sometimes the dative and sometimes the accusative case. These prepositions are: **an** — *at, to;* **auf** — *on;* **hinter** — *behind;* **in** — *in;* **neben** — *next to;* **über** — *over;* **unter** — *under;* **vor** — *before;* **zwischen** — *between.*

When one of the prepositions in the third group is used with the accusative, the idea is that of motion toward a goal or limit, *e.g.* **Ein Fremder kommt auf den Tennisplatz.** *A stranger is coming out onto the tennis court.* When one of these prepositions is used with the dative however, the idea is that of locality or station: **Mein Ladentisch ist neben dem Eingang.** *My counter is at the entrance.* **Der Autobus hält an der Ecke.** *The bus stops at the corner.* The prepositions **an, auf** and **über** are used with the accusative also in a figurative sense: **Ich habe über deine Ideen gelacht.** *I laughed at your ideas.*

2. *Contractions of Definite Article with Prepositions:*

Some of the prepositions form contractions with the following article. Thus **bei dem** becomes **beim, von dem** — **vom, zu dem** — **zum, zu der** — **zur, durch das** — **durchs, für das** — **fürs, um das** — **ums, an dem** — **am, in dem** — **im, in das** — **ins.**

3. Da *and* **wo** *Compounds:*

In English it is possible, and in legal language customary, to replace a preposition and its pronoun object such as *with it* and *with what* by the compound forms *therewith* and *wherewith*. German regularly employs such compounds composed of the particles **da** and **wo** (**dar-** and **wor-** before vowels) plus the preposition. Thus: *with it* — **damit,** *with what* — **womit,** *in it* — **darin,** *in what* — **worin.**

4. *Transposed Word Order:*

In subordinate clauses the inflected verb stands at the end. This is called transposed word order. There are three types of subordinate clauses in German:

1. A clause introduced by a conjunction: Ich höre, **daß** dein College Jahrhundertfeier **hat.** *I hear that your college has its centennial celebration.* (For complete list of subordinating conjunctions, see Appendix.)

2. A clause introduced by a relative pronoun: Vielen Dank für Deinen Brief, **in dem** Du mir eine glänzende Zukunft **prophezeist.** *Many thanks for your letter in which you predict a brilliant future for me.*

3. A clause introduced by an interrogative, *i.e.* an indirect question: Können Sie mir sagen, **wo** ich Taschentücher kaufen **kann?**

IV. Practice:

1. Ich gehe gerade ins   Kino.
                          Theater.
             zur   Klasse.
                          Deutschstunde.
                          Bank (*bank*).
             auf   die Post (*post-office*).
             in   die Stadt (*downtown*).
             nach Hause (*home*).

2. Was du über deine Professoren sagst, hat mir gar nicht gefallen.
                          Klassen
Was Sie über Ihre Weltanschauung schreiben, hat mir sehr gut gefallen.
                          Arbeit

3. Mein Tisch ist gleich links beim Eingang.
                          Ausgang.
                          Fahrstuhl.
                 bei   der Tür (*door*).

4. Wer etwas wissen will, kommt gewöhnlich zuerst zu mir.
                          an meinen Tisch.
                          zum Abteilungschef.
                          Professor.

5. Sind Sie sicher, daß die Laufmasche nicht schon vor dem Waschen im Strumpf war?

Autobus drei an der Ecke hält?

das Fräulein sich verheiratet hat?

Sie meine Füllfeder nicht gesehen haben?

6. Wissen Sie, wer hier im vorigen Frühjahr Handtaschen verkauft hat?

wann die junge Dame sich verheiratet hat?

ob (*whether*) Autobus drei an der nächsten Ecke hält?

wofür Ihre Freundin sich besonders interessiert?

7. Es tut mir leid, daß Sie sich über die Strümpfe beschweren müssen.

schon nach Hause gehen müssen.

Ihre neue Füllfeder verloren haben.

8. Mein Freund hat sich vor einer   Woche verheiratet.

einem Monat

Jahr

zwei   Jahren

sechs   Monaten

zehn   Wochen

9. Ich sehe mir diese schönen Taschentücher an.

grauen Hemden

Richard sieht sich einen neuen Tennisschläger an.

das kleine Paket

V. Exercises:

A. *Questions:*

- 1. In welchem Brief hat Richard Anna eine glänzende Zukunft prophezeit?
- 2. Wo ist Annas Ladentisch?
- 3. Wo hält Autobus drei?
- 4. Was kann man in Webers Warenhaus im dritten Stock kaufen?
5. Wer hat sich vor einer Woche verheiratet?
6. Warum war die alte Dame so aufgeregt?
7. Welche Marke Seidenstrümpfe gibt es in Webers Warenhaus nicht?
8. Wie oft hat die alte Dame den Strumpf mit der Laufmasche gewaschen?
9. Wann hat Richards College Jahrhundertfeier?
10. Was hat Anna in Richards letztem Brief gar nicht gefallen?

B. *Translate:*

1. Heute mußte ich auf eine merkwürdige Frage antworten.
2. Sind Sie sicher, daß das Fräulein sich vor einem Jahr verheiratet hat?
3. Hat er wirklich so etwas gesagt?
4. Ich mußte über die komische Antwort lachen, und er mußte auch darüber lachen.
5. Sehen Sie sich diese schöne Handtasche an!

6. Ich konnte auf die merkwürdige Frage nicht antworten.
7. Mein Freund ist vor zehn Minuten nach Hause gegangen.
8. Können Sie mir sagen, warum sie sich so aufgeregt hat?
9. Sind Sie sicher, daß es ihm gefallen hat?
10. Ich habe zweimal die Woche chemisches Labor.
11. In dem kleinen Paket hat Richard Socken und Taschentücher gefunden.
12. Ich lese eben in der Zeitung, daß Willi Meyer die Tennismeisterschaft gewonnen hat.
13. Ich möchte mir das Buch hier ansehen.
14. Was du über die anderen Studenten in deinem Hause schreibst, hat mir sehr gut gefallen.
15. Möchten Sie heute abend mit mir ins Theater gehen?

C. *Rearrange:*

1. über den aufgeregten Abteilungschef, hat . . . gelacht, er.
2. sie, im vorigen Winter, hat . . . verkauft, hier, Schmuckartikel.
3. sind Sie sicher, es, in diesem Geschäft, daß, gibt, einen Fahrstuhl?
4. was, schreibst, über deine Professoren, du, hat . . . gefallen, mir, sehr gut.
5. täglich, auf allerlei komische Fragen, muß, sie, antworten.
6. über die Verkäuferin, hat sich . . . beschwert, die aufgeregte Dame.
7. vor drei Monaten, hat sich . . . verheiratet, er.
8. eine Füllfeder, ich, und ein silbernes Halsband, kaufen, mir, möchte.
9. sie möchte wissen, wo, Taschentücher, sie kann, kaufen.
10. haben Sie . . . gelesen, in der Zeitung, das?

D. *Correct the misinformation:*

1. Richards letzter Brief hat Anna sehr gut gefallen.
2. Annas Ladentisch ist gleich beim Fahrstuhl.
3. Wer etwas wissen will, geht gewöhnlich zuletzt zu ihr.
4. Autobus drei hält gleich rechts an der Ecke.
5. Man kann Socken und Taschentücher im vierten Stock kaufen.
6. Es gibt keinen Fahrstuhl im Geschäft.
7. Anna hat sich vor einer Woche verheiratet.
8. Die aufgeregte Dame sagt, daß sie den Strumpf nur einmal gewaschen hat.
9. Richard hat Anna geschrieben, daß sein College im November Jahrhundertfeier hat.
10. Anna muß morgen früh das Geschirr spülen.

VI. Securing the Vocabulary:

A.

die Zukunft	*future*	gleich	*directly, immedi-*
leider	*unfortunately*		*ately*
es gibt	*there is (are), there*	gewöhnlich	*usually*
	exists (exist)	zuerst	*at first*
so etwas	*such a thing*	merkwürdig	*remarkable*

entschuldigen	(to) excuse	der Frühling	spring
kaufen	(to) buy	es tut mir leid	I am sorry
fahren	(to) travel, ride	wirklich	really
da drüben	over there	laufen	(to) run
vorig	previous, preceding	sicher	sure, certain
sich verheiraten	(to) get married	leer	empty
schlimm	bad	heute abend	this evening

B.

auch (6)	1. I would like to	der Beruf (7)	1. place
schlecht (2)	2. bad	vielleicht (10)	2. because
früh (11)	3. (to) confuse	wohnen (4)	3. in advance
traurig (5)	4. both	weil (2)	4. (to) live, dwell
beide (4)	5. sad	im voraus (3)	5. opinion
ich möchte (1)	6. also	ander (9)	6. indeed, to be sure
schwarz (10)	7. time	die Meinung (5)	7. vocation, profession
die Zeit (7)	8. never	der Ort (1)	8. place, passage
verwechseln (3)	9. to begin	allerdings (6)	9. other
anfangen (9)	10. black	die Stelle (8)	10. perhaps
nie (8)	11. early	sonst (11)	11. otherwise

also (4)	1. (to) speak
vor (6)	2. as soon as
möglich (8)	3. at least
so bald wie (2)	4. well then, and so, therefore
reden (1)	5. (to) need
heute früh (9)	6. before, ago
spielen (10)	7. incidentally
dann und wann (11)	8. possible
übrigens (7)	9. this morning
wenigstens (3)	10. (to) play
brauchen (5)	11. now and then

Elfte Aufgabe

★ ★

Die Einladung

I. Words and Phrases:

Elfte Aufgabe.	Eleventh lesson.
die Einladung, –en	the invitation
* die Verzeihung	the pardon
sich verlaufen, ich habe mich verlaufen	(to) lose one's way
„Verzeihung, ich habe mich verlaufen.	"Excuse me, I have lost my way.
* mögen, ich habe gemocht	(to) like to
ich möchte	I would like to
die Blume, –n	the flower
die Dame, –n	the lady
Ich möchte Blumen für eine junge Dame kaufen.	I would like to buy some flowers for a young lady.
* wohl	probably, no doubt
richtig	right
der Ort, ⁀er	the place
Das ist wohl nicht der richtige Ort?	I don't suppose this is the right place?
natür'lich	naturally
sehen, ich habe gesehen	(to) see
verkaufen, ich habe verkauft	(to) sell
sie werden verkauft	they are sold
Natürlich nicht; ich sehe, hier werden Seidenstrümpfe verkauft".	Of course not; I see you sell silk stockings here."
wünschen, ich habe gewünscht	(to) wish
künstlich	artificial
„Wünschen Sie künstliche Blumen?"	"Do you wish artificial flowers?"

102

der Ersatz	the substitute, replacement
die Ersatzblume, –n	the substitute for a flower
„O nein, keine Ersatzblumen.	"Oh no, no substitutes.
•unbedingt•	absolute
frisch	fresh
Ich muß unbedingt frische Blumen haben."	I simply have to have fresh flowers."
dann	then
schon	already
die Blume, –n	the flower
* das Geschäft, –e	the business, store
das Blumengeschäft, –e	the flower store
„Ja, dann müssen Sie schon in ein Blumengeschäft gehen."	"Well, then you'll have to go to a flower store."
liebenswürdig	charming, kind
„Sie sind sehr liebenswürdig, Fräulein.	"You are very kind, Miss.
sagen, ich habe gesagt	(to) say, tell
würden Sie sagen	would you say
vielleicht′	perhaps
auch	also
noch	still, yet, in addition
nächst	nearest
Würden Sie mir vielleicht auch noch sagen, wo das nächste Blumengeschäft ist?"	Perhaps you would also tell me where the nearest flower store is?"
* ziemlich	rather
* weit	far
„Das nächste Blumengeschäft ist ziemlich weit von hier.	"The nearest flower store is rather far from here.
* lieber	rather, preferably
* der Schutz	the protection
der Mann, ⁔er	the man
der Schutzmann, Schutzleute	the policeman
Fragen Sie lieber einen Schutzmann!"	You had better ask a policeman."
also	well then
* erraten, ich habe erraten	(to) guess correctly
Also, mein liebes Fräulein Becker, Sie haben es wohl schon erraten. Die Blumen sind natürlich für Sie.	Well, my dear Miss Becker, you have probably already guessed it. Of course the flowers are for you.

hiermit   herewith
der Galaball, ⁻e   the gala ball
geliebt   beloved
die Alma Mater   the Alma Mater
   der Alma Mater   of the Alma Mater
einladen, ich habe eingeladen   (to) invite
   Sie werden eingeladen   you are invited

Sie werden hiermit zum großen Gala-   You are hereby invited to the great
ball unserer geliebten Alma Mater   gala ball of our beloved Alma Mater.
eingeladen.

dreißig   thirty
   der dreißigste   the thirtieth
das College, –s   the college
hundert   hundred
das Jahr, –e   the year
der Abend, –e   the evening
* wichtig   important
der Tag, –e   the day
   dieses Tages   of this day

Am 30. (dreißigsten) November wird   On November thirtieth, our famous
unser berühmtes College hundert   college will be one hundred years old
Jahre alt, und am Abend dieses wich-   and on the evening of this important
tigen Tages haben wir einen großen   day we will have a great ball.
Ball.

der Tanz, ⁻e   the dance
beginnen, ich habe begonnen   (to) begin
* ungefähr   approximately
enden, ich habe geendet   (to) end
der Punkt, –e   the point, dot, period

Der Tanz beginnt ungefähr um zehn   The dance will begin at approximately
Uhr und endet Punkt eins.   ten o'clock and will end at one
                                                 o'clock sharp.

* stattfinden, es hat stattgefunden   (to) take place
* die Gesellschaft, –en   the society, company
der Raum, ⁻e   the room
   der Gesellschaftsraum, ⁻e   the social room
* das Gebäude, —   the building
   des Gebäudes   of the building

Er findet in den Gesellschaftsräumen   It will take place in the social rooms of
des Wilby Gebäudes statt.   Wilby Hall.

die Kapel'le, –n	the chapel, band
der Pirat', –en	the pirate
die Musik'	the music
die Tanz'musik'	the dance music
liefern, ich habe geliefert	(to) deliver
wird liefern	will furnish
man	one, a person
nördlich	northerly, north

Die berühmte Kapelle, Toni und seine Piraten, wird die beste Tanzmusik liefern, die man nördlich des Rio Grande hören kann.

The famous band, Toni and his Pirates, will play the best dance music that you can hear north of the Rio Grande.

* während	during
der Aufenthalt	the stay
des Aufenthaltes	of the stay
während Ihres Aufenthaltes	during your stay
der Gast, ⸚e	the guest
erstklassig	first-class
das Hotel, –s	the hotel
des Hotels	of the hotel
eines erstklassigen Hotels	of a first-class hotel
sein	(to) be
Sie werden sein	you will be

Während Ihres Aufenthaltes werden Sie der Gast eines erstklassigen Hotels sein.

During your stay you will be the guest of a first-class hotel.

die Zeit, –en	the time
die Lust	the pleasure, desire
Haben Sie Lust?	Have you the desire? Do you want to?

Haben Sie Zeit, haben Sie Lust?

Do you have the time, do you have the inclination?

baldig	prompt, early
die Antwort, –en	the answer
erwarten, ich habe erwartet	(to) expect, await
die Antwort wird erwartet	the answer is expected

Eine baldige Antwort wird erwartet.

An early reply is expected.

hoch	high
die Achtung	esteem
voll	full
hochachtungsvoll	respectfully

II. Text:

„Verzeihung, ich habe mich verlaufen. Ich möchte Blumen für eine junge Dame kaufen. Das ist wohl nicht der richtige Ort? Natürlich nicht, ich sehe, hier werden Seidenstrümpfe verkauft." — „Wünschen Sie künstliche Blumen?" — „Oh nein, keine Ersatzblumen! Ich muß unbedingt frische Blumen haben."
5 — „Ja, dann müssen Sie schon in ein Blumengeschäft gehen." — „Sie sind sehr liebenswürdig, Fräulein. Würden Sie mir vielleicht auch noch sagen, wo das nächste Blumengeschäft ist?" — „Das nächste Blumengeschäft ist ziemlich weit von hier. Fragen Sie lieber einen Schutzmann!"

Also, mein liebes Fräulein Becker, Sie haben es wohl schon erraten. Die
10 Blumen sind natürlich für Sie. Sie werden hiermit zum großen Galaball unserer geliebten Alma Mater eingeladen. Am 30. (dreißigsten) November wird unser berühmtes College hundert Jahre alt, und am Abend dieses wichtigen **Tages** haben wir einen großen Ball. Der Tanz beginnt ungefähr um zehn **Uhr** und

endet Punkt eins. Er findet in den Gesellschaftsräumen des Wilby Gebäudes statt. Die berühmte Kapelle, Toni und seine Piraten, wird die beste Tanzmusik liefern, die man nördlich des Rio Grande hören kann. Während Ihres Aufenthaltes werden Sie der Gast eines erstklassigen Hotels sein. Haben Sie Zeit, haben Sie Lust?   5

Eine baldige Antwort wird erwartet.

Hochachtungsvoll
Richard Neumann

III. Comments:

1. *The Genitive Case:*

The fourth case of German substantives is known as the genitive. In a general way it corresponds to the English possessive case as in *father's car*. The genitive form of the article is **des** for the masculine and neuter singular and **der** for the feminine singular and for the plural. The **der**-words and **ein**-words take corresponding endings:

Masculine	*Feminine*	*Neuter*
des	der	des
keines	keiner	keines

Plural
der
keiner

In the genitive singular all neuter nouns (except **das Herz,** the genitive case of which is **des Herzens**) and most masculines end in –s or –es, but some masculines end in –n or –en. (Those that take –n or –en retain this ending through the rest of the singular and the plural). Feminine nouns are unchanged in the singular. Here are examples of the genitive singular masculine, feminine and neuter, and of the plural.

Masculine	*Feminine*	*Neuter*
des Mannes	der Dame	des Gebäudes
meines Studenten	meiner Klasse	meines Zimmers

Plural
der Männer, Damen, Gebäude
meiner Studenten, Klassen, Zimmer

The genitive case is also used after a number of prepositions, such as **während: während Ihres Aufenthaltes,** during your stay. (For complete list see Appendix)

From now on the lists of Words and Phrases will indicate the principal parts of nouns (the nominative and genitive singular, and the nominative plural) as follows: **der Mann, –es, ̈er; die Dame, —, –n; das Gebäude, –s, —.**

2. *Declension of Nouns:*

In the following are given the complete declensions of representative nouns together with the definite and indefinite articles:

<table>
<tr><td colspan="2">Masculine</td><td colspan="2">Feminine</td></tr>
<tr><td>N.</td><td>der (ein) Mann, Student</td><td colspan="2">die (eine) Nacht, Dame</td></tr>
<tr><td>A.</td><td>den (einen) Mann, Studenten</td><td colspan="2">die (eine) Nacht, Dame</td></tr>
<tr><td>D.</td><td>dem (einem) Mann(e), Studenten</td><td colspan="2">der (einer) Nacht, Dame</td></tr>
<tr><td>G.</td><td>des (eines) Mannes, Studenten</td><td colspan="2">der (einer) Nacht, Dame</td></tr>
</table>

Neuter

das (ein) Gebäude
das (ein) Gebäude
dem (einem) Gebäude
des (eines) Gebäudes

Plural

die (keine) Männer, Studenten; Nächte, Damen; Gebäude
die (keine) Männer, Studenten; Nächte, Damen; Gebäude
den (keinen) Männern, Studenten; Nächten, Damen; Gebäuden
der (keiner) Männer, Studenten; Nächte, Damen; Gebäude

3. *Passive Voice (Present Tense):*

In the text of this lesson there are three examples of the passive voice: **Sie werden verkauft.** *They are sold;* **Sie werden hiermit zum großen Galaball eingeladen.** *You are hereby invited to the great galaball;* **Eine baldige Antwort wird erwartet.** *A speedy answer is expected.* Here is the complete present tense of a passive sentence:

Ich werde um acht Uhr erwartet.	*I am expected at eight o'clock.*
Du wirst um acht Uhr erwartet.	*You are expected at eight o'clock.*
Er, sie, es wird um acht Uhr erwartet.	*He, she, it is expected at eight o'clock.*
Wir werden um acht Uhr erwartet.	*We are expected at eight o'clock.*
Ihr werdet um acht Uhr erwartet.	*You are expected at eight o'clock.*
Sie werden um acht Uhr erwartet.	*They are expected at eight o'clock.*
Sie werden um acht Uhr erwartet.	*You are expected at eight o'clock.*

If you analyze these sentences you will see that the forms of **werden** are used as auxiliaries with the past participle of a verb to form its passive voice. The past participle comes in its normal position, the end of the clause.

4. *Dates:*

The following patterns represent the most common expressions for dates:

1. **Am 30. (dreißigsten) November** — *On the 30ᵗʰ of November.* **Heute ist der 30. (dreißigste) November.** — *Today is the 30ᵗʰ of November.*

2. The accusative of time is used in dating letters: **Berlin, den 1.** (*read:* **den ersten) Dezember.**

IV. Practice:

1. Richard hat sich verlaufen.
   Anna
   Anna und ich haben uns verlaufen.
   Hast du dich verlaufen, Richard?
   Haben Sie sich verlaufen, Herr Jones?
   Wer hat sich verlaufen?

2. In der Mitte (*middle*) des Ladentisches sehen wir viele Seidenstrümpfe.
   In der Mitte des Raumes sehen wir viele schöne Handtaschen.
   einen großen Ladentisch.
   die berühmte Kapelle.

3. a. Auf der anderen Seite der Straße ist ein großes Blumengeschäft.
   das bekannte Warenhaus von Weber.
   des Geschäftes ist Fräulein Beckers Ladentisch.

   b. Das College liegt am anderen Ende der Stadt.
   Der Bahnhof

4. a. Richard Neumann wird sehr leicht mit Richard Niemann verwechselt.
   Ich werde sehr leicht mit Richard Niemann verwechselt.

   b. Wirst du oft mit deinem Bruder (*brother*) verwechselt, Richard?
   Werden Sie oft mit Ihrer Schwester (*sister*) verwechselt, Fräulein Becker?

5. An diesem Tisch wird keine Butter verkauft.
   kein Kaffee
   kein Fleisch (*meat*)
   werden keine Eier
   keine Blumen
   keine Schmuckartikel

6. a. Fräulein Becker wird von Richard zum großen Tanz eingeladen.
   Ich werde von Richard zum großen Tanz eingeladen.
   Wir werden

   b. Du wirst hiermit zum Tanz eingeladen.
   Sie werden

7. Der Tanz findet in den Gesellschaftsräumen des Wilby Gebäudes statt.
   Die Vorstellung (*performance*) findet in der großen Halle (*hall*) des Theaters statt.
   Die Sitzung (*meeting*) findet in den Zimmern der Deutschen Gesellschaft statt.

8. Er ist der Freund   des berühmten Tennisspielers, Richard Niemann.
   großen Schauspielers (*actor*), Heinrich George.
   Sie ist die Freundin der großen Schauspielerin (*actress*), Elizabeth Bergner.
   kleinen Verkäuferin im Blumengeschäft an der Ecke.

V. Exercises:

A. *Questions:*

1. Was möchte der junge Mann kaufen?
2. Für wen (*whom*) möchte er Blumen kaufen?
3. Wo kauft man Blumen?
4. Wo ist das nächste Blumengeschäft?
5. Wen fragt man, wenn man nicht weiß, wo eine Straße oder ein Geschäft ist?
6. Zu welchem Ball wird Anna eingeladen?
7. Wann beginnt der Tanz?
8. Wann endet der Tanz?
9. Wo findet der Tanz statt?
10. Wo kann Anna während ihres Aufenthaltes in der Universitätsstadt wohnen?
11. Wer wird die Tanzmusik liefern?

B. *Translate:*

1. Ich lade dich hiermit zum großen Tanz ein.
2. Otto wird auch eingeladen.
3. Das College ist ziemlich weit von hier, am anderen Ende der Stadt.
4. Ich bin sicher, daß hier Schmuckartikel verkauft werden.
5. Wirst du oft mit deinem Bruder verwechselt, Hans?
6. Ich werde nächsten Montag neunzehn Jahre alt.
7. In der Mitte des Gesellschaftsraumes steht der berühmte Tennisspieler.
8. Die Vorstellung (*performance*) beginnt Punkt acht Uhr und endet ungefähr um halb elf.
9. Haben Sie Lust, morgen mit mir Tennis zu spielen?
10. Haben wir Zeit, eine Zigarette zu rauchen?

C. *Rearrange:*

1. Zigarren, kaufen, ich, für meinen Vater, möchte.
2. des Geschäfts, auf der anderen Seite, werden ... verkauft, am Ladentisch, Handtaschen.
3. gehen, wir, in ein Blumengeschäft, müssen, schon.
4. lieber, den Abteilungschef, fragen Sie!
5. können Sie mir sagen, wo, stattfindet, der große Tanz?
6. im Großen Theater, findet ... statt, heute abend, die Vorstellung.
7. hiermit, wirst ... eingeladen, zum großen Tanz, du.
8. wird ... verwechselt, er, oft, mit seinem Bruder.
9. meine kleine Schwester, am zwanzigsten Juni, wird, zehn Jahre alt.
10. sind Sie sicher, daß, im Blumengeschäft, Fräulein Becker, arbeitet, an der Ecke?

D. *Correct the misinformation:*

1. Richard will künstliche Blumen für Anna kaufen.
2. Er kann Seidenstrümpfe in einem Blumengeschäft kaufen.
3. Wenn er Blumen kaufen will, muß er schon in ein Warenhaus gehen.
4. In einem Warenhaus werden frische Blumen verkauft.
5. Der Schutzmann kann ihm nicht sagen, wo das Blumengeschäft ist.
6. Anna kann nicht erraten, für wen Richard Blumen kaufen möchte.
7. Anna wird zum großen Tanz am zwanzigsten November eingeladen.
8. Richard ladet Anna zum großen Tanz am einunddreißigsten November ein.
9. Richards geliebte Alma Mater wird am dreißigsten Oktober hundert Jahre alt.
10. Der Tanz beginnt Punkt halb zehn Uhr und endet ungefähr um ein Uhr.
11. Er findet in den Gesellschaftsräumen des Warenhauses statt.
12. Toni und seine Piraten werden die beste Tanzmusik liefern, die man südlich des Rio Grande hören kann.

VI. Securing the Vocabulary:

A.

die Verzeihung	*pardon*	erraten	*(to) guess correctly*
mögen	*(to) like to*	einladen	*(to) invite*
wohl	*probably, no doubt*	wichtig	*important*
das Geschäft	*business, store*	ungefähr	*approximately*
ziemlich	*rather*	stattfinden	*(to) take place*
weit	*far*	die Gesellschaft	*society, company*
lieber	*rather, preferably*	das Gebäude	*building*
der Schutz	*protection*	während	*during*

B.

können (6)	1. *different, various*	außerdem (7)	1. *joy, pleasure*
gern (5)		sich verheiraten (8)	2. *just*
bald (2)	2. *soon*	die Freude (1)	3. *especially*
verschieden (1)	3. *(to) work*	eben (2)	4. *nothing*
	4. *there is (are), there exists (exist)*	besonders (3)	5. *(to) excuse*
die Zukunft (8)		laufen (10)	6. *directly, immediately*
schnell (9)		auch (11)	
arbeiten (3)	5. *gladly*	entschuldigen (5)	7. *besides, in addition*
jetzt (7)	6. *(to) be able*	gleich (6)	
gar nicht (10)	7. *now*	schrecklich (9)	8. *(to) get married*
es gibt (4)	8. *future*	nichts (4)	9. *frightful*
	9. *quickly*		10. *(to) run*
	10. *not at all*		11. *also*

übrigens (4)	1. *until*
der Fremde (9)	2. *poor*
brauchen (8)	3. *(to) ask*
wirklich (6)	4. *incidentally*
die Abteilung (7)	5. *boring, dull*
arm (2)	6. *really*
fragen (3)	7. *department*
heute abend (11)	8. *(to) need*
bis (1)	9. *stranger*
gewinnen (12)	10. *(to) buy*
kaufen (10)	11. *this evening*
langweilig (5)	12. *(to) win*

Zwölfte Aufgabe

* *

Eine gute Nachricht

I. Words and Phrases:

Zwölfte Aufgabe.	Twelfth lesson.
Eine gute Nachricht.	Good news.
Lieber Herr Neumann!	Dear Mr. Neumann:
schrecklich	frightful, terrible
solcher (solche, solches)	such
* die Schwierigkeit, —, –n	the difficulty
Es tut mir schrecklich leid, daß Sie solche Schwierigkeiten hatten, das Blumengeschäft zu finden.	I am terribly sorry that you had such trouble finding the flower shop.
der Laden, –s, ⸗	the store
das Fräulein, –s, —	the young lady
das Ladenfräulein, –s, —	the salesgirl
außerdem	moreover, besides
die Auskunft, —	the information
geben, ich habe gegeben	(to) give
Das Ladenfräulein hat Ihnen außerdem keine gute Auskunft gegeben.	Besides, the salesgirl didn't give you the right information.
dersel'be (diesel'be, dassel'be)	the same
die Straße, —, –n	the street
in der	in which
* entfernt	distant, removed
In derselben Straße, in der Webers Warenhaus ist, drei Straßen entfernt, ist ein kleines Blumengeschäft.	On the same street where Weber's department store is, three blocks away, there is a little flower shop.

113

übrigens	incidentally, by the way
gleich	immediately
fragen, ich habe gefragt	(to) ask
der Schutzmann, –es, Schutzleute	the policeman

Warum haben Sie übrigens nicht gleich einen Schutzmann gefragt?

Incidentally, why didn't you ask a policeman right away?

wollen, ich habe gewollt	(to) want to
Sie wollten	you wanted to
wohl	probably, no doubt
gern	gladly
ein bißchen	a little
plaudern, ich habe geplaudert	(to) chat

Sie wollten wohl gern ein bißchen mit dem Fräulein im Warenhaus plaudern?

No doubt, you wanted to chat a bit with the girl in the store?

noch	yet, still, in addition
eins	one, one thing
* noch eins	one more, one thing more

Noch eins, Herr Neumann.

One thing more, Mr. Neumann.

leben, ich habe gelebt	(to) live
teuer	dear, expensive
die Zeit, —, –en	the time, era, epoch

Wir leben in teuren Zeiten.

These are hard times we are living in.

machen, ich habe gemacht	(to) make, do
die Unkosten (pl.)	the expenses
Sie machen sich Unkosten	you are making expenses for yourself

Machen Sie sich keine Unkosten!

Don't go to any expense!

überzeugt'	convinced
das Herz, –ens, –en	the heart
die Dame, —, –n	the lady
die Herzensdame, —, –n	the lady of one's heart
gern haben, ich habe gern gehabt	(to) be fond of, like
auch	also
die Garde'niě, —, –n	the gardenia
die Orchidee', —, –n	the orchid

Ich bin überzeugt, Ihre Herzensdame hat Sie sehr gern, auch ohne Gardenien und Orchideen.

I am convinced the lady of your heart is very fond of you even without gardenias and orchids.

all
der Ernst, –es
der Liebling, –s, –e
furchtbar
die Freude, —, –n
   es macht mir Freude
In allem Ernst, Liebling, Du hast mir
   eine furchtbar große Freude gemacht.

tausend
Tausend Dank!

können, ich habe gekonnt
   du kannst
gar nicht
sich vorstellen, ich habe mir vorgestellt
* einsam
langweilig
fort
Du kannst Dir gar nicht vorstellen, wie
   einsam ich hier bin, und wie langweilig es ist, seit Du fort bist.

* die Nachricht, —, –en
Ich habe auch eine gute Nachricht für
   Dich.

der Chef, –s, –s
lassen, ich habe gelassen
   er läßt
der Donnerstag, –s, –e
der Nachmittag, –s, –e
   Donnerstag nachmittag
gehen, ich bin gegangen
brauchen, ich habe gebraucht
der Dienstag, –s, –e
* zurück'
sein, ich bin gewesen
Mein Chef läßt mich schon Donnerstag
   nachmittag gehen, und ich brauche
   vor Dienstag nicht zurück zu sein.

wunderbar
Ist das nicht wunderbar?

all
the seriousness
the darling
awful, terrible
the joy, happiness
   it gives me pleasure
Seriously, darling, you made me awfully happy.

thousand
A thousand thanks.

(to) be able to
   you can
not at all
(to) imagine

lonesome
dull, boring
away, gone
You simply can't imagine how lonely
   I am here and how dull it is since you
   have been away.

the news
I have some good news for you too.

the chief, boss
(to) let, permit
   he permits
the Thursday
the afternoon
   Thursday afternoon
(to) go, walk
(to) need
the Tuesday
back
(to) be
My boss is going to let me go Thursday
   afternoon and I don't have to be
   back before Tuesday.

wonderful
Isn't that wonderful?

noch nicht	not yet
alles	everything
Das ist aber noch nicht alles.	But that isn't everything.
das Auto, –s, –s	the automobile
* mitnehmen, ich habe mitgenommen	(to) take along
sie wird mich mitnehmen	she will take me along
Gretel wird mich in ihrem Auto mitnehmen.	Gretel is going to take me in the car.
vergessen, ich habe vergessen	(to) forget
Natürlich hast Du vergessen, wer Gretel ist.	Of course, you have forgotten who Gretel is.
die Frau, —, –en	the woman, wife
der Bruder, –s, ⸗	the brother
Sie ist die Frau meines Bruders Robert.	She is my brother Robert's wife.
jetzt	now
Robert ist jetzt in Mexiko.	Robert is in Mexico now.
arbeiten, ich habe gearbeitet	(to) work
als	as
der Ingenieur', –s, –e	the engineer
* schwierig	difficult
die Strecke, —, –n	the stretch
panamerika'nisch	Pan-American
das Auto, –s, –s	the automobile
die Straße, —, –n	the street
die Autostraße, —, –n	the highway
Er arbeitet als Ingenieur an einer schwierigen Strecke der panamerikanischen Autostraße.	He is an engineer on a difficult section of the Pan-American highway.
die Weihnachten (pl.)	the Christmas
das Haus, –es, ⸗er	the house,
nach Hause	to home, home
kommen, ich bin gekommen	(to) come
er wird kommen	he will come
nur	only
* kurz	short
auf kurze Zeit	for a short time
Vor Weihnachten wird er nicht nach Hause kommen und dann auch nur auf kurze Zeit.	He won't come home before Christmas and then it will be only for a short time.

wollen, ich habe gewollt	(to) want to
sie will	she wants to
der Einkauf, –s, ⁻e	the purchase
ich mache Einkäufe	I make purchases, I go shopping
*verwandt	related
der Verwandte, –n, –n	the male relative
die Verwandte, –n, –n	the female relative
Verwandte	relatives
* besuchen, ich habe besucht	(to) visit

Gretel will mit mir Einkäufe machen und Verwandte besuchen.

Gretel wants to go shopping with me and visit relatives.

wieder	again
zurück′fah′ren, ich bin zurück′-gefah′ren	(to) drive back, ride back

Montag nachmittag werden wir wieder zurückfahren.

We are going to drive back on Monday afternoon.

* zählen, ich habe gezählt	(to) count
der Tag, –s, –e	the day

Ich zähle die Tage bis zum Freitag.

I'm counting the days until Friday.

das Wiedersehen	the seeing again, reunion
Auf Wiedersehen	to seeing (each other) again, good-bye
Auf baldiges Wiedersehen	to seeing each other again soon

Auf baldiges Wiedersehen — Deine Anna.

I'll be seeing you soon, Yours, Anna.

II. Text:

Lieber Herr Neumann!

Es tut mir schrecklich leid, daß Sie solche Schwierigkeiten hatten, das Blumengeschäft zu finden. Das Ladenfräulein hat Ihnen außerdem keine gute Auskunft
gegeben. In derselben Straße, in der Webers Warenhaus ist, drei Straßen ent-
5 fernt, ist ein kleines Blumengeschäft. Warum haben Sie übrigens nicht gleich
einen Schutzmann gefragt? Sie wollten wohl gern ein bißchen mit dem Fräulein
im Warenhaus plaudern? — Noch eins, Herr Neumann. Wir leben in teuren
Zeiten. Machen Sie sich keine Unkosten. Ich bin überzeugt, Ihre Herzensdame
hat Sie sehr gern, auch ohne Gardenien und Orchideen.

10   In allem Ernst, Liebling, Du hast mir eine furchtbar große Freude gemacht.
Tausend Dank! Du kannst Dir gar nicht vorstellen, wie einsam ich hier bin, und
wie langweilig es ist, seit Du fort bist. Ich habe auch eine gute Nachricht für
Dich. Mein Chef läßt mich schon Donnerstag nachmittag gehen, und ich
brauche vor Dienstag nicht zurück zu sein. Ist das nicht wunderbar? Das ist
15 aber noch nicht alles. Gretel wird mich in ihrem Auto mitnehmen. Natürlich
hast Du vergessen, wer Gretel ist. Sie ist die Frau meines Bruders Robert.
Robert ist jetzt in Mexiko. Er arbeitet als Ingenieur an einer schwierigen
Strecke der panamerikanischen Autostraße. Vor Weihnachten wird er nicht
nach Hause kommen und dann auch nur auf kurze Zeit. Gretel will mit mir
20 Einkäufe machen und Verwandte besuchen. Montag nachmittag werden wir
wieder zurückfahren.

Ich zähle die Tage bis zum Freitag. Auf baldiges Wiedersehen

Deine Anna

III. Comments:

1. *Future Tense:*

As you have noticed, the present tense in German is very frequently used with a future meaning. This is especially true when the idea of future time is expressed by some adverbial word or phrase. At times, however, it is necessary to express the idea of future time in the verb itself. This is done, as it is done in English, by using the form of the future tense auxiliary with the infinitive of a verb. The auxiliary of the future in German is **werden.** Thus:

ich werde arbeiten	*I will work*
du wirst arbeiten	*you will work*
er, sie, es wird arbeiten	*he, she, it will work*
wir werden arbeiten	*we will work*
ihr werdet arbeiten	*you will work*
sie werden arbeiten	*they will work*
Sie werden arbeiten	*you will work*

The infinitive, of course, stands at the end of the clause: **Ich werde in der Psychologieklasse gut aufpassen.** Notice carefully the difference between these two sentences:

Richard **wird** Anna zum Galaball **einladen.**
Richard will invite Anna to the galaball.

Anna **wird** von Richard zum Galaball **eingeladen.**
Anna is invited to the gala ball by Richard.

IV. Practice:

1. Es tut mir leid, daß Sie sich solche Unkosten machen.

                         Sorgen
                         Schwierigkeiten

2. Fragen Sie das Ladenfräulein; sie wird Ihnen Auskunft geben.

         den Schutzmann; er wird Ihnen sagen, wo die Post ist.

         die Verkäuferin; sie wird Ihnen sagen, wo Sie Blumen kaufen können.

         den Professor; er wird Ihnen gern helfen. (*help*)

         den Tennislehrer; er wird es Ihnen erklären. (*explain*)

3. Das wird dem Professor eine große Freude machen.

         meinem Bruder
         seinem Freund
         seiner Schwester
         Ihrer Mutter
         unseren Verwandten

4. Du kannst dir gar nicht vorstellen, wie einsam ich hier bin.

                         wie wunderbar das sein wird.

Sie können sich   wie interessant das ist.
Ich kann mir   wie das möglich ist.

5. Ich habe eine gute Nachricht für dich: Gretel wird mich im Auto mitnehmen.

      Sie: Robert wird bald nach Hause kommen.

      Sie: Wir haben im Spanischen nichts auf.

      Sie: Sie haben in Chemie ein A bekommen
        (got).

6. Richard wird Anna einladen, und Sie werden natürlich auch eingeladen.
 Ich werde Rita   Anna wird
 Wilhelm wird Sie   wir werden

7. a. Gretel nimmt mich in ihrem Auto mit.
  Hans   seinem
  Ich nehme Sie in meinem
  Wir nehmen in unsrem

  b. Gretel wird mich in ihrem Auto mitnehmen.
  Hans   seinem
  Ich werde Sie in meinem
  Wir werden Sie in unsrem

8. Wann werden Sie wieder nach Hause kommen?
       Mexiko fahren?
      zurückfahren müssen?
      Ihre Verwandten in Iowa besuchen?

9. Haben Sie schon vergessen, wer Gretel ist?
      was für Blumen Sie kaufen wollten?
      für wen Sie Blumen kaufen wollten?
      um wieviel Uhr der Tanz beginnt?
      wann Ihre Freundin Geburtstag hat?

10. Ich werde den Tag nie vergessen.
    meinen alten Professor nie vergessen.
    das kleine Blumengeschäft an der Ecke nie vergessen.
    diese teuren Zeiten nie vergessen.

V. Exercises:

A. *Questions:*

1. Wie weit ist das nächste Blumengeschäft von Webers Warenhaus entfernt?
2. Warum hat der junge Mann nicht gleich einen Schutzmann gefragt?
3. Warum sagt Anna: „Machen Sie sich keine Unkosten!"
4. Muß Richard seiner Herzensdame Orchideen kaufen?
5. Warum findet Anna es langweilig in ihrer Heimatstadt?
6. Wann läßt der Abteilungschef Anna gehen?
7. Wann muß Anna wieder zurück sein?
8. Wer ist Gretel?
9. Wie verdient Robert sein Geld?
10. Wann wird Robert nach Hause kommen?
11. Was will Gretel in der Universitätsstadt tun?

B. *Translate:*

1. Ich bin überzeugt, er wird vor Weihnachten nach Hause kommen.
2. Wie lange wird Robert in Mexiko arbeiten?
3. Es tut mir leid, daß sie nicht kommen wird.
4. Morgen früh werde ich Einkäufe machen.
5. Es wird hier furchtbar langweilig sein, wenn du fort bist.
6. Es tut mir schrecklich leid, daß Robert mit seinem Auto Schwierigkeiten hat.
7. Sie brauchen sich keine Unkosten zu machen.
8. Der Schutzmann wird ihn gleich mitnehmen.
9. Sind Sie sicher, daß das Blumengeschäft am anderen Ende der Stadt ist?
10. Dein letzter Brief hat mir große Freude gemacht.

C. *Rearrange:*

1. es tut mir leid, daß, vor Weihnachten, er, nach Hause, kommen wird, nicht.
2. mit dem Schutzmann, Sie, plaudern, wollten, gern, wohl, ein bißchen.
3. auch, er, für, hat, Sie, gute Nachrichten.
4. gern, hat, Richard, sie.
5. morgen früh, Einkäufe, wird . . . machen, mit, Gretel, mir.
6. kann, geben, gute Auskunft, der Ingenieur, Ihnen.
7. als Schutzmann, Willi, jetzt, in einer kleinen Stadt, arbeitet, in Oklahoma.
8. ihr, die Nachricht, große Freude, wird . . . machen.
9. sich, große Unkosten, Richard, macht.
10. den Professor, nicht gleich, du, warum, hast . . . gefragt?

D. *Correct the misinformation:*

1. Es tut Anna schrecklich leid, daß er sie zum Tanz eingeladen hat.
2. Es macht Richard große Freude, daß Anna schon am Sonntag zurückfahren wird.
3. Annas Bruder Robert wird bald auf lange Zeit nach Hause kommen.
4. Robert arbeitet als Schutzmann an einer schwierigen Strecke der panamerikanischen Autostraße.
5. Montag früh fahren Anna und Gretel wieder zurück.
6. Anna hat es sehr gern, daß Richard fort ist.
7. Der Chef läßt Anna schon Donnerstag früh gehen.
8. Anna hat natürlich vergessen, wer Robert ist.
9. Annas Verwandte wollen sie besuchen.

VI. Securing the Vocabulary:

A.

die Schwierigkeit	*difficulty*
entfernt	*distant, removed*
noch eins	*one more, one thing more*
einsam	*lonesome*
die Nachricht	*news*

zurück	*back*
mitnehmen	*(to) take along*
schwierig	*difficult*
kurz	*short*
verwandt	*related*
besuchen	*(to) visit*
zählen	*(to) count*

B.
das Geschenk (2)	1. *(to) believe*
vorig (6)	2. *present*
glauben (1)	3. *unfortunately*
schlimm (10)	4. *such a thing*
bei (8)	5. *as soon as*
so etwas (4)	6. *previous*
leider (3)	7. *vocation, profession*
so bald wie (5)	8. *at, with, near, at the house of*
der Beruf (7)	9. *future*
die Zukunft (9)	10. *bad*

ziemlich (8)	1. *empty*
sicher (6)	2. *usually*
es tut mir leid (10)	3. *bad*
allerdings (9)	4. *(to) dress*
das Geld (7)	5. *well then, and so, therefore*
anziehen (4)	6. *sure, certain*
böse (3)	7. *money*
gewöhnlich (2)	8. *rather*
leer (1)	9. *indeed, to be sure*
also (5)	10. *I am sorry*

die Rechnung (6)	1. *(to) like to*
die Zeitung (7)	2. *spring*
da drüben (5)	3. *(to) pay*
der Frühling (2)	4. *famous*
bezahlen (3)	5. *over there*
berühmt (4)	6. *bill*
mögen (1)	7. *newspaper*
nie (8)	8. *never*

schicken (1)	1. *(to) send*
laufen (5)	2. *(to) begin*
merkwürdig (4)	3. *(to) invite*
anfangen (2)	4. *remarkable*
die Stelle (7)	5. *(to) run*
einladen (3)	6. *thorough*
wichtig (8)	7. *place, passage*
gründlich (6)	8. *important*

Dreizehnte Aufgabe

* *

Zukunftsträume

I. Words and Phrases:

Dreizehnte Aufgabe.	Thirteenth lesson.

die Zukunft, —	the future
der Traum, –es, ⏞e	the dream
der Zukunftstraum, –es, ⏞e	the dream of the future
Zukunftsträume.	Dreams of the future.

Lieber Vater!	Dear Father,

* einige	a few, several
der Tag, –es, –e	the day
einige Tage	a few days
* vor einigen Tagen	a few days ago
schreiben, ich habe geschrieben	(to) write
sie schrieb	she wrote
der Bruder, –s, ⏞	the brother
der	who
* der Bau, –es	the construction

Vor einigen Tagen schrieb mir Anna von ihrem Bruder, der in Mexiko als Ingenieur am Bau der panamerikanischen Autostraße arbeitet.	A few days ago Anna wrote me about her brother who is working as an engineer on the construction of the Pan-American highway in Mexico.

lange	for a long time
* darü′ber	about it

nachdenken, ich habe nachgedacht   (to) reflect, ponder, think
    ich habe darüber nachgedacht   I have thought about it
* werden, ich bin geworden   (to) become
mögen, ich habe gemocht   (to) like to
    ich möchte Ingenieur werden   I would like to become an engineer
glauben, ich habe geglaubt   (to) believe
immer noch   still
die Lust, —   the pleasure, joy, desire
    ich habe Lust, Ingenieur' zu wer-   I have a desire to become an en-
    den   gineer

✓ Ich habe lange darüber nachgedacht,   I have thought a long time about what
    was ich werden möchte und ich   I would like to be and I think I still
    glaube, ich habe immer noch große   want very much to become an engi-
    Lust, Ingenieur zu werden.   neer.

* bekommen, ich habe bekommen   (to) receive
* dauernd   continuous, constant
* trotzdem   although; in spite of it
* streng   strict

In Chemie bekomme ich dauernd ein   I always get an A in chemistry even
    A, trotzdem unser Professor sehr   though our professor is very strict.
    streng ist.

die Zensur', —, -en   the grade

Auch im Spanischen sind meine Zen-   My grades are good in Spanish too.
    suren gut.

* einmal   once, sometime
die Stelle, —, -n   the place, passage, position
Süd'ame'rika   South America
* deshalb   for that reason
studie'ren, ich habe studiert'   (to) study
✓der Eifer, -s   the zeal, enthusiasm

Ich möchte auch gerne einmal eine   I would like to get a job sometime in
    Stelle in Südamerika bekommen,   South America too, that's why I am
    deshalb studiere ich Spanisch mit   studying Spanish hard.
    großem Eifer.

die Idee', —, -n   the idea
halten, ich habe gehalten   (to) hold, consider
    was halten Sie von der Idee   what do you think about the idea

werden, ich bin geworden (to) become

Schreib mir, was Du von meiner Idee hältst, Ingenieur zu werden.

Write me what you think about my idea of becoming an engineer.

schon wieder again already
sich erkälten, ich habe mich erkältet (to) catch cold

Es tut mir furchtbar leid, daß Mutter sich schon wieder erkältet hat.

I'm terribly sorry that Mother has caught cold again.

* reisen, ich bin gereist (to) travel

Wie schön, daß sie nach Kalifornien reisen konnte.

How nice, that she was able to go to California.

wunderbar wonderful
das Klima, –s the climate
dort there
tun, ich habe getan (to) do
    es tut mir gut   it does me good
    es wird ihr gut tun   it will do her good

Das wunderbare Klima dort wird ihr gut tun.

The wonderful climate there will be good for her.

Ich habe schon einen Brief an sie geschrieben.

I have already written her a letter.

wissen, ich habe gewußt (to) know
    ich weiß   I know
* sich freuen, ich habe mich gefreut (to) be happy
gleich immediately
die Ankunft, — the arrival
    gleich bei ihrer Ankunft   immediately upon her arrival

Ich weiß, sie freut sich, wenn sie gleich bei ihrer Ankunft einen Brief von mir bekommt.

I know she will be happy if she gets a letter from me as soon as she arrives.

böse   bad
der Schnupfen, –s, —   the head cold
den   whom, that, which
gar nicht   not at all
los   free, rid
  ich werde los   I get rid of
  ich werde meinen Schnupfen los   I get rid of my cold
  können, ich habe gekonnt   (to) be able
    ich kann   I am able

Ich habe übrigens auch einen bösen   By the way, I have a bad cold in the
Schnupfen, den ich gar nicht los   head too, that I simply can't get
werden kann.   rid of.

doch   (*adds to the urgency of the request*)
mal (*shortened from* einmal)   once
fragen Sie mal!   go ahead and ask
  frag doch mal!   I wish you would ask
* dagegen   against it
* sollen, ich habe gesollt   (to) be supposed to
  ich soll   I am supposed to

Frag doch mal Dr. Jones, was ich da-   I wish you would ask Dr. Jones what
gegen tun soll.   to do for it.

bevor   before

O ja, bevor ich es vergesse: Ich habe   Oh yes, before I forget it! I've invited
Anna zu unserem Jubiläumsball ein-   Anna to our anniversary ball.
geladen.

ein bißchen   a little, a bit
mehr   more
kosten, es hat gekostet   (to) cost
* anfangs   .   at first
denken, ich habe gedacht   (to) think
  ich dachte   I thought

Dieser Ball wird mich ein bißchen mehr This ball is going to cost me a bit more
kosten, als ich anfangs dachte.   than I thought at first.

verstehen, ich habe verstanden   (to) understand
das Restaurant', –s, –s   the restaurant
die Rechnung, —, –en   the bill
  die Restaurantrechnung, —, –en   the restaurant check

das Geld, –es, –er | the money
das Taxi, –s, –s | the taxi
usw. (und so weiter) | and so on

Du verstehst: Gardenien, Restaurantrechnungen, Geld für Taxis, usw.

You understand: gardenias, restaurant checks, money for taxis and so
on.

können, ich habe gekonnt | (to) be able
   könntest du | could you
vielleicht' | perhaps
der Vorschuß, –es, ⸚e | the advance
schicken, ich habe geschickt | (to) send

Könntest Du mir vielleicht einen kleinen Vorschuß schicken?

Perhaps you could send me a small
advance?

müssen, ich habe gemußt | (to) have to
   du mußt | you must
beide | both
abziehen, ich habe abgezogen | (to) pull off, deduct

Du mußt ihn aber von meinen nächsten
beiden Schecks abziehen.

But you must deduct it from my next
two checks.

wollen, ich habe gewollt | (to) want to
* einfach | simple
das Geschenk, –es, –e | the present
* annehmen, ich habe angenommen | (to) accept

Ich will das Geld nicht einfach als Geschenk annehmen.

I don't want to simply accept the
money as a gift.

im voraus | in advance
Vielen Dank im voraus. | Many thanks in advance.

Dein Richard | Your Richard

II. Text:

Lieber Vater!

Vor einigen Tagen schrieb mir Anna von ihrem Bruder, der in Mexiko als Ingenieur am Bau der panamerikanischen Autostraße arbeitet. Ich habe lange darüber nachgedacht, was ich werden möchte, und ich glaube, ich habe immer 5 noch große Lust, Ingenieur zu werden. In Chemie bekomme ich dauernd ein A, trotzdem unser Professor sehr streng ist. Auch im Spanischen sind meine Zensuren gut. Ich möchte auch gerne einmal eine Stelle in Südamerika bekommen, deshalb studiere ich Spanisch mit großem Eifer. Schreib mir, was Du von meiner Idee hältst, Ingenieur zu werden.

10 Es tut mir furchtbar leid, daß Mutter sich schon wieder erkältet hat. Wie schön, daß sie nach Kalifornien reisen konnte. Das wunderbare Klima dort wird ihr gut tun. Ich habe schon einen Brief an sie geschrieben. Ich weiß, sie freut sich, wenn sie gleich bei ihrer Ankunft einen Brief von mir bekommt. Ich habe übrigens auch einen bösen Schnupfen, den ich gar nicht loswerden kann. Frag 15 doch mal Dr. Jones, was ich dagegen tun soll.

O ja, bevor ich es vergesse: Ich habe Anna zu unserem Jubiläumsball eingeladen. Dieser Ball wird mich ein bißchen mehr kosten, als ich anfangs dachte. Du verstehst: Gardenien, Restaurantrechnungen, Geld für Taxis usw. Könntest Du mir vielleicht einen kleinen Vorschuß schicken? Du mußt ihn aber von 20 meinen beiden nächsten Schecks abziehen. Ich will das Geld nicht einfach als Geschenk annehmen.

Vielen Dank im voraus.

Dein Richard

III. Comments:

1. *Modal Auxiliaries (present and simple past):*

We have discussed certain verbs called tense auxiliaries because they are used to express distinctions in the time of action. For example, **wird arbeiten** — *will work* and **hat gearbeitet** — *has worked.* There are certain other auxiliary verbs, called modal auxiliaries because they are used to express distinctions in the mode of action. In English *may work, can work, should work,* are phrases employing such modal auxiliaries.

There are six modal auxiliaries in German. They are, with their basic meanings: **dürfen** — *(to) be-allowed-to;* **können** — *(to) be-able-to, can;* **mögen** — *(to) like to;* **müssen** — *(to) have-to, must;* **sollen** — *(to) be-supposed-to;* **wollen** — *(to) want-to.* Their complementary infinitive comes at the end of the clause, as you would expect. Example:

Du mußt ihn von meinen beiden nächsten Schecks abziehen.
You have to deduct it from my next two checks.

The modal auxiliaries are irregular in the formation of tenses. The present tense forms are:

ich darf	*I am permitted to*
du darfst	*you are permitted to*
er, sie, es darf	*he, she, it is permitted to*
wir dürfen	*we are permitted to*
ihr dürft	*you are permitted to*
sie dürfen	*they are permitted to*
Sie dürfen	*you are permitted to*

ich kann	*I am able to*
du kannst	*you are able to*
er, sie, es kann	*he, she, it is able to*
wir können	*we are able to*
ihr könnt	*you are able to*
sie können	*they are able to*
Sie können	*you are able to*

ich mag	*I like to*	ich muß	*I have to*
du magst	*etc.*	du mußt	*etc.*
er, sie, es mag		er, sie, es muß	
wir mögen		wir müssen	
ihr mögt		ihr müßt	
sie mögen		sie müssen	
Sie mögen		Sie müssen	

ich soll	*I am supposed to*	ich will	*I want to*
du sollst	*etc.*	du willst	*etc.*
er, sie, es soll		er, sie, es will	

wir sollen	wir wollen
ihr sollt	ihr wollt
sie sollen	sie wollen
Sie sollen	Sie wollen

The commonly used past tense of the modals is the simple past. These forms are:

ich durfte	*I was allowed to*	ich konnte	*I was able to*
du durftest	*etc.*	du konntest	*etc.*
er, sie, es durfte		er, sie, es konnte	
wir durften		wir konnten	
ihr durftet		ihr konntet	
sie durften		sie konnten	
Sie durften		Sie konnten	

| ich mochte | *I liked to* | ich mußte | *I had to* |
| *etc.* | | *etc.* | |

| ich sollte | *I was supposed to* | ich wollte | *I wanted to* |
| *etc.* | | *etc.* | |

Certain subjunctive forms of the modals are used very frequently. These forms have the endings: **–e, –est, –e, –en, –et, –en, –en,** which are identical with the endings of the simple past indicative. Here are the subjunctive forms with their most common meanings:

ich dürfte	*I might*
du dürftest	*you might*
er dürfte	*he might*
wir dürften	*we might*
ihr dürftet	*you might*
sie dürften	*they might*
Sie dürften	*you might*
ich könnte	*I could*
etc.	
ich möchte	*I would like to*
etc.	
ich müßte	*I would have to*
etc.	
ich sollte	*I ought to, I should*
etc.	
ich wollte	*I would want to*
etc.	

You will notice that these subjunctive forms of the modal auxiliaries **dürfen, können, mögen,** and **müssen** differ from the simple past indicative only in the fact that they have a modified vowel. But the subjunctive forms of **sollen** and **wollen** are identical with the simple past indicative forms and can be distinguished only by their use and context. Examples:

Indicative: **Anna sollte ursprünglich mit dem Nachmittagszug ankommen.**
Anna was originally supposed to come on the afternoon train.

Subjunctive: **Sie sollten etwas gegen Ihren Schnupfen tun.**
You ought to do something about your cold.

2. **Wissen:**
The verb **wissen** — *(to) know* is similar in form to the modals:

ich weiß	*I know*	ich wußte	*I knew*
du weißt	*etc.*	du wußtest	*etc.*
er, sie, es weiß		er, sie, es wußte	
wir wissen		wir wußten	
ihr wißt		ihr wußtet	
sie wissen		sie wußten	
Sie wissen		Sie wußten	

IV. Practice:

1. Denken Sie darüber nach, was Sie werden möchten!
was Sie studieren möchten!
was Sie dagegen tun sollten!
was Sie damit machen könnten!

2. a. Richard hat große Lust, Ingenieur zu werden.
Wilhelm   Professor
Arzt (*physician*)
Rechtsanwalt (*lawyer*)
Geschäftsmann (*business man*)
Musiker (*musician*)

b. Richard möchte gern Ingenieur werden.
Wilhelm   Professor
etc.

3. Richard will auch einmal nach Mexiko   fahren.
Ich   Schweden
Wir wollen   Deutschland
Wollen Sie auch einmal nach Frankreich fahren, Herr Jones?
Willst du   England   fahren, Willi?

4. Ich kann diesen Winter nicht nach Kalifornien reisen.
Sie   Florida
Wir können   Honolulu
Können Sie diesen Sommer nach der Schweiz reisen?
Kannst du   Herbst   Norwegen

5. a. Ich mußte lange darüber nachdenken, was ich meinem Vater als Geschenk
      geben sollte.

   Ich mußte lange darüber nachdenken, was ich meiner Mutter davon sagen
      könnte.

   Ich mußte lange darüber nachdenken, wie ich meinem Professor antworten
      sollte.

   b. Du mußtest lange darüber nachdenken, was du deinem Vater als Geschenk
      geben solltest.

   etc.

6. a. Ich freue mich sehr, daß Sie kommen wollen.

                                        können.

                                        werden.

                                        dürfen.

   b. Richard freut sich, daß wir kommen wollen.

                              du kommen kannst.

                              ich kommen werde.

                              Anna kommen darf.

7. a. Richard weiß, daß die Reise nach Kalifornien seiner Mutter gut tun wird.

                 daß sein Vater ihm einen kleinen Vorschuß schicken wird.

   b. Ich weiß nicht, was ich gegen meinen Schnupfen tun soll.

                 ob ich das Geld annehmen darf.

   c. Wissen Sie, was für eine Zensur Richard im Spanischen bekommen hat?

                 wo Omnibus drei hält?

8. Ich möchte das Geld nicht einfach als Geschenk annehmen.

      kann

      könnte

      will

      sollte

      darf

V. Exercises:

A. *Questions:*

1. Wo ist die schwierige Strecke der panamerikanischen Autostraße, an der
   Robert arbeitet?

2. Worüber (*about what*) hat Richard lange nachgedacht?

3. Was möchte Richard werden?

4. Warum lernt Richard Spanisch?

5. Warum wird das kalifornische Klima Frau Neumann gut tun?

6. Warum hat Richard einen Brief im voraus geschrieben?

7. Was soll Herr Neumann Dr. Jones fragen?

8. Welche Unkosten hat Richard durch den Ball?

9. Wie kann Richard Geld für die vielen Rechnungen bekommen?

10. Wird der Vorschuß ein Geschenk sein?

B. *Translate:*

1. Ich muß Herrn Dr. Jones fragen, was ich dagegen tun soll.
2. Müssen Sie wirklich schon am Montag zurückfahren?
3. Ich kann das Geld nicht einfach als Geschenk annehmen.
4. Du mußt gleich bei deiner Ankunft einen Brief an deine Mutter schreiben.
5. Ich bin meinen Schnupfen jetzt wieder los.
6. Ich kann leider nicht zum großen Tanz gehen.
7. Ich weiß nicht, ob ich das Geld annehmen darf.
8. Richard freut sich, daß Anna zum Tanz kommen darf.
9. Können Sie mich verstehen, oder muß ich lauter sprechen?
10. Ich freue mich sehr, daß Sie kommen können.
11. Er konnte das Geld nicht einfach als Geschenk annehmen.
12. Ich möchte Musiker werden.
13. Ich darf nicht rauchen, bis ich zwanzig Jahre alt bin.
14. Er wird einmal eine Stellung in Kalifornien bekommen.
15. Richard weiß, daß die Reise nach Kalifornien seiner Mutter gut tun wird.
16. Haben Sie Lust, heute abend mit mir ins Kino zu gehen?

C. *Rearrange:*

1. von ihrem Bruder, mir, schrieb, vor einigen Tagen, Anna.
2. er, als Ingenieur, an einer schwierigen Strecke, der panamerikanischen Autostraße, arbeitet.
3. hast du, zu werden, immer noch, große Lust, Ingenieur?
4. Richard möchte . . . bekommen, gerne, in Südamerika, eine Stellung, als Ingenieur.
5. daß, ich, erkältet habe, ich, dir, schon wieder, mich, schrieb.
6. das, in Kalifornien, Klima, wunderbare, Mutter, wird . . . gut tun.
7. Mutter, wird . . . sich freuen, wenn, sie, gleich bei ihrer Ankunft, Brief, bekommt, von mir, einen.
8. loswerden, meinen, ich kann, bösen, gar nicht, Schnupfen.
9. der Jubiläumsball, wird . . . kosten, mich, ein bißchen, als, dachte, mehr, ich, anfangs.
10. Zieh . . . ab, von meinen beiden, Schecks, nächsten, den Vorschuß.

D. *Correct the misinformation:*

1. Annas Bruder arbeitet in Kalifornien am Bau einer Autostraße.
2. Richard denkt, daß er Musiker werden will.
3. In Chemie bekommt er dauernd ein A, weil der Professor nicht sehr streng ist.
4. Er will einmal eine Stellung in Kalifornien bekommen.
5. Weil Richards Mutter sich erkältet hatte, mußte sie nach Pennsylvanien reisen.
6. Richard hat noch keinen Brief an sie geschrieben.
7. Richard ist seinen bösen Schnupfen losgeworden.
8. Er hat fast vergessen, seinen Vater um Geld zu bitten.

9. Er will, daß sein Vater ihm das Geld als Geschenk schickt.
10. Er braucht nicht so viel Geld für Gardenien, Restaurantrechnungen usw. auszugeben, als er anfangs dachte.

VI. Securing the Vocabulary:

A.

der Bau	construction	deshalb	for that reason
darüber	about it	reisen	(to) travel
werden	(to) become	sich freuen	(to) be happy
bekommen	(to) receive	dagegen	against it
dauernd	continuous, constant	sollen	(to) be supposed to
trotzdem	in spite of it, although	vor einigen Tagen	a few days ago
einige	a few, several	anfangs	at first
streng	strict	einfach	simple
einmal	once, some time	annehmen	(to) accept

B.

traurig (8)	1. just	zuerst (10)	1. entire
zurück (10)	2. rather, prefera-	viel (8)	2. (to) visit
eben (1)	bly	stattfinden (6)	3. also
weit (3)	3. far	bis (9)	4. (to) buy
ander (7)	4. (to) travel, ride	ganz (1)	5. distant,
fahren (4)	5. (to) need	besuchen (2)	removed
lieber (2)	6. difficult	auch (3)	6. (to) take place
brauchen (5)	7. other	erraten (7)	7. (to) guess cor-
schwierig (6)	8. sad	entfernt (5)	rectly
der Schutz (9)	9. protection	kaufen (4)	8. much
	10. back		9. until
			10. at first

die Sorge (5)	1. only, single	wohl (4)	1. both
lieb (3)	2. quiet	beide (1)	2. every time
arbeiten (4)	3. dear	verwandt (8)	3. late
einzig (1)	4. (to) work	nie (9)	4. probably, no
es gibt (6)	5. worry, care	jedesmal (2)	doubt
das Geschäft (7)	6. there is (are);	spät (3)	5. pardon
ungefähr (8)	there exists	die Verzeihung (5)	6. well then, and
ruhig (2)	(exist)	zählen (7)	so, therefore
	7. business, store	also (6)	7. (to) count
	8. approximately		8. related
			9. never

Vierzehnte Aufgabe

★ ★

Träumerei

I. Words and Phrases:

Vierzehnte Aufgabe.	Fourteenth lesson.
die Träumerei', —, –en	the reverie
Lieber Richard!	Dear Richard,
fahren, ich bin gefahren	(to) ride, drive
können, ich habe gekonnt	(to) be able
ich konnte	I was able
sonst	otherwise
traurig	sad
sein, ich bin gewesen	(to) be
ich wäre traurig gewesen	I would have been sad

Es war gut, daß ich mit Gretel nach Hause fahren konnte; ich wäre sonst sehr traurig gewesen.

It was a good thing that I could drive home with Gretel; otherwise I would have been very sad.

die Arbeit, —, –en	the work
bei der Arbeit	at work
das Alte	the old, i.e. that which is old; the old things
beim Alten	in the old situation, as usual

Jetzt bin ich wieder bei der Arbeit, und alles ist beim Alten.

Now I am at work again and everything is as it used to be.

ruhig	quiet

Es ist schon elf Uhr, und das Haus ist ruhig.

It's already eleven o'clock and the house is quiet.

ich bin noch auf	I am still up
anstellen, ich habe angestellt	(to) turn on
ganz	entire, quite, very
* leise	soft, quiet

Ich bin noch auf und habe das Radio angestellt, natürlich nur ganz leise.	I am still up and have turned on the radio, of course only very soft.

jedesmal	every time
* das Stück, –es, –e	the piece
ein Stück, zu dem wir getanzt haben	a piece to which we have danced
die Woche, —, –n	the week
das Ende, –s, –n	the end
das Wochenende, –s, –n	the week-end

Eine Tanzkapelle spielt, und jedesmal, wenn ich ein Stück höre, zu dem wir getanzt haben, muß ich an unser schönes Wochenende denken.	A dance band is playing and every time I hear a piece that we danced to, I have to think of our wonderful week-end.

sein	(to) be
ich wäre	I would be
wissen	(to) know
wenn ich wüßte	if I knew
nach Hause	home

Ich wäre sehr traurig, wenn ich nicht wüßte, daß Du bald nach Hause kommst.	I would be very sad, if I didn't know that you will soon be coming home.

können, ich habe gekonnt	(to) be able
ich kann	I am able
denken, ich habe gedacht	(to) think
ich kann mir gar nicht denken	I absolutely cannot think to myself
vor drei Tagen	three days ago
* zusammen	together

Ich kann mir gar nicht denken, daß wir vor drei Tagen zusammen getanzt	I simply can't believe that we were dancing together three days ago.

haben.	
vorkommen, es ist vorgekommen	(to) occur, happen
es kommt mir vor	it seems to me
* vor einem Monat	a month ago

sein, ich bin gewesen	(to) be
als wäre es vor einem Monat gewesen	as if it had been a month ago
Es kommt mir vor, als wäre es vor einem Monat gewesen.	It seems to me as if it had been a month ago.
eben	just now
Eben kommt Mutter ins Zimmer.	Mother is just coming into the room.
sollen, ich habe gesollt	(to) be supposed to
ich soll ihr sagen	I am supposed to tell her
wer	who
an wen	to whom
* als ob	as though
wissen, ich habe gewußt	(to) know
als ob sie das nicht wüßte	as though she didn't know that
Ich soll ihr sagen, an wen ich schreibe — als ob sie das nicht wüßte.	She wants me to tell her whom I am writing to — as though she didn't know that.
mögen, ich habe gemocht	(to) like
sie mag dich sehr gern	she likes you very much
das Heim, –s, –e	the home
die Reise, —, –n	the trip
die Heimreise, —, –n	the trip home
sprechen, ich habe gesprochen	(to) speak
Gretel mag Dich sehr gern und hat auf der Heimreise viel von Dir gesprochen.	Gretel is very fond of you and spoke a lot about you on the way home.
* äußerst	extremely
lieb	dear, sweet
liebenswürdig	charming, gracious
Du warst aber auch äußerst lieb zu mir und sehr liebenswürdig zu ihr.	But you really were awfully sweet to me and very nice to her.
die Sorge, —, –n	the care, the worry
Gretel hat auch ihre Sorgen.	Gretel has her troubles too.
furchtbar	terrible, frightful
der Mann, –es, ‑̈er	the man, the husband

fahren, ich bin gefahren	(to) ride, drive
Sie möchte furchtbar gerne zu ihrem Mann nach Mexiko fahren.	She would like terribly much to go to Mexico to her husband.

nun	well then
* trösten, ich habe getröstet	(to) console
wir trösten uns	we console each other
gegenseitig	reciprocal

Nun, wir trösten uns gegenseitig.	Well, we console each other.

Joan and Margreta

das Ausland, –s	the foreign country
ich gehe ins Ausland	I am going abroad
gehen, ich bin gegangen	(to) go
wenn du ins Ausland gingest	if you went abroad
* der Erfolg, –s, –e	the success
du hast Erfolg	you have success
haben, ich habe gehabt	(to) have
du würdest großen Erfolg haben	you would be very successful

Richard, ich glaube, wenn Du ins Ausland gingest, würdest Du großen Erfolg haben.	Richard, I think if you were to go abroad, you would be very successful.

sagen, ich habe gesagt	(to) say
ich habe Gretel gesagt	I have said to Gretel
sollen, ich habe gesollt	(to) be supposed to
sie soll ihrem Mann schreiben	she is to write to her husband
das Interes'se, –s, –n	the interest
ich habe Interes'se für	I am interested in
der Ingenieur', –s, –e	the engineer
das Wesen, –s, —	the being
das Ingenieur'we'sen, –s	the engineering
arbeiten, ich habe gearbeitet	(to) work
du würdest gern im Ausland arbeiten	you would like to work abroad
bekommen, ich habe bekommen	(to) receive

Ich habe Gretel gesagt, sie soll ihrem Mann schreiben, daß Du großes Interesse für das Ingenieurwesen hast und auch gerne im Ausland arbeiten würdest und daß Du ein A im Spanischen bekommen hast.	I have told Gretel to write her husband that you are very much interested in engineering and would like to have a job abroad and that you have got an A in Spanish.

das Verhältnis, –ses, –se	the relationship, condition
Zentral'ame'rika	Central America
Süd'ame'rika	South America

Er kennt die Verhältnisse in Zentral- und Südamerika.

He knows conditions in Central and South America.

* vor einiger Zeit	some time ago
der Balkan	the Balkan countries
brauchen, ich habe gebraucht	(to) need
Ingenieu're werden gebraucht	engineers are needed

Er schrieb Gretel vor einiger Zeit, daß amerikanische Ingenieure auch im Balkan gebraucht werden.

He wrote Gretel some time ago, that American engineers are needed in the Balkan countries too.

die Sekretä'rin, —, –nen

the secretary (*feminine*)

Nun, wo Ingenieure gebraucht werden, braucht man auch Sekretärinnen, nicht wahr?

Well, where engineers are needed they'll need secretaries too, don't you think?

zählen, ich habe gezählt	(to) count
bis	until
Weihnachten (*pl.*)	Christmas

Jetzt zähle ich die Tage bis Weihnachten.

Now I'm counting the days until Christmas.

hoffentlich	it is to be hoped for
fliegen, ich bin geflogen	(to) fly
während	during
* die Fe'riĕn (*pl.*)	the vacation
die Weih'nachtsfe'rien	the Christmas vacation
verfliegen, es ist verflogen	(to) fly away, vanish

Hoffentlich fliegt die Zeit nicht so schnell während der Weihnachtsferien, wie sie während des Wochenendes verflogen ist.

I hope time won't fly as fast during the Christmas holidays as it did during the week-end.

treu

true, faithful

In treuer Liebe — Anna.

Lots of love, Anna.

II. Text:

Lieber Richard!

Es war gut, daß ich mit Gretel nach Hause fahren konnte, ich wäre sonst sehr traurig gewesen. Jetzt bin ich wieder bei der Arbeit, und alles ist beim Alten. Es ist schon elf Uhr, und das Haus ist ruhig. Ich bin noch auf und habe das
5 Radio angestellt, natürlich nur ganz leise. Eine Tanzkapelle spielt, und jedesmal, wenn ich ein Stück höre, zu dem wir getanzt haben, muß ich an unser schönes Wochenende denken. Ich wäre sehr traurig, wenn ich nicht wüßte, daß Du bald nach Hause kommst. Ich kann mir gar nicht denken, daß wir vor drei Tagen zusammen getanzt haben. Es kommt mir vor, als wäre es vor einem Monat ge-
10 wesen. Eben kommt Mutter ins Zimmer. Ich soll ihr sagen, an wen ich schreibe — als ob sie das nicht wüßte! Gretel mag Dich sehr gern und hat auf der Heimreise viel von Dir gesprochen. Du warst aber auch äußerst lieb zu mir und sehr liebenswürdig zu ihr. Gretel hat auch ihre Sorgen. Sie möchte furchtbar gerne zu ihrem Mann nach Mexiko fahren. Nun, wir trösten uns gegenseitig.
15 Richard, ich glaube, wenn Du ins Ausland gingest, würdest Du großen Erfolg haben. Ich habe Gretel gesagt, sie soll ihrem Mann schreiben, daß Du großes Interesse für das Ingenieurwesen hast und auch gerne im Ausland arbeiten würdest und daß Du ein A im Spanischen bekommen hast. Er kennt die Verhältnisse in Zentral- und Südamerika. Er schrieb Gretel vor einiger Zeit, daß
20 amerikanische Ingenieure auch im Balkan gebraucht werden. Nun, wo Ingenieure gebraucht werden, braucht man auch Sekretärinnen, nicht wahr?

Jetzt zähle ich die Tage bis Weihnachten. Hoffentlich fliegt die Zeit nicht so schnell während der Weihnachtsferien, wie sie während des Wochenendes verflogen ist.

In treuer Liebe

Anna   5

III. Comments:

1. *Subjunctive II.*

Among the functions of the subjunctive mood in German is that of expressing certain kinds of conditions, known as conditions contrary to fact. An example of such a condition is: **Ich wäre sehr traurig, wenn ich das nicht wüßte.** *I would be very sad if I did not know that.* Often either the conditional clause or the conclusion of such a sentence is used independently with a somewhat different meaning. Thus: **Ich wäre sonst sehr traurig.** *Otherwise I would be very sad,* and **Wenn ich das nur wüßte!** *If I only knew that!* And, of course, the subjunctive is used in such clauses as: **Als ob sie das nicht wüßte.** *As if she did not know that,* which can also be expressed **Als wüßte sie das nicht.**

Let us call the type of subjunctive we are here discussing subjunctive II. Subjunctive I will be taken up later.

As you have learned in connection with the modal auxiliaries, there is only one set of subjunctive endings: **-e, -est, -e, -en, -et, -en.** Here are examples of the subjunctive II of **sein, haben, werden, gehen, glauben,** and **wissen:**

Present II:

ich wäre   hätte   würde   ginge   glaubte   wüßte

Past II:

ich wäre gewesen, hätte gehabt, wäre geworden, wäre gegangen, hätte geglaubt, hätte gewußt

Future II:

ich würde sein, würde haben, würde werden, würde gehen, würde glauben, würde wissen

The forms of the present subjunctive II are used to express present or future time; the past forms, to express past time; and the future forms to express present or future time. This means, practically speaking, that the forms of the present subjunctive II and of the future subjunctive II are interchangeable. Illustrations:

Pres. II: Wenn du jetzt ins Ausland gingest — *If you went abroad now.*
Wenn du später ins Ausland gingest — *If you went abroad later.*

Past II: Wenn du ins Ausland gegangen wärest — *If you had gone abroad.*

Fut. II: Wenn du jetzt ins Ausland gehen würdest — *If you were to go abroad now.*
Wenn du später ins Ausland gehen würdest — *If you were to go abroad later.*

2. *Word Order in Conditional Clauses:*

Conditional clauses, of course, use transposed order in the dependent clause:
Wenn du nicht hier **wärest;** als ob sie das nicht **wüßte.**

Frequently **als** is used instead of **als ob** to mean *as if*. In that case inverted
order is used: Als **wüßte** sie das nicht; als **wäre** es vor einem Monat gewesen.
Remember then: **Als** followed immediately by a verb means *as if*.

IV. Practice:

1. Ich wäre　　sonst sehr traurig　　　　　　　gewesen.
　 Du wärest　　　　　　　　einsam
　 Er wäre　　　　　　　　　glücklich (*happy*)
　 Wir wären　　　　　　　　optimistisch

2. Wenn du nicht hier wärest, würde ich sehr traurig　　　sein.
　　　　　　　　　　　　　　　　　　　　unglücklich
　　　　　　　　　　　　　　　　　　　　einsam

3. a.　Es kommt mir vor, als ob ich das Stück gehört hätte.
　　　　　　　　　　　　　　　den Film gesehen hätte.
　　　　　　　　　　　　　　　das in der Zeitung gelesen hätte.

　 b.　Es kommt mir vor, als hätte ich das Stück gehört.
　　　etc.

4. Wenn ich es nicht selbst gesehen　　　hätte, würde ich es nicht glauben.
　　　　　　　　　　　　　　gehört
　　　　　　　　　　　　　　gelesen
　　　　　　　　　　　　　　gesagt
　　　　　　　　　　　　　　geschrieben

5. Wenn Mutter jetzt ins Zimmer käme , würde sie mich fragen, an wen ich
　　 schreibe.
　　　　　　　　　　　　　　　　　, würde sie wissen wollen, an
　　　　　　　　　　　　　　　　　wen ich schreibe.
　　　　　　　　　　　　　　　　　, würde ich es ihr sagen
　　　　　　　　　　　　　　　　　müssen.

6. a.　Wenn du ins Ausland gingest, würdest du großen Erfolg haben.
　　　　　　　　　　　　　　　　schwer arbeiten müssen.
　　　　　　　　　　　　　　　　deine alten Freunde vermissen.
　　　　　　　　　　　　　　　　eine Sekretärin brauchen.

　 b.　Wenn Sie ins Ausland gingen, würden Sie großen Erfolg haben.
　　　etc.

7. Sie würden großen Erfolg haben, wenn Sie ins Ausland gingen.
　　　　　　　　　　　　　　　wenn Sie mehr arbeiteten.
　　　　　　　　　　　　　　　wenn Sie besser aufpaßten.

8. Wenn Robert nicht Ingenieur geworden wäre, wäre er jetzt nicht in Mexiko. Wenn Wilhelm nicht Tennisspieler geworden wäre, wäre er jetzt nicht in Florida.

9. Ich würde an Ihrer Stelle zu einem Arzt gehen.
   sehr gut aufpassen.
   nach Kalifornien fahren.

V. Exercises:

A. *Questions:*

1. Warum war es gut, daß Anna mit Gretel nach Hause fahren konnte?
2. Warum hat Anna das Radio nur ganz leise angestellt?
3. Was tut Anna, wenn sie ein Stück hört, zu dem sie mit Richard getanzt hat?
4. Wann war sie in der Universitätsstadt?
5. Welche Frage stellt die Mutter?
6. Warum mag Gretel Richard sehr gern?
7. Was für Sorgen hat Gretel?
8. Wo, sagt Anna, würde Richard großen Erfolg haben?
9. Was soll Gretel ihrem Mann über Richard schreiben?
10. Warum, denkt Anna, würde Richard in Zentral- oder Südamerika Erfolg haben?
11. Wie viele Tage sind es noch bis Weihnachten?

·B. *Translate:*

1. Wie könnte ich ihn vergessen?
2. Sie würde gern als Verkäuferin in Webers Warenhaus arbeiten.
3. Sie würden großen Erfolg haben, wenn Sie besser aufpassen würden.
4. Wann könnten Sie nach Neu York kommen?
5. Sie hätte ihn geheiratet, wenn er nicht ins Ausland gegangen wäre.
6. Ich habe ihr geschrieben, daß du nächste Woche nach Hause kommen würdest.
7. Wenn er wirklich so lange in Südamerika gewesen wäre, würde er die Verhältnisse dort besser kennen.
8. Du könntest auf der Heimreise durch Mexiko fahren und Robert besuchen.
9. Ich möchte furchtbar gerne einmal ins Ausland gehen.
10. Könnten Sie uns schreiben, wieviel amerikanische Ingenieure für dies Projekt gebraucht werden?

C. *Rearrange:*

1. noch, auf, Anna, ist, und, das Radio, hat . . . angestellt.
2. mir, ich, gar nicht, denken, kann, daß, zurückfahren kann, nach Hause, nächste Woche, ich.
3. als, sie, wüßte, nicht, das!

   4. meinem Bruder, habe . . . geschrieben, ich, daß, im Ausland, gerne, arbeiten würdest, du.

   5. in Europa, gute Ingenieure, werden . . . gebraucht.

   6. kommt . . . vor, es, mir, als ob, gewesen wäre, vor einem Monat, es.

   7. gesehen hätte, nicht selbst, er, es, wenn, er, nicht, es, würde . . . glauben.

   8. was, an meiner Stelle, Sie, würden . . . tun?

   9. das Radio, wir, nicht, wenn, angestellt hätten, wir, die guten Nachrichten, hätten . . . gehört, nicht.

  10. in Hollywood, du, großen Erfolg, würdest . . . haben.

D. *Correct the misinformation:*

   1. Wenn Anna nicht mit Gretel nach Hause gefahren wäre, wäre sie sehr froh gewesen.

   2. Das Haus ist sehr ruhig, denn alle sind zu Bett gegangen.

   3. Auf der Heimreise hat Gretel fast gar nicht von Richard gesprochen.

   4. Wenn Richard ins Ausland gehen würde, würde Anna nicht gerne mitgehen.

   5. Wo Ingenieure gebraucht werden, werden keine Sekretärinnen gebraucht.

VI. Securing the Vocabulary:

A.

leise	*soft, quiet*	äußerst	*extremely*
das Stück	*piece*	trösten	*(to) console*
zusammen	*together*	der Erfolg	*success*
vor einem Monat	*a month ago*	vor einiger Zeit	*some time ago*
als ob	*as though*	die Ferien	*vacation*

B.

streng (7)	1. *(to) visit*	bekommen (2)	1. *(to) invite*
reisen (9)	2. *construction*	zurück (5)	2. *(to) receive*
besuchen (1)	3. *(to) under-*	wahrscheinlich (4)	3. *in spite of it,*
berühmt (6)	*stand*	sich freuen (8)	*although*
der Bau (2)	4. *once, some time*	außerdem (7)	4. *probably*
einmal (4)	5. *future*	trotzdem (3)	5. *back*
verstehen (3)	6. *famous*	einsam (10)	6. *(to) accept*
kaum (10)	7. *strict*	annehmen (6)	7. *besides, in ad-*
allerdings (8)	8. *indeed, to be*	einladen (1)	*dition*
die Zukunft (5)	*sure*	das Kind (9)	8. *(to) be happy*
	9. *(to) travel*		9. *child*
	10. *hardly,*		10. *lonesome*
	scarcely		

ungefähr (6)	1. *continuous, constant*
die Nachricht (3)	2. *short*
dauernd (1)	3. *information*
dagegen (4)	4. *against it*
also (7)	5. *(to) play*
kurz (2)	6. *approximately*
spielen (5)	7. *well then, and so, therefore*
verschieden (9)	8. *a few, some*
einige (8)	9. *different, various*
nichts (10)	10. *nothing*

verwandt (3)	1. *simple*
die Schwierigkeit (4)	2. *about it*
die Geduld (6)	3. *related*
darüber (2)	4. *difficulty*
einfach (1)	5. *probably, no doubt*
zuerst (7)	6. *patience*
werden (8)	7. *at first*
wohl (5)	8. *(to) become*
sonst (9)	9. *otherwise*

Fünfzehnte Aufgabe

* *

Erfüllung

I. Words and Phrases:

Fünfzehnte Aufgabe.	Fifteenth lesson.
die Erfüllung	the fulfillment
Dies ist der letzte Brief.	This is the last letter.
der Leser, –s, —	the reader
sollen, ich habe gesollt	(to) be supposed to
er sollte wissen	he ought to know
schreiben, ich habe geschrieben	(to) write
es wurde geschrieben	it was written
Der Leser sollte wissen, daß er zwölf Jahre nach dem Universitätsjubiläum und im Balkan geschrieben wurde.	The reader ought to know that it was written twelve years after the university anniversary and in the Balkans.
wissen, ich habe gewußt	(to) know
wenn er wüßte	if he knew
sich wundern, ich habe mich gewundert	(to) be puzzled, be surprised
Wenn der Leser dies nicht wüßte, würde er sich wundern.	If the reader didn't know this, he would be puzzled.
Liebe Anna!	Dear Anna,
zuerst′	first of all
befördern, ich habe befördert	(to) promote
ich bin befördert worden	I have been promoted
Zuerst — ich bin befördert worden.	First of all, I have been promoted.

146

brauchen, ich habe gebraucht	(to) need
man brauchte	one needed
verstehen, ich habe verstanden	(to) understand
der Chef, –s, –s	the chief
der Ingenieur', –s, –e	the engineer
der Chef'ingenieur', –s, –e	the chief engineer

Für die Arbeit im Balkan brauchte man einen Ingenieur, der Deutsch versteht, und so bin ich jetzt der Chefingenieur.

For the work in the Balkans an engineer was needed who understands German and so I am the chief engineer now.

fahren, ich bin gefahren	(to) ride, travel
das Komitee', –s, –s	the committee
die Küste, —, –n	the coast
* die Leute (*pl.*)	the people
der Bau, –s	the construction
die Kosten (*pl.*)	the cost
die Baukosten (*pl.*)	the construction cost
der Flug, –s, ⸚e	the flight
der Hafen, –s, ⸚	the harbor
der Flughafen, –s, ⸚	the airport
* um . . . zu	in order to
* besprechen, ich habe besprochen	(to) discuss

Morgen fahre ich mit einem Komitee an die Küste, um mit den Leuten die Baukosten eines Flughafens zu besprechen.

Tomorrow I am going to the coast with a committee in order to discuss the construction costs of an airport with them.

bis auf weiteres	until further notice
postlagernd	stored in the post office

Du kannst mir Deine Briefe bis auf weiteres postlagernd nach Athen, schicken.

Until further notice you can send me your letters to Athens in care of general delivery.

schon wieder	already again
es macht mir Sorge	it causes me worry

Daß Ännchen schon wieder Schnupfen hat, macht mir Sorge.

It worries me that Ännchen has another cold.

gehen, ich bin gegangen	(to) go
geh!	go!
doch	(stresses the urgency of the request.)
mal (for einmal)	once (not translated)
geh doch mal zu Dr. Jones	do go to Dr. Jones
mit ihr	with her

Geh doch mal zu Dr. Jones mit ihr! — Why don't you take her to Dr. Jones?

die Leber	the liver
der Tran, –s	the fish oil
der Lebertran, –s	the liver oil

Vielleicht braucht sie nur mehr Leber- — Maybe she only needs more cod liver
tran.   oil.

hübsch	pretty
hübschest	prettiest
die Puppe, —, –n	the doll
* die Sammlung, —, –en	the collection
finden, ich habe gefunden	(to) find

Sag ihr, daß ich die hübschesten Pup- — Tell her that I have bought the petti-
pen für ihre Sammlung gekauft habe, — est dolls which I could find for her
die ich finden konnte.   collection.

mitbringen, ich habe mitgebracht	(to) bring along
* dürfen, ich habe gedurft	(to) be permitted
ich darf nicht	I must not
das Geheimnis, –ses, –se	secret
* denn	for (conjunction)
* verraten, ich habe verraten	(to) betray
sie werden verraten	they are betrayed

Ich werde auch Roberts Weihnachts- — I am also going to bring along Robert's
geschenk für Gretel mitbringen, aber — Christmas present for Gretel, but I
ich darf nicht sagen, was es ist, denn — mustn't tell what it is, for he
er will nicht, daß seine Geheimnisse — doesn't want his secrets to be be-
verraten werden.   trayed.

der Papa, –s, –s	the daddy
der Kerl, –s, –e	the fellow
das Kerlchen, –s, —	the little rascal
	(chen is a diminutive ending which also signifies tenderness)

Weihnachten (pl.)	Christmas
der Mann, –s, ⸚er	the man
der Weihnachtsmann, –s, ⸚er	the Christmas man
fliegen, ich bin geflogen	(to) fly

die Schwester, —, -n

the sister

etwas Schönes

something beautiful

mitbringen, ich habe mitgebracht

(to) bring along

Wenn Philipp wieder fragt, wann Papa nach Hause kommt, sag dem kleinen Kerlchen, daß ich mit dem Weihnachtsmann nach Hause fliegen werde, und daß der Weihnachtsmann ihm und seiner kleinen Schwester etwas Schönes mitbringen wird.

If Philip asks again when Daddy is coming home, tell the little rascal that I will be flying home with Santa Claus, and that Santa Claus will bring something nice for him and his little sister.

* überra'schen, ich habe überrascht

(to) surprise

Überrascht Dich das?

Does that surprise you?

wohl

probably, no doubt

kaum

scarcely

Wohl kaum.

Probably not very much.

wetten, ich habe gewettet

(to) bet, wager

die ganze Zeit

all the time

der Urlaub, -s

the furlough, leave of absence

bekommen, ich habe bekommen

(to) get, receive

ich würde bekommen

I would get

Ich wette, Du hast die ganze Zeit gewußt, daß ich Weihnachten Urlaub bekommen würde.

I'll bet you knew all the time that I would get a leave at Christmas.

die Villa, —, Villen

the villa

in der wir wohnen

in which we live

* herrlich

glorious, splendid

Die kleine Villa, in der wir Ingenieure seit einer Woche wohnen, hat eine herrliche Lage.

The little villa that we engineers have been living in for a week has a wonderful location.

wollen, ich habe gewollt

(to) want to

ich wollte (*subjunctive*)

I would want, I wish

können, ich habe gekonnt

(to) be able to

du könntest

you would be able to, you could

* die Aussicht, —	the view
die Terras'se, —, –n	the terrace

Ich wollte, Du könntest die Aussicht sehen, die wir von unserer Terrasse haben.

I wish you could see the view we have from our terrace.

wahrschein'lich	probably
immer noch	still
wir haben zu tun	we have to do

Im nächsten Jahr werden wir wahrscheinlich immer noch im Balkan zu tun haben.

Next year we will probably still have things to do in the Balkans.

das Kind, –es, –er	the child
während	during
die Fe'riĕn (*pl.*)	the vacation
nachkommen, ich bin nachgekommen	(to) follow after

Du kannst dann mit den Kindern während der Ferien nachkommen.

Then you can come after me with the children during vacation.

* ein paar	a few
mittel (*used in compounds*)	middle
* das Meer, –s, –e	the ocean, sea
das Mittelmeer, –s	the Mediterranean

Ein paar Monate am Mittelmeer werden Ännchen gut tun.

A couple of months on the Mediterranean will be good for Ännchen.

Auf Wiedersehen Weihnachten.

I'll see you Christmas.

In Liebe — Dein Richard.

Love, Richard.

II. Text:

Dies ist der letzte Brief. Der Leser sollte wissen, daß er zwölf Jahre nach dem Universitätsjubiläum und im Balkan geschrieben wurde. Wenn der Leser dies nicht wüßte, würde er sich wundern.

Liebe Anna!

Zuerst — ich bin befördert worden. Für die Arbeit im Balkan brauchte man 5
einen Ingenieur, der Deutsch versteht, und so bin ich jetzt der Chefingenieur.
Morgen fahre ich mit einem Komitee an die Küste, um mit den Leuten die
Baukosten eines Flughafens zu besprechen. Du kannst mir Deine Briefe bis auf
weiteres postlagernd nach Athen schicken.

Daß Ännchen schon wieder Schnupfen hat, macht mir Sorge. Geh doch mal 10
zu Dr. Jones mit ihr! Vielleicht braucht sie nur mehr Lebertran. Sag ihr, daß
ich die hübschesten Puppen für ihre Sammlung gekauft habe, die ich finden
konnte. Ich werde auch Roberts Weihnachtsgeschenk für Gretel mitbringen,
aber ich darf nicht sagen, was es ist, denn er will nicht, daß seine Geheimnisse verraten werden. Wenn Philipp wieder fragt, wann Papa nach Hause 15
kommt, sag dem kleinen Kerlchen, daß ich mit dem Weihnachtsmann nach
Hause fliegen werde, und daß der Weihnachtsmann ihm und seiner kleinen
Schwester etwas Schönes mitbringen wird. Überrascht Dich das? Wohl kaum.
Ich wette, Du hast die ganze Zeit gewußt, daß ich Weihnachten Urlaub bekommen würde. 20

Die kleine Villa, in der wir Ingenieure seit einer Woche wohnen, hat eine herrliche Lage. Ich wollte, du könntest die Aussicht sehen, die wir von unserer Terrasse haben! Im nächsten Jahr werden wir wahrscheinlich immer noch im Balkan zu tun haben. Du kannst dann mit den Kindern während der Ferien nach-
5 kommen. Ein paar Monate am Mittelmeer werden Ännchen gut tun.

Auf Wiedersehen Weihnachten.

> In Liebe
> Dein Richard

III. Comments:

1. *Relative Pronouns:*

The relative pronouns are very similar in form to the definite article.

Examples:

Sie brauchten einen Ingenieur, **der** Deutsch versteht.
They needed an engineer who understands German.

Die Aussicht, **die** wir von unserer Terrasse haben, ist herrlich.
The view which we have from our terrace is magnificent.

Since relative clauses are subordinate clauses the inflected verb stands at the end of a relative clause. This results in the practical rule: When you find a form of **der, die, das** without a noun following it and the verb is postponed, you are dealing with a relative clause and the form which looks like a definite article means *who* or *whom, which* or *that*. The relatives have long forms in certain cases as indicated in the following paradigms:

	M.	*F.*	*N.*	*Plural*
N.	der	die	das	die
A.	den	die	das	die
D.	dem	der	dem	denen
G.	dessen	deren	dessen	deren

2. *Interrogative Pronouns:*

The interrogative pronouns are **wer** — *who* and **was** — *what.* They are declined as follows:

	M. & F.	*N.*
N.	wer	was
A.	wen	was
D.	wem	—
G.	wessen	(wessen)

You will notice that there is no plural, that the genitive case of the neuter is enclosed in parentheses to indicate that it is rarely used, and that the dative case of the neuter is missing, being replaced by compounds of **wo**– plus a preposition *e.g.* **womit** — *with what, wherewith,* **wozu** — *to what, whereto,* **woraus** — *out of what.* The forms of **wer** and **was,** of course, introduce indirect questions as well as direct: **Sie wissen doch sicher, an wen ich eben schreibe.** *But surely you know to whom I am writing just now.*

3. *Passive Voice (Simple Past and Present Perfect):*

As stated in Lesson 11 forms of **werden** are used as auxiliaries with the past participle of a verb to form the passive voice. An example of the passive voice in the simple past tense is **ich wurde befördert,** etc. and in the present perfect, **ich bin befördert worden,** etc. *(For complete conjugation see Appendix.)*

IV. Practice:

1. Ich würde mich wundern, wenn ich das nicht wüßte.
   er ins Ausland ginge.
   Sie großen Erfolg hätten.
   sie sich verheiraten würde.

2. Ich bin vor drei Wochen befördert worden.
   zum Tanz eingeladen worden.
   oft mit meinem Freund verwechselt worden.
   Wir sind vor drei Wochen zum Tanz eingeladen worden.
   Sind Sie schon befördert worden, Herr Jones?

3. Er wäre schon befördert worden, wenn er fleißiger gearbeitet hätte.
   wenn er großen Erfolg gehabt hätte.
   wenn er mehr Glück gehabt hätte.

4. Herr Neubauer ist der Ingenieur, der schon zweimal befördert worden ist.
   dessen Arbeit in Brasilien so gelobt wurde.
   mit dem wir die Baukosten des Flughafens besprechen werden.
   den wir vor zwei Jahren nach Mexiko geschickt haben.

5. Wo ist das Komitee, das morgen an die Küste fährt?
   mit dem wir die Baukosten des Flughafens besprechen werden?
   dessen Mitglieder (*members*) alle Ingenieure sind?

6. Die Villa, in der wir wohnen, hat eine herrliche Lage.
   die wir kaufen möchten,
   die übrigens nur zwei Jahre alt ist,

7. Die Ingenieure, deren Chef übrigens Deutsch versteht, kommen alle aus Amerika.
   mit denen wir die Baukosten besprechen werden, sind hier.

8. Haben Sie die ganze Zeit gewußt, daß ich bald Urlaub bekommen würde?
   daß ich bald nach Hause kommen würde?
   daß Richard im Balkan arbeiten würde?
   daß er sich mit Anna verheiraten würde?

9. Ich wollte, Sie könnten die Aussicht sehen, die wir von der Terrasse haben!
   während der Ferien nachkommen!
   wir hätten ein neues Auto!
   ich wäre jetzt am Mittelmeer! (zu Hause, in Honolulu, etc.)

10. Fräulein Becker wurde immer zu jedem Tanz eingeladen.
    Ich   wurde
    Wir   wurden
    Sind Sie zu jedem Tanz eingeladen worden, Fräulein Wright?

V. Exercises:

A. *Questions:*

1. Warum sollte der Leser wissen, daß dieser letzte Brief zwölf Jahre nach den anderen geschrieben wurde?
2. Wo wurde dieser Brief geschrieben?
3. Hat Richard seiner Frau etwas Neues zu erzählen?
4. Warum ist Richard befördert worden?
5. Warum muß er an die Küste fahren?
6. Was ist bis auf weiteres Richards Adresse?
7. Was soll Frau Neumann mit Ännchen tun, die schon wieder Schnupfen hat?
8. Was für ein Weihnachtsgeschenk wird Richard seiner Tochter mitbringen?
9. Wann wird Richard Urlaub bekommen?
10. Wie lange wohnen die Ingenieure schon in der kleinen Villa?
11. Von wo hat man die beste Aussicht?
12. Was wird Ännchen, die sich zu oft und zu leicht erkältet, gut tun?

•B. *Translate:*

1. Ich wollte, du könntest während der Ferien nachkommen.
2. Wofür interessierst du dich besonders?
3. An wen schreiben Sie so oft Briefe?
4. Deine Briefe werden weitergeschickt.
5. Für wen arbeiten Sie jetzt?
6. Mit wem spielen Sie heute Tennis?
7. Die Leute, mit denen ich das besprechen werde, sind Ingenieure.
8. Das Geschenk, das ich Ännchen mitbringe, wird ihr sicher große Freude machen.
9. Es ist nicht alles wahr, was in der Zeitung steht.
10. Er ist vor einem Jahr befördert worden.

C. *Rearrange:*

1. er, wüßte, wenn, das, nicht, ich, würde . . . mich wundern.
2. das schönste Halsband, ich, ihr, habe . . . gekauft, das, finden konnte, ich.

3. würde mich wundern, ich, wenn, keinen, hätten, großen Erfolg, damit, Sie.

4. sie, die ganze Zeit, hat . . . gewußt, daß, bekommen würde, er, Urlaub, Weihnachten.

5. eine herrliche Lage, in der, wohnen, wir, hat, die kleine Stadt.

D. *Correct the misinformation:*

1. Anna soll ihre Briefe an Richard postlagernd nach dem Balkan schicken.
2. In seinem Brief hat Richard Anna gesagt, daß er im Sommer Urlaub bekommen wird.
3. Richard wohnt seit einem Monat in einer kleinen Villa, die eine herrliche Lage hat.
4. Richard kommt Weihnachten nach Hause, weil er im Balkan nichts mehr zu tun hat.
5. Im nächsten Jahr wird Richard wahrscheinlich immer noch in Mexiko zu tun haben.

VI. Securing the Vocabulary:

A.

die Leute	people
besprechen	(to) discuss
die Sammlung	collection
dürfen	(to) be permitted
denn	for
verraten	(to) betray
überraschen	(to) surprise
herrlich	glorious, splendid
um . . . zu	in order to
die Aussicht	view
ein paar	a few
das Meer	ocean, sea

B.

immer (4)	1. besides, in addition
wohl (9)	2. probably
außerdem (1)	3. already
wahrscheinlich (2)	4. always
nur (8)	5. for that reason
ziemlich (10)	6. enough
deshalb (5)	7. (to) receive
schon (3)	8. only
genug (6)	9. probably, no doubt
bekommen (7)	10. rather

wer (10)	1. how, as, like
wie (1)	2. approximately
zusammen (7)	3. well then
viel (8)	4. incidentally
nun (3)	5. to be sure
übrigens (4)	6. usually
ungefähr (2)	7. together
kaum (9)	8. much
allerdings (5)	9. hardly, scarcely
gewöhnlich (6)	10. who
nie (11)	11. never

eben (4)	1. a month ago
ganz (8)	2. perhaps
auch (12)	3. well then, and so, therefore
sonst (9)	4. just
vielleicht (2)	5. nothing
leider (10)	6. for
also (3)	7. at least
vor einem Monat (1)	8. entire, quite
zurück (11)	9. otherwise
wenigstens (7)	10. unfortunately
denn (6)	11. back
nichts (5)	12. also

noch (6)	1. *there is (are), there exists (exist)*
besonders (3)	2. *soon*
vor einiger Zeit (5)	3. *especially*
es gibt (1)	4. *in spite of it, although*
gar nicht (11)	5. *some time ago*
bald (2)	6. *still, yet*
äußerst (10)	7. *(to) become*
bis (12)	8. *a few, some*
trotzdem (4)	9. *in order to*
werden (7)	10. *extremely*
einige (8)	11. *not at all*
um . . . zu (9)	12. *until*

Sechzehnte Aufgabe

* *

Aus dem Leben Herbert Beckers*

Der Held unserer fragmentarischen Biographie kam im Winter 1918 in einer
Kleinstadt, dreißig Meilen von Neu York, zur Welt. Das Städtchen, in dem
Herbert Theodor Becker zur Welt kam, hatte zwei Kinos, ein Hotel und drei
Restaurants.

Viele Leute glauben, daß das Leben in einer Kleinstadt schrecklich langweilig 5
ist. Man wartet morgens auf die Milch, vormittags auf Post, nachmittags auf
die Zeitung und abends aufs Zubettgehen. Wir brauchen Ihnen kaum zu sagen,
daß das Leben in einer Großstadt auch sehr langweilig sein kann. Man wartet
morgens auf den acht Uhr dreißig Autobus, mittags auf einen Platz im Restaurant, nachmittags aufs Nachhausegehen und abends auf den fünf Uhr zwanzig 10
Autobus.

Herbert Becker und seine Spielkameraden langweilten sich nie in ihrer kleinen
Heimatstadt. Leider haben wir keine Zeit, Ihnen alles zu erzählen, was der
kleine Herbert im Kindergarten und in den ersten Schuljahren getan hat. Er
war ein kleiner Tom Sawyer, und wenn Sie wissen wollen, wer der kleine Tom 15
Sawyer war, müssen Sie Mark Twains berühmte Bücher „Tom Sawyer" und
„Huckleberry Finn" lesen.

Herberts Vater arbeitete als Ingenieur für eine kleine Firma, bis er eines Tages
eine Stelle als Chefingenieur in einer großen Neu Yorker Firma bekam. Zu ungefähr der gleichen Zeit verkaufte Ingenieur Becker sein Haus in der Klein- 20
stadt und kam mit seiner Familie nach Neu York.

Herbert war vierzehn Jahre alt und dachte zuerst, es würde etwas schwierig
sein, in einer Stadt zu wohnen, die mehr Kinos, Hotels und Restaurants hatte als
sein Geburtsort, aber bald war er in Neu York zu Hause, als ob diese Metropole
schon immer seine Heimatstadt gewesen wäre.   25

Ein paar Jahre später treffen wir unseren jungen Freund auf dem Campus
einer amerikanischen Universität wieder. Er ist jetzt zwanzig Jahre alt, sechs
Fuß groß, ein guter Student und ... aber warum erzählen wir Ihnen das alles,
wenn wir Briefe und Zeitungsartikel aus dieser Zeit haben, in denen wir Herbert
Becker so sehen, wie ihn seine Freunde sahen. Hier ist eine Stelle aus dem Brief 30
einer Studentin, die mit Herbert um acht Uhr bei Professor Hiller Chemie hatte.

* This connected passage is based on vocabulary of the preceding lessons with the exception
of a few words which are almost identical in English and German.

Der Brief ist an eine Freundin in der Heimatstadt dieser Studentin geschrieben, die so freundlich war, ihn uns für Herberts Biographie zu geben. „O Roberta, Du kannst Dir gar nicht vorstellen, wie schön der Galaball zum hundertjährigen Jubiläum unserer Alma Mater war. Daß die Musik wunderbar war, wirst Du
5 verstehen, wenn ich Dir schreibe, daß Toni und seine Piraten für uns spielten. Das Schönste am ganzen Abend waren aber meine zwei Tänze mit Herbert. Herbert ist wunderbar! Er hat große braune Augen und außerdem ist er ein wunderbarer Tänzer...." Das zweite Dokument, das wir Ihnen geben, um Herberts Biographie authentischer zu machen, ist ein Artikel aus der Studenten-
10 zeitung ‚Der Grislybär.‘ „Auch ein Skeptiker von Beruf muß nach diesem Meisterschaftskampf von der Klasse Herbert Beckers überzeugt sein. Dieser Wilkins aus Kalifornien und unser Herbert Becker haben wie Berufsspieler gespielt. Es ist schwer zu sagen, wer von den beiden die bessere Technik hat. Vielleicht spielt Becker etwas besser am Netz als der Mann aus dem Orangen-
15 staat. Das ist aber sicher: Becker hat gewonnen, weil er die besseren Nerven hat und nie aufgeregt wurde."... Dieses Tennismatch war am 29. Mai. Am 25. Dezember treffen wir unseren Helden wieder im Elternhause in Neu York.

Die Familie Becker, d.h. Herr und Frau Becker, Herbert und seine Schwester Elisabeth, sitzt am Eßtisch und wartet auf das gute Essen, das Mama Becker
20 für sie gekocht hat. Mama Becker kocht wie der beste Koch eines internatio-nalen Hotels und sie weiß außerdem, was ihr Herbert gern ißt. Die Mutter ihres Mannes war als junge Frau von Wien nach den Vereinigten Staaten gekommen und Frau Becker hat viele Wiener Rezepte von ihr gelernt. Ihre Wiener Schnitzel und Apfelstrudel z.B sind bei den Verwandten und Freunden der Familie Becker
25 berühmt. Wie gesagt, die Familie Becker sitzt am Eßtisch und wartet. Frau Becker unterhält sich mit Elisabeth über einen Pelzmantel, den sie in einem Warenhaus am Broadway gesehen hat, als sie ihre Weihnachtseinkäufe machte. Elisabeth ist zwei Jahre älter als ihr Bruder Herbert. Sie hat eine Stelle als Sekretärin in einem Neu Yorker Geschäft. Die Damen unterhalten sich über
30 den Pelzmantel, und Herr Becker erzählt seinem Sohn eine aufregende Geschichte aus den Tagen, als er für Zürich College Fußball spielte.

Nun will Herbert eine Fußballgeschichte vom letzten Herbst erzählen, aber da kommt das Mädchen, die Mutter Becker beim Kochen und Geschirrspülen hilft, und bringt das Essen.
35 Wenn Herbert ißt, hat er längere Unterhaltungen nicht gern. Jetzt interes-siert er sich mehr für die Meisterwerke seiner Mutter als für Fußball.

Dann serviert das Mädchen Herberts Lieblingsdessert, Apfelstrudel, und Papa erklärt, daß er sich wieder erkältet hätte und seine Pillen haben wollte, die ihm Dr. Jones gegen Schnupfen und Erkältung gegeben hätte. Herbert geht aus dem
40 Zimmer und bringt seinem Vater die Pillen. Dann setzt er sich wieder an den Tisch, um noch eine Portion Apfelstrudel zu essen. Da sieht er ein Stück Papier und er sieht auch, daß dieses Stück Papier ein Scheck über sechshundert Dollar ist. Die sechshundert Dollar sind Papa Beckers Weihnachtsgeschenk für seinen Sohn. Herr Becker will, daß sein Junge mit diesem Geld während der Som-
45 merferien nach Deutschland fährt.

Sieben Monate später treffen wir die Familie Becker auf einem Pier des Norddeutschen Lloyd in Neu York. Herbert will mit der ‚Europa‘ nach Deutschland fahren. Die ‚Europa‘ liegt am Pier, und Herberts Eltern gehen mit ihrem Sohn an Bord, denn die Passagiere dürfen Gäste mitbringen. Erika geht natürlich auch an Bord. Wer ist Erika? Aber lieber Leser, liebe Leserin, muß ich 5 Ihnen alles erklären? Erika wohnt auch in Neu York, sie wohnt auch in der zweiundachtzigsten Straße, nur drei Häuser und eine Garage von Herbert entfernt. Sie macht sich Sorgen, weil bald der breite Atlantische Ozean zwischen der zweiundachtzigsten Straße und Herbert liegen wird. Herberts Schwester ist nicht an Bord, denn sie hat sich im Frühling verheiratet und ist jetzt mit ihrem 10 Mann in Detroit, wo er Abteilungschef eines Detroiter Warenhauses ist.

Herbert, Herberts Eltern und Erika gehen also mit anderen Passagieren und Gästen durchs ganze Schiff. Sie sehen sich den Maschinenraum, den Damensalon, das Sportdeck und auch ein paar Kabinen erster Klasse an. Die Stewards und Schiffsoffiziere geben über alles Auskunft. 15

Herberts Kabine ist eine Kabine dritter Klasse für zwei Passagiere, und die Frau Becker will natürlich sehen, wo Herbert die nächste Woche wohnen wird. Sie sitzen alle in Herberts Kabine, und Mama Becker sagt allerlei. Sie sagt ihrem Sohn, was er in Deutschland tun soll „Laß dir rechtzeitig die Hemden und die Socken waschen! Trink genug Milch! Schreib wenigstens zweimal die 20 Woche! Iß nur in guten Restaurants! Treib keinen Unfug! Vergiß nicht, daß wir in Berlin Verwandte haben. Ich weiß, Onkel Anton wird sich schrecklich freuen, wenn du ihn in Berlin besuchst. Ich habe Tante Ida nichts von deiner Reise geschrieben. Wenn du nach Hannover kommst, mußt du sie überraschen. Tante Ida liebt Überraschungen!“ Mama Becker möchte gerne noch etwas 25 länger mit ihrem Sohn plaudern, aber das Lautsprechersystem des Schiffes macht bekannt, daß alle, die nicht nach Deutschland, England oder Frankreich fahren wollen, jetzt von Bord gehen müssen. Frau Becker weint ein bißchen, und Herbert sagt: „Aber Mama, warum bist du traurig? Ich reise doch nur nach Deutschland, um Deutsch zu lernen. Die ‚Europa‘ ist doch kein Truppen- 30 schiff!“ (Herbert wußte nicht, was er da sagte. Sechs Jahre später brachte die ‚Europa‘ als Truppenschiff der Vereinigten Staaten Tausende amerikanischer Soldaten nach Hause zurück.)

Nun gibt Mutter Becker ihrem Jungen einen Kuß und Erika gibt ihm ein Buch, das er auf der Reise lesen soll, und ein paar Minuten später stehen 35 Herberts Eltern und Erika wieder auf dem Pier. Sie hören die Schiffssirene und sehen, wie das große Schiff in den Hudson hinausfährt.

Herbert steht an der Reling und sieht die elektrischen Lichter von Coney Island durch die Nacht blinken. Bald wird es kälter, und Herbert geht in seine Kabine, denn er hat nur einen Sommeranzug an. Er wäscht sich und geht zu 40 Bett. Da er nicht sehr müde ist, liest er das Buch, das ihm Erika geschenkt hat. Es heißt ‚Das Geheimnis der Villa‘ und beginnt sehr interessant: „Auf der Terrasse einer kleinen Villa, von der man eine herrliche Aussicht auf das Mittelmeer hat, sitzt Clancy Wuthermore und frühstückt. Clancy frühstückt, weil er sehr hungrig ist, aber er weiß nicht, wer ihm das Frühstück gebracht hat. Er weiß 45

auch nicht, warum er in dieser Villa ist und wie der kleine Ort heißt, den er von der Terrasse sehen kann. Clancy weiß nur, daß er gestern in Athen einen Brief bekommen hat, in dem ein Freund seines Vaters schrieb, er sollte ihn in der Stadionstraße besuchen. Als er in das Hotelzimmer kam, sah er nicht den Freund seines Vaters
5 sondern drei Fremde, die ihm mit Revolvern in der Hand sagten, er müsse ruhig sein und mit ihnen kommen. Die drei Männer hatten den armen Clancy, der vor Erstaunen nicht reden konnte, in ihre Mitte genommen, und bevor er es wußte, hatten sie ihn in ihrem Auto. Die drei Fremden hatten Clancy in diese Villa gebracht, in der er die ganze Nacht darüber nachgedacht hatte, was man
10 von ihm wollte. Darüber dachte er auch jetzt nach, als er sein Frühstück aß!" An dieser interessanten Stelle kommt der zweite Passagier in die Kabine und sagt: „Verzeihung, daß ich so spät komme Ich sehe, Sie sind schon zu Bett gegangen. Ich hatte mich verlaufen und war im Gesellschaftsraum der zweiten Klasse gelandet, wo es ein kleines Konzert gab. Ich heiße Albert Niemeier und
15 bin Mechaniker. Ich arbeite in Detroit in einer Autofabrik."

Herbert und der Mechaniker unterhalten sich nun eine Weile über Neu York, das Schiff und Detroit, aber sie sind beide sehr müde und nach ein paar Minuten Unterhaltung schlafen sie schon. Herbert hat einen merkwürdigen Traum. Er träumt, er spielt Fußball gegen Notre Dame. Er trägt den Ball und im nächsten
20 Moment liegt er auf dem Ball und drei schwere Spieler von Notre Dame sitzen auf ihm. Der Ball rollt unter ihm hin und her. In diesem kritischen Moment wacht er auf und sieht nach der Uhr. Es ist acht Uhr. Der junge Mechaniker sagt leise: „Hören Sie etwas?" Ja, Herbert hört etwas. Er hört, wie die Wasser des Atlantischen Ozeans gegen die Seite des Schiffes donnern, auf der sein Bett
25 ist, und er sagt: „Wir müssen Sturm haben!" Der junge Mechaniker sagt nichts. Er liegt im Bett und hält sich den Kopf mit beiden Händen.

Herbert ist ein Held, er steht auf, wäscht sich und zehn Minuten später hat er Hose und Hemd an. Mehr kann er nicht tun. Der Zimmersteward kommt in die Kabine und sagt: „Warum so still, meine Herren? Wollen Sie nicht früh-
30 stücken? Es gibt guten frischen Kaffee, Eier mit Speck, frische Orangen, alles, was Sie haben wollen." Herbert verliert die Geduld. „Zum Donnerwetter," sagt er, „wollen Sie sich über uns lustig machen?" „Aber Herr Becker," antwortet der Zimmersteward, „natürlich mache ich mich nicht über Sie lustig. Ich wollte die Herren nur auf andere Gedanken bringen. Warten Sie hier, ich gehe
35 zum Schiffsdoktor und werde den Herren ein paar Pillen mitbringen."

Der Zimmersteward geht, und Herbert will eine Unterhaltung mit dem jungen Mechaniker beginnen, aber der junge Mann aus Detroit sagt nichts. Er sieht Herbert nur mit müden, traurigen Augen an. Herbert versteht und ist still. Der Zimmersteward kommt zurück und sagt: „Wir haben einen schlechten Tag,
40 der Sturm kommt von der Seite, aber machen Sie sich keine Sorgen, hier sind Ihre Pillen."

Herbert gibt dem Mechaniker zwei Pillen in einem Glas Wasser und fragt ihn: „Kann ich Ihnen Frühstück mitbringen? Haben Sie auf etwas Appetit?" Der junge Mann von Detroit antwortet leise: „Das ist sehr liebenswürdig von Ihnen,
45 aber sprechen Sie bitte nicht von Essen, wenn Sie hier in der Kabine sind."

Herbert geht an Deck und sieht den wilden, grauen Atlantischen Ozean. Er hat genug gesehen und geht wieder unter Deck, um etwas zu essen. In der großen Halle sitzen nur ein paar Leute an den Tischen und frühstücken. Herbert trinkt eine Tasse Tee und ißt etwas Toast. Auf der anderen Seite des Tisches sitzt eine junge Dame, die auch wenig Appetit hat. Herbert beginnt eine Unter- 5 haltung mit ihr und sagt liebenswürdig: „ . . .

Section Two

Section Two

Siebzehnte Aufgabe

* *

Sender G F S

I. Words and Phrases:

der Sender, –s, — | transmitter, radio station

In den folgenden Aufgaben müssen Sie * sich vorstellen, Sie haben einen Radioapparat und hören deutsche Program'me.

In the following chapters you must imagine you have a radio and are listening to German programs.

frei
der Lauf, –es
lassen, ich habe gelassen
   ich lasse freien Lauf

free
the course, run
(to) let, allow
   I give free rein

Wir erwarten allerdings von Ihnen, daß Sie Ihrer * Einbildungskraft freien Lauf lassen.

To be sure, we expect of you that you give free rein to your imagination.

heißen, ich habe geheißen
   wenn es heißt

(to) be named, be said
   if it is said

Wenn es heißt: Die Kapel'le spielt einen Wiener Walzer, dann müssen Sie eben „An der schönen, blauen Donau" oder „Geschichten aus dem Wiener Wald" mit dem geistigen Ohre hören.

If it says: The orchestra is playing a Viennese waltz, then you simply have to hear "On the beautiful, blue Danube," or "Tales from the Vienna Woods" with your mental ear.

* das Geräusch, –es, –e
   machen Sie es auch mit den Geräuschen

the noise
   do it with the sound effects, too

Wie mit der Musik', so machen Sie es auch mit den Geräuschen!

Do the same thing with the sound effects as with the music!

165

* leicht
   leichter

light, easy
   easier

Was ist leichter als sich einzubilden, daß man knallende Revol'ver oder quietschende Autobremsen hört?

What is easier than to imagine that one is hearing revolver shots or squeaking automobile brakes?

Denken Sie einmal an die * Zuschauer in einem Thea'ter zur Zeit Shakespeares!

Just think of the spectators in a theater in Shakespeare's time!

von denen
* verlangen, ich habe verlangt
   man verlangte

of these
(to) demand
   one demanded

Von denen verlangte man sehr viel Phantasie'.

A great deal of imagination was demanded of them.

Ein Busch auf der * Bühne bedeutete damals einen Wald, ein paar Bänke einen Thronsaal usw. (und so weiter)

A bush on the stage at that time signified a forest, a few benches, a throne-room, and so on.

Jungen in Frauenkleidern spielten die * reizende Ophelia oder rezitierten die * Zeilen:

Boys in women's clothes played the charming Ophelia or declaimed the lines:

was uns Rose heißt
wie es auch hieße

what is called a rose to us
however it might be called

Was ist ein Name? Was uns Rose heißt,
Wie es auch hieße, würde lieblich duften.

What is a name? What we call a rose, no matter what its name might be, would smell sweet.
(cf. "Romeo & Juliet," Act II, sc. II, ll. 43–44.)

Außerdem waren Shakespeares Römer, Griechen, Schotten und Venezia'ner * genau so angezogen wie die großen Herren zur Zeit der Königin Elisabeth.

Besides, Shakespeare's Romans, Greeks, Scots, and Venetians were dressed exactly as the great lords at the time of Queen Elizabeth.

* damals
ersetzen, ich habe ersetzt
   er ersetzte
noch kein Verständnis

at that time
(to) replace, substitute
   he replaced
still no understanding

Damals hatte das Theaterpublikum noch kein * Verständnis für histo'-

The audience of that time had not yet developed an understanding of his-

risches Kostüm′ und Bühnenbild entwickelt und ersetzte durch Phantasie′, was das Theater dem Auge nicht * zeigen konnte.

torical costuming and staging and by imagination made up for what the theater could not show.

Noch eins!

One thing more!

Wenn Sie wollen, können Sie natür′lich Sen′destation′ spielen.

If you wish, you can, of course, play broadcasting station.

schauspielerisch

theatrical

Mit etwas schauspielerischem Talent′ können Sie die folgenden Aufgaben so vorlesen, daß Ihre Klassengenossen glauben werden, sie hören * die Stimme eines Ansagers, eines Bandi′ten, eines poli′tischen Redners u. dgl. m. (und derglei′chen mehr)

With some acting ability you can read the following chapters in such a way that your classmates will believe they are listening to the voice of an announcer, a bandit, a political speaker, and the like.

Oder lassen Sie Ihre Klassengenossen die verschiedenen Rollen spielen!

Or have your classmates play the various parts!

* nachmachen, ich habe nachgemacht das Geräusch läßt sich nachmachen

(to) imitate
the noise lets itself be imitated

Viele drama′tische Geräusche lassen sich * sogar′ im Klassenzimmer ohne komplizierte Appara′te nachmachen, wie z.B. der zischende Dampf einer abfahrenden Lokomoti′ve, das Galoppieren eines Pferdes, eine Autohupe, ein Revol′verschuß, das Quietschen einer rostigen Tür usw.

Many dramatic sound effects can be imitated even in the classroom without complicated apparatus, as, for example, the hissing steam of a departing locomotive, the gallop of a horse, an automobile horn, a revolver shot, the creaking of a rusty door and so on.

Dramatisieren Sie alles, was Sie dramatisieren können!

Dramatize everything that you can dramatize!

Es macht * Spaß!

It's fun!

II. Text*:

Sender GFS

In den folgenden Aufgaben müssen Sie sich vorstellen, Sie haben einen Radio=
apparat und hören deutsche Programme. Wir erwarten allerdings von Ihnen, daß
Sie Ihrer Einbildungskraft freien Lauf lassen. Wenn es heißt: Die Kapelle spielt
einen Wiener Walzer, dann müssen Sie eben „An der schönen, blauen Donau" oder
5 „Geschichten aus dem Wiener Wald" mit dem geistigen Ohre hören. Wie mit der
Musik, so machen Sie es auch mit den Geräuschen! Was ist leichter als sich ein=
zubilden, daß man knallende Revolver oder quietschende Autobremsen hört?

Denken Sie einmal an die Zuschauer in einem Theater zur Zeit Shakespeares!
Von denen verlangte man sehr viel Phantasie. Ein Busch auf der Bühne bedeutete

* See Appendix paragraph 2 for the alphabet in Gothic type.

damals einen Wald, ein paar Bänke einen Thronsaal usw. (und so weiter). Jungen in Frauenkleidern spielten die reizende Ophelia oder rezitierten die Zeilen:

> Was ist ein Name? Was uns Rose heißt,
> Wie es auch hieße, würde lieblich duften.

Außerdem waren Shakespeares Römer, Griechen, Schotten und Venezianer genau 5 so angezogen wie die großen Herren zur Zeit der Königin Elisabeth. Damals hatte das Theaterpublikum noch kein Verständnis für historisches Kostüm und Bühnenbild entwickelt und ersetzte durch Phantasie, was das Theater dem Auge nicht zeigen konnte.

Noch eins! Wenn Sie wollen, können Sie natürlich Sendestation spielen. Mit 10 etwas schauspielerischem Talent können Sie die folgenden Aufgaben so vorlesen, daß Ihre Klassengenossen glauben werden, sie hören die Stimme eines Ansagers, eines Banditen, eines politischen Redners u. dgl. m. (und dergleichen mehr). Oder lassen Sie Ihre Klassengenossen die verschiedenen Rollen spielen! Viele dramatische Geräusche lassen sich sogar im Klassenzimmer ohne komplizierte Apparate nachmachen, 15 wie z.B. der zischende Dampf einer abfahrenden Lokomotive, das Galoppieren eines Pferdes, eine Autohupe, ein Revolverschuß, das Quietschen einer rostigen Tür usw. Dramatisieren Sie alles, was Sie dramatisieren können! Es macht Spaß!

III. Comments:

1. *Simple Past Tense of Weak Verbs:*

So far we have taken up the simple past tense of only a few verbs, such as sein, haben, and the modal auxiliaries. The reason for this was that the simple past tense is much less generally used than the present perfect tense in colloquial language or in unconnected sentences. But now we are going to encounter passages of connected narrative or exposition in the past time and for this purpose German employs the simple past tense.

By far the larger number of German verbs belong to a group known as weak verbs. The English verbs *walk, walked, walked* and *play, played, played* are of this type. In German, the simple past tense of weak verbs is formed by adding to the infinitive stem the tense sign –t– plus personal endings. Thus, the infinitive stem of spielen is spiel– plus tense sign –t– = spielt– plus personal endings = spielte, spieltest, spielten, etc. Here are the simple past tense forms of the verbs verlangen and erwarten. Notice that the vowel –e– must be inserted between the final –t of the stem erwart– and of the tense sign –t– in order to facilitate pronunciation.

ich verlangte — I demanded, I was demanding, etc.	ich erwartete — I expected, I was expecting, etc.
du verlangtest	du erwartetest
er verlangte	er erwartete
wir verlangten	wir erwarteten

ihr verlangtet	ihr erwartetet
sie verlangten	sie erwarteten
Sie verlangten	Sie erwarteten

2. *Present and Past Participles:*

The present participle of a verb is formed by the addition of –end to the present infinitive stem. Thus: verlang–end, *demanding;* erwart–end, *expecting;* spiel–end, *playing.* The past participle of a verb is its third principal part. In the case of a weak verb it is formed by the addition of –t to the stem and, in most instances, by the prefixing of ge–: gespielt — *played,* gemacht — *made,* geglaubt — *believed.* The past participles of the so-called strong verbs (to be discussed in the next unit) all end in –en: geheißen — *called,* gelesen — *read.* But if the first syllable of a verb does *not* bear the main stress ge is not prefixed: entwickelt — *developed,* kompliziert — *complicated,* erwartet — *expected.*

Participles are adjectives and have the normal adjective declension: die folgende Aufgabe, *the following lesson;* eine quietschende Autobremse, *a squeaking automobile brake;* das galoppierende Pferd, *the galloping horse;* komplizierte Apparate, *complicated apparatus.*

3. *Idiomatic Uses of* lassen:

The verb lassen means *let, allow, permit.* But in the sentence Lassen Sie Ihre Klassengenossen die verschiedenen Rollen spielen! it is used as English uses the verb *have* in the sense of *cause to, order to: Have your classmates play the various parts.*

Another use of lassen is with a complementary infinitive and reflexive object. A literal translation of the sentence: Dieses Geräusch läßt sich leicht nachmachen would be, *This sound lets itself imitate easily.* Of course, English usage requires the translation, *This sound can easily be imitated.*

IV. Practice:

1. Sie müssen sich vorstellen, Sie hören knallende Revolver.
> quietschende Autobremsen.
> eine zischende Lokomotive.
> ein galoppierendes Pferd.
> die reizende Ophelia.

Sie müssen sich vorstellen, daß Sie dramatisierte Theaterstücke hören.

2. Von dem Theaterpublikum zur Zeit Shakespeares verlangte man viel Einbildungskraft.

3. a. Ein Busch auf der Bühne bedeutete damals einen Wald.
> Eine Bank   einen Thronsaal.

   b. Ein paar Büsche auf der Bühne bedeuteten damals einen Wald.
> Bänke   einen Thronsaal.

4. Ein Junge in Frauenkleidern spielte die Julia.
> Will Kemp   die komischen Rollen.

Shakespeare spielte verschiedene Rollen in seinen Dramen.

5. Lassen Sie Fräulein O'Brien die Julia spielen!
        Herrn Murphy   den Banditen
     den Professor   den Ansager

6. Die Geräusche lassen sich sehr leicht nachmachen.
   Die Aufgaben   dramatisch vorlesen.
   Die Geschichten   sehr gut dramatisieren.

7. a Die Zuschauer hatten viel Einbildungskraft.
     Die Zuschauer mußten ihrer Einbildungskraft freien Lauf lassen.
  b. Man erwartete etwas.
               von den Zuschauern.
  c. Man erwartete von den Zuschauern, daß sie ihrer Einbildungskraft freien Lauf ließen.

8. a. Die Kapelle spielt.
           einen Wiener Walzer.
                  übers Radio.
  b. Das müssen Sie sich vorstellen.
  c. Sie müssen sich vorstellen, daß die Kapelle einen Wiener Walzer übers Radio spielt.

9. a. Die Lokomotive fährt ab.
    Eine abfahrende Lokomotive
  b. Der Dampf zischt.
    Der zischende Dampf
              einer abfahrenden Lokomotive.
  c. Das Geräusch läßt sich nachmachen.
    Ein Geräusch, das sich leicht nachmachen läßt.
  d. Der zischende Dampf einer abfahrenden Lokomotive ist ein Geräusch, das sich leicht nachmachen läßt.

V. Exercises:

A. Questions:

1. Was wird in den folgenden Aufgaben von Ihnen erwartet?
2. Wie heißen zwei berühmte Wiener Walzer?
3. Wie kann man das Geräusch galoppierender Pferde nachmachen?
4. Wer war Englands Königin zur Zeit Shakespeares?
5. Was bedeutete zu Shakespeares Zeit einen Thronsaal?
6. Was bedeutete ein Busch auf der Bühne?
7. Wer spielte damals die Frauenrollen?
8. Trug Julius Caesar auf Shakespeares Bühne ein römisches Kostüm?
9. Was zeigt die moderne Bühne dem Zuschauer, das man zu Shakespeares Zeit nicht zeigte?
10. Was hört man, wenn eine Lokomotive abfährt?

B. *Translate:*

1. Sie müssen sich vorstellen, Sie hören eine Kapelle schöne Walzer spielen.
2. Sie müssen die Stimme der Schauspieler mit dem geistigen Ohre hören.
3. Er war immer wie ein großer Herr angezogen.
4. Sie zeigte kein Verständnis für Musik.
5. Lassen Sie Herrn Murphy den Banditen spielen!
6. Sie hatte ein gut entwickeltes schauspielerisches Talent.
7. Das kann man sich sehr leicht vorstellen.
8. Sie ist ein reizendes Mädchen.
9. Er hat eine sehr komplizierte Rolle.
10. Wir hatten eben das Radio angestellt und wollten Tanzmusik hören, als Auto=
    bremsen vor unserem Hause quietschten.

C. *Rearrange and translate:*

1. sehr gut, die folgenden Aufgaben, dramatisch, sich, lassen, vorlesen.
2. eben, einen Tango, spielte, die Kapelle, als, man, eines Pferdes, hörte, das Galop=
    pieren.
3. Sendestation, gestern, wir, spielten.
4. die Geschichte, dramatisch, lesen Sie . . . vor!
5. sich einbilden, Sie, müssen, Sie, knallende Revolverschüsse, hören.

D. *Correct the misinformation:*

1. Von Ihnen wird erwartet, daß Sie sich vorstellen, Sie wären Zuschauer in einem
    Theater zur Zeit Shakespeares.
2. Zur Zeit Shakespeares hatten die Zuschauer ein gut entwickeltes Verständnis
    für historisches Kostüm und Bühnenbild.
3. Shakespeares Römer waren genau so angezogen wie die großen Herren zur Zeit
    Julius Cäsars.
4. Das heutige Radiopublikum muß sich einbilden, daß es quietschende Autobremsen
    hört.
5. Im heutigen Theater sieht man Jungen in Frauenkleidern, die die reizende Ophelia
    spielen.

E. *Make a sentence by combining the first clause or phrase in each group with that
    one of the other clauses which best completes the sense of the first clause, and
    translate your sentence. Thus in the first group clause, c best completes the
    sentence.*

1. Wenn Sie Ihrer Einbildungskraft freien Lauf lassen,
    a. können Sie die reizende Ophelia hören.
    b. hören Sie die Stimme des Ansagers.
    c. können Sie die Musik mit dem geistigen Ohre hören.

2. Zur Zeit Shakespeares mußten Jungen in Frauenkleidern die Rollen der Frauen
    spielen,
    a. weil das Theaterpublikum noch kein Verständnis für historisches Kostüm ent=
        wickelt hatte.

b. weil Frauen sich nicht auf der Bühne zeigen durften.

c. weil sie ihrer Einbildungskraft freien Lauf lassen konnten.

3. Von Ihnen wird erwartet, daß Sie mit Phantasie ersetzen,

a. was Sie in den folgenden Aufgaben lesen werden.

b. was Sie auf der Bühne sehen.

c. was Sie im Klassenzimmer nicht nachmachen können.

4. Mit etwas schauspielerischem Talent

a. können Sie die folgenden Aufgaben dramatisch vorlesen.

b. werden Sie die Kapelle spielen hören.

c. denken Sie an die Zuschauer zur Zeit Shakespeares.

VI. Principal Parts: *Below are given the principal parts of strong and mixed verbs and of nouns appearing in this lesson. (For Ablaut classes see Appendix, § 35). Weak verbs and proper nouns are omitted.*

anziehen,	zog . . . an,	ich habe angezogen	dress
vorlesen,	las . . . vor,	ich habe vorgelesen	read aloud
abfahren,	fuhr . . . ab,	ich bin abgefahren	depart
lassen,	ließ,	ich habe gelassen	let, allow
heißen,	hieß,	ich habe geheißen	be named
sein,	war,	ich bin gewesen	be
müssen,	mußte,	ich habe gemußt	must, have to
können,	konnte,	ich habe gekonnt	be able
wollen,	wollte,	ich habe gewollt	want to
denken,	dachte,	ich habe gedacht	think

der Zuschauer, –s, —	spectator	die Bank, —, ̈e	bench
der Walzer, –s, —	waltz	das Pferd, –es, –e	horse
der Römer, –s, —	Roman	das Beispiel, –es, –e	example
der Revolver, –s, —	revolver	das Gefühl, –es, –e	feeling
der Ansager, –s, —	announcer	das Geräusch, –es, –e	noise, sound effect
der Redner, –s, —	speaker		
das Klassenzimmer, –s, —	classroom	das Talent, –es, –e	talent, ability
das Theater, –s, —	theater		
der Lauf, –es, ̈e	course, run	das Programm, –s, –e	program
der Dampf, –es, ̈e	steam	das Vorwort, –es, –e	foreword, preface
der Busch, –es, ̈e	bush		
der Thronsaal, –es, . . . säle	throne-room	das Kostüm, –es, –e	costume, costuming
der Spaß, –es, ̈e	fun		
der Revolverschuß, –es, ̈e	revolver shot	der Wald, –es, ̈er	woods, forest
der Regenschirm, –es, –e	umbrella	das Bühnenbild, –es, –er	scenery, staging
der Apparat, –es, –e	apparatus		

die Autobremse, —, –n	automobile brake	die Zeile, —, –n	line
die Autohupe, —, –n	automobile horn	die Königin, —, –nen	queen
		die Tür, —, –en	door
die Bühne, —, –n	stage	die Sendestation, —, –en	broadcasting station
die Geschichte, —, –n	history; story, tale	der Klassengenosse, –n, –n	classmate
		der Junge, –n, –n	boy
die Kapelle, —, –n	orchestra	der Herr, –n, –en	Mr., gentleman, lord
die Lokomotive, —, –n	locomotive		
die Rolle, —, –n	rôle, part	der Bandit, –en, –en	bandit
die Rose, —, –n	rose	das Ohr, –es, –en	ear
die Stimme, —, –n	voice	der Name, –ns, –n	name

VII. Securing the Vocabulary:

A.

sich vorstellen	(to) imagine	die Zeile	line
die Einbildungskraft	imagination	genau	exactly
das Geräusch	noise	damals	at that time
leicht	light, easy	das Verständnis	understanding
der Zuschauer	spectator	zeigen	(to) show
verlangen	(to) demand	die Stimme	voice
die Bühne	stage	nachmachen	(to) imitate
reizend	charming	sogar	even
		der Spaß	fun

B.

genug (9)	1. little, few	vielleicht (10)	6. first, only, not until
gewöhnlich (3)	2. soft, quiet	endlich (4)	
brauchen (5)	3. usually	leise (2)	7. late
spät (7)	4. finally	erst (6)	8. until, to
wenig (1)	5. need	bis (8)	9. enough
			10. perhaps

VIII. Sender G F S:

The rewritten texts contain nothing new in vocabulary and grammar. They are meant to be read rapidly.

Die Schauspieler, die zur Zeit Shakespeares den Venezianer Antonio oder den römischen Diktator Julius Cäsar spielten, waren angezogen wie Sir Walter Raleigh, Lord Essex und andere große Herren zur Zeit der Königin Elisabeth. Die damaligen Theaterdirektoren erwarteten sehr viel von der Phantasie ihres Publikums. Ein
5 Busch auf der Bühne bedeutete einen Wald, und ein paar Bänke einen Thronsaal. Eine Frau spielt heute manchmal die Rolle eines jungen Mannes; aber was würden

moderne Zuschauer denken, wenn ein Junge in Julias Kleide rezitieren würde:

> Was ist ein Name? Was uns Rose heißt,
> Wie es auch hieße, würde lieblich duften.

Wir verlangen nicht zu viel von Ihnen, wenn Sie sich vorstellen müssen: Die Kapelle spielt einen argentinischen Tango; zwei Revolverschüsse knallen durch die Nacht; eine alte, rostige Tür quietscht; eine Frauenstimme singt „Stille Nacht, Heilige Nacht!" u. dgl. m.

Noch eins! Es wird Ihnen Spaß machen, die Radioprogramme zu dramatisieren, d.h. wenn Sie schauspielerisches Talent haben, werden Ihre Klassengenossen glauben, daß sie in einer Sendestation sind oder ein Radio hören. Sie brauchen keine komplizierten Apparate. Mit der Stimme, den Händen und Füßen kann man viele Geräusche nachmachen. Trommeln Sie z.B. auf einem Buch, und jeder kann sich vorstellen, daß er das Galoppieren eines Pferdes hört. Wenn Ihr Publikum etwas guten Willen zeigt, können Sie alles dramatisieren, was Sie in den folgenden Aufgaben lesen werden.

Achtzehnte Aufgabe

* *

Etwas Reklame

I. Words and Phrases:

Etwas Rekla′me	Some advertising
Eine * begeisterte, ener′gische Stimme:	An enthusiastic energetic voice:
Ein zerstreuter Profes′sor lief auf der Straße gegen einen kleinen Jungen.	An absent-minded professor ran into a small boy on the street.
Der Junge fiel hin und fing an zu weinen.	The boy fell down and began to weep.
* aufheben, hob auf, ich habe aufgehoben	(to) pick up
streicheln, streichelte, ich habe gestreichelt	(to) stroke
Der gutmütige Professor hob das Kind auf, streichelte ihm die Backen und fragte, „Wie heißt du, Kleiner?"	The good-natured Professor picked up the child, patted its cheeks and asked, "What's your name, little boy?"
* <u>aufhören,</u> hörte auf, ich habe aufgehört	<u>(to) stop</u>
Der Kleine hörte auf zu weinen und sagte erstaunt: „Aber Papa, kennst du mich denn nicht?"	The youngster stopped crying and said in amazement, "But don't you know me, Daddy?"
Sind Sie auch zerstreut?	Are you absent-minded too?
Vergessen Sie Ihren Regenschirm?	Do you forget your umbrella?
* klingeln, klingelte, es hat geklingelt	(to) ring
Öffnen Sie die Haustür, wenn Ihr Telephon′ klingelt?	Do you open the front door when your telephone rings?

176

finden, fand, ich habe gefunden
* werfen, warf, ich habe geworfen
wollen, wollte, ich habe gewollt

(to) find
(to) throw
(to) want to

Finden Sie abends die Briefe in der
* Tasche, die Sie morgens in den
Briefkasten werfen wollten?

In the evening do you find those letters
in your pocket that you intended to
put in the mail-box in the morning?

In dem * Fall wird Ihnen der Doktor
vielleicht sagen, daß Sie nervös' sind
und Ruhe brauchen.

In that case, perhaps the doctor will tell
you that you are nervous and need
rest.

Wahrschein'lich schlafen Sie nicht
genug.

Probably you are not sleeping enough.

* Untersu'chen Sie einmal Ihre Matrat'ze!

Just examine your mattress!

Wahrschein'lich ist sie zu hart.

Probably it is too hard.

* nötig haben
sie haben Schlaf nötig

(to) have need of
they need sleep

Ein Mann, der so viel arbeitet wie Sie,
eine Hausfrau, die den ganzen Tag
auf den Beinen ist, ein junges Mädchen, das acht Stunden im Geschäft
hinter dem Ladentisch steht oder
im Büro' hinter der Schreibmaschine
sitzt, alle diese Leute haben viel
Schlaf nötig.

A man who works as much as you, a
housewife who is on her feet all day,
a young girl who stands for eight
hours behind the counter in a store
or sits at a typewriter in the office,
all these people need a great deal of
sleep.

* Versuchen Sie einmal unsere Traumulus Matrat'ze!

Just try our Traumulus Mattress!

liegen, lag, ich habe gelegen

(to) lie, recline

Sie liegen wie auf einer * weichen
Wolke.

You will rest as though on a soft cloud.

Vergessen Sie nicht!

Don't forget!

Kein wirklich tiefer Schlaf ohne Traumulus Matrat'ze!

No really sound sleep without a Traumulus Mattress!

* bestehen, bestand, es hat bestanden
die Federn bestehen aus Stahl

(to) consist of
the springs consist of steel

* Trotz aller Vorzüge und trotz des
erstklassigen Stahles, aus dem die

In spite of all the excellences and in
spite of the first-class steel the nu-

* zahlreichen Federn bestehen, ist eine Traumulus Matrat′ze kein Lu′xusarti′kel.

merous springs are made of, a Traumulus Mattress is no luxury article.

klein
   der kleine Mann

small, little
   the little man

Auch der kleine Mann kann sich einen tiefen, ruhigen Schlaf leisten.

Even the man on the street can afford a sound, restful sleep.

Traumulus Matrat′zen können Sie in * irgendeinem Möbelgeschäft kaufen.

You can buy Traumulus Mattresses in any furniture store.

der Reim, –es, –e

rhyme, jingle

Denken Sie an den Reim:
Schlafen Sie auf Traumulus,
Ist der Schlaf ein Hochgenuß.

Think of the jingle: If you sleep on Traumulus, sleep is a rare delight.

Die Musik′ beginnt, leise und innig ein Schlummerlied zu spielen.

The music begins to play a lullaby softly and tenderly.

* Während die Musik′ noch spielt, hört man ein furchtbares Gehuste.

While the music is still playing a terrific outburst of coughing is heard.

als ob

as if

Es * klingt, als ob ein hungriger Seehund seinen Wärter anbellt.

It sounds as though a hungry seal is barking at its keeper.

Dann hört man die * ärgerliche Stimme einer Dame.

Then one hears the irritated voice of a lady:

„Da hustet Onkel Julius wieder und weckt die ganze Fami′liě auf.

"There Uncle Julius is coughing again and he'll wake up the whole family.

* nehmen, nahm, ich habe genommen
   er nimmt

(to) take
   he takes

Warum nimmt er nicht Bron′chophil′ Hustenbonbons?

Why doesn't he take Bronchophil cough drops?

Bron′chophil′ Hu′stenbonbons′ sind so preiswert!

Bronchophil cough drops are so reasonable!

Eine ganze Schachtel mit fünfzig Hu′stenbonbons′ kostet nur fünfundzwanzig Cent!

A whole box of fifty cough drops costs only twenty-five cents!

Ich werde ihm eine Schachtel kaufen und neben das Bett legen."

I am going to buy him a box and put it beside his bed."

II. Text:

Etwas Reklame

Eine begeisterte, energische Stimme: Ein zerstreuter Professor lief auf der Straße gegen einen kleinen Jungen. Der Junge fiel hin und fing an zu weinen. Der gutmütige Professor hob das Kind auf, streichelte ihm die Backen und fragte: „Wie heißt du, Kleiner?" Der Kleine hörte auf zu weinen und sagte erstaunt: „Aber Papa, kennst du mich denn nicht?" — Sind Sie auch zerstreut? Vergessen Sie Ihren 5 Regenschirm? Öffnen Sie die Haustür, wenn Ihr Telephon klingelt? Finden Sie abends die Briefe in der Tasche, die Sie morgens in den Briefkasten werfen wollten? In dem Fall wird Ihnen der Doktor vielleicht sagen, daß Sie nervös sind und Ruhe brauchen. Wahrscheinlich schlafen Sie nicht genug. Untersuchen Sie einmal Ihre Matratze! Wahrscheinlich ist sie zu hart. Ein Mann, der so viel arbeitet wie Sie, 10 eine Hausfrau, die den ganzen Tag auf den Beinen ist, ein junges Mädchen, das acht Stunden im Geschäft hinter dem Ladentisch steht oder im Büro hinter der Schreibmaschine sitzt, alle diese Leute haben viel Schlaf nötig. Versuchen Sie einmal unsere Traumulus Matratze! Sie liegen wie auf einer weichen Wolke. Vergessen Sie nicht! Kein wirklich tiefer Schlaf ohne Traumulus Matratze! Trotz aller 15 Vorzüge und trotz des erstklassigen Stahles, aus dem die zahlreichen Federn bestehen, ist eine Traumulus Matratze kein Luxusartikel. Auch der kleine Mann kann sich einen tiefen, ruhigen Schlaf leisten. Traumulus Matratzen können Sie in irgendeinem Möbelgeschäft kaufen. Denken Sie an den Reim:

Schlafen Sie auf Traumulus,
Ist der Schlaf ein Hochgenuß.

5 Die Musik beginnt, leise und innig ein Schlummerlied zu spielen. Während die Musik noch spielt, hört man ein furchtbares Gehuste. Es klingt, als ob ein hungriger Seehund seinen Wärter anbellt. Dann hört man die ärgerliche Stimme einer Dame: „Da hustet Onkel Julius wieder und weckt die ganze Familie auf. Warum nimmt er nicht Bronchophil Hustenbonbons? Bronchophil Hustenbonbons sind so 10 preiswert! Eine ganze Schachtel mit fünfzig Hustenbonbons kostet nur fünfundzwanzig Cent! Ich werde ihm eine Schachtel kaufen und neben das Bett legen."

III. Comments:

1. *The Simple Past Tense of Strong Verbs:*

In the preceding unit we took up the simple past tense of weak verbs, a very large group whose important characteristic is the use of the tense sign –t– in the formation of the simple past tense and the perfect participle.

A much smaller but very important group of verbs is known as strong verbs. Their important characteristic is that they change the vowel of the stem in the formation of the simple past tense and the past participle. Thus: springen, sprang, gesprungen; sprechen, sprach, gesprochen. This change of vowel, known as Ablaut, is the characteristic feature of the English strong verb as: *speak, spoke, spoken; begin, began, begun.* (*For German Ablaut classes see Appendix* § 35)

An additional characteristic, with which you are already familiar, is the modification of the stem vowel of some verbs in the second and third persons singular of the present tense and in the singular imperative. Thus: ich spreche, du sprichst, er spricht; sprich! The principal parts of strong verbs will therefore include the present tense third person singular: springen, sprang, ich bin gesprungen, er springt; sprechen, sprach, ich habe gesprochen, er spricht.

All strong verbs end in the simple past tense as does the following verb:

ich sprach	I spoke, I was speaking
du sprachst	*etc.*
er, sie, es sprach	
wir sprachen	
ihr spracht	
sie sprachen	
Sie sprachen	

2. *Subordinating Conjunctions:*

Subordinating conjunctions introduce dependent clauses and require transposed word order; *i.e.* the inflected part of the verb goes to the end. Example: Sie schlafen nicht gut, weil Ihre Matratze zu hart ist. *You don't sleep well because your mattress is too hard.*

So far you have had the following subordinating conjunctions: als — *when;* bevor — *before;* da — *since (causal);* daß — *that;* trotzdem — *in spite of the fact that;* während — *while;* weil — *because;* wenn — *if; when, whenever.* (*For complete list see Appendix § 7*)

IV. Practice:

1. a. Ein zerstreuter Professor läuft gegen eine Bank.
              Radioansager
              Schauspieler   einen Jungen.

   b. Ein zerstreuter Professor lief gegen eine Bank.
      etc.

2. a. Der Junge, der hingefallen ist, fängt an zu weinen.
     Der Kleine
     Das Mädchen, das
     Die Kleine, die

   b. Der Junge, der hingefallen war, fing an zu weinen.
      etc.

3. a. Sehen Sie nur, wie schnell unser Freund läuft!
               der Fußballspieler
               der kleine Junge

   b. Ich sah, wie schnell unser Freund lief.
      etc.

4. Mein Freund und ich gingen immer zusammen zur Universität.
              sprachen immer viel über das Theater.
              fingen an, ärgerlich zu werden.
  Mein Freund und ich hoben den kleinen Jungen auf, der eben hingefallen war.

5. Die Aufgaben ließen sich dramatisch vorlesen.
    Geschichten   sehr gut   dramatisieren.

6. a. Sie arbeiten
           den ganzen Tag.
                 im Geschäft.
                     oder im Büro.

   b. Sie haben Schlaf nötig.
           tiefen und ruhigen Schlaf nötig.
           jede Nacht tiefen und ruhigen Schlaf nötig.

   c. Wenn Sie den ganzen Tag im Geschäft oder im Büro arbeiten, haben Sie jede
      Nacht tiefen und ruhigen Schlaf nötig.

7. a. Die Federn bestehen aus Stahl.
     Die vielen Federn bestehen aus erstklassigem Stahl.
     Die vielen Federn der Traumulus Matratze bestehen aus erstklassigem Stahl.

   b. Sie können sich eine Traumulus Matratze leisten.

   c. Obwohl die vielen Federn der Traumulus Matratze aus erstklassigem Stahl
     bestehen, können Sie sich eine Traumulus Matratze leisten.

8. a. Versuchen Sie einmal Bronchophil!

    die preiswerten Hustenbonbons!

    Versuchen Sie einmal eine Schachtel Bronchophil, die preiswerten Hustenbonbons!

    b. Sie husten wieder.

    wie ein hungriger Seehund.

    Sie husten wieder wie ein hungriger Seehund und wecken die ganze Familie auf.

    c. Wenn Sie eine Schachtel Bronchophil, die preiswerten Hustenbonbons, versuchen, werden Sie nie wieder wie ein hungriger Seehund husten und die ganze Familie aufwecken.

9. a. Die Musik spielt.

    leise und innig.

    das bekannte Schlummerlied.

    Die Musik spielt leise und innig das bekannte Schlummerlied von Brahms.

    b. Man hört zwei Revolverschüsse.

    knallende Revolverschüsse.

    c. Während die Musik leise und innig das bekannte Schlummerlied von Brahms spielt, hört man zwei knallende Revolverschüsse.

V. Exercises:

A. *Questions:*

1. Warum weinte der Kleine?
2. Was tat der Professor, um das Kind zu trösten?
3. Wer war der Kleine?
4. Wer legt den Regenschirm ins Bett und stellt sich in die Ecke?
5. Was sollte man mit Briefen tun, die man morgens in die Tasche steckt?
6. Warum sind viele Leute so nervös?
7. Welchen Fehler haben viele Matratzen?
8. Wie schläft man auf einer Traumulusmatratze?
9. Aus welchem Material bestehen die Federn der Matratze?
10. Welchen Fehler hat Onkel Julius?
11. Was tut ein Seehund, wenn er den Wärter mit den Fischen kommen sieht?

B. *Translate:*

1. Er untersuchte die Schreibmaschine, konnte aber nichts finden.
2. Die Musik begann, leise und innig das bekannte Schlummerlied von Brahms zu spielen.
3. Er schlief jede Nacht neun Stunden.
4. Als das Drama begann, stand der nervöse Schauspieler auf der Bühne und wußte nicht, was die ersten Worte seiner Rolle waren.
5. Traumulus Matratzen werden in jedem Möbelgeschäft verkauft.
6. Es klingt, als ob ein kleines Kind weint.
7. Der Doktor sagte mir, daß ich jede Nacht neun Stunden schlafen sollte.
8. Obgleich der zerstreute Professor seinen Regenschirm vergessen hatte, lief er durch den Regen zur Klasse.

C *Rearrange and translate:*

1. ein Mann, der, arbeitet, im Büro, den ganzen Tag, viel Schlaf, hat, nötig.
2. meinen Regenschirm, im Büro, ich, vergessen, habe.
3. wenn, auf Traumulus, Sie, schlafen, der Schlaf, ein Hochgenuß, ist.
4. Bronchophil Hustenbonbons, in jeder Drogerie, Sie, kaufen, können.
5. als, aufhob, das Kind, der gutmütige Onkel Julius, es, hörte — auf, zu weinen.
6. während, das bekannte Schlummerlied, die Musik, spielte, er, schlief, wie auf einer weichen Wolke.
7. nervös, Sie, sind, weil, nicht genug, schlafen, Sie.
8. klingt, das, ein hustender Seehund, wie.

D. *Correct the misinformation:*

1. Ein zerstreuter Theaterdirektor lief auf der Straße gegen einen kleinen Jungen.
2. Die Kleine sagte erstaunt: „Aber Papa, kennst du mich denn nicht?"
3. Wenn Sie jeden Tag acht Stunden arbeiten, haben Sie wenig Schlaf nötig.
4. Die Musik begann, leise und innig ein Liebeslied zu spielen.
5. Während die Musik noch spielte, hörte man die ärgerliche Stimme des Ansagers.

E. *Complete the following sentences by means of the suitable clause or phrase:*

1. Der Junge fing an zu weinen,
   a. weil er nervös war und Ruhe brauchte.
   b. weil Bronchophil Hustenbonbons so preiswert sind.
   c. obgleich er im Möbelgeschäft arbeitete.

2. Wenn Sie acht Stunden im Büro hinter der Schreibmaschine sitzen,
   a. wird von Ihnen verlangt, daß Sie Ihrer Einbildungskraft freien Lauf lassen.
   b. entwickeln Sie ein Gefühl für historisches Kostüm.
   c. werden Sie leicht nervös.

3. Wenn Sie Bronchophil Hustenbonbons versuchen,
   a. werden Sie eine Schachtel in jedem größeren Geschäft kaufen können.
   b. werden Sie nie wieder wie ein hungriger Seehund husten.
   c. hört man furchtbares Gehuste.

4. Während ich noch schlief,
   a. war die Traumulus Matratze ein Luxusartikel.
   b. arbeitete ich acht Stunden im Geschäft.
   c. fuhr die Lokomotive zischend ab.

5. Nachdem sie den ganzen Tag hinter dem Ladentisch gestanden hatte,
   a. wollte sie nicht nach Hause und zu Bett gehen.
   b. ging sie ins Theater und sah sich das berühmte Drama von Schiller an, das eben im Kleinen Theater spielte.

F. *Connect the following pairs of sentences by means of the conjunction indicated and translate:*

1. (da)
   Wir stellen das Radio an.
   Wir wollen deutsche Programme hören.

2. (wenn)

Sie wollen wie auf einer weichen Wolke schlafen.
Sie müssen in ein Möbelgeschäft gehen und sich eine Traumulus Matratze kaufen.

3. (während)

Ich sah den Banditen mit dem Direktor sprechen.
Ich saß im Büro hinter der Schreibmaschine.

4. (als)

Ich war vor zwei Jahren in Chicago.
Ich wurde einem berühmten Professor vorgestellt.

5. (obgleich)

Dieses erstklassige Produkt hat viele Vorzüge.
Es ist sehr preiswert.

VI. Principal Parts: *In this and the following lessons the principal parts of all strong and mixed verbs appearing in the lesson are given; however, only those nouns are listed whose principal parts have not been listed in previous lessons.*

aufheben,	hob … auf,	ich habe aufgehoben,	er hebt … auf	pick up
finden,	fand,	ich habe gefunden,	er findet	find
klingen,	klang,	ich habe geklungen,	er klingt	sound
werfen,	warf,	ich habe geworfen,	er wirft	throw
nehmen,	nahm,	ich habe genommen,	er nimmt	take
beginnen,	begann,	ich habe begonnen,	er beginnt	begin
vergessen,	vergaß,	ich habe vergessen,	er vergißt	forget
liegen,	lag,	ich habe gelegen,	er liegt	lie, recline
anfangen,	fing … an,	ich habe angefangen,	er fängt … an	begin
hinfallen,	fiel … hin,	ich bin hingefallen,	er fällt … hin	fall down
laufen,	lief,	ich bin gelaufen,	er läuft	run
heißen,	hieß,	ich habe geheißen,	er heißt	be named, be called
stehen,	stand,	ich habe gestanden,	er steht	stand
bestehen,	bestand,	es hat bestanden,	es besteht	consist, exist
sein,	war,	ich bin gewesen,	er ist	be
können,	konnte,	ich habe gekonnt,	er kann	can, be able
wollen,	wollte,	ich habe gewollt,	er will	want to
kennen,	kannte,	ich habe gekannt,	er kennt	know
denken,	dachte,	ich habe gedacht,	er denkt	think

der Briefkasten, –s, ⸚	mail-box	das Gehuste, –s	coughing
der Garten, –s, ⸚	garden	der Fall, –es, ⸚e	case
der Onkel, –s, —	uncle	der Reim, –es, –e	rhyme
der Wärter, –s, —	keeper, guard	der Seehund, –es, –e	seal
		der Ladentisch, –es, –e	counter

der Beruf, –es, –e	occupation	die Matratze, —, –n	mattress
der Vorzug, –es, ⸗e	excellence	die Stunde, —, –n	hour
das Bein, –es, –e	leg	die Tasche, —, –n	pocket
das Geschäft, –es, –e	store	die Wolke, —, –n	cloud
das Möbelgeschäft, –es, –e	furniture store	die Schachtel, —, –n	box
		die Feder, —, –n	pen, spring
das Haus, –es, ⸗er	house	die Haustür, —, –en	front door
das Kind, –es, –er	child	die Hausfrau, —, –en	housewife
das Schlummerlied, –es, –er	lullaby	der Doktor, –s, –en	doctor
		der Professor, –s, –en	professor
die Backe, —, –n	cheek	das Interesse, –s, –n	interest
die Reklame, —, –n	advertise-ment	der Cent, –s, –s	cent
		das Büro, –s, –s	office
die Schreibmaschine, —, –n	typewriter	der Papa, –s, –s	papa
die Straße, —, –n	street		

VII. Securing the Vocabulary:

A.

begeistert	enthusiastic	versuchen	(to) try
aufheben	(to) pick up	weich	soft
aufhören	(to) stop	bestehen	(to) consist, exist
klingeln	(to) ring	trotz	in spite of
werfen	(to) throw	zahlreich	numerous
die Tasche	pocket	irgendein	any
der Fall	case	während (*conj.*)	while
untersuchen	(to) examine	(*prep.*)	during
nötig haben	(to) need	ärgerlich	angry, irritable
nehmen	(to) take	klingen	(to) sound

B.

das Geräusch (1)	1. noise	verlangen (4)	1. show
leicht (3)	2. even	zeigen (1)	2. line
sogar (2)	3. light, easy	jetzt (8)	3. imagine
die Bühne (5)	4. fun	sich vorstellen (3)	4. demand
die Stimme (9)	5. stage	die Zeile (2)	5. today
die Einbildungs= kraft (7)	6. imitate	besonders (7)	6. every time
		heute (5)	7. especially
der Spaß (4)	7. imagination	jedesmal (6)	8. now
damals (10)	8. charming	kaufen (10)	9. spectator
nachmachen (6)	9. voice	der Zuschauer (9)	10. buy
reizend (8)	10. at that time		

VIII. Etwas Reklame: *(Rewritten)*

Sie kennen die Geschichte vom zerstreuten Professor, der sich in die Ecke stellte und seinen Regenschirm ins Bett legte. Die folgende Anekdote aber kennen Sie wahrscheinlich nicht: Professor Goodrich hatte in seinem alten Anzug im Garten gearbeitet und kam zu seinem Hause zurück. Vor der Haustür stand ein Herr,
5 der den Professor nicht kannte, und sagte: „Herr Goodrich ist nicht zu Hause. Ich habe schon zweimal geklingelt." „Professor Goodrich ist nicht zu Hause?" sagte der Professor erstaunt. „Ja, dann müssen wir warten." Mit diesen Worten hob er die Zeitung auf, die vor der Haustür lag, und begann sie mit Interesse zu lesen.

Sie sind kein Professor und können sich wahrscheinlich so eine Zerstreutheit nicht
10 leisten. Ihre Zerstreutheit ist Nervosität, und Sie sind nervös, weil Sie nicht genug schlafen. Sie sitzen acht Stunden im Büro, Sie arbeiten in einem Geschäft, vielleicht sind Sie Hausfrau und sind den ganzen Tag auf den Beinen, vielleicht sind Sie Bürofräulein und sitzen den ganzen Tag hinter einer Schreibmaschine. — In all diesen Fällen haben Sie viel Schlaf nötig. Auf einer harten Matratze können Sie
15 aber nicht so gut schlafen wie auf einer weichen. Nur eine weiche Matratze gibt Ihnen den wirklich tiefen Schlaf, den Sie brauchen. Eine wirklich weiche Matratze ist nun die Traumulus Matratze. Dieses erstklassige Produkt hat viele Vorzüge. Die zahl=
reichen Federn z.B. bestehen aus feinstem Stahl. Gehen Sie in irgendein Möbel=
geschäft und fragen Sie nach dem Preis unserer Matratzen! Sie werden erstaunt
20 sein, wie wenig Sie zu zahlen brauchen. Vergessen Sie nicht: „Wie man sein Bett macht, so schläft man."

(Ein Schlummerlied wird leise und innig gespielt, dann hört man ein furchtbares Gehuste.) Das war kein hungriger Seehund, der seinen Wärter anbellt, das war Onkel Julius, der die ganze Familie mit seinem Husten aufweckt. Onkel Julius ist ein gutmütiger Mann.
25 Wenn ein kleines Kind auf der Straße hinfällt, hebt er es auf, streichelt ihm die Backen und gibt ihm Schokolade. Trotzdem ist aber die ganze Familie ärgerlich auf Onkel Julius. Die Familie Meier arbeitet den ganzen Tag und braucht viel Schlaf. Warum hat Onkel Julius keine Bronchophil Hustenbonbons neben dem Bette? Eine Schachtel Hustenbonbons ist wirklich so preiswert! Sogar Onkel Julius könnte
30 sie sich leisten.

Neunzehnte Aufgabe

★ ★

Von einer Welle zur andern

I. Words and Phrases:

Von einer Welle zur andern.	From one wave length to the other.
. . . zurück zu unserer * Geschichte „Der Mann * ohne Seele."	. . . back to our story "The man without a Soul."
stehen, stand, ich habe gestanden, er steht	(to) stand
es steht auf dem Zettel	on the piece of paper is written
Percy Flaggins, einer der Verkäufer des Möbelgeschäfts „Henning und Noyes" steht in seinem Wohnzimmer vor dem Schreibtisch und liest einen Zettel, auf dem steht:	Percy Flaggins, one of the salesmen of Henning and Noyes' furniture store, is standing in his living room in front of his desk reading a slip of paper on which is written:
die Abzahlung, —, -en	the payment, the installment
„Wenn Du mich wiedersehen willst, mußt Du mir erklären, woher' all das Geld kam, das Du beim Pferderennen verloren hast, während ich mir ein Radio auf Abzahlung kaufen mußte.	"If you want to see me again you must explain to me where all the money came from that you lost at the horse races, while I had to buy myself a radio on the installment plan.
Wenn Du wissen willst, wo ich bin, schreib Mutter in Kalifornien.	If you want to know where I am, write to Mother in California.
Noch besser wäre es, wenn . . ."	It would be still better if . . ."
Percy liest nicht weiter.	Percy reads no further.

187

aufsteigen, stieg . . . auf, es ist auf-   (to) rise
    gestiegen, es steigt . . . auf

Eine furchtbare Angst steigt in ihm   A horrible fear rises in him.
    auf.

* ähnlich   similar
    sehen, sah, ich habe gesehen, er sieht   (to) see
      er sieht ihm ähnlich   he resembles him

Die Schrift auf dem Zettel ist nicht die   The writing on the note is not his
    Handschrift seiner Frau; sie sieht   wife's handwriting; it only resem-
    ihr nur ähnlich.   bles it.

Er läuft ins Schlafzimmer, er sieht   He runs into the bedroom, he looks un-
    unter die Betten, unter die Kom-   der the beds, under the dresser; he
    mo'de; er läuft in die Küche und da,   runs into the kitchen and there, un-
    unter dem Küchentisch . . .   der the kitchen table . . .

. . . bericht für morgen.   . . . report for tomorrow.

Im südlichen * Teil des Staates wärmer   In the southern part of the state,
    und Regen.   warmer and rain.

Im Norden kühler, * teilweise bewölkt,   In the north, cooler, partly cloudy,
    leichter Schnee.   light snow.

Dieser Wetterbericht . . .   This weather report . . .

. . . keine Seife.   . . . no soap.

    auffallen, fiel . . . auf, ist aufgefallen,   (to) strike the attention
      er fällt . . . auf
      es fällt mir auf   it strikes my attention
      welcher, welche, welches   which, what
      der Wert, –es, –e   the worth, value
      legen, legte, ich habe gelegt, er legt   (to) lay, place
      er legt Wert auf schöne Hände   he values lovely hands

Ist es Ihnen * schon einmal aufgefallen,   Have you ever noticed how much men
    welchen Wert Männer auf schöne,   admire lovely, well-cared-for wom-
    gepflegte Frauenhände legen?   en's hands?

Wir wissen, Sie müssen täglich das   We know you have to wash the dishes
    Geschirr spülen, die Treppe fegen,   every day, sweep the stairs, peel po-
    Kartof'feln schälen und all die   tatoes, and do all the other house-
    anderen Hausarbeiten tun.   work.

aussehen, sah ... aus, ich habe ausgesehen, er sieht ... aus

(to) look, appear

Sehen Ihre Hände rot aus?

Do your hands look red?

Verlieren Sie nicht den * Mut!

Don't lose courage!

* Der Unterschied zwischen Schneewittchen Schönheitskrem und gewöhnlicher Hautkrem ...

The difference between Snow White
Beauty Cream and ordinary skin
cream ...

eingebaut

built-in

Lügen Sie nicht! Wir wissen, daß Ihr
Mann hier * irgendwo im Hause
einen eingebauten Geldschrank hat,
in dem große Geldsummen sind.

Don't lie! We know that your husband has a wall-safe here somewhere
in the house, in which are large sums
of money.

(Eine weinerliche Frauenstimme)

(*A weepy woman's voice*)

Martern Sie mich, tun Sie, was Sie
wollen, Sie * feiger Tunichtgut!

Torture me, do what you like, you
cowardly good-for-nothing!

Wie recht mein Mann hatte, daß er Sie
aus seiner Bank gejagt hat!

How right my husband was to throw
you out of his bank!

Reden Sie keinen Unsinn! Sie machen
sich * lächerlich mit Ihrem Herois'-
mus. Wir haben andere Mittel.

Don't talk nonsense! You are making
yourself ridiculous with your heroism. We have other means.

... Neu Yorker Börse.

... New York Stock Exchange.

Versuchen wir festzustellen, warum die
Preise für Schweinefleisch in den
letzten Monaten um zehn Prozent'
gefallen sind. Wir müssen * zunächst' * annehmen, ...

Let us try to determine why the
price of pork has fallen by ten percent in the last months. We must
first of all assume ...

(Ein Tenor' singt zärtlich)

(*A tenor sings tenderly*)

der Schatz, –es, ⸗e

treasure; sweetheart

Umarm' mich, du süßer umarm'barer
Schatz;
Umarm' mich, du Süße. für die kein
Ersatz!

Embrace me, you sweet embraceable
sweetheart; embrace me, you sweet
girl, for whom there is no substitute.

... eben Mozarts „Eine kleine Nacht'-
musik'" gehört.

... just heard Mozart's "A Little
Serenade."

Nun bringen wir Ihnen Tanz'musik'
der Unsterblichen.

Now we will bring you Dance Music
of the Immortals.

Wir spielen zuerst' den berühmten
Walzer von Strauß „An der schönen,
blauen Donau" ...

We will first play the famous waltz by
Strauss "On the beautiful blue
Danube" ...

hereinkommen, kam ... herein, ich
bin hereingekommen, er kommt ...
herein
  er komme herein!

(to) come in

  let him come in!

„Er komme herein!" sagte der König
und stand vom Throne auf.

"Let him come in!" said the king and
got up from his throne.

... und wißt ihr, was der große Teddybär zu dem kleinen Teddybär sagte?

... and do you know what the big
Teddy Bear said to the little Teddy
Bear?

Das werden wir euch morgen erzählen,
Kinder, und wenn ihr recht artig
seid, wird Mama ...

We'll tell you that tomorrow, children,
and if you are real good, Mother
will ...

II. Text:

Von einer Welle zur andern

... zurück zu unserer Geschichte „Der Mann ohne Seele" — Percy Flaggins, einer der Verkäufer des Möbelgeschäfts „Henning und Noyes" steht in seinem Wohn= zimmer vor dem Schreibtisch und liest einen Zettel, auf dem steht: „Wenn Du mich wiedersehen willst, mußt Du mir erklären, woher all das Geld kam, das Du beim Pferderennen verloren hast, während ich mir ein Radio auf Abzahlung kaufen mußte. 5 Wenn Du wissen willst, wo ich bin, schreib Mutter in Kalifornien. Noch besser wäre es, wenn..." Percy liest nicht weiter. Eine furchtbare Angst steigt in ihm auf. Die Schrift auf dem Zettel ist nicht die Handschrift seiner Frau; sie sieht ihr nur ähnlich. Er läuft ins Schlafzimmer, er sieht unter die Betten, unter die Kommode; er läuft in die Küche, und da, unter dem Küchentisch...... bericht für morgen. 10 Im südlichen Teil des Staates wärmer und Regen. Im Norden kühler, teilweise bewölkt, leichter Schnee. Dieser Wetterbericht...

... keine Seife. Ist es Ihnen schon einmal aufgefallen, welchen Wert Männer auf schöne, gepflegte Frauenhände legen? Wir wissen, Sie müssen täglich das Ge= schirr spülen, die Treppe fegen, Kartoffeln schälen und all die anderen Hausarbeiten 15 tun. Sehen Ihre Hände rot aus? Verlieren Sie nicht den Mut! Der Unterschied zwischen Schneewittchen Schönheitskrem und gewöhnlicher Hautkrem...

Lügen Sie nicht! Wir wissen, daß Ihr Mann hier irgendwo im Hause einen eingebauten Geldschrank hat, in dem große Geldsummen sind. (Eine weinerliche Frauen
5 stimme). Martern Sie mich, tun Sie, was Sie wollen, Sie feiger Tunichtgut! Wie recht mein Mann hatte, daß er Sie aus seiner Bank gejagt hat! — Reden Sie keinen Unsinn! Sie machen sich lächerlich mit Ihrem Heroismus. Wir haben andere Mittel.

... Neu Yorker Börse. Versuchen wir festzustellen, warum die Preise für
10 Schweinefleisch in den letzten Monaten um zehn Prozent gefallen sind. Wir müssen zunächst annehmen, ...

(Ein Tenor singt zärtlich)

Umarm mich, du süßer, umarmbarer Schatz;
Umarm mich, du Süße, für die kein Ersatz.

15 ... eben Mozarts „Eine kleine Nachtmusik" gehört. Nun bringen wir Ihnen Tanzmusik der Unsterblichen. Wir spielen zuerst den berühmten Walzer von Strauß „An der schönen, blauen Donau" ...

„Er komme herein!" sagte der König und stand vom Throne auf.

... und wißt ihr, was der große Teddybär zu dem kleinen Teddybär sagte? Das
20 werden wir euch morgen erzählen, Kinder, und wenn ihr recht artig seid, wird Mama ...

III. Comments:

1. *Formation of the Imperative:*

The familiar plural imperative is the same as the familiar plural present indicative. Notice that those strong verbs which change e to i or ie in the second and third persons singular of the present indicative retain this change in the familiar singular imperative. Thus the complete imperative paradigms of the verbs sein, haben, werden, arbeiten, fallen, gehen, sehen, and geben are:

Familiar singular	Familiar plural	Conventional singular and plural
sei!	seid!	seien Sie!
habe!	habt!	haben Sie!
werde!	werdet!	werden Sie!
arbeite!	arbeitet!	arbeiten Sie!
falle!	fallt!	fallen Sie!
geh!	geht!	gehen Sie!
sieh!	seht!	sehen Sie!
gib!	gebt!	geben Sie!

2. *Present Subjunctive I:*

In lesson XIV you learned that there are two types of subjunctives which we call subjunctive I and subjunctive II.   And you have also learned some of the uses of subjunctive II.   The use of the present subjunctive I in direct discourse is restricted very largely to a few pious formulas and to imperatives in the third person singular and first person plural in formal language.   For example: Gott sei Dank! *Thanks be to God!* Er komme herein! *Let him come in!* Versuchen wir festzustellen, warum die Preise gefallen sind! *Let us try to determine why the prices have fallen.*

IV. Practice:

1. a. Ich lese gerade den Wetterbericht in der Zeitung.
      Er liest
      Wir lesen

   b. Ich las gerade den Wetterbericht in der Zeitung.
      Er las
      Wir lasen

2. Stellen wir zuerst fest, warum die Preise um fünf Prozent gefallen sind!
                        wieviel Geld er schon verloren hat!
                        welchen Wert das Radiopublikum auf gute Musik legt!

3. a. Verstehst du, was der Ansager sagt?
                   was der Tenor singt?
                   warum die Preise gefallen sind?
   b. Versteht ihr, was der Ansager sagt?

4. Ist es Ihnen schon einmal aufgefallen, wie oft dieser Walzer gespielt wird?
   Ist es dir
   Ist es euch

5. Schält zuerst Kartoffeln und dann fegt die Treppe, Kinder!
   Spült zuerst das Geschirr und dann tut die anderen Hausarbeiten, Kinder!

6. Gott sei Dank, daß es endlich kühler wird!
                        wärmer

7. Wißt ihr, was der große Teddybär zum kleinen Teddybär sagte?
   Könnt ihr mir erzählen, ...
   Wollt ihr wissen, ...
   Habt ihr gelesen, ...

8. a. Nehmen wir an, daß die Preise um zehn Prozent gefallen sind.
      Nehmen wir an, daß die Frage beantwortet werden kann.
                        das Barometer noch immer fällt.
      Nehmen wir an, daß AB eine Seite des Vierecks (*quadrangle*) ABCD ist.
   b. AB sei die Seite eines Vierecks ABCD!

9. a. Der große Teddybär untersuchte die Matratze.
      Der große Teddybär untersuchte die Matratze und fand Goldhaar in seinem Bett.
   b. Das erzählen wir euch morgen.
   c. Morgen werden wir euch erzählen, wie der große Teddybär die Matratze untersuchte
      und Goldhaar in seinem Bett fand.

10. a. Ich laufe aus der Küche ins Schlafzimmer.
       Er läuft
       Ihr lauft
    b. Ich lief aus der Küche ins Schlafzimmer.
       Er lief
       Ihr lieft

11. Hast du beim Pferderennen viel Geld verloren?
    Habt ihr
    Haben Sie

V. Exercises:

A. *Questions:*

1. Was hat Percy Flaggins seiner Frau nie erklärt?
2. Wie kann das Publikum wissen, daß er seiner Frau nicht viel Geld gibt?
3. Wie kann Percy Flaggins die Adresse seiner Frau bekommen?
4. Warum steigt eine furchtbare Angst in Percy auf?
5. Was für Möbel stehen in einem Schlafzimmer?
6. Was für Wetter haben wir heute?
7. Was für Hausarbeiten muß eine Hausfrau tun?
8. Um wieviel sind die Preise für Schweinefleisch in den letzten Monaten gefallen?
9. Zu welcher Komposition kann man besser tanzen: „Eine kleine Nachtmusik" oder
   „An der schönen blauen Donau"?
10. Was ist ein gutes Weihnachtsgeschenk für einen kleinen Jungen, der etwa drei
    Jahre alt ist?

B. *Translate:*

1. Ist es euch schon einmal aufgefallen, wie oft dieser Walzer gespielt wird?
2. Sie legt viel Wert darauf, daß ihre Kinder all die Hausarbeiten tun können.
3. „Er komme!", sagte der alte Sioux und hob seinen Tomahawk auf.
4. Wenn er den Mut nicht verloren hätte, so hätte er sicher gewonnen.
5. Wißt ihr, was der Unterschied zwischen Schneewittchen Schönheitskrem und
   gewöhnlicher Hautkrem ist?
6. Wenn ihr artiger wäret, würde euch Mama das erzählen, Kinder.
7. Der Bandit stand vor dem Geldschrank und zog den Revolver.
8. Der Verkäufer sah todmüde aus.

C. *Rearrange and translate:*

1. sich vorstellen, müssen, Sie, daß, ein alter Bankdirektor, ist, Herr Wilhite.
2. mir, ansehen, möchte, ich, dieses Bild.
3. verloren . . . hätte, so viel Geld, wenn, beim Pferderennen, er, nicht, so, wäre . . . gereist, vor drei Wochen, er, nach Schweden.
4. wenn, wäre, ein Mann, er, so, seine Freunde, er, hätte . . . verraten, nicht.
5. wenn, könnten, verstehen, wir, nur, was, sagt, der Ansager!
6. wissen Sie, warum, in den letzten Tagen, gestiegen sind, für Schweinefleisch, die Preise?
7. Sie, Schneewittchen Seife, gebrauchen, wenn, Ihre Hände, werden, aussehen, schön und gepflegt.

D. *Correct the misinformation:*

1. Eine furchtbare Angst stieg in Percy Flaggins auf. Die Schrift auf dem Zettel war die Handschrift seiner Frau.
2. Ein furchtbares Husten macht es beinah unmöglich zu verstehen, was der Ansager über Schneewittchen Schönheitskrem sagt.
3. Die Frau des Bankdirektors zeigt den Banditen den Geldschrank.
4. Die Preise für Schweinefleisch sind in den letzten Monaten um zehn Prozent gefallen.
5. Ein Tenor singt zärtlich: „Schlafen Sie auf Traumulus, ist der Schlaf ein Hochgenuß."

E. *Complete by means of the suitable clause or phrase. Translate:*

1. Während Fräulein Erlach die Treppe fegte,
   a. schälte sie Kartoffeln.
   b. fielen die Preise für Schweinefleisch um zehn Prozent.
   c. sang sie begeistert: „Umarm mich, du süßer umarmbarer Schatz."

2. Man kann den Ansager nicht verstehen,
   a. weil die Kapelle einen Wiener Walzer spielt.
   b. trotzdem er täglich das Geschirr spülen muß.
   c. obgleich er sehr begeistert und energisch spricht.

3. Der kleine Teddybär weinte,
   a. als er Goldhaar in seinem Bett fand.
   b. weil er täglich das Geschirr spülen mußte.
   c. trotzdem er auf seinen Wärter ärgerlich war.

4. Sie machen sich lächerlich,
   a. obgleich die Kapelle die Ouvertüre von Mozarts „Zauberflöte" spielt.
   b. da Sie gepflegte Hände haben.
   c. wenn Sie uns nicht sagen, wo der Geldschrank ist.

5. Wenn ihr gut aufpaßt,
   a. werdet ihr verstehen, was der Ansager sagt.

    b. hört ihr eine weinerliche Frauenstimme.

    c. versteht ihr, wie recht er hatte.

6. Wenn ihr mich nicht aus eurer Bank gejagt hättet,

    a. würde euch Mama erzählen, was der große Teddybär zu Goldhaar sagte.

    b. könnte ich mir einen Geldschrank leisten.

    c. hätte ich euch nie verraten.

F. *Connect by means of the conjunction indicated and translate:*

1. (obgleich)

Sie müssen täglich das Geschirr spülen und all die anderen Hausarbeiten tun.

Ihre Hände können schön und gepflegt aussehen.

2. (nachdem)

Sie spielte einen von den bekannten Wiener Walzern.

Die Kapelle hatte Mozarts „Eine kleine Nachtmusik" gespielt.

3. (da)

Ihr wart den ganzen Tag so artig.

Ich werde euch eine Geschichte erzählen.

4. (daß)

Es wird endlich kühler.

Gott sei Dank!

5. (daß)

Die Frage kann beantwortet werden.

Es kann sein.

VI. Principal Parts:

aufsteigen	stieg ... auf	es ist aufgestiegen	es steigt ... auf	rise
schreiben	schrieb	ich habe geschrieben	er schreibt	write
verlieren	verlor	ich habe verloren	er verliert	lose
lügen	log	ich habe gelogen	er lügt	lie
singen	sang	ich habe gesungen	er singt	sing
annehmen	nahm ... an	ich habe angenommen	er nimmt ... an	assume
kommen	kam	ich bin gekommen	er kommt	come
lesen	las	ich habe gelesen	er liest	read
sehen	sah	ich habe gesehen	er sieht	see
aussehen	sah ... aus	ich habe ausgesehen	er sieht ... aus	look, appear
wiedersehen	sah ... wieder	ich habe wiedergesehen	er sieht ... wieder	see again
fallen	fiel	ich bin gefallen	er fällt	fall
auffallen	fiel ... auf	ich bin aufgefallen	er fällt ... auf	strike the attention
laufen	lief	ich bin gelaufen	er läuft	run
sein	war	ich bin gewesen	er ist	be
stehen	stand	ich habe gestanden	er steht	stand
tun	tat	ich habe getan	er tut	do

müssen	mußte	ich habe gemußt	er muß	must
wollen	wollte	ich habe gewollt	er will	want to
bringen	brachte	ich habe gebracht	er bringt	bring
wissen	wußte	ich habe gewußt	er weiß	know

B. *Nouns:*

der Verkäufer, –s, —	salesman	die Welle, —, –n	wave, wave length
der Zettel, –s, —	slip of paper		
die Mutter, —, ⸚	mother	die Treppe, —, –n	stairs
das Mittel, –s, —	means	die Seife, —, –n	soap
das Wohnzimmer, –s, —	living room	die Seele, —, –n	soul
das Schlafzimmer, –s, —	bed room	die Pfeife, —, –n	pipe
das Pferderennen, –s, —	horse race	die Küche, —, –n	kitchen
der Preis, –es, –e	price	die Frage, —, –n	question
der Schatz, –es, ⸚e	treasure; sweetheart	die Börse, —, –n	stock exchange
der Strumpf, –es, ⸚e	stocking	die Frauenstimme, —, –n	woman's voice
der Wert, –es, –e	worth, value		
der Freund, –es, –e	friend	die Geldsumme, —, –n	sum of money
der Geldschrank, –es, ⸚e	safe		
der Küchentisch, –es, –e	kitchen table	die Kommode, —, –n	dresser
		die Kartoffel, —, –n	potato
der Schreibtisch, –es, –e	desk	die Zeitung, —, –en	newspaper
der Unterschied, –es, –e	difference	die Abzahlung, —, –en	instalment
der Monat, –es, –e	month	die Hausarbeit, —, –en	housework
der Bericht, –es, –e	report	die Sekretärin, —, –nen	secretary
der Tunichtgut, –es, –e	good-for-nothing	die Bank, —, –en	bank
		die Frau, —, –en	woman, wife, Mrs.
der Tenor, –s, –e	tenor		
die Hand, —, ⸚e	hand	die Schrift, —, –en	writing
die Frauenhand, —, ⸚e	woman's hand	die Zeit, —, –en	time
		der Unsterbliche, –n, –n	immortal
das Jahr, –es, –e	year	der Teddybär, –en –en	Teddy Bear
der Mann, –es, ⸚er	man	der Staat, –es, –en	state
das Haus, –es, ⸚er	house	das Bett, –es, –en	bed
das Geld, –es, –er	money	das Radio, –s, –s	radio

VII. Securing the Vocabulary:

A.

die Geschichte	story	der Unterschied	difference
ohne	without	irgendwo	somewhere
ähnlich	similar	lächerlich	ridiculous

der Teil	part	zunächst	first of all
teilweise	partly	annehmen	(to) assume
schon einmal	(in question) ever	feig(e)	cowardly
der Mut	courage		

B.

leicht (1)	1. light, easy	untersuchen (3)	1. try
nötig haben (3)	2. even	verlangen (4)	2. throw
aufheben (4)	3. need	versuchen (1)	3. examine
reizend (5)	4. pick up	werfen (2)	4. demand
sogar (2)	5. charming	die Tasche (9)	5. imagine
die Stimme (9)	6. at that time	sich vorstellen (5)	6. understanding
damals (6)	7. fun	zeigen (8)	7. in spite of
der Spaß (7)	8. take	das Verständnis (6)	8. show
nehmen (8)	9. voice	während (10)	9. pocket
genau (10)	10. exactly	trotz (7)	10. while, during

VIII. Von einer Welle zur andern: (Rewritten)

... auf Abzahlung. Aber Gretel, weißt du nicht, daß du all das bei Henning und
Noyes kaufen kannst? Willst du einen neuen Küchentisch, eine größere Kommode,
willst du Möbel für ein modernes Schlafzimmer? Geh heute noch zu Henning und
Noyes. Wir können uns das alles leisten. Bei Henning und Noyes kannst du solche
5 Möbel auf Abzahlung kaufen. — Ja, Herr Schmidt hat recht. Henning und Noyes
machen es für alle möglich, schöne, moderne Möbel zu haben.—Doch zurück zu unserer
Geschichte „Die Handschrift seiner Frau." Harold Lang hatte also dreitausend
Dollar beim Pferderennen verloren. Es war nur eine Frage der Zeit, bis er die
dreitausend Dollar in den Geldschrank seiner Bank zurücklegen mußte. Harold sitzt
10 vor seinem Schreibtisch und spielt mit der Pistole. (Die Stimme einer jungen Frau)
Harold, warum kommst du nicht zum Essen? Alles wird kalt, und außerdem macht
es Mutter ärgerlich, wenn du. ...

Das Barometer fällt noch immer. Leichter Schnee im Westen; im Osten warm
und etwas bewölkt. ...

15 Aber Schatz, sieh dir mal deine Hände an! Du solltest wirklich etwas für deine
Hände tun! — Da kritisierst du mich schon wieder. Ja, du sitzt den ganzen Tag im
Büro und diktierst hübschen Sekretärinnen Briefe. Aber ich muß den ganzen Tag
mit den Händen arbeiten, ich muß Geschirr spülen, Kartoffeln schälen, die Treppe
fegen. — Ich weiß, aber es ist trotzdem nicht nötig, daß deine Hände rot aussehen.
20 Gebrauche Schneewittchen Schönheitskrem, und deine Hände werden schön und gepflegt aussehen! Solche Hände ...

Der alte Sioux nahm die Pfeife aus dem Mund und sagte: „Der weiße Mann
sage uns, wo seine Freunde sind, und wir lassen ihn leben. Wenn er es nicht sagt, so
martern wir ihn, und bevor der Präriehund bellt, wird seine Seele zu seinen Vätern

gehen." Nick Buster sagte nur: „Laufender Bär ist ein großer Sioux. Soll ich feige meine Freunde verraten?" Laufender Bär stand auf und nahm seinen Tomahawk in die Hand. In diesem Moment hörte Nick Buster ein Geräusch hinter sich, zwei Pistolenschüsse knallten, und ...

Sind Sie ein Mann, der sein Geld unter die Matratze legt? Das wäre lächerlich, denn heute gibt es Banken, die ...

Wissen Sie, wieviel ein Pfund Schweinefleisch im Jahre 1934 gekostet hat? Können Sie uns sagen, wie schnell eine Lichtwelle ist? Solche Fragen ...

★★

Doktor Allwissend

I. Words and Phrases:

Doktor Allwissend.	Doctor Know-it-all.
Eine begeisterte, lebhafte Stimme spricht * rasch, aber verständlich:	An enthusiastic energetic voice speaks rapidly, but intelligibly:
„Kirschblüte, die leicht parfümierte Seife, reinigt die Hände des Mecha'nikers wie auch die Hände der Dame.	"Cherry Blossom, the gently perfumed soap, cleans the hands of a mechanic as well as the hands of a lady.
die Wäsche, —	the washing, laundry
Feine Wäsche, die blütenweiß war und * schmutzig geworden ist, wird wieder blütenweiß, wenn sie mit Kirschblütenseifenflocken gewaschen wird.	Fine lingerie and linens, which used to be blossom-white and have become soiled, become blossom-white again, when they are washed with Cherry Blossom Soap Flakes.
Kirschblütenseife hat eine zauberhafte Wirkung.	Cherry Blossom Soap has a magic effect.
allwissend	all-knowing
Wir geben jetzt Herrn Doktor Allwissend das Mikrophon'!"	We now give the microphone to Dr. Know-it-all."
Eine freundliche, gepflegte Stimme spricht:	A genial, cultivated voice speaks:
„Guten Abend, meine Damen und Herren.	"Good evening, Ladies and Gentlemen.
Wir beginnen unser Programm' mit einer Zwanzig-Dollar-Frage."	We begin our program with a twenty dollar question."
„Dr. Allwissend, eine Dame hat sich gemeldet."	"Dr. Know-it-all, a lady has volunteered."
„Schön. Wie heißen Sie?"	"Fine. What's your name?"
„Emma Schröder."	"Emma Schröder."
„Das ist ein deutscher Name.	"That is a German name.

200

Stammt Ihre Fami'lie aus Deutschland?"	Does your family come from Germany?"
„Nein, aus Österreich."	"No, from Austria."
„Ihre Adres'se, Fräulein Schröder?"	"Your address, Miss Schröder?"
„Washingtonstraße vierundfünfzig."	"Fifty-four Washington Street."
woher	whence, from where
„Fräulein Schröder, woher habe ich meinen Radionamen?	"Miss Schröder, where did I get my radio name?
stehen, stand, ich habe gestanden, er steht	stand
In welchem litera'rischen Werk steht der Name Dr. Allwissend?"	In what literary work does the name Dr. Know-it-all occur?"
„In Goethes ‚Faust'."	"In Goethe's 'Faust'."
*„Wie schade! Leider haben Sie nicht recht.	"Too bad! Unfortunately you are not right.
das Märchen, –s, — Kinder= und Hausmärchen der Brüder Grimm	the fairy-tale fairy-tales for children and home of the Grimm brothers
Dr. Allwissend ist der Titel eines Märchens in den Kinder= und Hausmärchen der Brüder Grimm.	Dr. Know-it-all is the title of a fairy-tale in Grimms' Fairy Tales.
Sie bekommen aber eine Schachtel Seife, Fräulein Schröder."	But you get a box of soap, Miss Schröder."
„Herr Doktor, wir haben einen Herrn für Sie."	"Doctor, we have a gentleman for you."
„Gut. Wie heißen Sie?"	"Good. What's your name?"
„Albert Heinke, Lincolnallee hundertfünf= undsechzig."	"Albert Heinke, one hundred sixty-five Lincoln Avenue."
* der Roman', –s, –e die Wort'zusam'menset'zung, —, –en drei mit ‚Roman' gebildete Wort= zusammensetzungen	the novel the word-compound three compounds made with the word 'novel'
„Herr Heinke, wir geben Ihnen acht Silber= dollar, wenn Sie uns drei mit ‚Roman' gebildete Wort'zusam'menset'zungen nen= nen können, wie zum Beispiel Kriminal'= roman'.	"Mr. Heinke, we will give you eight silver dollars, if you can mention three compounds made with the word 'Roman' (novel), as, for ex- ample, Kriminalroman (crime novel)
Nicht vorsagen, bitte!"	No prompting, please."

Lie'besroman'	love novel
Bil'dungsroman'	novel of personality development

„Liebesroman, Bildungsroman, Geschichtsroman."

"Love novel, novel of development, historical novel."

„Gut, ich gratuliere. Acht Silberdollar für Herrn Heinke.

"Good, congratulations. Eight silver dollars for Mr. Heinke.

Nun kommen wir zu unserer großen biogra'phischen Frage.

Now we come to our great biographical question.

Wir beginnen mit zweihundertachtzig Dollar."

We'll begin with two hundred eighty dollars."

„Herr Doktor, wir haben einen Herrn für Sie, Herrn Friedrich Lenz, Ashlandstraße siebenundachtzig."

"Doctor, we have a gentleman for you, Mr. Friedrich Lenz, eighty seven Ashland Street."

„Herr Lenz, wer wurde am achtundzwanzigsten August' siebzehnhundertneunundvierzig geboren?

"Mr. Lenz, who was born August twenty eighth, 1749?

(Tiefes *Schweigen)

(*Deep silence*)

Ihre Zeit ist um.

Your time is up.

Jetzt sind es zweihundertfünfzig Dollar.

Now it's two hundred fifty dollars.

Wer studierte siebzehnhundertsiebzig die Rechte an der Straßburger Universität?

Who studied law at the University of Strassburg in 1770?

(Tiefes Schweigen)

(*Deep silence*)

Jetzt sind es noch zweihundertzwanzig Dollar.

Now there are two hundred twenty dollars left.

* holen, holte, ich habe geholt, er holt

(to) fetch, get

Von wem nahmen zwei franzö'sische O'pernkomponi'sten den Stoff für ihre Opern, die denselben Namen im Titel haben und in denen ein Universitäts'profes'sor vom Teufel geholt wird?"

From whom did two French opera composers take the material for their operas which have the same name in their titles and in which a university professor is carried off by the devil?"

„Goethe, Johann Wolfgang Goethe.

"Goethe, Johann Wolfgang Goethe.

Es sind Gounods und Berlioz' Faust-
Opern."

They are Gounod's and Berlioz' Faust
operas."

„Ich gratuliere, Sie haben meine Frage
richtig beantwortet.

"Congratulations, you have answered
my question correctly.

Herr Lenz erhält zweihundertzwanzig
Dollar.
Auch Sie können sich von zehn bis hundert
Dollar verdienen, wenn Sie uns Fragen
einschicken, die wir gebrauchen können.

Mr. Lenz gets two hundred twenty
dollars.
You too, can earn from ten to one hundred dollars if you send questions to
us that we can use.

die Packung
gewickelt
   die gewickelte Packung
   die um jedes Stück Kirschblütenseife
   gewickelte Packung

the wrapper
wrapped
   the wrapped wrapper
   the wrapper which is wrapped
   around every piece of Cherry
   Blossom Soap.

Schicken Sie mit jeder Frage eine der um
jedes Stück Kirschblütenseife gewickelten
Packungen und schreiben Sie den Namen
und die Adresse des Absenders auf die
Innenseite!"

With every question send the wrapper
from a bar of Cherry Blossom Soap
and write the name and address of
the sender on the inside."

Das Programm' beginnt uns zu langweilen.

The program is beginning to bore us.

Wir wollen Musik' hören und einen *Augenblick später haben wir eine Station'
eingestellt, die die Ouvertü're von Mozarts „Zauberflöte' sendet.

We want to listen to music and a moment later we have turned on a station which is playing the overture
to Mozart's 'Zauberflöte' (Magic
Flute).

II. Text:

Doktor Allwissend

Eine begeisterte, lebhafte Stimme spricht rasch, aber verständlich. „Kirschblüte, die leicht parfümierte Seife, reinigt die Hände des Mechanikers wie auch die Hände der Dame. Feine Wäsche, die blütenweiß war und schmutzig geworden ist, wird wieder blütenweiß, wenn sie mit Kirschblütenseifenflocken gewaschen wird. Kirschblütenseife
5 hat eine zauberhafte Wirkung. Wir geben jetzt Herrn Doktor Allwissend das Mikrophon."

Eine freundliche, gepflegte Stimme spricht: „Guten Abend, meine Damen und Herren. Wir beginnen unser Programm mit einer Zwanzig=Dollar=Frage." ...
„Doktor Allwissend, eine Dame hat sich gemeldet." ... „Schön. Wie heißen Sie?"
10 ... „Emma Schröder." ... „Das ist ein deutscher Name. Stammt Ihre Familie aus Deutschland?" ... „Nein, aus Österreich." ... „Ihre Adresse, Fräulein Schröder?" ... „Washingtonstraße vierundfünfzig." ... „Fräulein Schröder,

woher habe ich meinen Radionamen? In welchem literarischen Werk steht der Name Dr. Allwissend?"... „In Goethes ‚Fauft‘."... „Wie schade! Leider haben Sie nicht recht. Dr. Allwissend ist der Titel eines Märchens in den Kinder= und Haus= märchen der Brüder Grimm. Sie bekommen aber eine Schachtel Seife, Fräulein Schröder."

„Herr Doktor, wir haben einen Herrn für Sie."... „Gut. Wie heißen Sie?"... „Albert Heinke, Lincolnallee hundertfünfundsechzig."... „Herr Heinke, wir geben Ihnen acht Silberdollar, wenn Sie uns drei mit Roman gebildete Wortzusammen= setzungen nennen können, wie zum Beispiel Kriminalroman. Nicht vorsagen, bitte!" ... „Liebesroman, Bildungsroman, Geschichtsroman."... „Gut, ich gratuliere. Acht Silberdollar für Herrn Heinke.

Nun kommen wir zu unserer großen biographischen Frage. Wir beginnen mit zweihundertachtzig Dollar."... „Herr Doktor, wir haben einen Herrn für Sie, Herrn Friedrich Lenz, Ashlandstraße siebenundachtzig."... „Herr Lenz, wer wurde am achtundzwanzigsten August siebzehnhundertneunundvierzig geboren? (Tiefes Schweigen) Ihre Zeit ist um. Jetzt sind es zweihundertfünfzig Dollar. Wer studierte siebzehnhundertsiebzig die Rechte an der Straßburger Universität? (Tiefes Schweigen) Jetzt sind es noch zweihundertzwanzig Dollar. Von wem nahmen zwei französische Opernkomponisten den Stoff für ihre Opern, die denselben Namen im Titel haben, und in denen ein Universitätsprofessor vom Teufel geholt wird?"... „Goethe, Johann Wolfgang Goethe. Es sind Gounods und Berlioz’ Faust=Opern."... „Ich gratuliere, Sie haben meine Frage richtig beantwortet. Herr Lenz erhält zweihundertzwanzig Dollar.

Auch Sie können sich von zehn bis hundert Dollar verdienen, wenn Sie uns Fragen einschicken, die wir gebrauchen können. Schicken Sie mit jeder Frage eine der um jedes Stück Kirschblütenseife gewickelten Packungen und schreiben Sie den Namen und die Adresse des Absenders auf die Innenseite!"

Das Programm beginnt uns zu langweilen. Wir wollen Musik hören und einen Augenblick später haben wir eine Station eingestellt, die die Ouvertüre von Mozarts „Zauberflöte" sendet.

III. Comments:

1. *Uses of the Infinitive:*

The infinitive of a verb is often used as an imperative without reference to person or number. Thus: Nicht vorsagen, bitte! — *No prompting, please!* Nicht hinauslehnen! — *Do not lean out (of the window)!* Nicht auf den Fußboden spucken! — *Do not spit on the floor!*

The infinitive is also frequently used as a noun. It is then, of course, capitalized and it is always neuter. Examples: das Schweigen, *the silence;* das Können, *the ability;* das Schreiben, *the writing;* ein Kommen und Gehen, *a coming and going.*

2. *Rules for Determining the Gender of Nouns:*

As you have found out, the best way to master the gender of nouns is to learn the definite article with each noun, since no rules can be given which will cover all nouns. But there are certain noun endings which indicate gender with almost complete regularity.

1. Masculine are: nouns ending in –er signifying agency (der Mechanifer, *the mechanic;* der Arbeiter, *the worker;* der Anfager, *the announcer*).

2. Neuter are: infinitives used as nouns (das Schweigen, *the silence*), nouns ending in the diminutive suffixes –chen and –lein (das Mädchen, *the girl;* das Kätzchen, *the kitty;* das Fräulein, *the young lady*), nouns ending in –tum (das Königtum, *the kingship;* das Chriftentum, *the Christianity*). There are two exceptions to the last rule: der Reichtum, *the riches,* der Irrtum, *the error.*

3. Feminine are: nouns ending in –ei, –in, –heit, –feit, –schaft, –ung (die Malerei, *the art of painting;* die Freundin, *the girl friend;* die Schönheit, *the beauty;* die Geschwindigfeit, *the speed;* die Mannschaft, *the team;* die Packung, *the wrapping.*)

3. *The Long Attribute:*

A striking feature of German, especially in formal and technical style, is the long attribute. In its simple forms it is readily intelligible to people who know English, e.g. die nur sehr leicht parfümierte Seife — *the only very gently perfumed soap.* Notice how far the article has been removed from its noun by the interpolation of a series of modifiers, each restricting the one it precedes. But the literal translation of the phrase die um jedes Stück Seife gewickelte Packung would be *the around every piece of soap wrapped wrapper,* which is exceedingly awkward English. This type of construction is frequently best translated by a relative clause, as for example, *the wrapper which is wrapped around every piece of soap.*

The example quoted above could be made more complex: die um jedes mit Kirschblüten parfümierte Stück Seife gewickelte Packung — *the wrapper wrapped around every piece of soap which has been perfumed with cherry blossoms.*

In this chapter and the chapters immediately following there are some simple examples of this construction which you will need to study in order to acquire a feeling for it in preparation for the fuller discussion to be found in Lesson XXV.

IV. Practice:

1. a. Die Wäsche ist schmutzig geworden.
               wird wieder blütenweiß.
               wird mit Kirschblütenseifenflocken gewaschen.

   b. Schmutzig gewordene Wäsche.
                  wird wieder blütenweiß.
   Schmutzig gewordene Wäsche wird wieder blütenweiß, wenn sie mit Kirschblüten= seifenflocken gewaschen wird.

2. a. Schröder ist der Name einer befannten Familie.
                          aus Österreich.

    b. Die Familie stammt aus Österreich.

    c. Schröder ist der Name einer bekannten Familie, die aus Österreich stammt.

3. Kirschblütenseifenflocken ist eine Wortzusammensetzung.
   Kirschblütenseifenflocken ist eine mit Flocke gebildete Wortzusammensetzung.

4. a. Der Universitätsprofessor wird vom Teufel geholt.
     Der Universitätsprofessor wird in den beiden Opern vom Teufel geholt.

    b. Der Universitätsprofessor heißt Faust.

    c. Der Universitätsprofessor, der in den beiden Opern vom Teufel geholt wird, heißt
       Faust.

5. Sie haben meine Frage richtig beantwortet.
   Sie erhalten zwanzig Dollar.
   Für jede richtig beantwortete Frage erhalten Sie zwanzig Dollar.

6. Für jede richtig beantwortete Frage erhält er siebenundzwanzig Dollar.
                      erhielt
                      hat   erhalten.

7. Wenn ich mich gemeldet hätte, so hätte ich den ersten Preis gewonnen.
                          die Frage richtig beantwortet.
                          eine Schachtel Seife bekommen.

8. Wenn das Hemd nur mit Kirschblütenseifenflocken gewaschen worden wäre,
               könntest du es immer noch tragen.
               brauchtest du dir jetzt kein neues Hemd zu kaufen.
               würde es blütenweiß aussehen.

9. Das Programm beginnt immer mit einer Fünfzehn=Dollar=Frage.
       begann   Fünfzig=
       hat   Sechzig=   begonnen.

10. Wenn der Absender seinen Namen und seine Adresse auf die Innenseite der Packung ge=
    schrieben hätte, so könnten wir die Frage gebrauchen.
            würden wir an ihn schreiben können.
            hätte er den dritten Preis gewonnen.

V. Exercises:

A. Questions:

1. Was ist die zauberhafte Wirkung der Kirschblütenseife?
2. Was für eine Stimme hat Dr. Allwissend?
3. Was ist die Zwanzig=Dollar=Frage?
4. Woher stammt Fräulein Schröders Familie?
5. In welchem literarischen Werk steht der Name „Allwissend"?
6. Wer hat den „Faust" geschrieben?
7. Ist Scott's „Ivanhoe" ein Bildungs=, Liebes= oder Geschichtsroman?
8. Wer wurde am 28. August 1749 geboren?
9. An welcher Universität studierte Goethe die Rechte?
10. Welcher „Faust" ist älter, Gounods oder Goethes „Faust"?
11. Wie heißt der Teufel in der Faust=Oper?

B. *Translate:*

1. Können Sie uns zwei mit ‚weiß‘ gebildete Wortzusammensetzungen nennen?
2. Vergessen Sie nicht, Ihren Namen und Ihre Adresse auf die Innenseite der Packung zu schreiben!
3. Wenn ich mich gemeldet hätte, hätte ich zweihundert Dollar gewonnen.
4. Können Sie mir sagen, wann Johann Wolfgang Goethe geboren wurde?
5. Die Frage wurde von einem sechsjährigen Jungen beantwortet.
6. Wenn ich eine gute Frage eingeschickt hätte, hätte ich mir dreihundert Dollar verdient.
7. Ja, Sie haben recht. „Faust“ ist der Titel einer von Gounod komponierten Oper.
8. Ich würde mich melden, wenn ich die Frage beantworten könnte.

C. *Correct the misinformation:*

1. Das heutige Programm beginnt mit einer Dreißig=Dollar=Frage.
2. Dr. Allwissend ist der Name eines Universitätsprofessors, den der Teufel holt.
3. Gounods „Faust“ ist ein bekannter Liebesroman.
4. „Die Zauberflöte“ ist der Titel einer von Berlioz komponierten Oper.
5. Jakob Grimm studierte siebzehnhundertsiebzig die Rechte an der Straßburger Universität.
6. Wilhelm Grimm wurde am achtundzwanzigsten August siebzehnhundertneunund= vierzig geboren.
7. Gounod und Berlioz nahmen den Stoff für ihre Opern aus den Kinder= und Hausmärchen der Brüder Grimm.
8. Man kann sich zehn bis hundert Dollar verdienen, wenn man seinen Namen und seine Adresse auf die Innenseite der Packung schreibt und diese Packung ohne Frage an Doktor Allwissend einschickt.
9. Die eben eingestellte Station sendet die Ouvertüre von Mozarts „Don Juan.“

D. *Rearrange:*

1. „Figaros Hochzeit,“ der Titel, einer von Mozart komponierten Oper, ist.
2. in welchem literarischen Werk, der Teufel, Mephistopheles, heißt?
3. leider, wir, die Frage, können, annehmen, nicht.
4. wenn, mit Kirschblütenseife, Sie, die Hände, sich, waschen, werden . . . aussehen, schön und gepflegt, sie.
5. sich, kann, zweihundert Dollar, verdienen, man, wenn, eine brauchbare Frage, einschickt, man.
6. der Universitätsprofessor, der, geholt wurde, vom Teufel, Faust, hieß.
7. Herr Lenz, uns, eine interessante Frage, hat . . . eingeschickt, über das Theater.
8. hat . . . genannt, Fräulein Niemeier, uns, eine mit Roman gebildete Wort= zusammensetzung.

E. *Complete by means of the suitable clause or phrase and translate:*

1. Wir erhalten täglich Briefe,
   a. weil der Absender vergessen hat, seinen Namen auf die Innenseite der Packung zu schreiben.

    b. in denen gute Fragen eingeschickt werden.

    c. in denen der Titel dieses berühmten Märchens steht.

2. Auch Sie können sich hundert Dollar verdienen,

    a. wenn Sie uns eine Frage einschicken, die wir gebrauchen können.

    b. wenn Sie Ihren Namen auf die Packung schreiben und diese Packung dann mit einer Frage einschicken.

    c. obgleich wir die Frage nicht gebrauchen können.

3. Schmutzig gewordene Wäsche wird wieder schneeweiß,

    a. wenn Sie sie mit Kirschblütenseife waschen.

    b. trotzdem sie mit Kirschblütenseife gewaschen wird.

    c. weil Kirschblütenseife nur sehr leicht parfümiert ist.

4. Wenn ich mich gemeldet hätte,

    a. würde ich die Rechte studieren.

    b. hätte ich zweihundert Dollar gewonnen.

    c. könnten Sie die Frage gebrauchen.

5. Faust war der Name eines Universitätsprofessors,

    a. der vom Teufel geholt wurde.

    b. der Kindermärchen schrieb.

    c. von dem zwei französische Opernkomponisten den Stoff für ihre Opern nahmen.

6. „Die Zauberflöte" ist der Titel

    a. eines Liebesromans, den Milton geschrieben hat.

    b. eines Musikinstrumentes.

    c. einer von Mozart komponierten Oper.

F. *Connect by means of the conjunction indicated. Translate:*

1. (wenn)

    Ich würde das wissen.

    Ich hätte Goethes „Faust" gelesen.

2. (obgleich)

    Wir können die Frage nicht gebrauchen.

    Der Absender hat seinen Namen und seine Adresse auf die Innenseite der Packung geschrieben.

3. (da)

    Das Programm beginnt uns zu langweilen.

    Wir stellen eine andere Station ein.

4. (weil)

    Ihre Hände sehen schön und gepflegt aus.

    Sie gebraucht Kirschblütenseife, wenn sie sich die Hände wäscht.

VI. Principal Parts:

schreiben	schrieb	ich habe geschrieben	er schreibt	write
beginnen	begann	ich habe begonnen	er beginnt	begin
sprechen	sprach	ich habe gesprochen	er spricht	speak
nehmen	nahm	ich habe genommen	er nimmt	take
kommen	kam	ich bin gekommen	er kommt	come
bekommen	bekam	ich habe bekommen	er bekommt	get, receive
geben	gab	ich habe gegeben	er gibt	give
waschen	wusch	ich habe gewaschen	er wäscht	wash
erhalten	erhielt	ich habe erhalten	er erhält	get, receive
heißen	hieß	ich habe geheißen	er heißt	be called, named
sein	war	ich bin gewesen	er ist	be
stehen	stand	ich habe gestanden	er steht	stand
können	konnte	ich habe gekonnt	er kann	be able
wollen	wollte	ich habe gewollt	er will	want to
werden	wurde	ich bin geworden	er wird	become, get
nennen	nannte	ich habe genannt	er nennt	name
senden	sandte	ich habe gesandt	er sendet	send

der Absender, —s, —	sender	die Dame, —, —n	lady
der Bruder, —s, "	brother	die Familie, —, —n	family
der Mechaniker, —s, —	mechanic	die Ouvertüre, —, —n	overture
der Teufel, —s, —	devil	die Zwanzig-Dollar-	twenty dollar
der Titel, —s, —	title	Frage, —, —n	question
der Dollar, —s, —	dollar	die Packung, —, —en	wrapper
das Märchen, —s, —	fairy tale	die Wirkung, —, —en	effect
das Fräulein, —s, —	Miss, young lady	die Wortzusammen-setzung, —, —en	word compound
der Augenblick, —s, —e	moment	die Oper, —, —n	opera
der Stoff, —es, —e	material	die Station, —, —en	station
der Abend, —s, —e	evening	die Universität, —, —en	university
der Roman, —s, —e	novel	der Opernkomponist, —en, —en	opera composer
das Recht, —es, —e	law		
das Stück, —es, —e	piece	der Universitätsprofes-sor, —s, —en	university professor
das Werk, —es, —e	work		
das Mikrophon, —s, —e	microphone	der Radioname, —ns, —n	radio name
die Adresse, —, —n	address		

VII. Securing the Vocabulary:

A.

rasch	rapidly	das Schweigen	silence
schmutzig	dirty, soiled	der Stoff	material
wie schade	too bad	holen	fetch, get, carry off
der Roman	novel	der Augenblick	moment

B.

begeistert (3)	1. imitate	der Fall (7)	6. stop
nachmachen (1)	2. without	sogar (4)	7. case
rasch (5)	3. enthusiastic	ähnlich (10)	8. consist, exist
ohne (2)	4. even	schon einmal (*in question*) (9)	9. ever
aufhören (6)	5. rapidly	bestehen (8)	10. similar

irgendein (2)	1. ridiculous	die Stimme (4)	1. in spite of
der Unterschied (8)	2. any	trotz (1)	2. try
lächerlich (1)	3. too bad	die Zeile (6)	3. spectator
der Mut (4)	4. courage	der Zuschauer (3)	4. voice
wie schade (3)	5. pocket	versuchen (2)	5. material
werfen (10)	6. need	zunächst (7)	6. line
brauchen (6)	7. soft	der Stoff (5)	7. first of all
die Tasche (5)	8. difference	teilweise (9)	8. numerous
weich (7)	9. while; during	schnell (10)	9. partly
während (9)	10. throw	zahlreich (8)	10. fast, quick

VIII. Doktor Allwissend (*Rewritten*)

Sind Sie Mechaniker, sind Sie ein Doktor der Rechte? Gebrauchen Sie das nächste Mal, wenn Sie sich die Hände waschen, Kirschblüte! Auch die feinste Wäsche wird wieder weiß, wenn sie mit Kirschblütenseifenflocken gewaschen wird. Und jetzt, meine Damen und Herren, Dr. Allwissend!

„Zwanzig Dollar für den, der unsere erste Frage beantworten kann." „Dr. All= 5 wissend, wir haben einen Herrn für Sie, Friedrich Schröder, Bahnhofsplatz siebzehn." „Herr Schröder: Wie heißt der Teufel in den folgenden drei Werken der Weltlite= ratur: In Miltons ‚Verlorenem Paradies‘, in Dantes ‚Göttlicher Komödie‘, in Goethes ‚Faust‘? „Satan, Dis, Mephistopheles." „Richtig, zwanzig Dollar für Herrn Schröder. 10

Wir haben heute dreihundert Dollar für Fragen aus der Biographie eines be= rühmten Mannes." „Dr. Allwissend, eine Dame hat sich gemeldet." ... „Ihren Namen und Ihre Adresse, bitte?" ... „Elisabeth Bauer, Marktstraße zwölf." ... „Wer wurde am siebenundzwanzigsten Januar siebzehnhundertsechsundfünfzig in Salzburg, Österreich, geboren? (Schweigen) Jetzt sind es noch zweihundertfünfzig 15

Dollar. Wie hieß das sechsjährige Kind, das in Wien und Paris durch Konzerte Geld verdiente? (Schweigen) Zweihundert Dollar, wenn Sie mir sagen können, wer siebzehnhunderteinundneunzig eine Oper schrieb, deren Titel der Name eines Musikinstrumentes ist." ... „Wolfgang Amadeus Mozart. Die Oper heißt ‚Die Zauberflöte‘." ... „Fräulein Bauer, Sie haben sich Ihre zweihundert Dollar verdient.

Wir erhalten täglich Briefe, in denen gute Fragen eingeschickt werden, die wir leider nicht annehmen können, weil der Absender vergessen hat, seinen Namen und seine Adresse auf die Innenseite der um Kirschblütenseife gewickelten Packung zu schreiben.

Wir haben acht Silberdollar für die nächste richtige Antwort." ... „Fräulein Niemeier." ... „Nennen Sie mir einen Roman, der eine Wortzusammensetzung mit ‚Zauber‘ im Titel hat." ... „Thomas Manns ‚Zauberberg‘." ... „Ich gratuliere, Sie haben recht." ... „Wenn Sie schmutzige Hände haben, versuchen Sie Kirschblüte ..."

Einundzwanzigſte Aufgabe

* *

Wie Sie wollen

I. Words and Phrases:

Wie Sie wollen.	As you wish.
„Alſo, meine Damen und Herren, Sie ken=nen die * Bedingungen.	"Well then Ladies and Gentlemen, you know the conditions.
Hier an der Tafel ſehen Sie die Nummern, die die verſchiedenen Intereſ'ſengebie'te * bezeichnen.	Here on the board you see the numbers which designate the various fields of interest.
das ausgeſuchte Gebiet	the chosen field
Sie * wählen eine Nummer, und ich ſtelle Ihnen Fragen aus dem von Ihnen aus=geſuchten Gebiet.	You choose a number and I will put questions to you from the field which you have selected.
bis dahin	up to that time
der bis dahin gewonnene Preis	the prize won up to that time
Jedesmal, wenn Sie eine Frage richtig beantworten, wird der bis dahin gewon=nene Preis verdoppelt.	Every time you answer a question cor-rectly the prize won up to that time will be doubled.
Bei der erſten falſchen Antwort verlieren Sie alles, was Sie gewonnen haben.	With the first wrong answer you will lose everything that you have won.
Sie können * jederzeit aufhören, ſogar nach=dem Sie nur einen Dollar gewonnen haben.	You can stop at any time, even after you have only won one dollar.
Ich * wiederho'le meine Bitte ans Publi=kum: Bitte, nicht vorſagen!	I'll repeat my request to the audience: Please, no prompting!
losgehen, ging . . . los, iſt losgegangen, geht . . . los	(to) commence, begin
es geht los	things are commencing
So, jetzt kann's losgehen.	So, now we can start.

213

Sie sind an der Reihe	you are at the (head of the) line
Sie sind zuerst' an der Reihe.	It's your turn first.
Wie heißen Sie, Fräulein?"	What's your name, Miss?"
„Rita Müller."	"Rita Müller."
„Ich sehe auf diesem Zettel, daß Sie auf dem Gebiet des Kinos bewandert sind.	"I see on this slip of paper that you are well-versed in the movies.
Stimmt das?"	Is that correct?"
„Ja."	"Yes."
„Schön! Welche amerika'nische Filmschau= spielerin deutscher * Abstammung kennen Sie?	"Fine! What American movie actress of German descent do you know?"
„Marlene Dietrich."	"Marlene Dietrich."
„Gut, Sie haben einen Dollar gewonnen.	"Good, you have won a dollar.
Wollen Sie noch eine Frage?	Do you wish another question?
Sie * nicken, Sie haben Mut.	You're nodding, you have courage.

gehen, ging, ich bin gegangen, er geht	(to) go
es geht	it goes
es geht um zwei Dollar	it goes about two dollars, i.e. two dollars are at stake

Jetzt geht es um zwei Dollar.	Now two dollars are at stake.
Nennen Sie mir einen Film, in dem Mar= lene Dietrich die * weibliche Hauptrolle gespielt hat."	Name a film in which Marlene Dietrich played the feminine lead."
„Kismet."	"Kismet."
„Schön! Jetzt kommt die Vier=Dollar= Frage.	"Fine! Now comes the four dollar question.
In welchem Film wird der Held bei dem Versuch, einen Schmetterling zu fangen, erschossen?	In what film is the hero shot to death in the attempt to catch a butterfly?
Sie haben noch fünfzehn Sekun'den."	You have fifteen seconds left."
„Sieben Gräber bis Kairo."	"Seven Graves to Cairo."
„O, das tut mir leid.	"Oh, I'm sorry.
Das stimmt leider nicht.	Unfortunately, that isn't correct.

im Westen nichts Neues

* Erinnern Sie sich an die Verfilmung des Kriegsromans ‚Im Westen nichts Neues‘ von Remarque?

Der Held wird von einem franzö'sischen Solda'ten erschossen, als er aus dem Schützengraben kriecht, um einen Schmet= terling zu * fangen.

er kommt an die Reihe

Jetzt kommt ein Herr an die Reihe.

ich bin Verkäufer von Beruf

Herr Schönfeld, was sind Sie von Beruf?"

„Verkäufer in der Abtei'lung für Pelzmäntel in Webers Warenhaus."

„O, Sie sind es, der meiner Frau den teuren Pelzmantel verkauft hat.

Nun, machen Sie sich keine Sorgen. Ich bin Ihnen nicht * böse.

Zum * Beweis gebe ich Ihnen eine überra'= schend leichte Frage.

Sie haben die Oper als Ihr Gebiet an= gegeben.

Welche Tetralogie hat den Namen eines Schmuckstückes im Titel?"

„Der Ring des Nibelungen."

„Richtig. Soll ich weiterfragen?"

„Bitte."

„Wer war der erste Besitzer des Ringes?"

„Es war der Zwerg Alberich, der den Rheintöchtern das Gold gestohlen hatte."

„Gut, können Sie mir jetzt für vier Dollar die vier Opern nennen, aus denen die Tetralogie' besteht?"

„Das Rheingold, Die Walküre, Siegfried, Götterdämmerung."

---

in the west nothing new

Do you remember the film version of the war novel by Remarque, 'All Quiet on the Western Front?'

The hero is shot and killed by a French soldier as he creeps out of the trench in order to catch a butterfly.

he comes to the (head of the) line

Now it's a gentleman's turn.

I am a salesman by occupation

Mr. Schönfeld, what is your occu- pation?"

"A salesman in the fur coat depart- ment of Weber's department store."

"Oh, it's you who sold my wife that ex- pensive fur coat.

Well, don't worry. I'm not angry with you.

As proof I'll give you a surprisingly easy question.

You have given the opera as your field.

Which tetralogy has the name of a piece of jewelry in its title?"

"The Ring of the Nibelung."

"Right, shall I keep on asking?"

"Yes, please."

"Who was the first owner of the ring?"

"It was the dwarf Alberich who had stolen the gold from the daughters of the Rhine."

"Good, now for four dollars, can you name the four operas of which the tetralogy consists?"

"Das Rheingold (the Rhine Gold), Die Walküre, Siegfried, Götterdäm- merung (Twilight of the Gods)."

* „Ausgezeichnet! Wollen Sie jetzt acht
Dollar riskieren? — Gut.

Nennen Sie einen Riesen, einen König und
einen Gott aus dem ‚Ring‘.“

„Fafner war ein * Riese, der in der Gestalt
eines Drachen den Nibelungenhort bewachte und von Siegfried mit dem
Schwert * erschlagen wurde.

Wotan war der Gott, der den Ring * besitzen wollte, und Gunther war der
König, dessen Schwester Siegfried heiratete.“

„Es * überrascht‘ mich nicht, daß Sie nicht
aufhören wollen.

Können Sie ein Motiv‘ oder ein Lied aus
dem ‚Ring‘ singen oder pfeifen?“

(Herr Schönfeld singt mit einer Stimme, die
*hauptsächlich in der Badewanne ausgebildet
worden ist, eine Zeile aus der ‚Walküre‘: „Winterstürme wichen dem Wonnemond.“)

„Herr Schönfeld, Sie stehen dicht vor dem
* Sieg.

Hier ist die letzte Frage: Welche Zauberkraft hatte der Nibelungenring?“

„Er gab dem Träger Macht über Menschen
und Götter.“

„Sie haben sich Ihr Geld verdient.

Wie kommt es, daß Sie so gut Bescheid
wissen?“

„Ich bin * eigentlich Musik‘leh‘rer.

Verkäufer ist nur mein Nebenberuf.“

“Excellent! Do you want to risk eight
dollars now? — Good.

Name a giant, a king, and a god from
the ‘Ring’.”

“Fafner was a giant, who in the shape
of a dragon, guarded the Nibelungen
treasure and was slain by Siegfried
with his sword.

Wotan was the god, who wished to possess the treasure and Gunther was
the king whose sister Siegfried married.”

“It doesn’t surprise me that you don’t
want to stop.

Can you sing or whistle a motif or song
from the ‘Ring’?”

(*With a voice which has been trained chiefly in
the bath tub, Mr. Schönfeld sings a line from
“Die Walküre”:* “Winterstürme wichen
dem Wonnemond” [Winter storms gave
way to the moon of bliss]).

“Mr. Schönfeld, you are close to victory.

Here is the last question: What magic
power had the Nibelungenring?”

“It gave its wearer power over men and
gods.”

“You have earned your money.

How does it happen, that you are so
well informed?”

“I’m really a music teacher.

Salesman is only my secondary occupation.”

II. Text:

Wie Sie wollen

„Also, meine Damen und Herren, Sie kennen die Bedingungen. Hier an der Tafel sehen Sie die Nummern, die die verschiedenen Interessengebiete bezeichnen. Sie wählen eine Nummer, und ich stelle Ihnen Fragen aus dem von Ihnen aus= gesuchten Gebiet. Jedesmal, wenn Sie eine Frage richtig beantworten, wird der bis dahin gewonnene Preis verdoppelt. Bei der ersten falschen Antwort verlieren Sie 5 alles, was Sie gewonnen haben. Sie können jederzeit aufhören, sogar nachdem Sie nur einen Dollar gewonnen haben. Ich wiederhole meine Bitte ans Publikum: Bitte, nicht vorsagen! So, jetzt kann's losgehen.

Sie sind zuerst an der Reihe. Wie heißen Sie, Fräulein?" „Rita Müller." „Ich sehe auf diesem Zettel, daß Sie auf dem Gebiet des Kinos bewandert sind. 10 Stimmt das?" . . . „Ja." . . . „Schön! Welche amerikanische Filmschauspielerin deutscher Abstammung kennen Sie?" . . . „Marlene Dietrich." . . . „Gut, Sie haben einen Dollar gewonnen. Wollen Sie noch eine Frage? Sie nicken, Sie haben Mut. Jetzt geht es um zwei Dollar. Nennen Sie mir einen Film, in dem Marlene

Dietrich die weibliche Hauptrolle gespielt hat."... „Kismet."... „Schön! Jetzt
kommt die Vier=Dollar=Frage! In welchem Film wird der Held bei dem Versuch, ei=
nen Schmetterling zu fangen, erschossen? Sie haben noch fünfzehn Sekunden."...
„Sieben Gräber bis Kairo."... „O, das tut mir leid. Das stimmt leider nicht.
5 Erinnern Sie sich an die Verfilmung des Kriegsromans ‚Im Westen nichts Neues‘
von Remarque? Der Held wird von einem französischen Soldaten erschossen, als
er aus dem Schützengraben kriecht, um einen Schmetterling zu fangen.

Jetzt kommt ein Herr an die Reihe. Herr Schönfeld, was sind Sie von
Beruf?"... „Verkäufer in der Abteilung für Pelzmäntel in Webers Warenhaus."
10 ... „O, Sie sind es, der meiner Frau den teuren Pelzmantel verkauft hat. Nun,
machen Sie sich keine Sorgen. Ich bin Ihnen nicht böse. Zum Beweis gebe ich Ihnen
eine überraschend leichte Frage. Sie haben die Oper als ihr Gebiet angegeben.
Welche Tetralogie |hat den Namen eines Schmuckstückes im Titel?"... „Der
Ring des Nibelungen."... „Richtig. Soll ich weiterfragen?"... „Bitte."...
15 „Wer war der erste Besitzer des Ringes?"... „Es war der Zwerg Alberich, der
den Rheintöchtern das Gold gestohlen hatte."... „Gut. Können Sie mir jetzt für
vier Dollar die vier Opern nennen, aus denen die Tetralogie besteht?"... „Das
Rheingold, Die Walküre, Siegfried, Götterdämmerung."... „Ausgezeichnet!
Wollen Sie jetzt acht Dollar riskieren? — Gut. Nennen Sie einen Riesen, einen
20 König und einen Gott aus dem ‚Ring‘!"... „Fafner war ein Riese, der in der
Gestalt eines Drachen den Nibelungenhort bewachte und von Siegfried mit dem
Schwert erschlagen wurde. Wotan war der Gott, der den Ring besitzen wollte, und
Gunther war der König, dessen Schwester Siegfried heiratete."... „Es überrascht
mich nicht, daß Sie nicht aufhören wollen. Können Sie ein Motiv oder ein Lied aus
25 dem ‚Ring‘ singen oder pfeifen?" (Herr Schönfeld singt mit einer Stimme, die hauptsächlich in
der Badewanne ausgebildet worden ist, eine Zeile aus der ‚Walküre‘: ‚Winterstürme wichen dem Wonne=
mond‘.) „Herr Schönfeld, Sie stehen dicht vor dem Sieg. Hier ist die letzte Frage:
Welche Zauberkraft hatte der Nibelungenring?"... „Er gab dem Träger Macht
über Menschen und Götter."... „Sie haben sich Ihr Geld verdient. Wie kommt
30 es, daß Sie so gut Bescheid wissen?"... „Ich bin eigentlich Musiklehrer.
Verkäufer ist nur mein Nebenberuf."

III. Comments:

1. *Adjectives with* etwas, nichts *and* viel:

Adjectives are often used together with the words etwas, nichts and viel to express ideas such as something beautiful, nothing new, much that is interesting.
The adjective is then capitalized and given the neuter ending —es. Thus: etwas
Schönes, *something beautiful*; nichts Neues, *nothing new*; viel Interessantes, *many
interesting things.*

2. *Rules for determining the plural of nouns:*

The only sure way to know the declension of a noun is to learn its principal
parts, that is, the nominative and genitive singular and the nominative plural.

These three forms indicate what all the other forms are. But there are certain general rules which may be helpful in determining to what declensional group a noun belongs.

1. Masculine and neuter nouns ending in –el, –en, –er belong to Group I. (*See Lesson 7, Comments, to refresh your memory on the classification of nouns and Lesson 11 for their declension.*) Examples: der Garten, –s, ⸗ *the garden;* der Tennisspieler, –s, — *the tennis player.*

2. Neuter nouns with the prefix Ge– and the ending –e belong to Group I. Examples: das Gebäude, –s, — *the building;* das Gebirge, –s, — *the mountain range.*

3. Neuter nouns with the diminutive endings –chen and –lein belong to Group I. Examples: das Mädchen, –s, — *the girl;* das Fräulein, –s, — *the young lady.*

4. Masculine nouns ending in –ich, –ig, –ing, –ling belong to Group II. Examples: der König, –s, –e *the king;* der Liebling, –s, –e *the darling.*

5. A great many masculines of one syllable belong to Group II. Examples: der Arm, –es, –e *the arm;* der Baum, –es, ⸗e *the tree.*

6. The most common neuter monosyllables belong to Group III. These nouns always umlaut the stem vowels a, o, u, au in the plural. Examples: das Haus, –es, ⸗er *the house;* das Blatt, –es, ⸗er *the leaf.*

7. Words ending in –tum belong to Group III. The u is always umlauted. Examples: das Königtum, –s, ⸗er *the kingdom;* der Reichtum, –s, ⸗er *the wealth.*

8. Masculine nouns ending in –e and denoting living beings belong to Group IV. Examples: der Knabe, –n, –n *the lad;* der Löwe, –n, –n *the lion.*

9. Feminine nouns of more than one syllable belong to Group IV. Examples: die Rose, —, –n *the rose;* die Freundin, —, –nen *the girl friend;* die Mannschaft, —, –en *the team.*

10. Feminine nouns of one syllable belong either to Group II or to Group IV. Examples: die Stadt, —, ⸗e *the city;* die Uhr, —, –en *the time piece.*

3. *Passive Voice: Future and Past Perfect:*

You are already familiar with the present, simple past, and present perfect indicative of the passive voice. The future passive employs the future tense of werden. Thus, *I will be surprised, etc.*

ich werde überrascht werden	ich werde eingeladen werden
du wirst überrascht werden	du wirst eingeladen werden
er wird überrascht werden	er wird eingeladen werden
wir werden überrascht werden	wir werden eingeladen werden
ihr werdet überrascht werden	ihr werdet eingeladen werden
sie werden überrascht werden	sie werden eingeladen werden
Sie werden überrascht werden	Sie werden eingeladen werden

The past perfect passive requires the past perfect tense of werden, but the past participle geworden appears in the form worden. Thus, *I had been surprised, etc.*

ich war überrascht worden	ich war eingeladen worden
du warst überrascht worden	du warst eingeladen worden
er war überrascht worden	er war eingeladen worden
wir waren überrascht worden	wir waren eingeladen worden
ihr wart überrascht worden	ihr wart eingeladen worden
sie waren überrascht worden	sie waren eingeladen worden
Sie waren überrascht worden	Sie waren eingeladen worden

IV. Practice:

1. Die verschiedenen Interessengebiete werden durch die Nummern an der Tafel bezeichnet.
   Die verschiedenen Interessengebiete werden bezeichnet werden.
   Die verschiedenen Interessengebiete waren bezeichnet worden.

2. a. Der bis dahin gewonnene Preis wird verdoppelt.

   wurde
   wird   werden.
   ist   worden.
   war

   b. Die Frage wird richtig beantwortet.

   wurde
   wird   werden.
   ist   worden.
   war

   c. Jedesmal, wenn die Frage richtig beantwortet wird, wird der bis dahin gewonnene
   Preis verdoppelt. etc.

3. a. Die Bitte wird wiederholt.
                    zu Anfang jedes Programmes wiederholt.

   b. Die Bitte wurde wiederholt. etc.

4. Jetzt geht es um zwei Dollar.
               den großen Preis.
            ums Leben.

5. a. Der Held wird erschossen.
                    gegen Ende des Films erschossen.
      Der Held wird gegen Ende des Films von einem französischen Soldaten erschossen.

   b. Der Held wurde erschossen. etc.

   c. Der Held wird erschossen werden. etc.

   d. Der Held ist erschossen worden. etc.

   e. Der Held war erschossen worden. etc.

6. Die weibliche Hauptrolle wird von Marlene Dietrich gespielt.

        wurde

        ist   worden.

        war   worden.

        wird   werden.

7. Die beiden Romane werden viel gelesen. etc.

8. Die aus vier Musikdramen bestehende Tetralogie wird oft in Amerika gespielt.

    Der aus vier Opern bestehende Zyklus wird oft in Amerika gespielt.

9. Fragen Sie mich etwas Leichtes, bitte!

                Interessantes,

                Lustiges,

10. Ich habe nichts Neues von ihm gehört.

             Gutes

       viel   Interessantes

V. Exercises:

A. *Questions:*

1. Was bezeichnen die Nummern an der Tafel?
2. Wann wird der bis dahin gewonnene Preis verdoppelt?
3. Kennen Sie eine Oper, in der ein deutscher Professor die Hauptrolle spielt?
4. Von welchem deutschen Roman stammt der Stoff des amerikanischen Filmes „All Quiet on the Western Front?"
5. Wie wird der Held des amerikanischen Filmes „Im Westen nichts Neues" erschossen?
6. Was für einen Beruf hat Herr Schönfeld?
7. Welche Verfilmungen von deutschen Literaturwerken kennen Sie?
8. Welche deutsche Oper hat den Namen eines Musikinstrumentes im Titel?
9. Wie heißt die erste Oper in Wagners Tetralogie „Der Ring des Nibelungen"?
10. Wen heiratet Siegfried in Wagners Oper „Götterdämmerung"?
11. Wer bewacht den Nibelungenhort in Wagners Oper „Siegfried"?
12. Wo singen viele Leute laut und begeistert?
13. Was ist der eigentliche Beruf des Mannes, der die 64-Dollar-Frage gewann?

B. *Translate:*

1. Er wird nicht gerne daran erinnert.
2. Er hat sich eine andere Nummer gewählt.
3. Wenn Sie mich etwas Leichtes fragen, kann ich Ihnen die richtige Antwort geben.
4. Zu Shakespeares Zeit wurden die weiblichen Rollen von Jungen in Frauenkleidern gespielt.
5. Bei der ersten falschen Antwort verlieren Sie den bis dahin gewonnenen Preis.
6. Er hat sich etwas Gutes ausgesucht.
7. Das Gold wurde von Siegfried gefunden.
8. Der Riese, dessen Bruder den Nibelungenhort bewacht, heißt Fasolt.

C. *Correct the misinformation:*

1. Fräulein Müller weiß auf dem Gebiet der Oper gut Bescheid.
2. Der erste Besitzer des Nibelungenringes war ein Riese namens Alberich.
3. „Die Zauberflöte" ist eine deutsche Oper, die den Namen eines Schmuckstücks im Titel hat.
4. Fafner war ein König, dessen Schwester Siegfried heiratete.
5. „Winterstürme wichen dem Wonnemond" ist eine Arie aus dem „Rheingold."
6. Wotan war ein Zwerg, der in der Gestalt eines Drachen den Nibelungenhort bewachte.
7. Gunther war der Name eines Königs, der von Siegfried mit dem Schwert er= schlagen wurde.
8. Das Schwert des Nibelungen gab dem Besitzer Macht über Menschen und Götter.
9. In dem Film „Im Westen nichts Neues" wird ein Schmetterling vom Helden gefangen.
10. Herrn Schönfelds Beruf ist eigentlich Verkäufer.

D. *Rearrange:*

1. von Marlene Dietrich, ist . . . gespielt worden, die weibliche Hauptrolle.
2. einen teuren Pelzmantel, Herr Schönfeld, der Frau des Ansagers, hat . . . ver= kauft.
3. als mein Gebiet, das Theater, habe . . . angegeben, ich.
4. wird . . . erschossen, im letzten Akt, der Held, des Dramas.
5. wurde . . . gespielt, die männliche Hauptrolle, von einem amerikanischen Schau= spieler.
6. von einem Mann, wurde . . . gewonnen, der Preis, der, arbeitet, in Webers Warenhaus, als Verkäufer.

E. *Complete by means of the suitable clause or phrase. Translate:*

1. Hier an der Tafel sehen Sie die Nummern,
   a. nachdem Sie einen Dollar gewonnen haben.
   b. die die verschiedenen Interessengebiete bezeichnen.
   c. die verdoppelt werden, wenn Sie die Frage richtig beantworten.

2. Auf dem Zettel steht,
   a. daß Fräulein Müller auf dem Gebiet des Kinos bewandert ist.
   b. daß Marlene Dietrich die Hauptrolle in „Kismet" gespielt hat.
   c. daß es jetzt um zwei Dollar geht.

3. Wotan ist der Name eines Gottes,
   a. der den Riesen Fafner mit dem Schwert erschlägt.
   b. dessen Schwester Siegfried heiratet.
   c. der den Nibelungenring besitzen will.

4. Herr Schönfeld wußte auf dem Gebiet der Oper so gut Bescheid,
   a. weil er dicht vor dem Sieg stand.
   b. während er die Arie „Winterstürme wichen dem Wonnemond" sang.
   c. da er Musiklehrer war.

5. Fafner war ein Riese,
   a. der Siegfried erschlug.
   b. der den Nibelungenhort bewachte.
   c. der von Siegfried erschossen wurde.

6. Im Kriegsfilm „Im Westen nichts Neues" wird der Held erschossen,
   a. nachdem er einen Schmetterling gefangen hat.
   b. als er versucht, einen Schmetterling zu fangen.
   c. ehe er aus dem Schützengraben kriecht, um einen Schmetterling zu fangen.

7. Wenn Marlene Dietrich die weibliche Hauptrolle gespielt hätte,
   a. würde ich mich sicher an den Film erinnern.
   b. würde die Frage richtig beantwortet werden.
   c. würden wir die Bedingungen kennen.

8. Wenn ich die Frage richtig beantwortet hätte,
   a. könnte ich mir jetzt einen schönen Pelzmantel leisten.
   b. hätte Siegfried den Riesen nie erschlagen.
   c. würde die Tetralogie aus vier Opern bestehen.

F. *Connect by means of the conjunction indicated and translate:*

1. (als)
   Fafner wurde von Siegfried erschlagen.
   Er bewachte den Nibelungenhort in Gestalt eines Drachen.

2. (obgleich)
   Der Nibelungenring gab seinem Träger Macht über Menschen und Götter.
   Alle Besitzer des Ringes wurden erschlagen.

3. (wenn)
   Er würde nicht aufhören wollen.
   Er könnte die Frage leicht beantworten.

4. (ob)
   Er will die acht Dollar riskieren.
   Er denkt darüber nach.

VI. Principal Parts:

pfeifen	pfiff	ich habe gepfiffen	er pfeift	whistle
weichen	wich	ich bin gewichen	er weicht	give way
kriechen	kroch	ich bin gekrochen	er kriecht	creep
erschießen	erschoß	ich habe erschossen	er erschießt	shoot
verlieren	verlor	ich habe verloren	er verliert	lose

singen	sang	ich habe gesungen	er singt	sing
gewinnen	gewann	ich habe gewonnen	er gewinnt	win
kommen	kam	ich bin gekommen	er kommt	come
stehlen	stahl	ich habe gestohlen	er stiehlt	steal
geben	gab	ich habe gegeben	er gibt	give
sehen	sah	ich habe gesehen	er sieht	see
besitzen	besaß	ich habe besessen	er besitzt	possess
erschlagen	erschlug	ich habe erschlagen	er erschlägt	slay
fangen	fing	ich habe gefangen	er fängt	catch
heißen	hieß	ich habe geheißen	er heißt	be called, be named
sein	war	ich bin gewesen	er ist	be
gehen	ging	ich bin gegangen	er geht	go
stehen	stand	ich habe gestanden	er steht	stand
bestehen	bestand	es hat bestanden	es besteht	consist
tun	tat	ich habe getan	er tut	do
können	konnte	ich habe gekonnt	er kann	be able, can
sollen	sollte	ich habe gesollt	er soll	shall, be supposed to
wollen	wollte	ich habe gewollt	er will	want to
kennen	kannte	ich habe gekannt	er kennt	know
nennen	nannte	ich habe genannt	er nennt	name
wissen	wußte	ich habe gewußt	er weiß	know

der Besitzer, —s, —	owner	das Schmuckstück, —s, —e	piece of jewelry
der Musiklehrer, —s, —	music teacher		
der Pelzmantel, —s, ⸚	fur coat	das Motiv, —s, —e	motif
der Schützengraben, —s, ⸚	trench	das Gebiet, —es, —e	field (of interest)
der Träger, —s, —	wearer	das Grab, —es, ⸚er	grave
der Beruf, —s, —e	occupation	das Lied, —es, —er	song
der Beweis, —es, —e	proof	das Schwert, —es, —er	sword
der Film, —es, —e	film	das Warenhaus, —es, ⸚er	department store
der König, —s, —e	king		
der Kriegsroman, —s, —e	war novel	der Gott, —es, ⸚er	god
der Nebenberuf, —s, —e	secondary occupation	die Badewanne, —, —n	bath tub
		die Bitte, —, —n	request
der Ring, —es, —e	ring	die Hauptrolle, —, —n	lead
der Schmetterling, —s, —e	butterfly	die Reihe, —, —n	row, line
der Sieg, —es, —e	victory	die Sekunde, —, —n	second
der Versuch, —s, —e	attempt	die Sorge, —, —n	worry
der Wintersturm, —s, ⸚e	winter storm	die Filmschauspielerin, —, —nen	movie actress
der Zwerg, —es, —e	dwarf		
die Macht, —, ⸚e	power	die Abteilung, —, —en	department
die Zauberkraft, —, ⸚e	magic power	die Bedingung, —, —en	condition

die Verfilmung, —, –en	film version	der Drache, –n, –n	dragon
die Gestalt, —, –en	shape	der Riese, –n, –n	giant
die Antwort, —, –en	answer	der Held, –en, –en	hero
die Nummer, —, –n	number	der Mensch, –en, –en	human being
die Schwester, —, –n	sister	der Soldat, –en, –en	soldier
die Tafel, —, –n	board	das Kino, –s, –s	movies

VII. Securing the Vocabulary:

A.

die Bedingung	condition	böse sein	(to) be angry
bezeichnen	(to) designate	der Beweis	proof
wählen	(to) choose, elect	ausgezeichnet	excellent
jederzeit	at any time	der Riese	giant
wiederholen	(to) repeat	die Gestalt	form, shape, stature
die Abstammung	descent	erschlagen	(to) slay
nicken	(to) nod	besitzen	(to) possess, own
weiblich	feminine, female	sich erinnern	(to) remember
überraschen	(to) surprise	hauptsächlich	chiefly
fangen	(to) catch	der Sieg	victory
		eigentlich	really

B.

holen (4)	1. need	die Geschichte (3)	1. courage
ärgerlich (2)	2. angry, irritated	der Teil (6)	2. silence
klingeln (6)	3. ever	der Stoff (4)	3. story; history
klingen (7)	4. fetch, get	das Schweigen (2)	4. material
schon einmal (*in question*) (3)	5. assume	zahlreich (8)	5. novel
nötig haben (1)	6. ring	der Mut (1)	6. part
annehmen (5)	7. sound	der Roman (5)	7. without
damals (10)	8. in spite of	der Fall (10)	8. numerous
trotz (8)	9. moment	ohne (7)	9. somewhere
der Augenblick (9)	10. at that time	irgendwo (9)	10. case

VIII. Wie Sie wollen: (*Rewritten*)

„Herr Schröder, Sie stehen dicht vor dem Sieg. Wie heißt der amerikanische Filmschauspieler österreichischer Abstammung, der in dem Film ‚Sieben Gräber bis Kairo' die Hauptrolle, die Rolle des Feldmarschalls Rommel, gespielt hat?" ... „Erich von Strohheim." ... „Gut. Jetzt kommt der große Moment, jetzt geht es ums Ganze. Herr Schröder, in welcher amerikanischen Verfilmung eines deutschen 5 Dramas wird der Held erschossen?" ... „In ‚Juarez und Maximilian'. Es ist eine Verfilmung eines Dramas von Werfel. Der Kaiser von Mexiko, Maximilian, wird von Soldaten des mexikanischen Präsidenten Juarez bei Queretaro erschossen." ... „Bravo, Sie haben sich Ihre vierundsechzig Dollar verdient."

„Nun, Fräulein Wendell, welche Nummer haben Sie gewählt? Dreiundvierzig?
Dann sind Sie also auf dem Gebiet der Musik bewandert. Fräulein Wendell, die
Musik ist aber ein weites Gebiet. Welches Spezialgebiet in der Musik möchten Sie
sich aussuchen?"... „Die Oper."... „Gut. Hier ist die erste Frage. Welche
5 Rolle spielt Siegfried in der Geschichte der Oper?"... „Er ist der Held in Wagners
Oper ‚Siegfried‘."... „Gut. Wollen Sie sich zwei Dollar verdienen?" ...
„Ja."... „‚Siegfried‘ ist die dritte Oper in der Tetralogie ‚Der Ring des Nibe=
lungen‘; wie heißen die anderen drei Opern?"... „Die erste Oper heißt ‚Rheingold‘,
dann kommt ‚Die Walküre‘, dann ‚Siegfried‘, und die letzte Oper, die am vierten
10 Tag gespielt wird, ist ‚Götterdämmerung.‘"... „Ich glaube, Sie wollen Ihren bis
jetzt gewonnenen Preis verdoppeln. Habe ich recht? Sie nicken, das dachte ich mir.
Können Sie mir drei Motive aus dem ‚Ring‘ nennen?"... „Das Ringmotiv, das
Schwertmotiv, das Liebesmotiv."... „Ich wiederhole die Bedingungen unseres
Frage= und Antwortspieles. Bei der ersten falschen Antwort verlieren Sie alles.
15 Wollen Sie jetzt aufhören oder haben Sie genug Mut, Ihre vier Dollar zu ris=
kieren?"... „Ich riskiere."... „Herrlich! Wie heißen die beiden Riesen, die im
‚Ring‘ eine Rolle spielen?"... „Fafner und Fasolt. Fragen Sie mich weiter!" ...
„Sagen Sie mir, bitte, für sechzehn Dollar, welche Zauberkraft der Nibelungenring
hat."... „Er gibt seinem Besitzer Macht über Götter und Menschen."... „Sie
20 wissen Bescheid wie ein Musikprofessor. Ich kann mir denken, daß Sie nicht auf=
hören wollen. Soll ich weiterfragen?"... „Bitte."... „Wie heißen die Besitzer
des Nibelungenringes?"... „Der erste Besitzer war der Zwerg Alberich. Der
nächste Besitzer des Ringes war Wotan, aber Wotan muß ihn den Riesen Fafner und
Fasolt geben. Fafner erschlägt seinen Bruder und bewacht den Ring in Gestalt eines
25 Drachen. Siegfried erschlägt Fafner und nimmt sich den Ring; Siegfried heiratet
Gunthers Schwester Gudrun und wird von seinen Verwandten erschlagen. Die
Götterdämmerung beginnt, und die Rheintöchter bekommen den Ring."... „Das ist
mehr als wir erwartet haben. Fräulein Wendell, Sie haben bis jetzt zweiunddreißig
Dollar gewonnen. Wollen Sie dicht vor dem Sieg Schluß machen? Soll ich
30 weiterfragen? Soll ich aufhören?"

Während Fräulein Wendell nachdenkt, stellt ein Besucher eine andere Station
ein.... „Ist Ihre Frau böse, weil sie keinen Pelzmantel hat? Sie glauben, Sie
können sich diesen Luxus nicht leisten. Kommen Sie mit Ihrer Frau zu Webers
Warenhaus und sehen Sie selbst, wie überraschend preiswert unsere wirklich eleganten
35 Pelzmäntel sind."

Zweiundzwanzigste Aufgabe

★ ★

Die Groszstadt spricht

I. Words and Phrases:

Die Großstadt spricht.

The metropolis speaks.

(Stimme des Ansagers)

(*Announcer's voice*)

Wir bringen jetzt unser Programm' „Die Großstadt spricht."

We will now bring you our program "The Metropolis Speaks."

    Sie werden gleich Herrn Baumers Stimme hören
irgendwo

    you will hear Mr. Baumer's voice immediately
somewhere or other

Sie werden gleich Herrn Baumers Stimme hören, der irgendwo in unserer Stadt die Leute auf der Straße interview'en wird.

The next voice you will hear will be that of Mr. Baumer who is going to interview the people on the street somewhere in our city.

„Ich stehe in der Hauptstraße vor dem Palast'ki'no; ich halte das Mikrophon' in die Straße, um Ihnen ein Klangbild, eine aku'stische Photographie', zu geben.

"I am standing on Main Street in front of the Palace movie theater; I am holding the microphone into the street in order to give you a sound-picture, an acoustic photograph.

(Man hört ratternde und klingelnde Straßenbahnen, ungeduldige Autohupen, eine vorbei'donnernde Hochbahn und die Rufe der Zeitungsverkäufer.)

(*One hears rattling and clanging streetcars, impatient automobile horns, an elevated train thundering past, and the cries of the newsvendors*).

    der Hörer, –s, —

    the listener, hearer

  * echt

  genuine

  * der Lärm, –s

  noise

    echter Straßenlärm

    genuine street-noise

Ja, meine Hörer, das klingt * sonderbar, wenn man es nicht sehen kann, das klingt wie Dschungelgeräusche, aber es ist echter Straßenlärm.

Yes, Ladies and Gentlemen of the Radio Audience, that sounds strange when you can't see it, it sounds like jungle-noises, but it is really the roar of the street.

Er ist * etwas lauter als gewöhnlich vielleicht', denn es ist Viertel nach fünf, und
viele Leute kommen jetzt von ihrer Arbeit,
aus Fabri'ken, aus Büros', aus Geschäften.

It is somewhat louder than usual perhaps, for it is quarter past five and
many people are coming from their
work now, from factories, from of-
fices, from stores.

Aus diesem Verkehrsstrom werde ich mir
ein paar Opfer für mein Interview
herausfischen.

I'm going to fish a couple of victims for
my interview out of this stream of
traffic.

... O, o! ich muß etwas falsch gemacht
haben, da kommt ein Schutzmann auf
mich zu, er sieht mich an, er meint mich,
hier ist er."

... Oh, oh! I must have done something wrong, there's a cop coming up
to me, he is looking at me, he means
me, here he is."

(Eine * grobe, * kräftige Stimme, die Stimme
des Schutzmanns.)

(*A rough, powerful voice, the voice of the policeman*).

„Sie, junger Mann, * treten Sie ein
bißchen zurück', Sie versperren hier den
Weg.

"You, young man, step back a bit, you
are blocking the way here.

der Kinobesucher, –s, —
* der Durchgang muß frei * bleiben.

the person at the movies
the passage must remain open

Der Durchgang für die Kinobesucher muß
frei bleiben."

Give the people room to get in and out
of the movies."

der Wachtmeister, –s, —
„Jawohl, Herr Wachtmeister! Ist es so
besser?"

the sergeant, policeman
"Yes, Officer! Is that better?"

was wollen Sie hier machen?

what do you intend to do here?

„Ja. Was wollen Sie hier machen?

"Yes, what are you doing here?

* Gehören Sie zu einer Rekla'mefir'ma?"

Do you belong to an advertising company?"

„Nein, ich bin Ra'diointerview'er; ich will
mich nur mit den Fußgängern vor dem
Mikrophon' unterhal'ten, so wie ich mich
jetzt mit Ihnen unterhal'te."

"No, I am a radio interviewer; I simply want to converse with the pas-
sers-by in front of the microphone,
just as I am conversing with you
now."

„O, deshalb halten Sie mir das Mikrophon' so * dicht unter die Nase.

"Oh, so that's why you're holding the
microphone so close up under my
nose.

Dann bin ich wohl Ihr erstes * Opfer?"

Then I suppose I am your first victim?"

* raten, riet, ich habe geraten, er rät

„Gut geraten, Herr Wachtmeister, aber können Sie nicht noch einen Augenblick hier bleiben?

Ich möchte gerne ein paar Fragen an Sie stellen."

es ist mir recht
es soll mir recht sein

„Na, wenn es nicht zu lange * dauert, soll's mir recht sein. Schießen Sie los!"

„Wie heißen Sie, Herr Wachtmeister?"

„Peter McGuire."

„Jetzt werden Sie glauben, ich mache mich über Sie lustig.

McGuire war der Mädchenname meiner Mutter.

Ich bin, wie Sie sehen, halbirisch.

Herr Wachtmeister, in Ihrem Beruf er= leben Sie viele aufregende Dinge.

Was war der interessan'teste Fall, den Sie * erlebt haben?"

„Das war vor drei Jahren.

* fertig

Ich war * gerade mit dem Dienst fertig und wollte nach Hause gehen, als mein Freund Gus Carlson auf mich zukam und sagte: ‚Peter, komm mit!

Hier hast du eine Zigar're; du ißt heute mit mir Abendbrot!'

Ich sage: ‚Also ein Junge! Na, da gra= tuliere ich, Gus.

Wo sollen wir hingehen?'

Gus sagt: ‚In Bauers Bierstube.

Bei Bauer gibt es heute Sauerkraut und Schweinsfüße; das ißt du doch gern?'

Bauers Restaurant ist heute im Norden bei der Zugbrücke, damals war es aber noch in der Kanal'stra'ße.

(to) guess

"You've guessed it, Officer, but can't you stay here a minute longer?

I would like to ask you some ques- tions."

it's all right with me
I'll agree to it.

"Well, if it doesn't take too long, it will be all right with me. Fire away!"

"What's your name, Officer?"

"Peter McGuire."

"Now you will think I am making fun of you.

McGuire was my mother's maiden name.

As you see, I'm half Irish.

Officer, in your profession you have many exciting experiences.

What was the most interesting case that you have experienced?"

"That was three years ago.

finished, ready

I was just coming off duty and was in- tending to go home, when my friend Gus Carlson came up to me and said, 'Peter, come along!

Here is a cigar for you; you're having supper with me today!'

I said: 'So it's a boy! Well, congratu- lations, Gus.

Where shall we go?'

Gus said, 'To Bauer's tavern.

They have sauerkraut and pigs' feet at Bauer's place today; you like that, don't you?'

Today Bauer's restaurant is up north, near the draw-bridge, but at that time it was still on Canal Street.

Es war schon spät, und wir wollten gerade bei der Kanal'stra'ße um die Ecke * biegen, als ich einen Schuß hörte.

It was already late and we were just about to turn the corner at Canal Street when I heard a shot.

herunter, runter

downward

Im nächsten Augenblick rannte * jemand aus einer Kneipe und wollte an uns vorbei' zum Fluß runter.

The next moment somebody ran out of a beer joint and wanted to go past us down to the river.

Dann kamen Leute gelaufen; die schrien: ‚Haltet ihn! Haltet ihn!‘

Then people came running; they screamed 'Stop him! Stop him!'

Ich wartete natür'lich nicht, * sondern jagte hinter dem Kerl her, so schnell ich konnte.

Of course, I didn't wait, but chased after the fellow as fast as I could.

* Plötzlich sprang er hinter einen Later'nenpfahl' und schoß.

Suddenly he jumped behind a lamp post and shot.

Ich drückte mich in eine Türöffnung und schoß zurück.

I squeezed myself into the opening of a door and shot back at him.

Wir * wechselten noch ein paar Schüsse, dann sprang der Kerl hinter der Later'ne hervor' und rannte über einen Bauplatz.

We exchanged a few more shots, then the fellow jumped out from behind the lamp post and ran across a building lot.

Er mußte wohl gedacht haben, ich hätte meine Munition' verschossen.

He must have thought I had used up my ammunition.

Da hatte er sich aber geirrt.

But there he had made a mistake.

Ich * zielte * sorgfältig und traf ihn ins * Bein.

I aimed carefully and hit him in the leg.

Die Jagd war zu Ende.

The chase was over.

Das war mein erster Fang.

That was my first catch.

Natür'lich ein seit langem gesuchter Verbrecher: Diebstähle, Einbrüche und derglei'chen mehr. (u. dgl. m.)

Of course, a criminal who had long been wanted: theft, burglary, and so on.

Na, heute sitzt er immer noch, wie Sie sich denken können.

Well, he is still in jail even to this day, as you can imagine.

Jetzt muß ich aber gehen, sonst schimpft meine Frau.

But now I have to go, otherwise my wife will bawl me out.

Verheiratet bin ich nämlich auch.“

You see, I am married too.”

„Danke schön, Herr Wachtmeister, das war sehr interessant', und ich weiß, Ihre drama'tische Beschreibung hat unseren Hörern * gefallen.“

Thank you very much, Officer, that was very interesting and I know our listeners liked your dramatic description.”

(Schluß folgt.)

(Conclusion follows.)

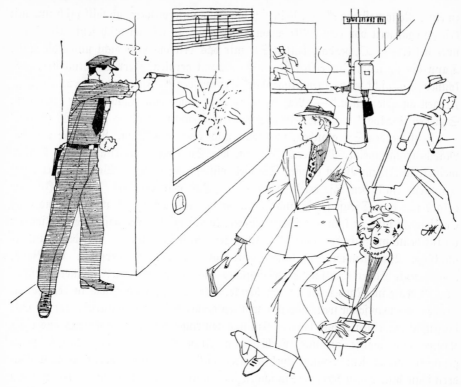

II. Text:

Die Großstadt spricht

(Stimme des Ansagers) Wir bringen jetzt unser Programm „Die Großstadt spricht."
Sie werden gleich Herrn Baumers Stimme hören, der irgendwo in unserer Stadt
die Leute auf der Straße interviewen wird.

„Ich stehe in der Hauptstraße vor dem Palastkino; ich halte das Mikrophon in die
Straße, um Ihnen ein Klangbild, eine akustische Photographie, zu geben. (Man hört 5
ratternde und klingelnde Straßenbahnen, ungeduldige Autohupen, eine vorbeidonnernde Hochbahn und
die Rufe der Zeitungsverkäufer.)   Ja, meine Hörer, das klingt sonderbar, wenn man es
nicht sehen kann, das klingt wie Dschungelgeräusche, aber es ist echter Straßenlärm.
Er ist etwas lauter als gewöhnlich vielleicht, denn es ist Viertel nach fünf, und viele
Leute kommen jetzt von ihrer Arbeit, aus Fabriken, aus Büros, aus Geschäften. Aus 10
diesem Verkehrsstrom werde ich mir ein paar Opfer für mein Interview herausfischen . . . O, o, ich muß etwas falsch gemacht haben, da kommt ein Schutzmann
auf mich zu, er sieht mich an, er meint mich, hier ist er."

(Eine grobe, kräftige Stimme, die Stimme des Schutzmanns.)

„Sie, junger Mann, treten Sie ein bißchen zurück, Sie versperren hier den Weg. 15
Der Durchgang für die Kinobesucher muß frei bleiben." — „Jawohl, Herr Wachtmeister! Ist es so besser?" — „Ja. Was wollen Sie hier machen? Gehören Sie

zu einer Reklamefirma?" — „Nein, ich bin Radiointerviewer; ich will mich nur mit
den Fußgängern vor dem Mikrophon unterhalten, ſo wie ich mich jetzt mit Ihnen
unterhalte." — „O, deshalb halten Sie mir das Mikrophon ſo dicht unter die Naſe.
Dann bin ich wohl Ihr erſtes Opfer?" — „Gut geraten, Herr Wachtmeiſter, aber
5 können Sie nicht noch einen Augenblick hier bleiben? Ich möchte gerne ein paar
Fragen an Sie ſtellen." — „Na, wenn es nicht lange dauert, ſoll's mir recht ſein.
Schießen Sie los!" — „Wie heißen Sie, Herr Wachtmeiſter? — „Peter McGuire."
— „Jetzt werden Sie glauben, ich mache mich über Sie luſtig. McGuire war der
Mädchenname meiner Mutter. Ich bin, wie Sie ſehen, halbiriſch. Herr Wacht=
10 meiſter, in Ihrem Beruf erleben Sie viele aufregende Dinge. Was war der inte=
reſſanteſte Fall, den Sie erlebt haben?" — „Das war vor drei Jahren. Ich war
gerade mit dem Dienſt fertig und wollte nach Hauſe gehen, als mein Freund Gus
Carlſon auf mich zu kam und ſagte: ‚Peter, komm mit! Hier haſt du eine Zigarre;
du ißt heute mit mir Abendbrot!' Ich ſage: ‚Alſo ein Junge! Na, da gratuliere
15 ich, Gus. Wo ſollen wir hingehen?' Gus ſagt: ‚In Bauers Bierſtube. Bei Bauer
gibt es heute Sauerkraut und Schweinsfüße; das ißt du doch gern?' Bauers Reſtau=
rant iſt heute im Norden bei der Zugbrücke, damals war es aber noch in der Kanal=
ſtraße. Es war ſchon ſpät, und wir wollten gerade bei der Kanalſtraße um die Ecke
biegen, als ich einen Schuß hörte. Im nächſten Augenblick rannte jemand aus einer
20 Kneipe und wollte an uns vorbei zum Fluß runter. Dann kamen Leute
gelaufen; die ſchrien: ‚Haltet ihn! Haltet ihn!' Ich wartete natürlich nicht, ſon=
dern jagte hinter dem Kerl her, ſo ſchnell ich konnte. Plötzlich ſprang er hinter einen
Laternenpfahl und ſchoß. Ich drückte mich in eine Türöffnung und ſchoß zurück.
Wir wechſelten noch ein paar Schüſſe, dann ſprang der Kerl hinter der Laterne hervor
25 und rannte über einen Bauplatz. Er mußte wohl gedacht haben, ich hätte meine
Munition verſchoſſen. Da hatte er ſich aber geirrt. Ich zielte ſorgfältig und traf
ihn ins Bein. Die Jagd war zu Ende. Das war mein erſter Fang. Natürlich ein
ſeit langem geſuchter Verbrecher: Diebſtähle, Einbrüche und dergleichen mehr.
(u. dgl. m.) Na, heute ſitzt er immer noch, wie Sie ſich denken können. Jetzt muß
30 ich aber gehen, ſonſt ſchimpft meine Frau. Verheiratet bin ich nämlich auch." —
„Danke ſchön, Herr Wachtmeiſter, das war ſehr intereſſant, und ich weiß, Ihre drama=
tiſche Beſchreibung hat unſeren Hörern gefallen."

Schluß folgt.

III. Comments:

1. *Variable Prefixes:*

There are three kinds of verb prefixes in German. The prefixes which are always inseparable are be–, ge–, emp–, ent–, er–, ver–, zer–. Examples: bekommen
(*obtain*), bekam, ich habe bekommen, er bekommt; geſtatten (*permit*), geſtattete, ich
habe geſtattet, er geſtattet. The separable prefixes, of which there are a great many,
are prepositions and adverbs which enter into close association with verbs.
Verbs with separable prefixes that you have had are: anfangen, anziehen, aufſtehen,

ausgeben, aufpassen, einladen, stattfinden, herankommen. Examples of the principal parts of two such separable compounds are: wie'derbringen (*bring back*), brachte... wieder, ich habe wiedergebracht, er bringt... wieder; un'terkommen (*find lodgings*), kam... unter, ich bin untergekommen, er kommt... unter.

But a certain number of prefixes are variable, that is, they may form either separable or inseparable compounds with verbs. The variable prefixes are durch, über, um, unter, wieder. The verbs wie'derbringen and un'terkommen above are separable compounds of the prefixes wieder and unter. Inseparable compounds of these prefixes are: wiederho'len (*repeat*), wiederholte, ich habe wiederholt, er wiederholt; unterhal'ten (*entertain*), unterhielt, ich habe unterhalten, er unterhält.

You see that in separable compounds the prefix bears the main stress and the perfect participle shows a ge– inserted between the separable prefix and the verb as in wiedergebracht, untergekommen. But in inseparable compounds the verb bears the main stress and there is no ge– in the perfect participle as in wiederholt, unterhalten. This means that the variable prefixes bear the stress in separable compounds but lose it in inseparable compounds.

2. *Idiomatic Use of the Past Participle:*

The past participle is used with kommen where English speakers would expect the present participle: er kam gelaufen — *he came running*, es kommt geflogen — *it comes flying.*

3. *Past Infinitive:*

You are already familiar with the present infinitive from the principal parts of verbs. The past infinitive of a verb is made up of its past participle and the infinitive of its tense auxiliary: bekommen haben — (*to*) *have obtained*, gesagt haben — (*to*) *have said*, gekommen sein — (*to*) *have come*, hinausgegangen sein — (*to*) *have gone out.* The chief use of the perfect infinitive is as a complement to a modal auxiliary: Ich muß etwas falsch gemacht haben — *I must have done something wrong;* Er kann das nicht gesagt haben — *He can't have said that.*

4. *Modal Auxiliaries: Compound Tenses.*

So far you have had the present and simple past tenses of the modal auxiliaries. The future tense forms are:

ich werde dürfen	I will be permitted to, *etc.*	ich werde können	I will be able to, *etc.*
du wirst dürfen		du wirst können	
er wird dürfen		er wird können	
wir werden dürfen		wir werden können	
ihr werdet dürfen		ihr werdet können	
sie werden dürfen		sie werden können	
Sie werden dürfen		Sie werden können	
ich werde mögen	I will like to, *etc.*	ich werde müssen	I will have to, *etc.*
ich werde sollen	I will be supposed to, *etc.*	ich werde wollen	I will want to, *etc.*

The present perfect and past perfect tenses of the modals, when they have no complementary infinitive, are:

ich habe gedurft	I have been allowed	ich hatte gedurft	I had been allowed
du hast gedurft	to, *etc.*	du hattest gedurft	to, *etc.*
er hat gedurft		er hatte gedurft	
wir haben gedurft		wir hatten gedurft	
ihr habt gedurft		ihr hattet gedurft	
sie haben gedurft		sie hatten gedurft	
Sie haben gedurft		Sie hatten gedurft	

ich habe gekonnt	I have been able to, *etc.*	ich hatte gekonnt	I had been able to, *etc.*
ich habe gemocht	I have liked to, *etc.*	ich hatte gemocht	I had liked to, *etc.*
ich habe gemußt	I have had to, *etc.*	ich hatte gemußt	I had had to, *etc.*
ich habe gesollt	I have been supposed to, *etc.*	ich hatte gesollt	I had been supposed to, *etc.*
ich habe gewollt	I have wanted to, *etc.*	ich hatte gewollt	I had wanted to, *etc.*

5. *Double Infinitive with Modal Auxiliaries:*

When a complementary infinitive is used with the modal auxiliaries in the perfect tenses, however, the past participle of the modal appears in a form which is identical with its present infinitive. Thus:

ich habe gehen dürfen	I have been (was) allowed to go *etc.*
ich habe kommen können	I have been (was) able to come *etc.*
ich hatte arbeiten müssen	I had had to work *etc.*
ich hatte spielen wollen	I had wanted to play *etc.*

Such combinations as kommen können, arbeiten müssen are known as the double infinitive. The double infinitive always comes last in a clause.

6. *Double Infinitive with other Verbs.*

Certain other verbs, the most common being helfen, hören, sehen, and lassen also take the double infinitive construction: Ich habe ihn kommen sehen. *I saw him come;* Er hatte den Schlüssel stecken lassen. *He had left the key inserted;* Wir haben ihn spielen hören. *We have heard him play.*

IV. Practice:

1. a. Da kommt eben ein Schutzmann auf uns zu.

über die Straße und auf uns zu.

b. Wir müssen etwas falsch gemacht haben.

c. Wir müssen etwas falsch gemacht haben, denn da kommt ein Schutzmann über die Straße und auf uns zu.

2. a. Wir haben den Weg versperrt.
        den Kinobesuchern den Weg versperrt.

b. Wir haben ein bißchen zurücktreten müssen.

c. Wir haben ein bißchen zurücktreten müssen, weil wir den Kinobesuchern den Weg versperrten.

3. a. Ich unterhalte mich mit dem Schutzmann.
    Ich unterhalte mich mit dem Schutzmann über seine aufregenden Erlebnisse.

b. Ich habe mich mit dem Schutzmann unterhalten.
    Ich habe mich mit dem Schutzmann über seine aufregenden Erlebnisse unterhalten.

c. Er hat sich mit dem Schutzmann unterhalten. etc.

4. Der Verbrecher rannte an der Türöffnung vorbei.
               Kneipe
          am Restaurant
             Kino

5. a. Sie versperrt den Weg.
    versperrte
    hat   versperrt.

b. Sie tritt ein bißchen zurück.
    trat
    ist   zurückgetreten.

c. Sie trat ein bißchen zurück, denn sie versperrte den Weg.

6. a. Herr Schröder ißt bei Bauer Sauerkraut und Schweinsfüße.
          aß

b. Ein Kerl kommt auf ihn zu und hält ihm einen Revolver unter die Nase.
    kam   hielt

c. Als Herr Schröder bei Bauer Sauerkraut und Schweinsfüße aß, kam ein Kerl auf ihn zu und hielt ihm einen Revolver unter die Nase.

7. a. Wachtmeister McGuires dramatische Beschreibung seines ersten Fanges gefällt uns.
    gefiel unseren Hörern.

b. Das können Sie sich denken.

c. Sie können sich denken, wie Wachtmeister McGuires dramatische Beschreibung seines ersten Fanges uns gefällt.

8. Jemand ist an uns vorbeigerannt.
   Es muß der Verbrecher gewesen sein.
   Es muß der Verbrecher gewesen sein, der an uns vorbeigerannt ist.

9. Ein Polizist erlebt viel.
      hat   erlebt.
      muß   erlebt haben.

10. a. Es dauert nicht lange.
       dauerte
       hat   gedauert.

   b. Der Kerl springt hinter dem Laternenpfahl hervor.
          sprang
          ist   hervorgesprungen.

   c. Es dauert nicht lange, bis der Kerl hinter dem Laternenpfahl hervorspringt.
      usw.

V. Exercises:

   A. *Questions:*

   1. Wo finden die Interviews für das Programm „Die Großstadt spricht" statt?
   2. Warum ist der Lärm der Hauptstraße um Viertel nach fünf ein bißchen stärker als gewöhnlich?
   3. Warum muß der Interviewer zurücktreten?
   4. Warum hält der Interviewer dem Schutzmann das Mikrophon unter die Nase?
   5. Welche von den interviewten Personen hat die aufregendsten Dinge erlebt?
   6. Wo ist Bauers Restaurant zur Zeit dieses Interviews?
   7. Wie konnte der Wachtmeister wissen, daß der Mann, der aus der Kneipe lief, ein Verbrecher war?
   8. Erschoß der Wachtmeister den Verbrecher?
   9. Wer war der erste Fang des Wachtmeisters?
   10. Warum muß der Wachtmeister schließlich gehen?

   B. *Translate:*

   1. Er muß etwas falsch gemacht haben, denn ein Schutzmann kommt auf ihn zu.
   2. Wie lange sitzt der Verbrecher schon?
   3. Wir wollten gerade ins Kino gehen, als ein Polizist auf uns zukam.
   4. Er wollte eben zum Fluß hinunter rennen, als ihn ein Schuß ins Bein traf.
   5. Hätte ich ihn nur sehen können!
   6. Ich unterhielt mich mit dem berühmten Schauspieler, Heinrich George.
   7. Er lief aus dem Haus, um nachzusehen, wen oder was sein Hund so ärgerlich anbellte.
   8. Ich möchte mir den Film noch einmal ansehen.
   9. Das kann nur Tarzan getan haben.
   10. Er muß schon nach Hause gegangen sein.

   C. *Rearrange:*

   1. hat . . . stellen wollen, ein paar Fragen, er, an der Ecke, an die Dame.
   2. ich, wenn, etwas, nicht, hätte, gemacht, so, der Schutzmann, auf mich zu, nicht, falsch, wäre . . . gekommen.

3. wollte, sich, die alte Dame, unterhalten, mit mir, über einen interessanten Kriminalfilm.
4. vor fünf Jahren, jeden Tag, es, Schweinsfüße und Sauerkraut, bei Bauer, gab.
5. dachte, ich, hätte . . . verschossen, meine Munition, der Kerl.

D. *Complete by means of the suitable clause or phrase. Translate:*
1. Nachdem sie ein paar Schüsse gewechselt hatten,
   a. lief der Verbrecher davon.
   b. kam er tief in Gedanken aus dem Kino.
   c. wollte er sich die interessante Photographie ansehen.

2. Ich habe mir den anderen Film ansehen müssen,
   a. obgleich ich das nicht wollte.
   b. trotzdem er eben gezeigt wurde.
   c. und rannte deshalb an dem Kino vorbei.

3. Er hat sich immer wieder fragen müssen,
   a. weil er bei Bauer Sauerkraut und Schweinsfüße aß.
   b. was er seiner Frau sagen sollte.
   c. obgleich der Mann ein seit langem gesuchter Verbrecher war.

4. Hätte der Schutzmann seine Munition verschossen,
   a. als der Bandit hinter den Laternenpfahl sprang.
   b. und der Bandit konnte zum Fluß hinunter laufen.
   c. so hätte er den Banditen nicht fangen können.

5. Während ich vor dem Kino stand und auf meinen Freund wartete,
   a. will sie sich mit mir unterhalten.
   b. donnerte eine Straßenbahn vorbei.
   c. kann ich ungeduldige Autohupen hören.

E. *Correct the misinformation:*
   1. Der Straßenlärm ist um zwei Uhr laut, denn viele Leute wollen nach Hause.
   2. Herr Baumer will den Leuten auf der Straße eine akustische Photographie geben.
   3. Der Schutzmann wollte seinem Freund Carlson eine Zigarre geben.
   4. Wachtmeister McGuire hat seine Munition verschossen.
   5. Der Schutzmann hat eine schöne, klangvolle Stimme.
   6. McGuire jagte an dem Verbrecher vorbei und an den Fluß hinunter.
   7. Der Wachtmeister zielte sorgfältig und traf den Kerl in den Arm.

F. *Connect by means of the conjunction indicated and translate:*
   1. (da)
      Er hörte zwei durch die Stille knallende Revolverschüsse.
      Er lief schnell um die Ecke um nachzusehen, was los war.

   2. (aber)
      Vor dem Schaufenster standen viele Leute, die ihr den Weg versperrten.
      Sie wollte sich die Pelzmäntel ansehen.

3. (wenn)

Seine Frau wird schimpfen.

Er geht jetzt nicht nach Hause.

4. (nachdem)

Sie hatten ein paar Schüsse gewechselt.

Der Bandit sprang ins Auto hinein und fuhr davon.

VI. Principal Parts:

heißen	hieß	ich habe geheißen	er heißt	be called
bleiben	blieb	ich bin geblieben	er bleibt	remain
schreien	schrie	ich habe geschrien	er schreit	scream
biegen	bog	ich habe gebogen	er biegt	bend, turn
schießen	schoß	es hat geschossen	es schießt	shoot
klingen	klang	ich habe geklungen	er klingt	sound
springen	sprang	ich bin gesprungen	er springt	jump
sprechen	sprach	ich habe gesprochen	er spricht	speak
treffen	traf	ich habe getroffen	er trifft	hit
kommen	kam	ich bin gekommen	er kommt	come
essen	aß	ich habe gegessen	er ißt	eat
geben	gab	ich habe gegeben	er gibt	give
sehen	sah	ich habe gesehen	er sieht	see
zurücktreten	trat ... zurück	ich bin zurückgetreten	er tritt ... zurück	step back
sitzen	saß	ich habe gesessen	er sitzt	sit
gefallen	gefiel	ich habe gefallen	er gefällt	like
halten	hielt	ich habe gehalten	er hält	hold
raten	riet	ich habe geraten	er rät	guess
laufen	lief	ich bin gelaufen	er läuft	run
stehen	stand	ich habe gestanden	er steht	stand
können	konnte	ich habe gekonnt	er kann	can, be able
müssen	mußte	ich habe gemußt	er muß	must, have to
sollen	sollte	ich habe gesollt	er soll	shall
wollen	wollte	ich habe gewollt	er will	want to
denken	dachte	ich habe gedacht	er denkt	think
rennen	rannte	ich bin gerannt	er rennt	run
bringen	brachte	ich habe gebracht	er bringt	bring
wissen	wußte	ich habe gewußt	er weiß	know

der Fußgänger, –s, —	pedestrian	der Verbrecher, –s, —	criminal
der Hörer, –s, —	listener	der Wachtmeister, –s, —	officer
der Kinobesucher, –s, —	moviegoer	der Zeitungsverkäufer, –s, —	newspaper vendor
der Radiointerviewer, –s, —	radio interviewer	das Opfer, –s, —	victim

das Viertel, –s, —	quarter		der Schutzmann, –s,	policeman
der Bauplatz, –es, ⸚e	building lot		. . .leute	
der Diebstahl, –s, ⸚e	theft		die Bierstube, —, –n	tavern
der Dienst, –es, –e	duty		die Hauptstraße, —, –n	main street
der Durchgang, –s, ⸚e	passage		die Kneipe, —, –n	beer joint
der Einbruch, –s, ⸚e	burglary		die Laterne, —, –n	lamp post
der Fang, –es, ⸚e	catch		die Nase, —, –n	nose
der Fluß, –es, ⸚e	river		die Photographie, —, –n	photograph
der Kerl, –es, –e	fellow		die Zigarre, —, –n	cigar
der Laternenpfahl, –s, ⸚e	lamp post		die Zugbrücke, —, –n	draw bridge
der Ruf, –es, –e	reputation		die Beschreibung, —, –en	description
der Schuß, –es, ⸚e	shot		die Fortsetzung, —, –en	continuation
der Schweinsfuß, –es, ⸚e	pig's foot		die Türöffnung, —, –en	doorway
der Verkehrsstrom,	stream of traf-		die Hochbahn, —, –en	elevated train
–s, ⸚e	fic		die Jagd, —, –en	chase
der Weg, –es, –e	way		die Straßenbahn, —, –en	streetcar
die Stadt, —, ⸚e	city		die Arbeit, —, –en	work
das Abendbrot, –s	supper		die Fabrik, —, –en	factory
das Dschungelgeräusch,	jungle noise		die Reklamefirma, —,	advertising
–es, –e			. . .firmen	company
das Ding, –es, –e	thing		das Interview, –s, –s	interview
das Klangbild, –es, –er	sound pic-		das Restaurant, –s, –s	restaurant
	ture			

VII. Securing the Vocabulary:

A.

echt	genuine		dauern	(to) last, take
der Lärm	noise		erleben	(to) experience
sonderbar	strange, odd		gerade	just
etwas	something, somewhat		fertig	finished, ready
grob	rough		biegen	(to) bend, turn
kräftig	strong, powerful		sondern	but
treten	step		plötzlich	suddenly
der Durchgang	passage		wechseln	(to) change, exchange
bleiben	(to) remain		zielen	(to) aim
gehören	(to) belong		sorgfältig	carefully
dicht	close		das Bein	leg
das Opfer	victim		gefallen	(to) like
raten	(to) guess		jemand	somebody

B.

feig(e) (1)	1. cowardly		hauptsächlich (5)	6. charming
die Gestalt (3)	2. stop		reizend (6)	7. take
aufhören (2)	3. form, shape		ausgezeichnet (4)	8. designate
der Sieg (9)	4. excellent		bezeichnen (8)	9. victory
ähnlich (10)	5. chiefly		nehmen (7)	10. similar

besitzen (2)	1. somewhere	überraschen (4)	6. remember
irgendwo (1)	2. possess, own	die Bedingung (3)	7. while, during
während (7)	3. condition	der Riese (8)	8. giant
der Teil (5)	4. surprise	eigentlich (10)	9. partly
sich erinnern (6)	5. part	teilweise (9)	10. really

der Unterschied (3)	1. imagine	wählen (2)	4. first of all
sich vorstellen (1)	2. choose, elect	die Tasche (6)	5. show
zunächst (4)	3. difference	zeigen (5)	6. pocket

VIII. Die Großstadt spricht: (*Rewritten*)

„Gleich werden Sie ein sehr sonderbares Konzert hören. (Man hört etwas, das wie
Dschungelgeräusche oder ultramoderne Musik klingt.) Ja, meine Hörer, das ist der Verkehrs=
lärm, den Sie jeden Abend kurz nach fünf auf unserer Hauptstraße hören können. Ich
stehe mit dem Mikrophon vor dem Palastkino. — Hören Sie den Donner? — Das
5 war eine Hochbahn. — Diese Straßenbahn, die Sie gerade vorbeirattern hörten und
die so ungeduldig klingelte, war, wie Sie sich denken können, ein sehr altes Modell. —
Können Sie den Jungen verstehen? — Es ist ein Zeitungsverkäufer, und er hat
eine Stimme wie eine Trompete.

Nun ist es aber Zeit, daß ich mit meinen Interviews beginne. Wer wird das
10 erste Opfer sein? Da kommt eine ältere Dame, mit der ich mich unterhalten möchte.
(Man hört den Interviewer rufen.) Einen Augenblick bitte — Ja, ich meine Sie.“
(Man hört eine ältere Frau lachen). „Ha, ha, ha, ich kann nicht singen.“ — „Aber
wir wollen wirklich nicht, daß Sie singen, wir wollen uns nur ein bißchen mit Ihnen
unterhalten. Tausende von Frauen wie Sie sitzen jetzt zu Hause oder besser, sind
15 bei der Hausarbeit und haben unsere Station eingestellt. Diese Frauen interessieren
sich dafür, wer Sie sind und was Sie tun. Können Sie einen Augenblick hier
bleiben? Ich möchte gerne ein paar einfache Fragen an Sie stellen.“ — „Na,
wenn es nicht lange dauert, soll's mir recht sein. Ich muß nämlich um sechs Uhr
zu Hause sein, sonst schimpft mein Mann. Wir haben heute sein Lieblingsessen,
20 Schweinsfüße und Sauerkraut.“ — „Ihr Mann kann nicht lange ärgerlich sein,
wenn er sein Lieblingsessen auf dem Tisch stehen sieht.“ — „Ha, ha, ha. Sie kennen
meinen Mann nicht. Wenn er von der Arbeit nach Hause kommt, schimpft er immer.
Sie wollen wissen, wie ich heiße. Ich heiße McGuire, mein Mädchenname war
McAllister.“ — „Jetzt werden Sie glauben, daß ich mich über Sie lustig mache, aber
25 der Mädchenname meiner Mutter war auch McAllister. Frau McGuire, woher
kommen Sie gerade?“ — „Ich komme von Webers Warenhaus, ich habe mir einen
automatischen Toaster gekauft. Mein Mann schimpft immer, wenn sein Toast
schwarz ist, besonders wenn er morgens keine Zeit hat. Er muß nämlich jeden Mor=
gen sehr früh ins Büro gehen. Er arbeitet für eine Reklamefirma. Vor einem Jahr
30 hat er in Detjens Radiogeschäft als Verkäufer gearbeitet, aber die Büroarbeit ge=

fällt ihm besser. Er kann nämlich nicht lange auf den Füßen stehen. Er hat" —
„Frau McGuire, das war sehr interessant, aber ich muß mit meinem Mikrophon
weitergehen, ich sehe, ich versperre hier den Durchgang für die Kinobesucher.

Ah, dort sehe ich Wachtmeister Blackwell. Viele unserer Hörer werden wissen,
daß Wachtmeister Blackwell vor zwei Wochen bei der Zugbrücke einen Mann heraus= 5
gefischt hat, der mit seinem Auto in den Fluß gefallen war. Ohne Wachtmei=
ster Blackwell hätten wir ein Verkehrsopfer mehr gehabt. — Wachtmeister
Blackwell, haben Sie einen Augenblick Zeit? — Wir möchten Sie intervie=
wen. Wir möchten von Ihnen hören, was der interessanteste Fall in Ihrem
aufregenden Beruf war. Können Sie uns etwas von Verbrechen, Ein= 10
brüchen, Diebstählen u. dgl. m. erzählen, mit denen Sie zu tun hatten?" — „Sie
wissen, ich bin jetzt Verkehrsschutzmann und erlebe nicht viel Aufregendes. Aber als
ich im Norden bei der Kanalstraße Dienst hatte, da habe ich viel erlebt." — „Wacht=
meister Blackwell, was war Ihr erster Fang? Wer war der erste Verbrecher, den
Sie gefangen haben?" — „Hm, das war vor zehn Jahren. Es war kein Berufs= 15
verbrecher, nur ein Amateur, ein junger Kerl. Der dachte, es wäre leichter, den
Leuten einen Revolver unter die Nase zu halten als zu arbeiten. Der Mann hieß —
hm, ich habe den Namen vergessen." — „Können Sie uns beschreiben, wie Sie den
Mann fingen?" — „Ja, das werde ich nie vergessen. Ich war damals noch nicht
verheiratet und aß oft in Fritz Bauers Restaurant Abendbrot. Fritz Bauer hatte 20
damals ein Restaurant mit einer Bierstube in der Kanalstraße. Die Bierstube war
neben dem Restaurant. Ich war gerade mit dem Essen fertig, als jemand in der
Bierstube sagte: ‚Hände hoch, oder ich schieße!‘ Durch die Türöffnung sah ich, wie
ein junger Kerl mit einem Revolver vor Fritz stand. Ich wollte gerade in die Bier=
stube laufen, da sah mich Fritz und schrie ‚Hilfe‘. Der Bandit sprang aus der Tür 25
und lief auf die Straße. Ich wartete nicht und rannte hinter ihm her. Das hatte
ich falsch gemacht. Als ich auf die Straße kam, stand der Bandit hinter einer Laterne
und schoß. Ich drückte mich in die Türöffnung und schoß zurück. Wir wechselten
noch ein paar Schüsse. Als der Bandit seine Munition verschossen hatte, rannte er
über einen Bauplatz, aber da kam Wachtmeister Lennert gelaufen. Lennert hatte das 30
Schießen gehört, und als der Bandit an ihm vorbei zum Fluß rennen wollte, schoß
er ihn in die Schulter. Jetzt erst sah ich, daß der erste Schuß des Banditen gut ge=
zielt war. Er hatte mich ins rechte Bein getroffen." — „Danke schön, Herr Wacht=
meister. Ihre dramatische Beschreibung war sehr interessant. Ich danke Ihnen
auch im Namen meiner Hörer."

Die Groszstadt spricht (Schlusz)

I. Words and Phrases:

Die Großſtadt ſpricht (Schluß)

The metropolis speaks (*Conclusion*)

„Hoffentlich haben wir mit unſerem nächſten Opfer auch Glück.

"I hope we'll have luck with our next victim, too.

Ein älterer Herr, er hat es nicht * eilig, er ſteht vor einem Schaufenſter.

An elderly gentleman, he is in no hurry, he is standing in front of a show window.

Entſchuldigen Sie, dürften wir für unſere Hörer ein paar Fragen an Sie ſtellen?"

Pardon me, might we ask you a few questions for our listeners?"

„Fragen Sie, ich werde antworten, wenn ich kann.

"Go ahead and ask, I'll answer if I can.

Mein Name iſt Henry Schröder, ich bin Photograph', ſechsundfünfzig Jahre alt und unverheiratet."

My name is Henry Schröder, I am a photographer, fifty-six years old and single."

„Das * ſpart uns Zeit, Herr Schröder.

"That saves time for us, Mr. Schröder.

Sind Sie Portrait'photograph'?"

Are you a portrait photographer?"

„Ja, aber ich photographiere auch andere Dinge und manchmal ſehr * ſeltſame."

"Yes, but I photograph other things, too, and sometimes very odd ones."

man will ſeltſame Dinge von Ihnen photographiert haben

one wants to have odd things photographed by you

„So? Können Sie uns ein bißchen mehr von dieſen ſeltſamen Dingen erzählen, die man von Ihnen photographiert haben will?"

"So? Can you tell us a little more about these odd things that people want you to take pictures of?"

wo ich da anfangen ſoll

where I am to start

„O, ich weiß gar nicht, wo ich da anfangen ſoll.

"Oh, I have no idea where to start.

Lassen Sie mich mal nachdenken.

Let me think about it.

Vor vielen Jahren, es muß gleich nach dem ersten Weltkrieg gewesen sein, da kam ein Mann zu mir, der wollte seine Heimatstadt photographiert haben.

Many years ago, it must have been right after the first World War, a man came to me, he wanted to have his home town photographed.

Seine Heimatstadt war irgendein kleines * Städtchen in den Südstaaten.

His home town was some tiny little place in the South.

Den Namen hab ich vergessen; ich glaube, es war irgendwo in Georgia.

I have forgotten the name; I think it was somewhere in Georgia.

wie stellt er sich das vor?

how does he imagine that?

Ich fragte ihn, wie er sich das vorstellte.

I asked him what he had in mind.

Der Mann wollte eine Art Panora'ma haben.

The man wanted to have a kind of panorama.

Ich mußte auf verschiedene * Dächer klettern und von da Aufnahmen machen.

I had to climb up on different roofs and take pictures from there.

Die Reisekosten hat er mir natür'lich bezahlt.

Of course, he paid my traveling expenses.

Ältere Damen wollen ihre Tierlieblinge, Hunde, Katzen, Kana'riĕnvö'gel, Papagei'en photographiert haben.

Older ladies want to have pictures taken of their animal pets, dogs, cats, canaries, parrots.

Und wenn die Tiere * krank sind, fragen sie mich oft auch noch um * Rat: ‚Ich glaube mein Fifi hat Lungenentzündung; glauben Sie, daß Prinz Fieber hat?'

And when the animals are sick they even often ask me for advice as well: ‚I believe my Fifi has pneumonia; do you think Prince has a fever?'

Als * ob ich ein * Tierarzt wäre!"

As if I were a veterinary!"

„Was für Aufnahmen machen Sie am liebsten?"

"What kind of pictures do you like to take best?"

die Perso'nenauf'nahme, —, –n

the picture of a person or persons

„Perso'nenauf'nahmen, ältere Leute.

"Human subjects, older people.

wenn es nötig ist

when it's necessary

Die beißen nicht, sitzen still und * lächeln, wenn es nötig ist."

They don't bite, sit still and smile when it's necessary."

„Was für Personenaufnahmen machen Sie nur ungern?"

"What kind of pictures of human subjects don't you like to take?"

„Gruppenaufnahmen. Da ist immer einer in der Gruppe, der im letzten Augenblick einen * Witz macht oder eine * unvernünftige Frage stellt.

"Group pictures. There is always somebody in the group who makes a joke at the last moment or asks a senseless question.

stecken lassen

(to) leave sticking

Oder wenn ich alles eingestellt habe, erinnert sich plötzlich einer, daß er seine * Schlüssel im Auto hat stecken lassen, und läuft auf die Straße, um nachzusehen, und so weiter (usw.)."

Or when I have focussed everything, somebody suddenly remembers that he has left his keys in the car and runs out into the street to look after it, and so on."

„Woher kommen Sie gerade, Herr Schröder?"

"Where are you just coming from, Mr. Schröder?"

das Essen, –s

the eating, meal

„Ich komme gerade vom Essen."

"I have just had something to eat."

„Wohin gehen Sie?"

"Where are you going?"

„Ich gehe ins Kino."

"I'm going to the movies."

„Welchen Film haben Sie sich ausgesucht?"

"What picture have you decided on?"

„Es ist ein alter Film im Kino an der Ecke: ,Bring sie leben'dig zurück'.

"It's an old film in the movie theater on the corner: 'Bring Them Back Alive'.

Ich sehe Tierfilme am liebsten."

I like animal pictures best."

„Das glaube ich.

"I can believe that.

Sie sind * Fachmann und kennen die Schwierigkeiten bei Tieraufnahmen."

You are an expert and know the difficulties in taking pictures of animals."

„Na, da ist ein Unterschied.

"Well, there is a difference.

Tiger und Riesenschlangen sind * schließlich doch schwerer zu photographieren als ein bellendes Schoßhündchen oder ein alter, verbitterter Kater, der beißt und kratzt, wenn man ihn in Photographierstellung bringen will."

• After all, tigers and pythons are harder to photograph than a barking lap dog or a nasty old tomcat that bites and scratches when you want to pose him."

„Nun, glauben Sie nicht, daß die Wildtieraufnahmen schließlich auch Gewohnheitssache werden?"

"Well, don't you think that wild animal shots finally become a matter of routine too?"

„Nein, das glaube ich nicht."

"No, I don't think so."

„Wir danken Ihnen, Herr Schröder. Es war sehr interessant'. Guten Abend."

"We thank you, Mr. Schröder. That was very interesting. Good evening."

„Guten Abend."

"Good evening."

„Da kommt ein Mann tief in Gedanken aus dem Kino. Hallo!

"There's a man coming out of the movies lost in thought. Oh say!

Ja, Sie; würden Sie mir einen * Gefallen tun?	Yes, you; would you do me a favor?
Kommen Sie doch bitte hierher zum Mikrophon'!	Please come over here to the microphone.
Wir wollen nur ein paar harmlose Fragen stellen.	We just want to ask a few innocent questions.
Unsere Hörer wollen gerne * erfahren, was ihre Mitbürger tun, denken, lieben und hoffen.	Our listeners are very much interested to find out what their fellow citizens do, think, love, and hope.
Sie waren gerade im Kino.	You have just been in the movies.
Welchen Film haben Sie eben gesehen?"	What picture have you just seen?"
„Tarzan entrinnt'."	"'Tarzan Escapes'."
„Sehen Sie Tarzanfilme gerne?"	"Do you like Tarzan pictures?"
„Nein."	"No."
„Das ist interessant', Herr . . . Sehen Sie, jetzt habe ich vergessen, Sie nach Ihrem Namen zu fragen.	"That's interesting, Mr. . . . you see, now I have forgotten to ask you your name.
Wie heißen Sie?"	What's your name?"
„Aloysius Xavier Baumgartner."	"Aloysius Xavier Baumgartner."
„Herr Baumgartner, woher kommt Ihre Fami'lie?"	"Mr. Baumgartner, where does your family come from?"
„Aus Bubikon."	"From Bubikon."
„O, wo ist denn das?"	"Oh; well, where is that?"
„Das ist doch in der Schweiz.	"That's in Switzerland, of course.
Bubikon ist doch nicht weit vom Züricher See!"	Why, Bubikon isn't far from Lake Zürich."
„Ja, natür'lich. Wie dumm von mir, nicht zu wissen, wo Bubikon ist.	"Yes, of course. How stupid of me not to know where Bubikon is.
Herr Bubikon, ha, ha, entschuldigen Sie, Herr Baumgartner, Sie sagten eben, daß Sie sich nicht für Tarzanfilme interessieren.	Mr. Bubikon, ha, ha, excuse me, Mr. Baumgartner, you said just now that you don't care for Tarzan pictures.
Warum haben Sie sich ‚Tarzan entrinnt' angesehen?"	Why did you see 'Tarzan Escapes'?

„Ich habe den Tarzanfilm doch gar nicht sehen wollen.

"But I didn't want to see the Tarzan picture at all.

Ich habe doch *‚Das Geheimnis des schwar= zen * Schlosses' sehen wollen."

What I wanted to see was 'The Secret of the Black Castle'."

„Hat es Ihnen gut gefallen?"

"Did you like it?"

„Ja, sehen Sie, der Fremde war ein Detek= tiv', und wissen Sie, wer die schwarze Maske war?"

"Yes, you see, the stranger was a de- tective and do you know who the Black Mask was?"

„Nein, ich habe den Film leider nicht ge= sehen."

"No, I'm sorry but I haven't seen the picture."

„Das war der Briefträger * unten aus dem Dorf.

"That was the postman from down in the village.

Der hat all die Leute umgebracht.

He was the one that killed all the people.

Er hat die Briefe gelesen und wußte immer, wer Geld kriegte."

He read the letters and always knew who got money."

„Na, das war alles sehr interessant'. Wir danken Ihnen, Herr Baumgartner.

"Well, that was all very interesting. Thank you, Mr. Baumgartner.

Da kommt ein Fräulein mit einer Fasa'nen= fe'der am Hut.

There comes a young lady with a pheasant feather on her hat.

O Fräulein, kommen Sie doch bitte einen Augenblick her! (Man hört einen angstvollen Schrei.)

Oh Miss, please come here a moment! (*One hears a frightened scream.*)

Das tut mir leid, sie ist uns davon'gelau'= fen.

I'm sorry, she ran away from us.

* schaden, schadete, es hat geschadet

(to) harm

Aber das schadet nichts. Unsere Zeit ist sowieso schon um, und wir müssen jetzt Schluß machen.

But that makes no difference. Our time is up now anyway and we have to stop now.

II. Text:

Die Großstadt spricht (Schluß)

„Hoffentlich haben wir mit unserem nächsten Opfer auch Glück. Ein älterer Herr, er hat es nicht eilig, er steht vor einem Schaufenster. Entschuldigen Sie, dürften wir für unsere Hörer ein paar Fragen an Sie stellen?" — „Fragen Sie, ich werde ant= worten, wenn ich kann. Mein Name ist Henry Schröder, ich bin Photograph, sechs= undfünfzig Jahre alt und unverheiratet." — „Das spart uns Zeit, Herr Schröder. 5 Sind Sie Portraitphotograph?" — „Ja, aber ich photographiere auch andere Dinge und manchmal sehr seltsame." — „So? Können Sie uns ein bißchen mehr von diesen seltsamen Dingen erzählen, die man von Ihnen photographiert ha'en will?" — „O, ich weiß gar nicht, wo ich da anfangen soll. Lassen Sie mich mal nachdenken. Vor vielen Jahren, es muß gleich nach dem ersten Weltkrieg gewesen sein, da kam ein 10 Mann zu mir, der wollte seine Heimatstadt photographiert haben. Seine Heimat= stadt war irgendein kleines Städtchen in den Südstaaten. Den Namen hab ich vergessen; ich glaube, es war irgendwo in Georgia. Ich fragte ihn, wie er sich das vorstellte. Der Mann wollte eine Art Panorama haben. Ich mußte auf ver= schiedene Dächer klettern und von da Aufnahmen machen. Die Reisekosten hat er 15 mir natürlich bezahlt. Ältere Damen wollen ihre Tierlieblinge, Hunde, Katzen,

Kanarienvögel, Papageien photographiert haben. Und wenn die Tiere krank ſind, fragen ſie mich oft auch noch um Rat: ‚Ich glaube, mein Fifi hat Lungenentzündung; glauben Sie, daß Prinz Fieber hat?‘ Als ob ich ein Tierarzt wäre!“ — „Was für Aufnahmen machen Sie am liebſten?“ — „Perſonenaufnahmen, ältere Leute. Die
5 beißen nicht, ſitzen ſtill und lächeln, wenn es nötig iſt.“ — „Was für Perſonen= aufnahmen machen Sie nur ungern?“ — „Gruppenaufnahmen. Da iſt immer einer in der Gruppe, der im letzten Augenblick einen Witz macht oder eine unvernünftige Frage ſtellt. Oder wenn ich alles eingeſtellt habe, erinnert ſich plötzlich einer, daß er ſeine Schlüſſel im Auto hat ſtecken laſſen, und läuft auf die Straße, um nachzuſehen,
10 und ſo weiter (uſw.).“ — „Woher kommen Sie gerade, Herr Schröder?“ — „Ich komme gerade vom Eſſen.“ — „Wohin gehen Sie?“ — „Ich gehe ins Kino.“ — „Welchen Film haben Sie ſich ausgeſucht?“ — „Es iſt ein alter Film im Kino an der Ecke: ‚Bring ſie lebendig zurück‘. Ich ſehe Tierfilme am liebſten.“ — „Das glaube ich. Sie ſind Fachmann und kennen die Schwierigkeiten bei Tieraufnah=
15 men.“ — „Na, da iſt ein Unterſchied. Tiger und Rieſenſchlangen ſind ſchließlich doch ſchwerer zu photographieren als ein bellendes Schoßhündchen oder ein alter ver= bitterter Kater, der beißt und kratzt, wenn man ihn in Photographierſtellung bringen will.“ — „Nun, glauben Sie nicht, daß die Wildtieraufnahmen ſchließlich auch Ge= wohnheitsſache werden?“ — „Nein, das glaube ich nicht.“ — „Wir danken Ihnen,
20 Herr Schröder. Es war ſehr intereſſant. Guten Abend.“ — „Guten Abend.“

„Da kommt ein Mann tief in Gedanken aus dem Kino. Hallo! Ja, Sie; würden Sie mir einen Gefallen tun? Kommen Sie doch bitte hierher zum Mikrophon! Wir wollen nur ein paar harmloſe Fragen ſtellen. Unſere Hörer wollen gerne erfahren, was ihre Mitbürger tun, denken, lieben und hoffen. Sie waren gerade
25 im Kino. Welchen Film haben Sie eben geſehen?“ — „‚Tarzan entrinnt.‘“ — „Se= hen Sie Tarzanfilme gerne?“ — „Nein.“ „Das iſt intereſſant, Herr . . . Sehen Sie, jetzt habe ich vergeſſen, Sie nach Ihrem Namen zu fragen. Wie heißen Sie?“ — „Aloyſius Xavier Baumgartner.“ — „Herr Baumgartner, woher kommt Ihre Familie?“ — „Aus Bubikon.“ — „O, wo iſt denn das?“ — „Das iſt doch in der
30 Schweiz. Bubikon iſt doch nicht weit vom Züricher See!“ — „Ja, natürlich. Wie dumm von mir, nicht zu wiſſen, wo Bubikon iſt. Herr Bubikon, ha, ha, entſchuldigen Sie, Herr Baumgartner, Sie ſagten eben, daß Sie ſich nicht für Tarzanfilme in= tereſſieren. Warum haben Sie ſich ‚Tarzan entrinnt‘ angeſehen?“ — „Ich habe den Tarzanfilm doch gar nicht ſehen wollen. Ich habe doch ‚Das Geheimnis des
35 ſchwarzen Schloſſes‘ ſehen wollen.“ — „Hat es Ihnen gut gefallen?“ — „Ja, ſehen Sie, der Fremde war ein Detektiv, und wiſſen Sie, wer die ſchwarze Maske war?“ — „Nein, ich habe den Film leider nicht geſehen.“ — „Das war der Briefträger unten aus dem Dorf. Der hat all die Leute umgebracht. Er hat die Briefe geleſen und wußte immer, wer Geld kriegte.“ — „Na, das war alles ſehr intereſſant. Wir
40 danken Ihnen, Herr Baumgartner.“

„Da kommt ein Fräulein mit einer Faſanenfeder am Hut. O Fräulein, kommen

Sie doch bitte einen Augenblick her! (Man hört einen angstvollen Schrei.) Das tut mir leid, sie ist uns davongelaufen. Aber das schadet nichts. Unsere Zeit ist sowieso schon um, und wir müssen jetzt Schluß machen.

III. Comments:

1. *Mixed verbs:*

As you already know, a weak verb is one which forms its simple past tense and past participle by adding the tense sign –t– to the infinitive stem: sagen (*say*), sagte, ich habe gesagt. And a strong verb is one which forms its simple past tense and past participle by a change of vowel in the stem: treten (*step*), trat, ich bin getreten. There are also a number of mixed verbs which both add the tense sign –t– and change the stem vowel: rennen (*run*), rannte, ich bin gerannt. The mixed verbs are:

brennen	(burn)	brannte	es hat gebrannt	es brennt
bringen	(bring)	brachte	ich habe gebracht	er bringt
denken	(think)	dachte	ich habe gedacht	er denkt
kennen	(know)	kannte	ich habe gekannt	er kennt
nennen	(name)	nannte	ich habe genannt	er nennt
rennen	(run)	rannte	ich bin gerannt	er rennt
senden	(send)	sandte	ich habe gesandt	er sendet
		(sendete)	(gesendet)	
wenden	(turn)	wandte	ich habe gewandt	er wendet
		(wendete)	(gewendet)	
wissen	(know)	wußte	ich habe gewußt	er weiß

2. *The Future Perfect Tense:*

The indicative mood is the mood of fact. It has six tenses, of which you have studied five, or all but the future perfect tense, which is not frequently used. The tense auxiliary werden is used with the past infinitive of a verb to form its future perfect tense: ich werde gesagt haben — *I will have said* and ich werde gekommen sein — *I will have come.* (*For complete paradigms see Appendix §§ 32–33*)

ich werde gesagt haben	ich werde gekommen sein
du wirst gesagt haben	du wirst gekommen sein
er, sie, es wird gesagt haben	er, sie, es wird gekommen sein
wir werden gesagt haben	wir werden gekommen sein
ihr werdet gesagt haben	ihr werdet gekommen sein
sie werden gesagt haben	sie werden gekommen sein
Sie werden gesagt haben	Sie werden gekommen sein

IV. Practice:

1. a. Herr Schröder muß nachdenken.
   darüber nachdenken, was er erzählen soll.

   b. Herr Schröder hat nachdenken müssen.
   Herr Schröder hat darüber nachdenken müssen, was er erzählen sollte.

2. a. Herr Pechvogel ließ seine Schlüssel im Auto stecken.
                    hat   laſſen.

   b. Herr Pechvogel lief auf die Straße.
                    iſt   gelaufen.

   c. Herr Pechvogel iſt auf die Straße gelaufen, um nachzuſehen, ob er ſeine Schlüſſel im Auto hat ſtecken laſſen.

3. a. Herr Baumgartner ſieht ſich die intereſſante Photographie an.
                    hat   angeſehen.

   b. Herr Baumgartner will ſich die intereſſante Aufnahme anſehen.
                    hat   wollen.

4. a. Er will nur den Tarzanfilm ſehen.
      Er will nur den Tarzanfilm ſehen, aber er muß ſich auch den andern Film anſehen.
      Er wollte nur den Tarzanfilm ſehen, aber er hat ſich auch den andern Film anſehen müſſen.

   b. Er kommt eben aus dem Kino an der Ecke, wo der Tarzanfilm ſpielt.

   c. Er muß den Tarzanfilm geſehen haben, denn er kommt eben aus dem Kino an der Ecke, wo dieſer Film ſpielt.

5. a. Er rennt auf die Straße.
              rannte
              iſt   gerannt.

   b. Er will nachſehen, ob er ſein Auto vor dem Hauſe hat ſtehen laſſen.
      Er wollte   hatte

   c. Er rennt auf die Straße, um nachzuſehen, ob er ſein Auto vor dem Hauſe hat ſtehen laſſen.

6. a. Er weiß, wer die ſchwarze Maske iſt.
      Er wußte,   war.

   b. Er hat die ganze Zeit gewußt, daß die ſchwarze Maske die Leute aus dem Dorf umgebracht hat.

7. a. Ich kenne ihn, aber ich kann mich nicht an ſeinen Namen erinnern.
      Er kennt   er   ſich
      Wir kennen   wir können uns

   b. Ich kannte ihn, aber ich konnte mich nicht an ſeinen Namen erinnern.
      Er   er   ſich
      Wir kannten   wir konnten uns

8. Herr Schröder intereſſiert ſich am meiſten für Tierfilme, denn er weiß, wie ſchwierig es iſt, gute Tieraufnahmen zu machen.
  Herr Schröder intereſſiert ſich am meiſten für Tierfilme, denn er kennt die Schwierig=keiten bei Tieraufnahmen.

9. Sieh mal bitte nach, ob die Katze immer noch auf dem Dach ſitzt!
                        der Tarzanfilm im Kino an der Ecke ſpielt!
                        alles fertig iſt!

V. Exercises:

A. *Questions:*

1. Was wollte der Interviewer von dem Photographen Schröder erzählt haben?
2. Was war eine der seltsamsten Aufnahmen, die Schröder machen mußte?
3. Hatte Schröder Unkosten, als er das Panorama des Städtchens photographierte?
4. Was mußte Herr Schröder tun, um diese Aufnahmen machen zu können?
5. Zu wem sollte man mit kranken Hunden oder Katzen gehen?
6. Warum macht Herr Schröder nur ungern Gruppenaufnahmen?
7. Warum photographiert er am liebsten ältere Leute?
8. Wie erklärt der Interviewer, daß Herr Schröder Tierfilme am liebsten sieht?
9. Wo liegt das Städtchen Bubikon?
10. Warum hat der Briefträger all die Leute umgebracht?
11. Warum kann der Interviewer das Fräulein mit der Fasanenfeder am Hut nicht interviewen?

B. *Translate:*

1. Haben Sie es wirklich so eilig, daß Sie schon gehen müssen?
2. Sie interessiert sich besonders für die Riesenschlangen in den Tierfilmen.
3. Der verbitterte alte Schoßhund hat ihn ins linke Bein gebissen.
4. Er ist Fachmann und deshalb interessiert er sich besonders für diesen Fall.
5. Sie würden mir damit einen großen Gefallen tun.

C. *Rearrange and translate:*

1. auf verschiedene Dächer, klettern, er, mußte, um ... zu photographieren, das Dorf.
2. der Verkehrsschutzmann, hat ... gebracht, den unvernünftigen Autofahrer, aufs Polizeibüro.
3. der kleine Hund, an Lungenentzündung, ist ... gestorben, obgleich, kam, der berühmte Tierarzt, Doktor Lyon, gleich.
4. kam ... vor, ihm, es, als, der Film, hätte ... gedauert, schon lange.
5. vor vielen Jahren, habe ... gelesen, ich, einen Kriminalroman, in dem, umge= bracht hat, der Detektiv, all die Leute.

D. *In the following exercise are a number of words or phrases, each followed by three statements. Determine which statement is in some way associated with the key word:*

1. **der Radiointerviewer**

    a. Er hat uns drei mit Fall gebildete Wortzusammensetzungen genannt.
    b. Er interessiert sich am meisten für die Tiger in den Tierfilmen.
    c. Er hat schon sein erstes Opfer aus dem Verkehrsstrom herausgefischt.

2. **die Hauptstraße**

    a. Die Hochbahn donnerte eben vorbei.
    b. Der Verbrecher hat die Frage falsch beantwortet.
    c. Es ist immer sehr ruhig dort.

3. **das Polizeibüro**

   a. Ich aß gerade Schweinsfüße mit Sauerkraut.

   b. Wenn ich nicht so schnell gefahren wäre, wäre ich jetzt nicht hier.

   c. Dort stand eine Frau, die sich die eleganten Pelzmäntel im Schaufenster ansah.

4. **die Gewohnheitssache**

   a. Die junge Dame, die der Ansager eben interviewen wollte, ist davongelaufen.

   b. Ich habe diesen Film schon einmal gesehen, aber das schadet nichts, denn ich würde ihn mir ganz gerne noch einmal ansehen.

   c. Seit vierzehn Jahren bringt uns derselbe alte Briefträger die Post.

E. *Correct the misinformation:*

1. Die Dame mit der Fasanenfeder am Hut sieht aus, als hätte sie es sehr eilig.
2. Herr Schröder will den Leuten auf der Straße ein Klangbild oder eine akustische Photographie geben.
3. Herr Baumgartner hat sich ‚Das Geheimnis des schwarzen Schlosses‘ ansehen müssen.
4. Herr Schröder macht Gruppenaufnahmen gerne.
5. Der Mann aus Georgia wollte seine Tierlieblinge photographiert haben.

F. *Connect by means of the conjunction indicated and translate:*

1. (nachdem)

   Der Kater hatte den Tierarzt in den Finger gebissen.

   Er kletterte aufs Dach.

2. (weil)

   Er hatte die Briefe gelesen.

   Der Briefträger wußte immer, wer Geld bekam.

3. (als)

   Wir mußten alle über den Witz lachen, den Herr Baumgartner machte.

   Der Photograph hatte alles eingestellt.

4. (ob)

   Die Katze sitzt noch immer auf dem Dach.

   Sieh mal bitte nach!

VI. Principal Parts:

beißen	biß	ich habe gebissen	er beißt	bite
sprechen	sprach	ich habe gesprochen	er spricht	speak
entrinnen	entrann	ich bin entronnen	er entrinnt	escape
kommen	kam	ich bin gekommen	er kommt	come
lesen	las	ich habe gelesen	er liest	read
sehen	sah	ich habe gesehen	er sieht	see
nachsehen	sah … nach	ich habe nachgesehen	er sieht … nach	look
vergessen	vergaß	ich habe vergessen	er vergißt	forget
sitzen	saß	ich habe gesessen	er sitzt	sit
erfahren	erfuhr	ich habe erfahren	er erfährt	find out

gefallen	gefiel	ich habe gefallen	er gefällt	please
laufen	lief	ich bin gelaufen	er läuft	run
davonlaufen	lief . . . davon	ich bin davongelaufen	er läuft . . . davon	run away
anfangen	fing . . . an	ich habe angefangen	er fängt . . . an	begin
lassen	ließ	ich habe gelassen	er läßt	let
heißen	hieß	ich habe geheißen	er heißt	be called
sein	war	ich bin gewesen	er ist	be
gehen	ging	ich bin gegangen	er geht	go
stehen	stand	ich habe gestanden	er steht	stand
tun	tat	ich habe getan	er tut	do
dürfen	durfte	ich habe gedurft	er darf	may, be permitted
müssen	mußte	ich habe gemußt	er muß	must, have to
können	konnte	ich habe gekonnt	er kann	can, be able
sollen	sollte	ich habe gesollt	er soll	shall
wollen	wollte	ich habe gewollt	er will	want to
denken	dachte	ich habe gedacht	er denkt	think
nachdenken	dachte . . . nach	ich habe nachgedacht	er denkt . . . nach	think about
kennen	kannte	ich habe gekannt	er kennt	know
bringen	brachte	ich habe gebracht	er bringt	bring
umbringen	brachte . . . um	ich habe umgebracht	er bringt . . . um	kill
zurückbringen	brachte . . . zurück	ich habe zurückgebracht	er bringt . . . zurück	bring back

der Briefträger, —s, —	postman	der Schluß, —es, ⸚e	end, conclusion
der Gefallen, —s, —	favor	der Schrei, —s, —e	scream
der Kanarienvogel, —s, ⸚	canary	der Tierarzt, —es, ⸚e	veterinary
der Kater, —s, —	tomcat	der Tierfilm, —s, —e	animal film
der Mitbürger, —s, —	fellow citizen	der Tierliebling, —s, —e	animal pet
der Schlüssel, —s, —	key	der Weltkrieg, —es, —e	World War
der Tiger, —s, —	tiger	der Witz, —es, —e	joke
das Schaufenster, —s, —	show window	das Geheimnis, . . .nis= ses, . . .nisse	secret
das Schoßhündchen, —s, —	lap dog	das Tier, —es, —e	animal
das Städtchen, —s, —	small town	das Dach, —es, ⸚er	roof
der Detektiv, —s, —e	detective	das Dorf, —es, ⸚er	village
der Hund, —es, —e	dog	das Schloß, —es, ⸚er	castle
der Hut, —es, ⸚e	hat	der Fachmann, —s,	expert
der Rat, —es, ⸚e	advice	. . .leute	

die Gewohnheitssache, —, -n	matter of routine	die Schwierigkeit, —, -en	difficulty
die Gruppe, —, -n	group	die Fasanenfeder, —, -n	pheasant feather
die Gruppenaufnahme, —, -n	group picture	die Art, —, -en	kind
		der Fremde, -n, -n	stranger
die Katze, —, -n	cat	der Photograph, -en, -en	photographer
die Maske, —, -n	mask	der See, -s, -n	lake
die Personenaufnahme, —, -n	picture of a person or persons	der Südstaat, -es, -en	southern state
		der Gedanke, -ns, -n	thought
		das Auto, -s, -s	auto, car
die Riesenschlange, —, -n	python	das Panorama, -s, -s	panorama

VII. Securing the Vocabulary:

A.

es eilig haben	(to) be in a hurry	der Witz	joke
seltsam	strange, odd	unvernünftig	unreasonable, senseless
das Städtchen	small town	der Schlüssel	key
das Dach	roof	der Fachmann	expert
krank	sick	schließlich	finally, after all
der Rat	advice	der Gefallen	favor
ob	if, whether	das Geheimnis	secret
das Tier	animal	das Schloß	castle
der Arzt	doctor, physician	unten	below, down
der Tierarzt	veterinary	schaden	(to) harm
lächeln	smile	erfahren	(to) find out
sparen	(to) save		

B.

die Einbildungs= kraft (6)	1. please	echt (3)	1. really
gefallen (1)	2. angry, irritated	gehören (5)	2. consist, exist
der Lärm (10)	3. descent	bestehen (2)	3. genuine
aufheben (5)	4. assume	während (6)	4. remain
holen (9)	5. pick up	bleiben (4)	5. belong
annehmen (4)	6. imagination	eigentlich (1)	6. while, during
die Abstammung (3)	7. bend, turn	böse sein (9)	7. catch
biegen (7)	8. strange, odd	fangen (7)	8. close, dense
ärgerlich (2)	9. fetch, get	gerade (10)	9. be angry
sonderbar (8)	10. noise	dicht (8)	10. just

die Geschichte (4)	1. but	brauchen (5)	6. exchange
raten (2)	2. guess	wechseln (6)	7. victim
sondern (1)	3. careful	das Opfer (7)	8. step
sorgfältig (3)	4. story; history	treten (8)	9. at any time
zielen (10)	5. need	jederzeit (9)	10. aim

VIII. Die Großstadt spricht: *(Rewritten)*

„Da kommt ein freundlicher älterer Herr, der kann uns sicher etwas Interessantes erzählen. O, haben Sie einen Augenblick Zeit, wir ..." — „O, ein Radiointer= view? Wenn es nicht zu lange dauert, antworte ich Ihnen gerne." — „Sehr freund= lich. Wen darf ich unseren Hörern vorstellen?" — „Dr. Watson, Tierarzt." — „O, Dr. Watson, ich habe von Ihnen gehört. Sie haben die große Tierklinik in der 5 Südstadt, nicht wahr? Ich las vor ein paar Tagen einen Artikel in der Zeitung über Ihre Tierklinik. Dr. Watson, es ist immer interessant zu erfahren, warum je= mand seinen Beruf gewählt hat. Wie sind Sie auf den Gedanken gekommen, Tier= arzt zu werden?" — „Nun, ich habe Tiere gerne; ich habe sie immer gerne gehabt. Schon als kleiner Junge habe ich immer Katzen, Hunde, Kanarienvögel, Papageien 10 und dergleichen um mich gehabt." — „Ich wette, Ihre Mutter war eine geduldige Frau." — „Gut geraten! Geduldig mußte sie schon sein. Das Haus war immer voller Tiere. Mein Vater war Arzt, und so ist es wohl verständlich, daß ich Tierarzt geworden bin." — „Dr. Watson, können Sie uns ein paar seltsame Fälle aus Ihrer Praxis erzählen?" — „Es war vor ein paar Jahren. Unser zoologischer 15 Garten hatte einen kleinen einjährigen Gorilla. Manche Ihrer Hörer werden sich noch an ihn erinnern. Der Winter kam, und der kleine Gorilla wurde krank, Lungenentzündung. Ich wurde geholt, aber es war schon zu spät. Ich konnte dem Tier nur den Tod leichter machen. Es dauerte ein paar Tage. Der kleine Gorilla kannte mich und hat mich oft angesehen wie ein krankes Kind. Als er 20 dann schließlich starb, kam es mir vor, als ob ein menschlicher Patient gestorben wäre." — „Haben Sie oft Schwierigkeiten mit Ihren Tierpatienten?" — „Nicht oft, aber manchmal. Dann wird man gekratzt oder gebissen." — „Was für Tier= patienten haben Sie am liebsten?" — „Hunde, denn Hunde habe ich am liebsten von allen Tieren. Außerdem sind sie meistens sehr gute Patienten, oft viel vernünftiger 25 als ihre Herren." — „Ha! Ha! das glaube ich." — „Nun muß ich aber gehen, sonst schimpft meine Frau." — „Das kenne ich, Herr Doktor, ich bin nämlich auch ver= heiratet." — „Guten Abend." — „Guten Abend."

„Dort kommt ein Herr aus dem Kino. Verzeihung, falls Sie einen Augenblick Zeit haben, möchten wir gerne von Ihnen hören, wie Ihnen der Film gefallen hat. 30 Was wurde gezeigt?" — „Frank Buck: ‚Bring sie lebendig zurück'!" — „Mögen Sie Tierfilme gern?" — „Ja." — „Wie hat Ihnen dieser Frank Buck Film gefallen?" — „Gut." — „Schön, was gefällt Ihnen am besten in einem Frank Buck Film, die Kämpfe der Tiere, seine Fangtechnik, die Naturszenen?" — „Die Dschungelgeräu= sche." — „O ja, dürften wir Sie um Ihren Namen bitten?" — „Smith." — 35 „Herr Smith, was sind Sie von Beruf?" — „Privatdetektiv." — „Das ist inte= ressant. Da sehen Sie sicher viele interessante Fälle und Dinge, die wir nur in Kri= minalromanen lesen?" — „Nein." — „Sie meinen, die wirklichen Fälle sind nicht so interessant wie die Kriminalgeschichten?" — „Ja." — „Aber interessant ist Ihr Beruf, nicht wahr?" — „Nein." — „Warum nicht?" — „Es wird Gewohnheits= 40 sache. Jetzt muß ich gehen. Guten Abend."

Ich glaube, ich sehe unser nächstes Opfer. Es ist eine junge Dame mit einer Fasanenfeder am Hute. Sie scheint es nicht eilig zu haben. Sie steht vor dem Schaufenster von Cooks Reisebüro und sieht sich etwas sehr interessiert an. Jetzt kommt sie auf mich zu. O, entschuldigen Sie. Dürfte ich für unsere Radiohörer
5 ein paar Fragen an Sie stellen. Ja? Dann tun Sie mir den Gefallen und sprechen Sie ins Mikrophon. Wie heißen Sie?" — „Martha Baumgartner." — „Fräulein Baumgartner, was haben Sie sich in dem Schaufenster so interessiert angesehen?" — „Eine große Photographie des Züricher Sees, auf der ich mein Heimatstädtchen erkennen konnte." — „Kommen Sie aus der Schweiz, Fräulein Baumgartner?" —
10 „Ja, ich bin aber schon als kleines Kind nach den Vereinigten Staaten gekommen. Ich wollte nach der Schweiz fahren, um meine Heimatstadt zu sehen, aber da kam der Weltkrieg, und das war das Ende meiner Reisepläne. Jetzt muß ich aber gehen! Mutter erwartet mich zum Abendbrot." — „Danke, Fräulein Baumgartner. Hoffentlich können Sie recht bald eine Schweizer Reise machen."

Vierundzwanzigste Aufgabe

* *

Frag mich was!

I. Words and Phrases:

Frag mich was!

Ask me something!

Wer uns eine Frage einschickt, die wir ge=
brauchen können, * erhält zehn Dollar.

Whoever sends us in a question that
we can use will receive ten dollars.

   die Frage ist von Interes'se für die All=
   gemein'heit.

   the question is of interest for the
   general public

Wir können nur solche Fragen * annehmen,
die von Interesse für die Allgemeinheit
sind.

We can accept only such questions
which are of general interest.

Falls Sie Ihre Fragen zurück'ha'ben wol=
len, müssen Sie einen frankier'ten und
adressier'ten Briefumschlag mitschicken.

In case you want your questions back
you must send along a stamped, self-
addressed envelope.

Herr Klein aus Brooklyn fragt uns: „Was
ist der Unterschied zwischen Deutschen und
Germa'nen?"

Mr. Klein from Brooklyn asks us:
"What is the difference between
Germans and Teutons?"

Man liest immer wieder in amerika'nischen
Zeitungen, aber auch in * Aufsätzen,
deren Verfasser besser informiert sein soll=
ten, Ausdrücke wie The Teutons, wo der
Autor die Deutschen meint.

Again and again in American newspapers and even in articles, the
authors of which ought to be better
informed, one comes across expressions like the Teutons where the
writer means the Germans.

   es hätte heißen sollen

   it should have been called

Andrerseits liest man oft den * Ausdruck
The Old Germans, wo es hätte heißen
sollen The Old Teutons.

On the other hand, one often reads the
expression, The Old Germans where
the name, The Old Teutons, should
have been used.

257

Die Germa'nen waren eine Völkergruppe, über deren Herkunft wir * wenig wissen.

The Teutons were a group of people about whose origin we know little.

Eins aber ist sicher:

But one thing is certain:

Zur Zeit Cäsars waren die Germa'nen in drei Untergruppen aufgeteilt: Nord'germa'nen, Ost'germa'nen und West'germa'nen.

In Caesar's day the Teutons were divided into three sub-groups: the North Teutons, the East Teutons, and the West Teutons.

Die Nordgermanen wohnten zur Zeit Cäsars im südlichen Skandinavien, die Ostgermanen wohnten an den Ufern der Ostsee, und die * Grenzen des westgermanischen Gebietes waren Rhein, Donau, Elbe und Nordsee.

In Caesar's day the North Teutons lived in southern Scandinavia, the East Teutons lived on the shores of the Baltic, and the boundaries of West Teuton territory were the Rhine, the Danube, the Elbe, and the North Sea.

Die Nordgermanen schickten Schiffe und kleine Flotten bis nach Island, nach Amerika, nach Grönland, an die Küsten des Mittelmeeres, ja bis ins Schwarze Meer, um Beute zu machen oder Länder zu erobern.

The North Teutons sent ships and small fleets to Iceland, America, Greenland, to the shores of the Mediterranean, yes, into the Black Sea, in order to get booty or to conquer territory.

Das waren die Wikingerzüge, deren einzige bleibende * Folge die Besiedlung Islands mit Nordmännern war.

Those were the Viking expeditions, whose only lasting consequence was the colonization of Iceland by Norsemen.

Die Wikinger wurden * überall gefürchtet und hatten den wohlverdienten Ruf, unbesiegbare Krieger zu sein.

The Vikings were feared everywhere and had the well-deserved reputation of being invincible warriors.

Sie gründeten in Frankreich das Norman'nenreich' (die heutige Normandie'), das aber von der roma'nischen Kultur' absorbiert' wurde.

In France they founded the Norman Kingdom (present-day Normandy), which, however, was absorbed by Romanic culture.

Die ostgermanischen Stämme der Goten, Vanda'len und Burgun'der wanderten nach Süden und Westen.

The East Teutonic tribes of the Goths, Vandals, and Burgundians migrated south and west.

Sie stießen überall mit den Römern zusam'men, die sie in langen Kriegen besiegten.

Everywhere they clashed with the Romans, whom they defeated in long wars.

Mit der Eroberung Roms durch Germanen=stämme endete das alte römische Reich.	The ancient Roman Empire ended with the conquest of Rome by Teutonic (Germanic) tribes.
Die neuen Reiche, die den Ostgermanen ihren * Ursprung verdankten, dauerten aber nicht lange.	The new empires which owed their origin to the East Teutons did not last long, however.
Die Burgun'der, Vanda'len und Goten kamen in den Kriegen der Völkerwan=derungszeit um oder gingen in dem Völkermeer des * ehemaligen römischen Reiches unter.	The Burgundians, Vandals, and Goths perished in the wars of the era of the tribal migrations or were submerged in the sea of nations of the former Roman Empire.
Außerdem war die römische Kultur' älter und der jungen primiti'ven Kultur der Eroberer * überle'gen.	Besides, the Roman culture was older and superior to the young primitive culture of the conquerors.
Die Westgermanen hatten mehr Glück.	The West Teutons had better luck.
Die Reiche, die sie gründeten, bestehen noch heute.	The empires which they founded exist even to-day.
Die Angeln und Sachsen, beides west=germanische Stämme, eroberten die rö=mische Provinz' Britan'nien.	The Angles and Saxons, both West Germanic (Teutonic) tribes, conquered the Roman province of Britain.
Das ist der Beginn der englischen Geschichte.	That is the beginning of English history.
Die Stämme, die zu Hause oder doch wenig=stens in Mitteleuropa geblieben waren, entwickelten sich * langsam zu den Natio'=nen, die wir heute unter den Namen Holland, Deutschland und Österreich kennen.	The tribes that had stayed at home or, at any rate, in central Europe, evolved gradually into the nations, which we know today under the names of Holland, Germany, and Austria.
Nun können wir die Frage, die uns gestellt wurde, einfach beantworten.	Now we can give a simple answer to the question that was put to us.
Die Germanen sind die Vorfahren der heutigen Deutschen, Skandina'vier, Is=länder, Engländer und Niederländer.	The Teutons are the ancestors of the present-day Germans, Scandinavians, Icelanders, Englishmen, and Netherlanders.

Ein Farmer aus Cedar Rapids, Jowa, fragt uns: „Welches ist das stärkste Tier?"

A farmer from Cedar Rapids, Iowa, asks us: "Which animal is the strongest?"

Die Frage ist in der Form, in der sie gestellt ist, unbeantwortbar.

In the form in which it is asked, the question is unanswerable.

Sie ist unbeantwortbar, weil das Wort „stark", genau so wie das Wort „strong" in der englischen * Sprache, viele * Bedeutungen hat.

It is unanswerable, because the word "stark" just as the word "strong" in the English language, has many meanings.

In den Unterhal'tungen des täglichen Lebens sind wir uns * durchaus nicht immer klar darüber, welche Bedeutung eines Wortes wir im Augenblick meinen.

In the conversations of daily life we are by no means always clear about what meaning of a word we intend at the moment.

Aus dem Zusam'menhang' gerissen, kann das Wort „stark" aber so viele Bedeutungen haben, daß **eine** Antwort auf die Frage unmöglich ist.

Torn out of context, however, the word "strong" can have so many meanings that a single answer to the question is impossible.

Natür'lich kennen wir die Tiere unseres Erdballes genügend, um sie unter irgendeinem * Gesichtspunkt zu * vergleichen.

Of course, we know the animals of our globe sufficiently to compare them from any point of view at all.

das kommt in Frage
Zuerst' müssen wir aber wissen, welcher Gesichtspunkt in Frage kommt.

that comes into question
But first we must know what point of view is to be adopted.

Die Schwierigkeit bei der Beantwortung dieser Frage ist also nicht eine zoolo'gische sondern eine seman'tische.

The difficulty in answering this question is therefore not one of zoology but one of semantics.

in denen wir täglich denken
Die Seman'tik befaßt sich mit der Bedeutung der Wörter und zeigt uns, wie unklar, vieldeutig oder auch widerspre'= chend die Bedeutungen der Wörter sind, in denen wir täglich denken.

in which we think every day
Semantics is concerned with the meaning of words and shows us how obscure, ambiguous, or even contradictory are the meanings of the words which we use in our daily thinking.

sich denken, dachte sich, ich habe mir ge=
dacht, er denkt sich

(to) think to oneself, imagine

Die Seman'tik zeigt uns, daß wir erst
wissen müssen, was wir uns bei einem
Wort denken, * ehe wir anfangen dürfen,
unsere * Urteile und Meinungen in Wör=
ter zu kleiden, die der Welt um uns Sinn
und Wert geben sollen.

Semantics shows us that we must first
know what we intend by a word before we may begin to clothe our judg-
ments and opinions in words which
are to give meaning and value to the
world about us.

Um bei unserer Frage zu bleiben: Es ist
genau so richtig zu behaupten, der Löwe
wäre stärker als das Pferd, wie, * das
Pferd wäre stärker als der Löwe.

To stay with our question: it is just as
correct to say 'the lion is stronger
than the horse' as 'the horse is
stronger than the lion.'

Ein Löwe, der in der Wildnis aufgewachsen,
also in vollem Besitz seiner Kampfkraft
ist (nicht ein Zirkuslöwe oder ein in der
Gefangenschaft geborener Löwe eines zoo=
lo'gischen Gartens), würde in wenigen
Minu'ten den stärksten und wildesten
Hengst töten.

A lion that has grown up in the wilderness, and therefore is in full possession of its fighting strength (not a
circus lion or a lion born in the captivity of a zoological garden), would
kill the strongest and wildest stallion
in a few minutes.

* Dage'gen kann ein altes Bauernpferd
Lasten tragen, die einen Löwen erdrücken
würden.

On the other hand, an old farm horse
can carry burdens that would crush
a lion.

anbetreffen, anbetraf, anbetroffen, anbe=
trifft

(to) concern, refer to

Was Zugkraft anbetrifft, wird wohl ein
schwerer belgischer Hengst mehr * ziehen
können als zehn Löwen.

As far as tractive power is concerned,
a heavy Belgian stallion can probably pull more than ten lions.

Man muß also bei unserer Frage zuerst'
eine Gegenfrage stellen: Was heißt
„stark"?

So in the case of our question we must
first ask a counterquestion: What is
the meaning of "strong"?

Wenn in unserem Falle die * gesamte Zug=
kraft der Muskeln eines Tieres gemeint
ist, dann ist das Pferd, wie gesagt, dem
Löwen an Stärke weit überle'gen.

If in our case the total tractive force of
an animal's muscles is intended,
then, as has been said, the horse is
far superior to the lion in strength.

Ein belgischer Hengst wiegt viermal so viel
wie ein ausgewachsener männlicher Löwe,
dessen Durchschnittsgewicht fünfhundert
Pfund * beträgt.

A Belgian stallion weighs four times as
much as a full-grown male lion, the
average weight of which amounts to
five hundred pounds.

In dem Falle wird wohl der Walfisch, das schwerste aller lebenden Tiere, auch das stärkste Tier sein, und von den Landtieren ist dann der Elefant' der König der Tiere.

In that case the whale, the heaviest of all living animals, is probably the strongest animal, too, and of the terrestrial animals the elephant is then king of beasts.

Meinen wir mit „stark" die Kampfkraft eines Tieres, also seine Fähigkeit, andere Tiere umzubringen, dann ist der Löwe stärker als das Pferd.

But if by "strong" we mean an animal's fighting strength, that is, his ability to kill other animals, then the lion is stronger than the horse.

Dann müssen wir aber der Tierfabel und der litera'rischen Überlie'ferung widerspre'chen, die den Löwen von jeher für den König der Tiere gehalten hat.

But then we have to contradict the animal fable and literary tradition, which has always considered the lion king of beasts.

Den Ehrentitel „stärkstes Lebewesen" müßten wir in dem Fall wahrscheinlich einer besonders gefährlichen Mikro'be geben, die Walfische, Löwen, Pferde und Goril'las in kurzer Zeit umbringen könnte.

In that case we would probably have to give the honorary title "strongest living being" to an especially dangerous microbe which could kill whales, lions, horses, and gorillas in a short time.

Einige Leute definieren das Wort „stark" noch anders.

Some people define the word "strong" in a still different way.

Sie sagen: Stark ist, wer den Kampf ums Dasein mit anderen Organis'men am besten erträgt.

They say, whoever best endures the struggle for existence with other organisms is strong.

Der Organis'mus ist der stärkste, der dem Wetter, Krankheiten, kurz, den täglichen Angriffen auf sein Wohlergehen am besten widersteht'.

That organism is the strongest which best resists weather, illness, in short, the daily attacks upon its welfare.

In dem Falle wäre zum Beispiel ein Straßenköter stärker als ein Rennpferd.

In that case, a street-cur, for example would be stronger than a race horse.

Ein Straßenköter kann Abfall fressen und bei Wind und Wetter * draußen sein.

A cur can eat refuse and be outside in bad weather.

sorgfältig

careful

Ein Rennpferd dage'gen muß sorgfältig gepflegt werden und würde in der freien Natur' sehr bald umkommen.

A race-horse, on the other hand, must be given good care and would soon perish in the wild state.

II. Text:

Frag mich was!

Wer uns eine Frage einschickt, die wir gebrauchen können, erhält zehn Dollar. Wir können nur solche Fragen annehmen, die von Interesse für die Allgemeinheit sind. Falls Sie Ihre Fragen zurückhaben wollen, müssen Sie einen frankierten und adressierten Briefumschlag mitschicken.

Herr Klein aus Brooklyn fragt uns: „Was ist der Unterschied zwischen Deutschen 5 und Germanen?"

Man liest immer wieder in amerikanischen Zeitungen, aber auch in Aufsätzen, deren Verfasser besser informiert sein sollten, Ausdrücke wie The Teutons, wo der Autor die Deutschen meint. Andrerseits liest man oft den Ausdruck The Old Germans, wo es hätte heißen sollen The Old Teutons. 10

Die Germanen waren eine Völkergruppe, über deren Herkunft wir wenig wissen. Eins aber ist sicher: Zur Zeit Cäsars waren die Germanen in drei Untergruppen aufgeteilt: Nordgermanen, Ostgermanen und Westgermanen. Die Nordgermanen wohnten zur Zeit Cäsars im südlichen Skandinavien, die Ostgermanen wohnten an den Ufern der Ostsee, und die Grenzen des westgermanischen Gebietes waren 15 Rhein, Donau, Elbe und Nordsee. Die Nordgermanen schickten Schiffe und kleine Flotten bis nach Island, nach Amerika, nach Grönland, an die Küsten des Mittelmeeres, ja bis ins Schwarze Meer, um Beute zu machen oder Länder zu erobern. Das waren die Wikingerzüge, deren einzige bleibende Folge die Besiedlung Islands mit Nordmännern war. Die Wikinger wurden überall gefürchtet und 20 hatten den wohlverdienten Ruf, unbesiegbare Krieger zu sein. Sie gründeten in Frankreich das Normannenreich (die heutige Normandie), das aber von der romanischen Kultur absorbiert wurde. Die ostgermanischen Stämme der Goten, Vandalen und Burgunder wanderten nach Süden und Westen. Sie stießen überall mit den Römern zusammen, die sie in langen Kriegen besiegten. Mit der Eroberung 25 Roms durch Germanenstämme endete das alte römische Reich. Die neuen Reiche, die den Ostgermanen ihren Ursprung verdankten, dauerten aber nicht lange. Die Burgunder, Vandalen und Goten kamen in den Kriegen der Völkerwanderungszeit um oder gingen in dem Völkermeer des ehemaligen römischen Reiches unter. Außerdem war die römische Kultur älter und der jungen primitiven Kultur der Eroberer 30 überlegen. Die Westgermanen hatten mehr Glück. Die Reiche, die sie gründeten, bestehen noch heute. Die Angeln und Sachsen, beides westgermanische Stämme, eroberten die römische Provinz Britannien. Das ist der Beginn der englischen Geschichte. Die Stämme, die zu Hause oder doch wenigstens in Mitteleuropa geblieben waren, entwickelten sich langsam zu den Nationen, die wir heute unter den Namen 35 Holland, Deutschland und Österreich kennen. Nun können wir die Frage, die uns gestellt wurde, einfach beantworten. Die Germanen sind die Vorfahren der heutigen Deutschen, Skandinavier, Isländer, Engländer und Niederländer.

Wer ist am stärksten?

Ein Farmer aus Cedar Rapids, Jowa, fragt uns: „Welches ist das stärkste Tier?"
Die Frage ist in der Form, in der sie gestellt ist, unbeantwortbar. Sie ist un=
beantwortbar, weil das Wort „stark", genau so wie das Wort „strong"
in der englischen Sprache, viele Bedeutungen hat. In den Unterhaltungen
5 des täglichen Lebens sind wir uns durchaus nicht immer klar dar=
über, welche Bedeutung eines Wortes wir im Augenblick meinen. Aus dem Zusam=
menhang gerissen, kann das Wort „stark" aber so viele Bedeutungen haben, daß eine
Antwort auf die Frage unmöglich ist. Natürlich kennen wir die Tiere unseres Erd=
balles genügend, um sie unter irgendeinem Gesichtspunkt zu vergleichen. Zuerst
10 müssen wir aber wissen, welcher Gesichtspunkt in Frage kommt. Die Schwierig=
keit bei der Beantwortung dieser Frage ist also nicht eine zoologische sondern eine
semantische. Die Semantik befaßt sich mit der Bedeutung der Wörter und zeigt uns,
wie unklar, vieldeutig oder auch widersprechend die Bedeutungen der Wörter sind, in
denen wir täglich denken. Die Semantik zeigt uns, daß wir erst wissen müssen, was
15 wir uns bei einem Wort denken, ehe wir anfangen dürfen, unsere Urteile und Mei=
nungen in Wörter zu kleiden, die der Welt um uns Sinn und Wert geben sollen. Um
bei unserer Frage zu bleiben: Es ist genau so richtig zu behaupten, der Löwe wäre

ſtärker als das Pferd, wie, das Pferd wäre ſtärker als der Löwe. Ein Löwe, der in
der Wildnis aufgewachſen, alſo in vollem Beſitz ſeiner Kampfkraft iſt (nicht ein
Zirkuslöwe oder ein in der Gefangenſchaft geborener Löwe eines zoologiſchen Gar=
tens), würde in wenigen Minuten den ſtärkſten und wildeſten Hengſt töten. Dagegen
kann ein altes Bauernpferd Laſten tragen, die einen Löwen erdrücken würden. Was 5
Zugkraft anbetrifft, wird wohl ein ſchwerer belgiſcher Hengſt mehr ziehen können als
zehn Löwen.

Man muß alſo bei unſerer Frage zuerſt eine Gegenfrage ſtellen: Was heißt
„ſtark“? Wenn in unſerem Falle die geſamte Zugkraft der Muskeln eines Tieres
gemeint iſt, dann iſt das Pferd, wie geſagt, dem Löwen an Stärke weit überlegen. 10
Ein belgiſcher Hengſt wiegt viermal ſo viel wie ein ausgewachſener männlicher Löwe,
deſſen Durchſchnittsgewicht fünfhundert Pfund beträgt. In dem Falle wird wohl
der Walfiſch, das ſchwerſte aller lebenden Tiere, auch das ſtärkſte Tier ſein, und von
den Landtieren iſt dann der Elefant der König der Tiere. Meinen wir mit „ſtark“
die Kampfkraft eines Tieres, alſo ſeine Fähigkeit, andere Tiere umzubringen, dann 15
iſt der Löwe ſtärker als das Pferd. Dann müſſen wir aber der Tierfabel und der
literariſchen Überlieferung widerſprechen, die den Löwen von jeher für den König der
Tiere gehalten hat. Den Ehrentitel „ſtärkſtes Lebeweſen“ müßten wir in dem Fall
wahrſcheinlich einer beſonders gefährlichen Mikrobe geben, die Walfiſche, Löwen,
Pferde und Gorillas in kurzer Zeit umbringen könnte. Einige Leute definieren das 20
Wort „ſtark“ noch anders. Sie ſagen: Stark iſt, wer den Kampf ums Daſein mit
anderen Organismen am beſten erträgt. Der Organismus iſt der ſtärkſte, der dem
Wetter, Krankheiten, kurz, den täglichen Angriffen auf ſein Wohlergehen am beſten
widerſteht. In dem Falle wäre zum Beiſpiel ein Straßenköter ſtärker als
ein Rennpferd. Ein Straßenköter kann Abfall freſſen und bei Wind und Wetter 25
draußen ſein. Ein Rennpferd dagegen muß ſorgfältig gepflegt werden und würde in
der freien Natur ſehr bald umkommen.

III. Comments:

1. *Comparison of Adjectives:*

   The comparison of adjectives in German is very much like the comparison of
adjectives in English. The comparative adds –er to the stem of the positive and
the superlative adds –ſt or –eſt: gefährlich, gefährlicher, gefährlichſt–; wild, wilder,
wildeſt–. Many monosyllabic adjectives with the stem vowels a, o, u modify these
vowels in the comparative and superlative: ſtark, ſtärker, ſtärkſt–. Two very
common adjectives have an irregular comparison: gut (*good*), beſſer, beſt–; viel
(*much*), mehr, meiſt–.

   The comparative and superlative degrees of an adjective are used with nouns
just as is the positive degree and the usual declensional endings are added to
them; das ſtarke Tier *the strong animal*, das ſtärkere Tier *the stronger animal*,
das ſtärkſte Tier *the strongest animal*.

2. *Inversion for condition:*

In English the sentence, *If I had known that, I would have come*, can also be expressed, *Had I known that, I would have come*. That is, the inversion of subject and object makes the clause a condition. This construction, which in English is frequent but restricted to a few stereotyped expressions, is very common in German. Examples:

> Wenn wir mit „ſtark" die Kampfkraft eines Tieres meinen = Meinen wir mit „ſtark" die Kampfkraft eines Tieres = If by "strong" we mean the animal's fighting strength.

3. *Indirect statement:*

As you know, the subjunctive mood has two basic types, subjunctive I and II. But the endings are the same for all time distinctions in both types. These endings are: –e, –eſt, –e, –en, –et, –en. A partial exception to this statement is the present subjunctive I of ſein which you can compare with the present subjunctive I of a number of other words in the following paradigms:

ich ſei	habe	werde	arbeite	falle	ſehe
du ſeieſt	**habeſt**	**werdeſt**	arbeiteſt	**falleſt**	**ſeheſt**
er ſei	**habe**	**werde**	**arbeite**	falle	ſehe
wir ſeien	haben	werden	arbeiten	fallen	ſehen
ihr ſeiet	habet	werdet	arbeitet	fallet	ſehet
ſie ſeien	haben	werden	arbeiten	fallen	ſehen
Sie ſeien	haben	werden	arbeiten	fallen	ſehen

If you will compare the subjunctive forms of these verbs with their present indicative forms you will see that many of them are very similar to or even identical with the indicative forms. In the above paradigms those forms which are unmistakably subjunctive are printed in boldface. As you learned in Lesson 19 their chief use in direct statement is in certain formulas or formal expressions like: Gott ſei Dank! Verſuchen wir feſtzuſtellen, warum die Preiſe gefallen ſind!

In this unit you will learn something about the use of the subjunctive in indirect statement. Imagine a conversation between Oskar, Anna, and Richard:

Oskar: The horse is stronger than the lion.
Richard: What is he saying?
Anna: He says that the horse is stronger than the lion.

What Oskar says is a direct statement, but when Anna reports it to Richard it becomes an indirect statement. This dialogue may appear in German as:

Oskar: Das Pferd iſt ſtärker als der Löwe.
Richard: Was ſagt er?
Anna: Er ſagt, das Pferd iſt ſtärker als der Löwe.

Anna, reporting to Richard what Oskar says, uses the indicative mood, thus indicating that she sees no reason to question Oskar's statement. But if Anna felt the statement to be open to question, she would use the subjunctive mood in reporting it and the conversation would run:

Oskar: Das Pferd ist stärker als der Löwe.

Richard: Was sagt er?

Anna: Er sagt, das Pferd wäre stärker als der Löwe.

Therefore, in indirect discourse in colloquial speech, subjunctive II is used when the person reporting a statement wishes to indicate that he believes the statement open to question. In more formal or literary style subjunctive I would be used under the same circumstances and then Anna's line would read:

Er sagt, das Pferd sei stärker als der Löwe.

Now let us imagine another short conversation between Oskar, Richard and Anna:

Oskar: Ein Hund kann Abfall fressen, ohne krank zu werden.
(*A dog can eat refuse without getting sick.*)

Richard: Was sagt er?

Anna: Er sagt, ein Hund kann Abfall fressen, ohne krank zu werden.

Again, if Anna wanted to indicate her belief that the statement is open to question she would use the subjunctive, type II in colloquial style; type I in a more formal statement:

Type II Er sagt, ein Hund könnte Abfall fressen, ohne krank zu werden.

Type I Er sagt, daß ein Hund Abfall fressen könne, ohne krank zu werden.

But now suppose that Oskar uses the plural and says: Hunde können Abfall fressen, ohne krank zu werden. Again, to indicate a belief that the statement is open to question Anna would use the subjunctive Type II: Er sagt, daß Hunde Abfall fressen könnten, ohne krank zu werden. It would not be possible to use present subjunctive I here, since the third person plural subjunctive I of können is one of the forms that is identical with an indicative and the sentence, Er sagt, daß Hunde Abfall fressen können, ohne krank zu werden will necessarily be taken as an indicative sentence, implying that the person reporting what has been said sees no reason to question the statement. This means that even in literary or formal style, subjunctive II forms must be used when subjunctive I forms are identical with indicative forms.

IV. Practice:

1. a. Wir können die Frage gebrauchen.
       ,die Sie uns einschicken, gebrauchen.
   b. Sie erhalten zehn Dollar.
   c. Wenn wir die Frage, die Sie uns einschicken, gebrauchen können, erhalten Sie zehn Dollar.
      Können wir die Frage, die Sie uns einschicken, gebrauchen, so erhalten Sie zehn Dollar.

2. Der Verfasser dieses Artikels ist gut informiert.
       besser informiert als ich.
       am besten informiert.

3. Die römische Kultur war alt.
                              älter als die Kultur der Germanen.
                              älter als die Kultur der primitiven germanischen Stämme.

4. Die germanischen Stämme hatten eine junge und primitive Kultur.
                                        eine jüngere und primitivere Kultur als die Römer.

5. a. Ein starkes Pferd kann viel ziehen.
                              mehr ziehen als zehn Löwen.

   b. Herr Schmidt glaubt, daß ein starkes Pferd mehr ziehen könnte als zehn Löwen.

6. a. Wir sind uns klar darüber, welcher Gesichtspunkt in Frage kommt.
                                     welche Bedeutung des Wortes wir meinen.
                                     daß die Schwierigkeit eine semantische ist.

   b. Wir können die Frage beantworten, wenn wir uns klar darüber sind, welcher
      Gesichtspunkt in Frage kommt.
      etc.

   c. Sind wir uns darüber klar, welcher Gesichtspunkt in Frage kommt, dann können
      wir die Frage beantworten.
      Sind wir uns darüber klar, welche Bedeutung des Wortes wir meinen, dann können
      wir die Frage beantworten.
      Sind wir uns darüber klar, daß die Schwierigkeit eine semantische ist, dann können
      wir die Frage beantworten.

7. a. Wir befassen uns mit der Semantik.
                              Zoologie.
                              Geschichte der germanischen Stämme.

   b. Befassen wir uns mit der Semantik, so werden wir uns klar darüber, wie viel=
      deutig die Bedeutungen der Wörter sind.
      Befassen wir uns mit der Zoologie, so werden wir uns darüber klar, daß ein
      Straßenköter den täglichen Angriffen auf sein Wohlergehen besser widersteht als
      ein Rennpferd.

8. a. Der Löwe ist ein gefährliches Tier.
      Die Klapperschlange (*rattlesnake*) ist ein gefährlicheres Tier als der Löwe.
      Der Bazillus ist das gefährlichste Lebewesen.

   b. Richard hat eben gesagt, daß der Löwe ein gefährliches Tier ist.
                              daß die Klapperschlange gefährlicher als der Löwe wäre.
                              daß der Bazillus das gefährlichste Lebewesen wäre.

9. a. Ein Bauernpferd kann den Kampf ums Dasein gut ertragen.
      Ein Straßenköter   besser ertragen als ein Rennpferd.

   b. Oskar sagt, daß ein Bauernpferd den Kampf ums Dasein gut ertragen kann.
      Oskar sagt, daß ein Straßenköter den Kampf ums Dasein besser ertragen kann als
      ein Rennpferd.
      Oskar sagt, daß ein Löwe den Kampf ums Dasein besser ertragen kann als ein
      Gorilla.

c. Weißt du, was Oskar sagt? Er meint, ein Straßenköter könnte den Kampf ums
Dasein besser ertragen als ein Rennpferd.

Weißt du, was Oskar sagt? Er meint, ein Löwe könnte den Kampf ums Dasein
besser ertragen als ein Gorilla.

d. Der berühmte Zoologe, Professor Reinhold, schreibt in seinem neusten Buch, daß
ein Straßenköter den Kampf ums Dasein besser ertragen könne als ein Rennpferd.

V. Exercises:

A. *Questions:*

1. Was für Fragen werden angenommen?
2. Unter welcher Bedingung bekommt man seine Fragen zurück?
3. Ist die Geschichte der Deutschen älter als die Geschichte der Germanen?
4. Wie heißen die drei Untergruppen der Germanen?
5. Zu welcher Germanengruppe gehören die Engländer?
6. Zu welcher Germanengruppe gehörten die Wikinger?
7. Woher kamen die Goten?
8. Welche germanischen Nationen entwickelten sich aus den westgermanischen Stäm-
men?
9. Welches Tier hält die Tierfabel für den König aller Tiere?
10. Welches Tier muß mehr gepflegt werden, ein Bauernpferd oder ein Rennpferd?
11. Welches Landtier ist das stärkste, was Zugkraft anbetrifft?

B. *Translate:*

1. Wie würde England heute aussehen, wenn die Angeln und Sachsen zu Hause
geblieben wären?
2. Wenn die Schwierigkeit nur eine zoologische wäre, könnten wir die Frage leicht
beantworten.
3. Die germanischen Stämme widerstanden den Angriffen der Römer auf ihre
Selbständigkeit. (*independence*).
4. Ein weniger widerstandsfähiges Tier käme sehr bald um.
5. Werden wir uns darüber klar, daß ein Straßenköter den täglichen Angriffen auf
sein Wohlergehen besser widersteht als ein Rennpferd.
6. Im Jahre eintausendsechsundsechzig wurde England von Nordgermanen erobert,
deren Vorfahren ungefähr hundert Jahre früher in Frankreich das Normannenreich gegründet hatten.
7. Die älteste Demokratie der Welt hat Island; sie besteht seit dem Jahre neunhun-
dertdreißig.
8. Er befaßt sich jetzt mit bakteriologischen Studien.
9. Die Isländer haben eine reiche literarische Überlieferung.
10. Die isländischen Sagas gehören zu den größten Literaturdenkmälern der Welt.

C. *Rearrange:*

1. eine besonders gefährliche Mikrobe, in dem Falle, wird wohl ... sein, das stärkste Lebewesen.

2. große Schwierigkeiten, er, hatte, zu beantworten, die Frage.

3. den Löwen, das Pferd, und, hat ... verglichen, der Muskelkraft, unter dem Gesichtspunkt, er.

4. ist, der Durchschnittsmensch, sich oft nicht darüber klar, welche Bedeutung, im Augenblick, eines Wortes, meint, er.

5. im Kampf, die Burgunder, kamen, ums Dasein, um.

6. konnte, der Germanenstämme, das alte Römische Reich, widerstehen, den Angriffen, nicht.

D. *Complete by means of the suitable clause or phrase and translate:*

1. Es ist richtig zu behaupten,
    a. die Germanen wären die heutigen Deutschen.
    b. die Isländer verdankten den Ostgermanen ihren Ursprung.
    c. die heutigen Engländer stammten von verschiedenen germanischen Stämmen ab.

2. Die Semantik zeigt uns,
    a. welcher Gesichtspunkt bei der Lösung eines Problems in Frage kommt.
    b. welche Bedeutung eines Wortes wir im Augenblick meinen.
    c. wie vieldeutig die Wörter sind, die wir in den Unterhaltungen des täglichen Lebens gebrauchen.

3. Wären wir uns immer klar darüber, welche Bedeutung eines Wortes wir im Augenblick meinen,
    a. könnten wir alle Probleme ohne Schwierigkeit lösen.
    b. würden unsere Freunde uns nie widersprechen.
    c. könnten wir unsere Meinungen über verschiedene Probleme besser vergleichen.

4. Die westgermanischen Stämme, die in Mitteleuropa geblieben waren,
    a. kamen in den Kriegen der Völkerwanderungszeit um.
    b. entwickelten sich langsam zu modernen europäischen Nationen.
    c. waren den römischen Eroberern an Kultur überlegen.

E. *Examine the sentences in each group to see which sentence is associated with the preceding word:*

1. **die Völkerwanderung**
    a. Viele Stämme kamen in langen Kriegen um.
    b. Die Deutschen gründeten ein Reich in Mitteleuropa.
    c. Die Engländer besiegten die Deutschen in langen Kriegen.

2. **die Nordgermanen**
    a. Die Grenzen ihres Gebietes waren Rhein, Donau, Elbe und Nordsee.
    b. Sie entwickelten eine reiche Literatur.
    c. Sie gründeten in Mitteleuropa Reiche, die noch heute bestehen.

3. **das Urteil**
    a. Würden Sie mir bitte erklären, wer die Ostgermanen waren?

   b. Er hat Löwen und Elefanten in Afrika gejagt.

   c. Der Löwe ist dem Pferd an Kampfkraft überlegen.

4. die Überlieferung

   a. Was diese Frage anbetrifft, haben sie fast genau denselben Gesichtspunkt wie ihre Vorfahren.

   b. Wir wollen jetzt die Bedeutungen dieser Wörter vergleichen.

   c. Wir müssen zuerst eine Gegenfrage stellen.

VI. Principal parts:

bleiben	blieb	ich bin geblieben	er bleibt	remain, stay
reißen	riß	ich habe gerissen	er reißt	tear
vergleichen	verglich	ich habe verglichen	er vergleicht	compare
wiegen	wog	ich habe gewogen	er wiegt	weigh
annehmen	nahm . . . an	ich habe angenommen	er nimmt . . . an	accept
widersprechen	widersprach	ich habe widersprochen	er widerspricht	contradict
kommen	kam	ich bin gekommen	er kommt	come
umkommen	kam . . . um	ich bin umgekommen	er kommt . . . um	perish
fressen	fraß	ich habe gefressen	er frißt	eat (*said of animals*)
geben	gab	ich habe gegeben	er gibt	give
lesen	las	ich habe gelesen	er liest	read
halten	hielt	ich habe gehalten	er hält	hold
erhalten	erhielt	ich habe erhalten	er erhält	receive
anfangen	fing . . . an	ich habe angefangen	er fängt . . . an	begin
tragen	trug	ich habe getragen	er trägt	carry
betragen	betrug	es hat betragen	es beträgt	amount to
ertragen	ertrug	ich habe ertragen	er erträgt	endure
aufwachsen	wuchs . . . auf	ich bin aufgewachsen	er wächst . . . auf	grow up
zusammenstoßen	stieß . . . zusammen	ich bin zusammengestoßen	er stößt . . . zusammen	clash
heißen	hieß	ich habe geheißen	er heißt	be called
bestehen	bestand	es hat bestanden	es besteht	exist
widerstehen	widerstand	ich habe widerstanden	er widersteht	resist
untergehen	ging . . . unter	ich bin untergegangen	er geht . . . unter	be submerged
dürfen	durfte	ich habe gedurft	er darf	may, be permitted
müssen	mußte	ich habe gemußt	er muß	have to
können	konnte	ich habe gekonnt	er kann	be able
sollen	sollte	ich habe gesollt	er soll	should
wollen	wollte	ich habe gewollt	er will	want to

ſich denken	dachte ſich	ich habe mir gedacht	er denkt ſich	imagine
kennen	kannte	ich habe gekannt	er kennt	know
umbringen	brachte … um	ich habe umgebracht	er bringt …	kill
			um	
wiſſen	wußte	ich habe gewußt	er weiß	know

der Engländer, –s, —   Englishman
der Eroberer, –s, —   conqueror
der Farmer, –s, —   farmer
der Krieger, –s, —   warrior
der Straßenköter, –s, —   street cur
der Verfaſſer, –s, —   author
der Ehrentitel, –s, —   honorary title
das Lebeweſen, –s, —   living being
das Ufer, –s, —   shore
der Abfall, –s, ⸚e   refuse
der Angriff, –s, –e   attack
der Aufſatz, –es, ⸚e   article
der Ausdruck, –s, ⸚e   expression
der Beſitz, –es, –e   possession
der Briefumſchlag, –s, ⸚e   envelop
der Geſichtspunkt, –s, –e   point of view
der Hengſt, –es, –e   stallion
der Kampf, –es, ⸚e   struggle, fight
der Krieg, –s, –e   war
der Sinn, –es, –e   meaning
der Stamm, –es, ⸚e   tribe
der Urſprung, –s, ⸚e   origin
der Walfiſch, –es, –e   whale
der Wetterbericht, –s, –e   weather report
der Wikingerzug, –s, ⸚e   Viking expedi-
        tion
der Wind, –es, –e   wind
die Zugkraft, —   tractive power
das Landtier, –s, –e   terrestrial ani-
        mal
das Pfund, –es, –e   pound
das Schiff, –es, –e   ship
das Reich, –es, –e   empire
das Rennpferd, –es, –e   race horse
das Urteil, –s, –e   judgment
das Land, –es, ⸚er   land
das Wort, –es, ⸚er *or* –e   word
die Gegenfrage, —, –n   counterques-
        tion

die Beute, —   booty
die Grenze, —, –n   boundary
die Folge, —, –n   consequence
die Flotte, —, –n   fleet
die Küſte, —, –n   coast
die Mikrobe, —, –n   microbe
die Minute, —, –n   minute
die Sprache, —, –n   language
die Stärke, —   strength
die Völkergruppe, —, –n   group of people
die Bedeutung, —, –en   meaning
die Beſiedlung, —, –en   population,
        colonization
die Eroberung, —, –en   conquest
die Meinung, —, –en   opinion
die Überlieferung, —, –en   tradition
die Unterhaltung, —, –en   conversation
die Allgemeinheit, —   general public
die Krankheit, —, –en   illness
die Fähigkeit, —, –en   ability
die Muskel, —, –n   muscle
die Tierfabel, —, –n   animal fable
die Form, —, –en   form
die Laſt, —, –en   load
die Welt, —, –en   world
die Kultur, —, –en   culture
die Natur, —, –en   nature
die Nation, —, –en   nation
die Provinz, —, –en   province
der Deutſche, –n, –n   German
der Löwe, –n, –n   lion
der Vorfahr, –en, –en   ancestor
der Elefant, –en, –en   elephant
der Autor, –s, –en   author
der Gorilla, –s, –s   gorilla
der Organismus, —,   organism
    …men

VII. Securing the Vocabulary:

A.

erhalten	(to) receive	die Grenze	boundary
annehmen	(to) accept, assume	erobern	(to) conquer
der Aufsatz	article	die Folge	consequence
der Ausdruck	expression	überall	everywhere
wenig	little	der Ursprung	origin
ehemalig	former	das Urteil	judgment
überlegen	superior	das Pferd	horse
langsam	slowly, gradually	dagegen	against it; on the other hand
die Bedeutung	meaning		
durchaus	absolutely, by all means	ziehen	(to) pull
		gesamt	whole, total
der Gesichtspunkt	point of view	betragen	(to) amount to
vergleichen	(to) compare	draußen	outside
ehe	before	die Sprache	language

B.

eigentlich (2)	1. similar	etwas (2)	1. just
der Augenblick (7)	2. really	gerade (1)	2. something
gehören (6)	3. passage	die Bedingung (5)	3. suddenly
der Durchgang (3)	4. finished, ready	sondern (7)	4. possess, own
fertig (4)	5. doctor, physician	besitzen (4)	5. condition
hauptsächlich (8)		plötzlich (3)	6. roof
der Rat (9)	6. belong	das Dach (6)	7. but
kräftig (10)	7. moment	der Beweis (10)	8. last, take
ähnlich (1)	8. chiefly	dauern (8)	9. remain
der Arzt (5)	9. advice	bleiben (9)	10. proof
	10. strong, powerful		

schließlich (4)	1. pocket	erleben (3)	1. somebody
das Tier (6)	2. below, down	jemand (1)	2. rough
die Tasche (1)	3. find out	grob (2)	3. experience
trotz (7)	4. finally, after all	seltsam (5)	4. harm
der Spaß (10)	5. unreasonable, senseless	schaden (4)	5. strange, odd
unvernünftig (5)		ob (7)	6. small city
erfahren (3)	6. animal	die Folge (8)	7. if, whether
unten (2)	7. in spite of	das Städtchen (6)	8. consequence
der Schlüssel (8)	8. key	sogar (10)	9. smile
treten (9)	9. step	lächeln (9)	10. even
	10. fun		

Fünfundzwanzigste Aufgabe

★ ★

Frag mich was!   *(Rewritten)*

Wollen Sie sich zehn Dollar verdienen? Dann schicken Sie uns eine für die All=
gemeinheit interessante Frage ein, (send us a question which is interesting to
the general public) d.h. eine Frage, die nicht nur von Spezialisten verstanden
wird.

5 Herr Klein aus Brooklyn sendet uns eine historische Frage: „Was war die Völker=
wanderung und was war ihre Bedeutung?"

Im vierten Jahrhundert nach Christus begannen germanische Stämme nach
Süden und Westen auszuwandern. Bei diesen Wanderungen stießen sie mit den
Römern zusammen, die in langen Kriegen schließlich von den Germanen besiegt wur=
10 den. Die Eroberung Roms durch die Westgoten bedeutete das Ende des alten rö=
mischen Reiches. Als diese Wanderungen in der Mitte des sechsten Jahrhunderts
aufhörten, waren in dem von Römern jahrhundertelang beherrschten Gebiet (in the
territory which had been ruled by Romans for centuries) neue germa=
nische Reiche entstanden. Die westgermanischen Angeln und Sachsen hatten die
15 römische Provinz Britannien erobert und dort ein germanisches Reich, England, ge=
gründet. Die von den ostgermanischen Goten in Italien und Spanien gegründeten
Reiche (the empires founded by the East Germanic Goths in Italy and
Spain) verloren bald ihren germanischen Charakter, da die germanischen Eroberer
durch dauernde Kriege untergingen. In Italien und Spanien werden heute also
20 keine germanischen sondern romanische Sprachen gesprochen. Ein Reich, das die
Vandalen in Afrika gründeten, dauerte nur zwei Generationen. Die Vandalen
eroberten Rom auf ihren langen Wanderungen, die sie auch durch Italien führten.
Die Einwohner der italienischen Halbinsel hatten große Angst vor den wilden Leuten
aus dem Norden, die aber nicht schlimmer waren als andere Eroberer zu dieser Zeit.
25 Die Vandalen verdienen in Wirklichkeit nicht ihren durch das Wort „Vandalismus"
entstandenen schlechten Ruf (their bad reputation which came into being
through the word "vandalism"). Die Franken, der mächtigste westgerma=
nische Stamm, gingen über den Rhein und gründeten das berühmte Frankenreich.
Drei Jahrhunderte später eroberten die Nordmänner, die von ganz Europa wegen
30 ihrer Wildheit gefürchteten Wikinger (the Vikings feared by all of Europe on
274

account of their ferocity), den nördlichen, heute nach ihnen Normandie genannten Teil des Frankenreiches (the northern part of the Frankish empire which today is called Normandy after them). Heute sind Frankreich und seine nördliche Provinz, die Normandie, aber rein romanisch. Die einzige germanisch gebliebene Wikingersiedlung (the only Viking settlement which remained Germanic) 5 ist Island. Die westgermanischen Stämme, die während der Völkerwanderung zu Hause, d.h. in dem zwischen Rhein und Elbe, Nordsee und Donau gelegenen Gebiet (in the territory situated between the Rhine and the Elbe, the North Sea and the Danube) geblieben waren, entwickelten sich im Laufe der auf die Völkerwanderung folgenden Jahrhunderte (of the centuries following the migration 10 of tribes) zu den heute Deutschland, Österreich und die Deutschschweiz genannten Ländern und Gebieten (into the countries and territories which are called today . . .). Herrn Kleins Frage nach der Bedeutung der Völkerwanderung können wir jetzt einfach beantworten: Man kann mit Recht behaupten, daß das heutige Europa durch die Völkerwanderung gegründet wurde. 15

Fräulein Jean Schröder aus Virginien möchte wissen, was Semantik ist.

Das Wort Semantik kommt aus dem Griechischen. Sema ist Griechisch für Zeichen (sign, symbol). Die Semantik sieht in den Wörtern nur Zeichen für Bedeutungen, Zeichen, die wir oft nicht richtig verstehen, da diese Zeichen oft viel=
5 deutig und unklar sind. Immer wieder werden Wörter und ihre Bedeutungen miteinander verwechselt. Das mag in der täglichen Unterhaltung kein Unglück sein. Wenn wir aber Urteile und Meinungen ausdrücken wollen, dürfen wir keine Wörter gebrauchen, die vieldeutig sind oder deren Bedeutung uns nicht klar ist.

Ein Franzose hat einmal gesagt: Es ist immer die Seele, die jedem Ding seinen
10 Wert gibt. Ein einfaches Beispiel kann uns das klar machen. Was für den einen Menschen nichts weiter ist als ein Straßenköter, ist für einen kleinen Jungen der wertvollste Besitz, den er hat. Nicht nur einzelne Menschen, sondern auch ganze Menschengruppen geben den Dingen ihren Wert. Verschiedene Zeiten, verschiedene Gesellschaftsklassen haben den Dingen ihren Sinn, ihren Wert gegeben, und in den
15 für diese Dinge gebrauchten Wörtern (and in the words used for these objects) leben solche Werte noch heute weiter.

Ein ganz einfaches Beispiel: In Wörtern wie „Herr" und gentleman lebt noch der alte, mit dem Wort Edelmann am besten bezeichnete aristokratische Begriff (the old aristocratic concept best signified by the word nobleman). Daß diese
20 Wörter unserem von demokratischen Ideen beherrschten Denken (our thinking which is dominated by democratic thoughts) widersprechen und oft falsch ge= braucht werden, ist bekannt.

Ein gutes Beispiel für widersprechende, durch ein einziges Wort ausgedrückte Be= griffe (for contradictory concepts expressed by a single word) ist das Wort
25 „gut". Was bedeutet das Wort „gut" in den folgenden Sätzen? Ein guter Mensch tut so etwas nicht. Ein guter Boxer hat Kampfkraft und Kampfwillen. Das Essen war gut. Das war ein wirklich guter Witz. Sie hat ein gutes Herz. Die Butter ist nicht gut. Heute haben wir gutes Wetter. Ich lese gerne ein gutes Buch. Ein gutes Rennpferd kostet viel Geld. Haben Sie keine Angst, das ist ein gutes Pferd,
30 Sie werden nicht fallen. Der Zirkusdirektor sagte, Goliath wäre der einzige gute Löwe in der Gruppe.

Was ist die Bedeutung von „stark"? Wenn wir einen Organismus stark nennen, weil er im Kampf ums Dasein, im Kampf mit Bazillen, Krankheiten, dem Wetter u. dgl. siegt, dann ist die Frau stärker als der Mann. Die Frauen widerstehen den
35 täglichen Angriffen auf ihr Wohlergehen besser als die Männer. Dann ist auch der Mensch stärker als der Gorilla und eine gefährliche Mikrobe vielleicht stärker als der Mensch. Die Semantik zeigt uns, wie sinnlos viele Debatten sind, wie z.B.: Ist der Mann ein besserer Mensch als die Frau? Ist die europäische Kultur besser als die amerikanische? In diesen und ähnlichen Debatten, die oft bitter und erfolglos sind,
40 gebraucht jeder der Debattierenden die wichtigen Wörter, mit denen oder um die de= battiert wird, in ganz subjektivem Sinne. Am Ende solcher Debatten glaubt dann

jeber, baß er recht hat, und ist ärgerlich, weil der andere ihn nicht versteht oder ihn nicht verstehen will.

In solchen Fällen würde die Semantik es für beide Parteien klar machen, daß sie nicht dasselbe meinen und sich deshalb nicht verstehen können. Die Semantik kann natürlich keine Antwort auf die großen Denkprobleme der Menschheit geben; sie kann 5 aber das sein, was die Philosophen „hygienische Polizei" im Reich des Denkens nennen.

II. Comments:

1. The Long Attribute:

The long attribute constructions, first introduced in Lesson 20, were comparatively simple so that a word by word translation could reveal their meaning. The long attribute constructions of this lesson, however, are more complex and need special attention. *Example:* Die von ganz Europa wegen ihrer Wildheit gefürchteten Wikinger (*The Vikings feared by all Europe because of their ferocity*).

The following rules will show you how to deal with these trouble makers which are common in formal and technical style. Study the following paragraph carefully to understand first of all the "loading" of an attribute in the German fashion.

Introductory word		*Key word*	*Noun*
The		feared	Vikings
The	by all of Europe	feared	Vikings
The	by all of Europe because of their ferocity	feared	Vikings
Die	von ganz Europa wegen ihrer Wildheit	gefürchteten Wikinger	

This jumble of words can be put into correct English in two different ways:
1) The Vikings **feared** by all of Europe because of their ferocity.
2) The Vikings **who were feared** by all of Europe because of their ferocity.

Before you can start translating a long attribute you must first of all be aware that you have encountered such a construction. The long attribute starts with a combination of words which cannot stand together in English. We call this impossible combination the "clash". In the above example the words Die von (*the by*) constitute the "clash".

Once you have noticed the clash, you break up the long attribute as indicated:

Die von ganz Europa wegen ihrer Wildheit gefürchteten Wikinger
1   4   3   2

The first task is to combine the introductory word Die (1) with the noun to which it belongs and from which it has been separated by the long attribute. The best way to find this noun (2) is to find the keyword(s) which is either a participial or a plain adjective. The following rules will be of help: A) If the introductory word is ein or an uninflected ein=word, the keyword will end in either –er or –es. B) If the introductory word is der, die, das, dieser, eine, eines etc., if it is, in other words, a definite article, der=word, or inflected ein=word, the ending of the keyword will be -e or -en. C) If the introductory word is an adjective, the keyword will have the same ending as the adjective.

Thus in the above example the introductory word Die (1) leads you to the keyword gefürchteten (3) after which you find the noun Wikinger which has to be number 2 in your translation. The remaining words of the construction constitute part 4. You translate in the order 1, 2, 3, 4.

1 The
2 Vikings
3 feared
4 by all of Europe because of their ferocity

Note: Instead of translating the keyword as a participle or adjective, it will often be advisable to use a relative construction. Instead of saying *The Vikings feared by all* etc. you may say: *The Vikings **who were feared** by all Europe because of their ferocity.*

If more than one adjective precedes the noun (2), only the first will be the keyword (3). The other or others must be translated with the noun (2).

Example:

Die von ganz Europa wegen ihrer Wildheit gefürchteten skandinavischen Wikinger
1   4   3   2

The Scandinavian Vikings feared by all Europe because of their ferocity
1   2   3   4

Now study the additional examples in the light of the rules given above:

1. In dem von Römern jahrhundertelang beherrschten Gebiet
   1   4   3   2

2. Eine für die Allgemeinheit interessante Frage
   1   4   3   2

3. Der alte, mit dem Wort Edelmann am besten bezeichnete aristokratische Begriff.
   1   4   3   2

III. Exercises:

Translate:

1. Die Kapelle spielte einen uns allen unbekannten Walzer.

2. Zu Shakespeares Zeit spielten siebzehnjährige, wie Frauen angezogene Jungen die weiblichen Rollen.

3. Die aus erstklassigem Stahle bestehenden Federn der Traumulusmatratze garantieren Ihnen einen ruhigen Schlaf.

4. Dr. Berg untersuchte die der Handschrift des Bankräubers sehr ähnliche Schrift auf dem in der Küche gefundenen Zettel.

5. Auf dieser Tafel sehen Sie die die verschiedenen Interessengebiete bezeichnenden Nummern.

6. Wissen Sie, in welchem von Orson Welles produzierten Film Joan Fontaine die weibliche Hauptrolle spielte?

7. Eine in diesem Augenblick über die Brücke ratternde Straßenbahn machte es uns unmöglich, die Stimme des die Leute auf der Brücke interviewenden Herrn Braun zu verstehen.

8. Er versuchte, sein durch den Lärm wild gewordenes Pferd in Photographierstellung zu bringen.

9. Die von vielen mit Unrecht für wilde Barbaren gehaltenen Vandalen waren in Wirklichkeit nicht schlimmer — vielleicht sogar besser — als ihre sie so grimmig hassenden Feinde, die Römer.

10. Eine bessere Kenntnis der semantischen Probleme würde das Ende vieler in allen wesentlichen Punkten sinnloser Debatten bedeuten.

11. Wir müssen der Tierfabel widersprechen, die den Löwen wegen seiner Stärke zum König der Tiere macht, denn es gibt wilde, dem Löwen an Kampfkraft überlegene Tiere wie z.B. den Tiger, die Riesenschlange, den Grislybären usw.

Section Three

Sechsundzwanzigste Aufgabe

* *

Walter Brooks

Unſere Geſchichte beginnt an der Ecke der Univerſitätsſtraße an einem Oktober=
morgen. Es hatte die ganze Nacht geregnet, und die Leute, die ſich in Büros und
Geſchäften trafen, um die Arbeit des Tages zu beginnen, erzählten ſich, was der Regen
und der Sturm der letzten Nacht mit Bäumen,[1] Garagendächern, offenen [2] Fenſtern,[3]
und dergleichen gemacht hatte, daß ſie nicht gut geſchlafen hätten, und dann ſagten ſie 5
gewöhnlich noch ein paar philoſophiſche aber unfreundliche Dinge über das Wetter
dieſes Herbſtes. Auch die Studenten, die mit Sorgen im Herzen in ihre acht Uhr
Stunden eilten,[4] kritiſierten das Wetter und wünſchten, ſie lägen noch zu Hauſe im
warmen Bett oder ſäßen am Frühſtückstiſch und tränken noch eine Taſſe Kaffee.

Wir ſagten, unſere Geſchichte beginne an der Ecke der Univerſitätsſtraße. Das 10
war aber nicht ganz richtig. Sie beginnt, um es ganz genau zu ſagen, in einem
kleinen See von Regenwaſſer, der ſich an dieſer Ecke gebildet [5] hat. An dieſem kleinen
See ſteht Sylvia Wendel und möchte über die Straße gehen, aber trotz ihrer Über=
ſchuhe ſcheint [6] es ihr zu gefährlich zu ſein, in den kleinen See zu treten.[7] Häuſer=
dächer, die Bäume und Sylvia ſpiegeln ſich [8] in dem dunklen [9] Regenwaſſer, aber 15
Sylvia hat im Augenblick wenig Intereſſe dafür,[10] wie hübſch ihr Spiegelbild [11] im
Waſſer ausſieht, denn es iſt ſchon ein bißchen ſpät, und Wilby Hall, wo ſie ihre erſte
Stunde hat, iſt am anderen Ende des Campus. Sylvia hatte kein Intereſſe für ihr
Spiegelbild, aber Walter Brooks intereſſierte ſich ſehr für das Original. Walter
Brooks fährt langſam in ſeinem alten Ford auf die Ecke der Univerſitätsſtraße zu. 20
Er fährt langſam, weil er langſam fahren muß, denn ſein Ford iſt ſo alt wie er —
zwanzig Jahre.

In these footnotes new words are given and idioms are explained. Do not fail to learn perfectly the words marked with a star.

*[1] der Baum, -es, ⸚e, *tree.* *[2] offen, *open.* *[3] das Fenſter, -s, —, *window.* *[4] eilen, *hurry.*
*[5] bilden, *form.* *[6] ſcheinen, ie, ie, *seem.* *[7] treten, a, e (iſt), *step.* [8] ſich ſpiegeln, *be reflected.*
*[9] dunkel, *dark.* [10] dafür, *in.* From the point of view of English dafür seems unnecessary but
it is necessary in German, much as the words *to it* are necessary in such English expressions
as *See to it that you come home early.* Actually da in dafür functions as object for the preposition
für, which cannot modify a clause in German; da (*it*) anticipates the following clause and is
not translated. [11] das Spiegelbild, -es, -er, *reflection.*

283

Walter wiegt genau hundertsiebzig Pfund, sein Ford wiegt eintausend sechshun=
dertvierundachtzig Pfund.   Hinten im Ford liegt ein großes Bücherpaket — die
Bücher will Walter in Chicago verkaufen — und dieses Bücherpaket wiegt vierzig
Pfund.   Das Gesamtgewicht [1] von eintausend achthundertvierundneunzig Pfund
5 trifft das Wasser mit einer Geschwindigkeit [2] von zwanzig Meilen die Stunde.   Ein
Physiker hätte uns genau sagen können, wie hoch [3] und wie weit das Wasser aus dem
kleinen See gespritzt [4] war.   Das brauchen wir aber nicht so genau zu wissen.   Es
genügt zu wissen, daß etwas Regenwasser in Sylvias Haar und Gesicht, [5] das
meiste [6] aber auf ihren Sweater und Rock spritzte.   Man kann verstehen, daß diese
10 Katastrophe Walters Nervenreflexe einen Augenblick lang [7] lähmte. [8]   Man kann
auch verstehen, daß er nicht gleich sah, daß das grüne Licht vor ihm rot geworden war.
Der Fahrer des Buick, der vor Walter an die Ecke gekommen war, hatte das auch
erst [9] im letzten Augenblick gesehen, denn er hielt so plötzlich, daß die Bremsen
quietschten.   Der arme alte Ford Walters hatte natürlich nicht so gute Bremsen wie
15 der neue Buick vor ihm und so fuhr der kleine Ford in den großen Buick hinein.

Dieser kleine Zusammenstoß sah sehr lustig aus.   Man hätte meinen können, der
kleine Ford wolle den großen Buick rammen, nichts lag aber unserem armen Walter
ferner, [10] der langsam und traurig aus seinem Wagen [11] kam.   Die Stoßstange [12] des
Ford hatte sich über die des Buick gelegt und das Vorderende des Ford hing deshalb
20 an dem größeren Auto.   Der Herr des Buick und Sylvia begannen zur gleichen Zeit
zu sprechen.   Der Herr des Buick zeigte auf das hintere Ende seines Autos, Sylvia
zeigte auf die Flecke, [13] die das Regenwasser auf ihren weißen Rock gemacht hatte.
Walter verstand kein Wort, denn beide sprachen sehr schnell, aber er konnte sich vor=
stellen, wovon [14] sie sprachen.   Endlich ging der Herr des Buick zu seinem Wagen
25 zurück und untersuchte die Stelle, wo Walters Ford den Buick gerammt hatte.
Diese Stelle sah er lange und traurig an, wie ein Arzt, der einen schwerkranken
Patienten untersucht.   Während dies geschah, [15] konnte Sylvia dem Herrn des Ford
sagen, was sie von ihm und seinem alten Wagen dachte.   Sie sagte: „Schlafen Sie,
wenn Sie fahren?   Wissen Sie vielleicht nicht, daß ein Fußgänger genau so viel
30 Recht hat wie ein Autofahrer?   Warum kaufen Sie sich nicht ein richtiges Auto,
wenn Sie nicht zu Fuß gehen wollen?   Jetzt muß ich nach Hause gehen und ein
anderes Kleid anziehen.   Wir haben heute ein Examen in Geschichte.   Wenn ich
meinem Geschichtsprofessor erzähle, was Sie gemacht haben, wird es nicht glauben.
Kein Mensch wird mir das glauben, denn kein Mensch kann sich vorstellen, daß je=
35 mand mit fünfzig Meilen Geschwindigkeit in einen See von Regenwasser fährt.“   In

---

[1] das Gesamtgewicht, -es, *total weight.*   *[2] die Geschwindigkeit, —, *speed.*   *[3] hoch, *high.*   [4] spritzen,
splash.   *[5] das Gesicht, -es, -er, *face.*   *[6] das meiste, *most of it.*   *[7] einen Augenblick lang, *for a moment.*   The word lang following nouns denoting lapse of time does not mean *long,* but it is used
to express the idea of duration.   Thus: drei Jahre lang, *for three years.*   [8] lähmen, *paralyze.*
*[9] erst im letzten Augenblick, *only at the last moment.*   In expressions of time erst means *not until*
or, less often, *only.*   *[10] nichts lag aber unserem armen Walter ferner, *nothing, however, was further
from Walter's mind.*   *[11] der Wagen, -s, —, *car.*   [12] die Stoßstange, —, -n, *bumper.*   [13] der Fleck,
-es, -e, *spot.*   *[14] wovon, *about what.*   *[15] geschehen, a, e (ist), *happen.*

diesem Augenblick mußte die wütende [1] Sylvia Luft holen,[2] und der arme Walter
konnte etwas sagen. Er sagte mit leiser Stimme: „Fünfzig Meilen? So schnell
kann mein alter Ford nicht einmal [3] bergab [4] fahren!" Sylvia wollte antworten,
aber der Herr des Buick war inzwischen [5] mit seiner Untersuchung fertig geworden
und kam wieder auf Walter zu. Er war ein älterer Herr, mit grauen Haaren und 5
einem kurzen grauen Schnurrbart.[6] Er hatte ein sehr energisches, beinah [7] brutales
Gesicht und sehr breite Schultern. Der Herr des Buick hielt ein Stück Papier in der
einen Hand und einen Bleistift [8] in der anderen. Er sah Walter nicht an, sondern
sagte, während er Zahlen [9] auf das Papier schrieb: „Wie heißen Sie? Sie wissen
wohl nicht, wo die Bremse in Ihrem Auto ist? Das Auto gehört Ihnen vielleicht 10
nicht? Was? Wie heißen Sie? Soll ich dem Präsidenten Ihrer Universität
erzählen, daß Sie wie ein Betrunkener [10] anderen Leuten ins Auto fahren? Zeigen
Sie mir Ihre Papiere, falls Sie Papiere haben!" Walter hatte ein paar Mal
während dieser langen Rede seinen Namen genannt, aber der aufgeregte breitschultrige
Herr des Buick hatte ihn nicht gehört. Jetzt gab ihm Walter seine Papiere, und der 15
Breitschultrige schrieb sich alles auf, was er wissen wollte. Während er noch schrieb,
sagte Walter: „Geben Sie mir bitte auch Ihren Namen!" Der Breitschultrige
blickte auf [11] und wurde rot im Gesicht. „Wer ist wem ins Auto gefahren?" brüllte [12]
er. „Sie haben hier nichts zu wünschen und zu sagen, verstehen Sie? Sie wollen
meinen Namen wissen, so eine Frechheit!" [13] Er schwieg [14] einen Augenblick, dann 20
sagte er mit ruhiger Stimme: „Na ja, Sie sind noch sehr grün. Ich will Ihnen
eine Chance geben. Die Reparatur meines Autos wird über fünfzig Dollar kosten.
Ich verliere Zeit, und Zeit ist Geld für mich. Wenn Sie mir fünfzig Dollar geben,
vergesse ich die ganze Sache,[15] und alles ist in Ordnung." „Fünfzig Dollar!" sagte
Walter angstvoll. „Soviel Geld kann ich Ihnen nicht geben. Von fünfzig Dollar 25
lebe ich einen ganzen Monat." Der Herr des Buick dachte einen Augenblick nach,
dann sagte er: „Gut, dann leihen [16] Sie sich das Geld von Ihren Freunden. Ich
werde hier bei Ihrem Ford auf Sie warten." Walter mußte ein bißchen lachen.
„Wenn ich Glück habe, kann ich mir fünf Dollar von meinen Freunden leihen, mehr
haben die armen Kerle nicht. Nein, das kann ich wirklich nicht tun." Walter trat 30
an den Buick heran und beugte sich [17] über die Stelle, an der sein Ford das andere Auto
getroffen hatte. „Ich kann wirklich nicht sehen, warum die Reparatur fünfzig Dollar
kosten soll. Hier ist ein bißchen Farbe [18] weg [19] und hier ist . . . ." „Laß die Finger
von meinem Wagen!" brüllte der grauhaarige Herr und wurde rot im Gesicht.
„Meine Versicherung [20] weiß, was sie mit Kerlen wie dir zu tun hat." Bei diesen 35

---

*1 wütend, *furious.* 2 Luft holen, literally *fetch air,* here *gasp for breath.* *3 nicht einmal, *not
even.* 4 bergab, *downhill.* *5 inzwischen, *meanwhile.* 6 der Schnurrbart, –es, –̈e, *mustache.* *7 beinah,
almost. *8 der Bleistift, –es, –e, *pencil.* *9 die Zahl, —, –en, *number; figure.* 10 ein Betrunkener,
a drunk. *11 aufblicken, *look up.* 12 brüllen, *roar, bellow.* 13 die Frechheit, —, *impertinence.*
*14 schweigen, ie, ie, *be silent.* *15 die Sache, —, –n, *thing, matter.* *16 leihen, ie, ie, *lend, borrow.*
*17 sich beugen, *bend.* *18 die Farbe, —, –n, *color.* 19 weg, *gone.* 20 die Versicherung, —, *insurance
company.*

Worten ſprang er in ſein Auto, der Motor ſtartete, der Buick fuhr ab, der kleine
Ford fiel auf ſeine Vorderräder [1] zurück, und die Stoßſtange fiel auf die Erde.[2]
    Walter hob die Stoßſtange auf und legte ſie hinten ins Auto neben das Bücher=
paket. Sylvia hatte die ganze Zeit dageſtanden, ohne [3] ein Wort zu ſagen. Sie
5 hatte ſich Walters Autonummer aber auch die Nummer des Buick aufgeſchrieben.[4]
Als der Buick um die Ecke gefahren war, ſagte ſie: „So eine Frechheit von dem alten
Kerl. So etwas [5] habe ich noch nicht erlebt. Ich habe es mit meinen eigenen [6]
Augen geſehen, daß er zu plötzlich gehalten hat.“ Walter ſagte nur: „Ja, das wird
mir wenig helfen,[7] denn ich bin in ihn hineingefahren, ſoviel iſt ſicher. Mein Name
10 iſt Brooks, Walter Brooks. Ich ſehe, Sie haben ſich meine Autonummer ſchon
aufgeſchrieben. Ich werde Ihnen noch meine Adreſſe und Telefonnummer geben.“
Er ſchrieb beides auf ein Stück Papier. „Laſſen Sie ſich Ihr Kleid auf meine Koſten
reinigen [8] und ſchicken Sie mir die Rechnung, oder telefonieren Sie, und ich werde
Ihnen das Geld ſofort [9] ſchicken.“ Sylvia nahm das Stück Papier und ſagte
15 lächelnd [10]: „Machen Sie ſich keine Sorgen. Meinen Sweater waſche ich ſelbſt, und
das Reinigen meines Rockes wird nicht viel koſten.“ Sie ſchwieg einen Augenblick;
dann ſagte ſie: „Ich glaube auch nicht, daß Sie mit fünfzig Meilen Geſchwindig=
keit gefahren ſind.“ Walter lächelte ſchwach [11]: „Dreißig Meilen iſt die Höchſt=
geſchwindigkeit [12] für mein altes Wägelchen. Wenn Ihnen das nicht zu langſam iſt,
20 fahre ich Sie nach Hauſe.“ Sylvia ſah ihn einen Augenblick an und in dieſem Augen=
blick ſah ſie wieder, was ſie ſchon vorher geſehen hatte, daß dieſer Herr Brooks mit
ſeinen grauen, ernſten Augen und ſeinem blonden Haar ſehr gut ausſah, und daß er
wirklich ein ſehr netter junger Mann zu ſein ſchien. Sie ſtieg [13] in den Ford und
ſagte: „Ich heiße Sylvia Wendel und wohne bei meinen Eltern, dreihundertfünf=
25 undſiebzig Linden, das iſt die Weſtſeite der Lindenavenue.“ Walter ſetzte ſich neben
ſie, der Motor ſtartete, huſtete ein bißchen, und dann fuhr der kleine Ford mit
zwanzig Meilen Geſchwindigkeit von der Unglücksſtelle [14] fort.

    Vor der Tür des Elternhauſes wiederholte Sylvia ihre tröſtenden Worte, daß
Walter ſich wegen [15] ihres Rocks und Sweaters keine Sorgen machen ſollte. Dann
30 ſtiegen die beiden aus,[16] und Walter ſah zum erſten Mal, daß Sylvias Familie ſehr
viel Geld haben mußte, denn ſie wohnte in einem ſchönen großen Hauſe im Kolonial=
ſtil, und hinter dem Haus war ein richtiger Park. An der Tür drehte ſich Sylvia
noch einmal [17] um.[18] „Machen Sie ſich keine Sorgen wegen des Buick! Der Mann
mit den grauen Haaren hat viel zu plötzlich gehalten, das habe ich geſehen.“ Walter

---

1 das Vorderrad, -es, ″er, *front wheel.* *2 die Erde, —, *earth; ground.* *3 ohne zu ſagen, *without
saying.* The infinitive phrase zu ſagen is the object of the preposition ohne. This infinitive is
best translated by a verbal noun in *-ing.* 4 aufſchreiben, ie, ie, *write down.* *5 ſo etwas, *such a
thing.* *6 eigen, *own.* *7 helfen, a, o, *help.* *8 Laſſen Sie ſich Ihr Kleid reinigen! *Have your dress
cleaned.* This use of laſſen in the ſenſe of *cause to have done* is very frequent and important.
*9 ſofort, *at once.* 10 lächeln, *smile.* *11 ſchwach, *weakly.* 12 die Höchſtgeſchwindigkeit, —, *top speed.*
*13 ſteigen, ie, ie (iſt), *climb.* 14 die Unglücksſtelle, —, -n, *place of the accident.* *15 wegen, *because
of.* *16 ausſteigen, ie, ie (iſt), *get out.* *17 noch einmal, *once more.* *18 ſich umdrehen, *turn around.*

lächelte. „Ich wollte, ich hätte den grauhaarigen Mann mit Regenwasser voll=
gespritzt und wäre in Ihren Buick hineingefahren." „Das ist leider nicht möglich,"
sagte Sylvia, „denn ich habe keinen Buick." Walter wollte seinen Wunsch [1] sorg=
fältig erklären, aber Sylvia lachte und sagte: „Ich verstehe ganz gut, wie Sie es
meinen. Auf Wiedersehen." Sie lächelte ihn noch einmal freundlich an und dann 5
war sie ins Haus verschwunden.[2] Walter ging langsam zu seinem Auto zurück und
dachte über dieses Lächeln und den Ton von Sylvias Stimme nach, in dem sie „Auf
Wiedersehen" gesagt hatte.

Walter kam ungefähr fünf Minuten zu spät zu seiner zweiten Stunde. Professor
Wilmore, bei dem er in dieser Stunde englische Literatur hatte, war ein sehr nervöser 10
Herr, und wenn Studenten zu spät in seine Stunde kamen, machte ihn das ganz be=
sonders nervös. Als Walter die Tür öffnete und leise an seinen Platz ging, hörte
Professor Wilmore auf zu reden. Er trat ans Fenster und trommelte [3] mit den
Fingern die Marseillaise ans Fensterglas. Warum er immer die Marseillaise
trommelte, wenn er nervös wurde, wußte niemand,[4] trotzdem Generationen von 15
Studenten versucht hatten, eine Erklärung dafür zu finden. Er trommelte diesmal,
bis er an die Stelle kam „Aux armes citoyens (Zu den Waffen,[5] Bürger)", dann
drehte er sich um und sagte zu Walter mit ruhiger Stimme: — seine ganze Aufregung
hatte er ausgetrommelt — „Herr Brooks, Sie sind hier nicht im Kino, nicht wahr?
Kommen Sie bitte rechtzeitig oder gar nicht!" Dann hustete er und sagte mit etwas 20
trauriger Stimme: „Wie ich eben sagte, ehe wir von Herrn Brooks unterbrochen [6]
wurden, viele Situationen in Shakespeares Dramen sind auch in unserer Zeit
möglich. Um beim „Kaufmann von Venedig" zu bleiben, Sie brauchen sich Antonio
nicht im Kostüm eines Venezianers zur Zeit der Renaissance vorzustellen. Jeder
moderne Mensch kann sich denken, welche Sorgen sich der arme Antonio macht. 25
Dreitausend Dukaten soll er zahlen und er hat nichts. Und Shylock? Auch im
modernen Leben können wir Shylock leicht wiederfinden. Lassen Sie Ihrer Ein=
bildungskraft freien Lauf! Jeder Mensch, der einen anderen Menschen in seiner
Gewalt [7] hat und sein „Pfund Fleisch" will, ist Shylock. Aber zurück zum Rialto
und zum Venezianer Antonio. In welcher schwierigen Lage [8] befindet sich Antonio? 30
Erklären Sie uns das bitte, Herr Ashton!" „Fehlt" [9] sagten drei oder vier männlich
robuste Stimmen. Professor Wilmore seufzte [10] tief, sah in sein kleines Büchlein und
rief Fräulein Bandelow auf.[11] Fräulein Bandelow rollte ihre Augen etwas, und
dann ging es los: „Professor Wilmore, ich dachte, wir sollten für heute nur den
ersten Akt lesen, ich dachte Sie hätten das gesagt. Ich kenne die Geschichte vom 35
Kaufmann von Venedig. Ich habe zu Hause eine Sammlung „Die Klassiker der
Weltliteratur." Da wird die Geschichte vom Kaufmann von Venedig erzählt und da
habe ich gelesen, daß . . . " „Nein, nein Fräulein Bandelow," unterbrach Professor

---

*[1] der Wunsch, -es, ⸚e, *wish.* *[2] verschwinden, a, u (ist), *disappear.* [3] trommeln, *drum, tap.*
*[4] niemand, *nobody.* [5] die Waffen (pl.), *arms.* *[6] unterbrechen, a, o, *interrupt.* *[7] die Gewalt, —,
force, power. *[8] die Lage, —, -n, *situation.* *[9] fehlen, *be absent.* [10] seufzen, *sigh.* [11] aufrufen, ie,
u, *call on.*

Wilmore. „Was man nicht im Original liest, kennt man nur halb oder gar nicht.“
Er blickte wieder in sein Büchlein, hustete und sagte: „Herr Brooks.“ Walter
erschrak,[1] aber er konnte seine Aufgabe. Nur seine Stimme klang ein bißchen träu=
merisch,[2] — er hatte an die fünfzig Dollar für die Buickreparatur gedacht — als er
5 begann: „Antonio hat sich dreitausend Dukaten von Shylock geliehen. Wenn er das
Geld in drei Monaten nicht zurückgeben kann, hat Shylock das Recht, ihm ein Pfund
Fleisch aus der Brust zu schneiden. Antonio hat Unglück[3]; er verliert seine Schiffe,
und so kann er die fünfzig Dollar — “ die Klasse lachte laut, und Professor Wilmore
trommelte „Allons enfants de la patrie (Auf! Kinder des Vaterlands)“, und
10 alle wurden still. „Er kann die dreitausend Dukaten nicht zurückgeben, und Shylock
verlangt sein Pfund Fleisch aus Antonios Brust. Der Richter[4] Bellario versucht
Shylock zu überreden,[5] Mitleid[6] mit Antonio zu haben.“ „Wer war dieser Richter
Bellario?“ unterbrach Professor Wilmore. „Das war natürlich Sylvia, o, ich
wollte sagen, Portia.“ Wieder lachte die Klasse brüllend, denn Sylvia war der
15 Name der Heldin eines Filmes, der gerade im Varsity=Kino spielte, was Walter
übrigens nicht wußte. Professor Wilmore trommelte diesmal nicht. Er seufzte tief
und sagte: „Ich verstehe Sie nicht. Wenn Sie die wirklich lustigen Witze von
Shakespeares Narren lesen, dann lachen Sie nie. Wenn aber unser junger Freund
hier statt[7] dreitausend Dukaten fünfzig Dollar sagt, dann gibt es ein brüllendes
20 Gelächter. Nun, ich kann nur sagen, daß ich persönlich Shakespeares dreihundert=
fünfzig Jahre alte Witze viel lustiger finde als diese modernen, darf ich sagen, etwas
grünen Witze.“ Walter war wieder allein mit seinen Gedanken, während Professor
Wilmore der Klasse erklärte, daß Shylock zu Shakespeares Zeit eine Art Clown war,
über den man lachen konnte und sollte, daß er aber für unseren modernen Geschmack[8]
25 ein tragischer Charakter ist. Walter dachte gerade darüber[9] nach, ob wohl der breit=
schultrige Herr des Buick auch ein tragischer Charakter wäre. Da klingelte es, die
Stunde war um. In der Pause rannte Walter schnell zum Parkplatz, um seinen
Ford noch einmal zu untersuchen. Es war, wie er es sich gedacht hatte. Die letzte
Katastrophe war zu viel für den linken Vorderreifen[10] gewesen. Schon von weitem
30 sah er, wie sein alter Ford nach links hing.[11] Eine Reparatur war diesmal unmög=
lich, und so ging Walter mit einer neuen Geldsorge im Herzen zur Universität
zurück. Die nächsten beiden Stunden waren nicht gefährlich, denn die Professoren
hielten Vorträge,[12] und Walter konnte träumen und spekulieren, so viel er wollte.

Es wurde Mittag, und er war noch immer tief in Gedanken. In was für Ge=
35 danken? — Nun, er dachte über zwei ganz verschiedene Dinge nach: Wie er die
fünfzig Dollar zusammenbringen könnte und ob und wann er Sylvia wiedersehen
würde. Mechanisch ging er in die Studentenkafeteria und ließ sich[13] in der langen

---

[1] erschrecken, a, o (ist), *be startled.* [2] träumerisch, *dreamy.* [3] das Unglück, *bad luck, misfortune.*
[4] der Richter, —s, —, *judge.* [5] überreden, *persuade.* [6] das Mitleid, *pity.* [7] statt, *instead of.*
[8] der Geschmack, *taste.* [9] darüber (See Note 10, page 283). [10] der Vorderreifen, —s, —, *front tire,*
[11] hängen, i, a, *hang, dangle.* [12] einen Vortrag halten, ie, a, *deliver a lecture.* [13] ließ sich schieben.
let himself be shoved. The German active infinitive (schieben) with lassen must often be translated by the English passive infinitive.

Reihe der Wartenden bis an die Stelle schieben, wo eine stattliche Matrone in Weiß die Teller [1] der Hungrigen mit allerlei [2] guten Dingen füllte. Walter war so zerstreut, daß er nicht einmal sah, daß es heute Wiener Schnitzel und auch Apfelstrudel gab, — und er aß Wiener Schnitzel und Apfelstrudel so gerne! Als er an die Reihe kam, sich etwas auszusuchen, wußte er nicht, was er nehmen sollte. Er zeigte deshalb 5 auf das, was ihm zuerst ins Auge fiel, und so hatte er bald, was er nicht wollte, nämlich, Kartoffelsuppe, Sauerkraut, Frankfurter Würstchen und Reispudding. Das deprimierte ihn natürlich noch mehr, und so ging er durch den Speisesaal,[3] an dessen einem Ende er ein paar Tische gesehen hatte, an denen niemand saß. Dort, so dachte er, würde er alleine sein, um sich Sorgen zu machen und sein uninteressantes 10 Sauerkraut usw. in Frieden [4] zu essen. Es kommt oft aber ganz anders als man denkt. Auf halbem Wege fühlte Walter einen schweren Schlag [5] auf die Schulter, so daß er beinah sein Tablett [6] fallen ließ. Tennisspieler haben aber gute Reflexe, und Walter war nicht nur ein guter Tennisspieler sondern sogar Tennismeister seiner Alma Mater. Er hielt sein Tablett fest,[7] und so spritzte nur etwas Kartoffelsuppe in 15 den Kaffee und etwas Kaffee auf den Reispudding. Ohne sich umzudrehen, wußte Walter, wer ihn auf die Schulter geschlagen [8] hatte. Hans Lübke, der riesige Tackle, Hans Lübke, der Mann der Superlative, hatte Walter wieder einmal gezeigt, daß er, Lübke, sein guter Freund war. Lübkes mächtige Hand lag noch immer auf Walters Schulter und führte ihn in die Mitte des Speisesaales zurück,[9] wo der Lärm am 20 größten war. Dort setzte sich Lübke an seinen Tisch, und Walter setzte sich mit einem Seufzer neben ihn.

Niemand konnte lange auf Lübke ärgerlich sein trotz solcher kolossalen Witze, denn er war, was man in der deutschen Studentensprache „ein gutes altes Haus" nennt. (In der amerikanischen Studentensprache wäre Lübke a good egg.) Auch 25 Walter war nicht lange ärgerlich, denn er hatte Lübke gern. Natürlich wäre er gerade heute lieber alleine gewesen. Wir nannten Lübke den Mann der Superlative, und das war keine Übertreibung. Er war ohne Zweifel [10] der stärkste Mann auf dem Campus. Bei einem Studentenkarnival z.B. hatte er ein Brett [11] auf den Füßen balanziert, auf dem drei Sophomores und ein Laboratoriumsassistent saßen. 30 Außerdem besaß er die größten Hände und Füße, die die Verkäufer von Schuhen und Handschuhen je [12] gesehen hatten, und das kann man verstehen, denn er wog in seiner Fußballuniform zwischen zweihundertsechzig und zweihundertsiebzig Pfund.

In diesem Semester hatte Lübke allerdings keine Gelegenheit,[13] seine Fußballuniform anzuziehen. Warum? Nun, er selber [14] sagte, daß er genug für seine Alma 35 Mater im Fußballstadion getan hätte, und daß er jetzt ganz seinen Studien leben werde. Da sei besonders Spanisch, eine Sprache, die ihn ganz besonders interessiere, da [15] er später Südamerika und Mexiko besuchen werde. Dann wolle er

---

*[1] der Teller, -s, —, plate. *[2] allerlei, all sorts of. [3] der Speisesaal, -es, ...säle, dining room. *[4] der Frieden, -s, peace. [5] der Schlag, -es, ⸚e, blow, slap. [6] das Tablett, -es, -e, tray. *[7] fest, firmly. *[8] schlagen, u, a, hit, strike. [9] zurückführen, lead back. *[10] der Zweifel, -s, —, doubt. [11] das Brett, -es, -er, board. *[12] je, ever. *[13] die Gelegenheit, —, -en, opportunity. *[14] selber, himself. *[15] da, since.

nicht in seinem Auto irgendwo auf der panamerikanischen Autostraße vor einer
Tankstelle halten und kein Benzin kaufen können, weil man ihn nicht verstehe. Er
kenne die Verhältnisse in Süd= und Zentralamerika! Außerdem sei da die Physik,
eine sehr wichtige Wissenschaft [1] für einen Mann wie ihn, der sich fürs Ingenieur=
5 wesen interessiere. Er könne nicht dauernd ein D in Physik bekommen. Außerdem
sei er im Englischen etwas schwach, oder besser, seine englischen Aufsätze seien früher
zu kurz gewesen. Dies und Ähnliches hatte Lübke zu sagen, wenn man ihn fragte,
warum er in diesem Semester nicht Fußball spiele. Leider sagte er all dies auch,
wenn man ihn nicht fragte. Walter z.B. hatte ihn nicht gefragt, denn Walter
10 kannte Lübkes Lebensgeschichte und alle Gründe, warum Lübke in diesem Semester
nicht spielte. Trotzdem mußte er aber doch Lübkes langem Vortrag zuhören. Lübke
war heute besonders aufgeregt über sein Unglück, denn heute war der Sonnabend, an
dem seine Mannschaft gegen die Silberlöwen [2] von West College spielen mußte. Der
Kampf mit den Silberlöwen gehörte zur Tradition der Universität, die in den
15 letzten zehn Jahren jedes Spiel [3] gewonnen hatte. Wir können natürlich verstehen,
daß Lübke sich dieses Spiel wenigstens ansehen wollte.

Da Lübke sehr aufgeregt war und viel und laut sprach, brauchte Walter nur mit
einem Ohr zuzuhören, um von Zeit zu Zeit an der richtigen Stelle „ja, natürlich"
oder „natürlich nicht" sagen zu können. Dabei [4] erinnerte er sich, daß er heute für
20 fünfzig Cent gegessen hatte, und daß er für fünfzig Dollar hundertmal zu Mittag
essen könnte, und daß er außerdem noch einen neuen Reifen kaufen mußte. Plötzlich
sagte Lübke: „Walter, Mensch, wir müssen gehen, sonst kommen wir zu spät zum
Spiel," und da erst [5] erinnerte sich Walter, daß ja heute seine Alma Mater im eigenen
Stadion gegen die Silberlöwen spielte. Er war froh, seine Sorgen auf ein paar
25 Stunden vergessen zu können, und so machte er sich mit Lübke auf den Weg zum
Fußballstadion.

Es war richtiges Fußballwetter. Der Regen hatte schon am Morgen aufgehört,
und die warme Sonne lachte vom blauen Himmel.[6] Trotzdem die Luft kühl war,
konnte man aber ohne Mantel [7] im Freien [8] sitzen. Das riesige Fußballstadion war
30 schon voll, als Lübke mit Walter erschien.[9] Das Publikum war in bester Stim=
mung,[10] und sogar Walter vergaß seine Geldsorgen, als die Universitätskapelle in die
Arena marschiert kam und das Lied der Alma Mater spielte.

Er und die Tausende um ihn schrien so laut sie konnten: „Hurra, hurra,
schlagt die Sil=ber=lö=wen!"

35 Die Fußballmannschaften erschienen auf dem Spielfeld, liefen ein bißchen hin und
her, warfen, fingen und traten [11] ein paar Fußbälle, und dann ging es los. Peter

*[1] die Wissenschaft, —, -en, *science*. [2] der Silberlöwe, -n, -n, (*silver lion*) *cougar*. *[3] das Spiel,
-es, -e, *game*. *[4] dabei, in doing so, at the same time. *[5] da erst, *only then*. In expressions of
time erst means *not until* or, less often, *only*. Compare erst um 10 Uhr, *not until 10 o'clock*.
*[6] der Himmel, -s, *sky, heaven*. *[7] der Mantel, -s, ", *topcoat*. *[8] im Freien, *in the open*. *[9] er=
scheinen, ie, ie (ist), *appear*. [10] die Stimmung, —, -en, *mood*. *[11] treten, a, e, here: *kick*; usually:
step.

Molechalski trat den Ball, der hoch in die Luft flog und dreißig Meter vor dem Tor
von einem der Silberlöwen, Michael O'Meara, gefangen wurde. Michael galoppierte
vorwärts, aber trotz aller Seitensprünge wurde er in der Mitte des Spiel=
feldes gestoppt. Beim Hinfallen fiel ihm der Ball aus der Hand.[1] Peter Mole=
chalski hob den rollenden Ball auf und ... Was dann geschah, konnte Walter nicht 5
sehen, denn Lübke stand auf, um einer Studentin Platz zu machen, die sich auf den
leeren Platz an Walters linker Seite setzte, und nun sah Walter, daß er das Mädchen
kannte. Sie war eine junge Kanadierin, die im Chemielaboratorium an dem Tisch
hinter ihm experimentierte oder besser, Gläser zerbrach [2] und sich die Finger an dem
Bunsenbrenner verbrannte.[3] Sie war sehr schwach in Chemie, aber eine ausgezeich= 10
nete Tänzerin und eine reizende Blondine. Walter hatte sie bei dem Maskenball
kennengelernt,[4] bei dem Lübke als „Kraftmensch" [5] drei Sophomores und einen
Chemieassistenten auf einem Brett balanziert hatte. Auf diesem Ball war Fräulein
Ruth Wilberton — so hieß die junge Dame — mit einem Studenten der Medizin
erschienen, der ein ausgezeichneter Tennisspieler war und mit dem Walter deshalb 15
oft spielte. Walter sprach ein paar Worte mit Ruth, als Lübke plötzlich den Mund [6]
aufmachte [7]: „Ich habe Sie auch auf dem Ball gesehen, von dem Walter spricht. Ich
hatte die Balanziernummer auf dem Programm. Außerdem spiele ich hier manchmal
Fußball, aber ..." „Entschuldige Hans," sagte Walter, „daß ich dich unterbreche.
Fräulein Wilberton war nach Hause gegangen, ehe deine Nummer an die Reihe kam. 20
Ruth, dieser Herr ist Hans Lübke; er war im vorigen Jahr unser bester Tackle.
Hans, diese Dame ist Ruth Wilberton aus Kanada, die beste Tänzerin auf dem
Campus. Ihr beide solltet euch gut verstehen. Hans lernt nämlich im Augenblick
tanzen. Er hat in der Hochbahn eine Reklame gelesen: ‚Weller Tanzinstitut. Wenn
Sie gehen können, lehren [8] wir Sie tanzen.' Nun, Hans kann nicht nur gehen, er 25
kann sogar laufen und zwar hundert Meter in 12,5 Sekunden, was für einen Mann
von seinem Gewicht eine kolossale Leistung [9] ist." Lübke lächelte, sah seine riesigen
Hände an und sagte schließlich: „Sie kennen meinen armen Freund Walter nicht, er
hat im letzten Sommer zu viel in der heißen Sonne Tennis gespielt, er ist aber ganz
harmlos. Sie kommen aus Kanada? Das ist ja äußerst interessant. — Ent= 30
schuldige, Walter!" Ehe Walter etwas sagen konnte, hatte Lübke sich an Fräulein
Wilbertons Seite gesetzt. Walter wollte protestieren, aber plötzlich verlor er alles
Interesse am Spiel und an Fräulein Wilberton. Lübkes Bemerkung [10] „mein armer
Freund" hatte ihn an den Zusammenstoß mit dem Buick erinnert,[11] und nun saß er
da und dachte darüber nach, wie er schnell fünfzig Dollar verdienen könnte. Leider 35
war der Kampf der Mannschaften in der Arena nicht sehr aufregend. Die Kampf=
fronten gingen vorwärts [12] und rückwärts.[13] Der Ball wanderte von der Mannschaft

---

*[1] ihm aus der Hand, *from his hand.* The idea of possession with reference to parts of the
body and articles of clothing is expressed in German by the dative case. *[2] zerbrechen, a, o,
break. *[3] verbrennen, verbrannte, verbrannt, *burn.* *[4] kennenlernen, *become acquainted, meet.* [5] der
Kraftmensch, —en, —en, *strong man.* *[6] der Mund, —es, ⸚er, *mouth.* *[7] aufmachen, *open.* *[8] lehren,
teach. *[9] die Leistung, —, —en, *achievement.* [10] die Bemerkung, —, —en, *remark.* *[11] erinnern, *remind.*
[12] vorwärts, *forward.* [13] rückwärts, *backward.*

der Alma Mater zur Mannschaft der Besucher, aber nichts Dramatisches geschah.
Als die Halbzeit herankam,[1] stand das Spiel sechs zu sechs. Lübke hatte sich während
der ganzen Zeit sehr interessiert mit Fräulein Wilberton unterhalten. Er hatte
viele intelligente Fragen gestellt wie z.B.: ob das Wetter in Kanada besser wäre als
5 in den Vereinigten Staaten; was die Haupterportartikel Kanadas wären; ob Fräu=
lein Wilberton die kanadischen Rockies kenne; u. dgl. m. Als der Pistolenschuß die
erste Hälfte des Spieles beendete, sagte Lübke: „Gestatten Sie,[2] Fräulein Wilberton,
daß ich Sie zu einer Tasse Kaffee und einem warmen Würstchen einlade. Willst du
auch mitkommen, Walter?" Walter war so tief in Gedanken, daß er die Frage nicht
10 richtig verstand. Er sagte: „Ja, schön, das glaube ich auch." Lübke schüttelte[3]
den Kopf und sah Fräulein Wilberton lächelnd an. Ruth Wilberton hatte sich etwas
über Walter geärgert.[4] Sie wollte sich eigentlich mit ihm unterhalten, aber Walter
zeigte gar kein Interesse für sie sondern starrte nur vor sich hin.[5] So sagte Fräulein
Wilberton mit künstlichem Lächeln zu ihrem neuen Kavalier, Herrn Lübke: „Das ist
15 eine ausgezeichnete Idee, Hans. Gehen wir! Herr Brooks scheint wichtigere Dinge
zu tun zu haben als mit uns Kaffee zu trinken." „O nein, nein," protestierte
Walter, ohne viel Nachdruck[6] in seine Worte zu legen. Schweigend ging Walter
mit den beiden zu einer der improvisierten Bars, wo Kaffee und Frankfurter
Würstchen verkauft wurden.

20   Die zweite Hälfte des Spieles war interessanter als die erste. Es war klar, daß
der Coach den Grislybären — so hieß die Fußballmannschaft der Alma Mater —
dies und das gesagt hatte. Sie spielten in schnellerem Tempo und viel besser.
Schon nach ein paar Minuten gab es einen hochdramatischen Augenblick. Bob
Miller, genannt „der fliegende Holländer," lief etwa zehn Meter hinter die eigene
25 Spielfront zurück, blickte einen Augenblick suchend über das Spielfeld, bis er in etwa
dreißig Meter Entfernung seinen Mitspieler Peter Molechalski rennen sah. Mole=
chalski lief in einer Diagonale von der Seitenlinie ins Spielfeld, und Bob Miller
warf ihm den Ball zu.

Was in den nächsten Sekunden geschah, wurde noch nach Tagen von den Studenten
30 diskutiert und war der Beginn einer langen Reihe von Briefen, die aufgeregte
Sportsenthusiasten und Freunde Bob Millers an den „Campus=Herold" schrieben.
Schließlich, und das interessiert uns hier am meisten, war es für Walter Brooks die
Lösung[7] seines Problems und außerdem eines der wichtigsten Ereignisse[8] seines
Lebens. Woher wir das wissen? Lieber Leser, ein Autor weiß alles, was das zu=
35 künftige Leben seines Helden betrifft.[9] Wir kommen aber vom Thema ab.[10] Was
war geschehen?

Molechalski lief diagonal über das Spielfeld, und Bob Miller hatte den Ball hoch
in die Luft geworfen. Zwanzigtausend Augen sahen, wie der Ball sich in einer

---

[1] herankommen, a, o (ist), *approach.* [2] Gestatten Sie, daß ..., *Permit me to ...* [3] schütteln, *shake.*
*[4] sich ärgern, *be annoyed by.* *[5] starrte vor sich hin, *stared in front of himself,* i.e. *into space.*
[6] der Nachdruck, –es, *emphasis.* [7] die Lösung, —, –en, *solution.* *[8] das Ereignis, ...nisses, ...nisse,*
event. *[9] was ... betrifft, *as far as ... is concerned.* [10] abkommen, a, o (ist), *deviate, get away.*

schönen Kurve durch die Luft bewegte,[1] genau auf den galoppierenden Molechalski zu. Nicht ganz genau, das war es, was der Campus=Herold sagte. Der Ball bewegte sich genau auf Molechalski zu, aber Molechalski änderte[2] plötzlich sein Tempo und lief zu langsam: Das war es, was die aufgeregten Briefe behaupteten.

Jedenfalls[3] mußte Molechalski hoch in die Luft springen, um den Ball zu fangen; er fing ihn aber nicht, sondern stieß[4] mit der Hand gegen ihn, sodaß er in die ersten Reihen der Zuschauer flog. Ein breitschultriger Mann mit grauen Haaren sprang auf, fing den Ball und warf ihn ins Spielfeld zurück, während die Umsitzenden lachten und applaudierten.

Walter starrte den breiten Rücken vor sich an, als ob er Bankos Geist[5] gesehen hätte. Ja, darüber konnte er nicht im Zweifel sein. Etwa zehn Reihen vor und unter ihm saß der Herr des Buick. Als er sich von seiner ersten Überraschung erholt[6] hatte, sah er, daß der Herr des Buick nicht alleine saß. Er unterhielt sich mit einer Dame in einem schönen Pelzmantel, der soviel wert zu sein schien wie ein Buick. Die Dame interessierte Walter aber nicht so sehr wie der Mann, der links neben dem Breitschultrigen saß. Es war ein kleiner, schwächlicher[7] Mann von ungefähr vierzig Jahren. Wenn er mit seinem Begleiter[8] sprechen wollte, legte er ihm jedesmal die Hand auf die Schulter, und der Herr des Buick zog jedesmal die Schulter zurück. Gute Freunde waren die beiden sicher nicht, das konnte Walter sehen. Der Kleine wollte sich eine Zigarette anzünden,[9] aber seine Hände zitterten[10] so stark, daß er das Streichholz[11] nicht still halten konnte. Der Herr des Buick schien ärgerlich zu werden. Er faßte[12] den Arm, mit dem der kleine Mann die Zigarette hielt, und gab ihm Feuer. Dann sagte er ihm etwas ins Ohr, sicherlich[13] nichts Freundliches. Wenn Walter etwas von medizinischer Psychologie verstanden hätte, wäre es ihm sofort klar gewesen, daß der kleine Mann außer[14] Essen und Trinken auch Morphium oder Kokain brauchte, um am Leben zu bleiben. Walter wunderte sich über die sonder= baren Drei, dann machte er sich aber wieder seine alten Geldsorgen. Er beschloß,[15] dem Breitschultrigen zum Parkplatz zu folgen, um sich den Schaden[16] noch einmal anzusehen. Er konnte noch immer[17] nicht verstehen, wie der kleine Zu= sammenstoß den Buick so hatte beschädigen[18] können, daß die Reparatur fünfzig Dollar kosten sollte. „Walter," sagte Ruth Wilberton plötzlich, „das ist wirklich ein schöner Pelzmantel!" „Wer ist das?" sagte Walter. „Wessen Pelz ist das?" Ruth lachte und Lübke, der auch nicht verstand, was Ruth gesagt hatte, sagte: „Armer Freund!"

Als der Pistolenschuß das Spiel beendete, stand das Spiel trotz allem, was der Coach seiner Mannschaft in der Halbzeit gesagt hatte, immer noch sechs zu sechs. Die Menge[19] begann aus dem Stadion zu strömen, und Walter wollte den Herrn

---

*[1] sich bewegen, *move.* *[2] ändern, *change.* *[3] jedenfalls, *at any rate.* [4] stoßen, ie, o, *hit, knock.* [5] der Geist, -es, -er, *ghost.* [6] sich erholen, *recover.* [7] schwächlich, *weakly, sickly.* [8] der Begleiter, -s, —, *companion.* [9] anzünden, *light.* *[10] zittern, *tremble, shake.* [11] das Streichholz, -es, -er, *match.* [12] fassen, *grasp.* *[13] sicherlich, *undoubtedly.* [14] außer, *besides.* *[15] beschließen, o, o, *decide.* *[16] der Schaden, -s, -, *damage.* *[17] noch immer or immer noch, *still.* [18] beschädigen, *damage.* *[19] die Menge, —, *crowd.*

des Buick nicht aus den Augen verlieren. Er legte die Hand auf Lübkes Gorillaarm und sagte mit verlegenem [1] Lächeln: „Lieber Hans, liebe Ruth, ihr müßt mich wirk= lich entschuldigen — ich muß, — ich möchte, — ich muß einen Mann unten sprechen, ich erkläre das später." Ruths Lächeln war nicht verlegen sondern leicht ironisch.
5 „Wäre es vielleicht möglich," sagte sie, „daß der Mann einen Pelzmantel trägt? Nun, viel Glück! Montag im Labor werde ich dich wiedersehen. Sollen wir gehen?" [2] Die beiden verschwanden und Walter lief so schnell er konnte durch die Menge, bis er dicht hinter dem Herrn des Buick war. Er sah sofort, daß die Dame im Pelzmantel mit ihren beiden Begleitern stritt.[3] Sie sprach sehr laut, dann drehte sie den beiden
10 den Rücken [4] und ging rasch davon. Die beiden Männer sahen ihr einen Augenblick nach, dann gingen sie weiter. Walter folgte ihnen ungesehen, was leicht war, solange er inmitten der aus dem Stadion strömenden Menschenmenge ging. Auf dem Park= platz begannen die Schwierigkeiten, aber hinter jedem Auto Deckung [5] suchend, kam er ganz [6] nahe an die beiden Männer heran, die langsam ans andere Ende des Park=
15 platzes gingen. Der kleine nervöse Mann blieb plötzlich stehen [7] und faßte den Arm seines Begleiters. „Gilbert," sagte er mit einem südländischen Akzent, „ich brauche das Geld, gib mir wenigstens ein paar Hundert." Der Herr des Buick, dessen Namen wir jetzt kennen, aber schrie: „Zum Donnerwetter, Mensch, woher soll ich ein paar hundert Dollar nehmen?" Dann wurde seine Stimme ruhiger, und er
20 fuhr fort[8]: „Wir müssen alle warten. Louis kommt Ende der nächsten Woche wieder. Ich hab' dir gesagt, er muß den Dampfer [9] nach Key West nehmen. Im Flugzeug kann er nicht genug Papiergeld von Havannah mitbringen. Größere Scheine [10] als Zehndollarscheine soll er nicht mitnehmen. Jetzt sei still, ich geb' dir ein paar Gramm, wenn wir wieder im Hotel sind." Schweigend gingen die beiden
25 weiter. Vor dem Buick blieben sie stehen, und Walter, halb unter einem Ford lie= gend, betrachtete [11] sich das Hinterende des Wagens. Leider konnte er nicht viel sehen, denn Gilbert fuhr sein Auto schnell und sicher aus den Wagenreihen heraus und auf die Straße, wo Walter es bald in der langen Prozession der heimwärts fahrenden Automobile aus den Augen verlor.
30 Walters Wirtin,[12] Frau Elise Wetzel, eine typische Studentenmutter, hatte ihre Freundin, Frau Finnegan, zu Besuch. Es war ungefähr neun Uhr abends, die beiden alten Damen hatten sich eine Tasse Kaffee gekocht und saßen zusammen auf dem Plüschsofa unter dem Bilde [13] des verstorbenen [14] Herrn Wetzel und unterhielten sich. Frau Finnegan sah die Decke [15] an. „Was ist denn mit dem Herrn da oben [16]
35 los? [17] Warum geht er dauernd hin und her? Du solltest an die Decke klopfen,[18]

---

[1] verlegen, *embarrassed.* *[2] Sollen wir gehen? *Let's go!* The expression *let's* is usually rendered in German by the verbs sollen or wollen used in the form of a question. [3] streiten, i, i, *quarrel.* *[4] der Rücken, -s, —, *back.* [5] die Deckung, —, *cover.* *[6] ganz, *very.* *[7] stehen bleiben, ie, ie
(ist). Sometimes stehen bleiben means *remain standing,* but more often it means *stop* or *come to
a halt.* [8] fortfahren, u, a, *continue.* [9] der Dampfer, -s, —, *steamer.* [10] der Schein, -es, -e, *bill.*
*[11] sich betrachten, *look at.* [12] die Wirtin, —, -nen, *landlady.* *[13] das Bild, -es, -er, *picture.* [14] verstorben, *deceased, late.* *[15] die Decke, —, -n, *ceiling.* [16] da oben, *up there.* *[17] Was ist denn los? *What's
the matter?* *[18] klopfen, *knock.*

damit [1] er weiß, daß er uns stört." [2] „Ach nein," sagte Frau Wetzel, „das werde ich nicht tun. Walter ist mein bester Mieter. So ein stiller, lieber Junge, und seine Miete bezahlt er immer im voraus! Dabei [3] hat er viel weniger Geld als meine anderen Mieter. Oft arbeitet er in der Stadt, in der Fordgarage, um sich ein paar Extradollar zu verdienen. Wenn er dann nach Hause kommt, muß der arme Kerl 5 oft bis spät in die Nacht aufsitzen, um seine Schularbeiten zu machen. Seine Familie hat Unglück gehabt. Der Vater war Arzt, hat aber bei einem Autounfall [4] den rechten Arm verloren. Die Familie hat natürlich nicht viel Geld, und Walter weiß, wie schwierig es für seinen Vater ist, ihn auf die Universität zu schicken. Heute abend war Walter so nervös und sah besorgt [5] aus. Ich mache mir Sorgen um den 10 Jungen, denn der [6] sagt nichts, wenn ihm etwas fehlt.[7] Vielleicht hat er schlechte Nachrichten von zu Hause bekommen. Ich muß ihn morgen fragen." In diesem Augenblick klingelte das Telephon. Frau Wetzel ging hinaus, und im nächsten Augenblick hörte Frau Finnegan sie rufen [8]: „Walter, komm runter,[9] es ist für dich!" Frau Wetzel kam wieder ins Zimmer, sie schloß aber die Tür nicht ganz, denn sie 15 interessierte sich, wie das bei Wirtinnen oft der Fall ist, für das Privatleben ihrer Mieter. Frau Wetzel schwieg, und auch Frau Finnegan, die bis jetzt sehr viel und sehr schnell geredet hatte, sagte kein Wort. So verstanden die beiden Damen alles, was Walter sagte. „Walter Brooks ... Entschuldigen Sie, ich habe den Namen nicht genau verstanden ... O, Fräulein Wendel ... Das ist eine Überraschung ... 20 O, das freut mich ... Ich wette aber, Sie haben eine halbe Stunde daran waschen müssen ... O nein, Sie müssen mir die Rechnung schicken ... Aber Fräulein Wendel, es war doch meine Schuld [10] ... Sie haben doch aber selber gesagt, daß ich schlief, als es geschah.... Wollen Sie mir glauben, daß ich in Wirklichkeit beide Augen weit auf hatte ... Das müssen Sie raten ... Um noch einmal von Ihrem grauen 25 Rock zu sprechen ... Also schön,[11] der Rock ist nicht grau, er ist weiß.... Schön, wenn Sie es so energisch verlangen, muß ich wohl davon still sein ... Jetzt verlange ich aber auch etwas. Ich verlange, daß Sie mir erlauben,[12] Sie für morgen abend zum Abendessen einzuladen ... Ist es Ihnen recht um sechs Uhr? ... Wie wäre es mit drei Viertel sieben? ... Und hinterher [13] gehen wir natürlich ins Kino.... 30 Ach, das ist doch gar nicht so schwer. Ich habe den alten Knaben [14] voriges Jahr gehabt. Ich weiß, was er will. Ich helfe Ihnen am Dienstag.... Nein, ich habe noch nichts von Gilbert gehört ... O, so heißt der Mann, das erkläre ich Ihnen morgen, das ist eine sehr interessante und sehr mysteriöse Geschichte.... Ja, das stimmt, er wollte fünfzig Dollar haben. Wahrscheinlich wird die Versicherung aber mehr 35

---

*[1] damit, *so that.* *[2] stören, *disturb.* *[3] dabei, *moreover.* [4] der Autounfall, -es, ⸚e, *auto accident.* [5] besorgt, *worried.* *[6] der, *he.* The forms of der are used as demonstrative pronouns. A simple practical suggestion is: When a form of der is used without a noun, notice the position of the inflected verb. If the verb is in normal or inverted order, the form of der is a demonstrative pronoun, meaning *he, she, it,* etc. If the verb is in transposed order, the form of der is a relative pronoun and means *who, which, that,* etc. *[7] ihm fehlt etwas, *something is wrong with him.* *[8] rufen, ie, u, *call.* [9] runter, short for herunter, *downstairs.* [10] die Schuld, *fault.* *[11] also schön, *all right then.* *[12] erlauben, *permit.* [13] hinterher, *afterwards.* *[14] der Knabe, -n, -n, *boy.*

verlangen. Aber sprechen wir lieber von etwas Angenehmem![1] Sie kommen also
wirklich mit? Ich hole Sie um drei Viertel sieben zu Hause ab ... Gute Nacht,
Fräulein Wendel." Walter hängte das Telephon ein, pfiff ein paar Noten[2] von
„Du mein süßer umarmbarer Schatz," hörte aber sogleich[3] wieder auf und sprang
5 die Treppe hinauf. Die beiden Damen hörten, wie er oben in seinem Zimmer la-
leraleralela und titerateteritera sang. Frau Finnegan hatte schon das Telephonbuch
vom Korridor geholt, sie schlug unter W auf[4] und murmelte[5] „Weiß, Welch,
Welles, Wendel." Dann mit lauter Stimme: „O, es gibt so viele Wendel.
Könnte es vielleicht Juwelier Wendel sein?" „Aber Hannchen," lachte Frau Wetzel.
10 „Du bist schon zwanzig Jahre hier und weißt noch immer nicht, daß Juwelier Wendel
ein unverheirateter Sechziger ist! Nein, in der Familie gibt es kein Fräulein Wendel." Die beiden Damen rieten noch ein bißchen und gaben es dann auf in der Hoffnung, daß sie in der nahen[6] Zukunft mehr von diesem mysteriösen Fräulein
Wendel hören und sie vielleicht eines schönen Tages[7] auch sehen würden. Um unsere
15 Leser nicht zu sehr aufzuregen, sei es hier gesagt, daß die Hoffnung der beiden Damen
in Erfüllung ging. Sie wollen auch wissen, wer der „alte Knabe" war, von dem
Walter sprach? Das war Professor Hostett, eine international bekannte Autorität
auf dem Gebiet der Psychologie der Reklame.

Walter war mäuschenstill[8] geworden, denn er saß an seinem Studiertisch und las
20 in Hostetts Buch „Psychologie und Volkswirtschaft"[9], um sich auf seine Rolle als
Sylvias Helfer vorzubereiten. Wir lassen ihn auf seinem Zimmer und beobachten[10]
die anderen Charaktere, die an diesem Sonnabend in Walters Leben eine Rolle gespielt haben.

Wo sind z.B. Ruth und Lübke, der Tackle? Sie sitzen im Kino. Ruth sitzt links
25 von Lübke und ärgert sich. Sie ärgert sich, weil Lübke eingeschlafen ist.[11] Sie faßt
seine Hand und schüttelt sie, um ihn aufzuwecken, aber da macht Lübke grunzende[12]
Geräusche. Nun ärgert sie sich noch ein bißchen mehr. Ein Schuljunge, der rechts
von Lübke sitzt, fühlt sich bedroht,[13] da der Tackle sich jetzt nach rechts lehnt.[14] Er
stößt den Koloß mit der Schulter, und Lübke grunzt noch einmal, diesmal etwas
30 lauter. Die Umsitzenden kichern,[15] und Ruth ärgert sich noch etwas mehr.

Und wo ist Gilbert, der breitschultrige Gilbert? Er sitzt in einem Hotelzimmer
und schreibt einen Brief. In dem Zimmer sind zwei Betten, und auf dem einen
Bett liegt der Morphinist und raucht eine Zigarette. Gilbert sieht nicht, daß der
kleine Morphinist ihn in seinem hilflosen, kalten Haß[16] anstarrt.[17]

35 Sylvia sitzt im Schlafzimmer oder besser im Boudoir ihrer Mutter — die
Wendels haben Geld — und unterhält sich mit ihrer Mutter. „Das graue,

---

*[1] angenehm, *pleasant, agreeable* [2] die Note, —, -n, *measure.* *[3] sogleich, *at once.* [4] aufschlagen,
u, a, *open.* [5] murmeln, *mumble, mutter.* *[6] nah, *near.* *[7] eines schönen Tages, *one day, some day.*
The genitive is frequently used to denote indefinite time. [8] mäuschenstill, literally *quiet like a
little mouse, absolutely quiet.* [9] die Volkswirtschaft, —, *economics.* *[10] beobachten, *watch, observe.*
*[11] einschlafen, ie, a (ist), *fall asleep.* [12] grunzen, *grunt.* [13] bedrohen, *threaten.* [14] lehnen, *lean.* [15] kichern, *giggle.* [16] der Haß, *hatred.* [17] anstarren, *stare at.*

Mama? Ach nein, ich glaube, ich ziehe morgen mein hellblaues Kleid an. Dann sieht er wenigstens, daß ich schwarze Haare habe." „Aber Sylvia, der Junge ist doch nicht blind! Nach allem, was du mir erzählt hast, hat er ganz gut gesehen, wie du aussiehst." „Na ja, Mama, du hast recht. Ich glaube aber, das hellblaue wird ihm am besten gefallen. Du hättest ihn sehen sollen, Mama, wie er da vor mir 5 stand. Er hat ein sehr sensitives Gesicht, und seine Augen sahen so traurig aus, daß ich nur die Hälfte von all dem sagen konnte, was ich ihm sagen wollte. Schließlich tat er mir so leid, daß ich auf den Kerl wütend wurde, dem er in den Wagen gefahren war. Kann Papa sich nicht um diese Sache kümmern?[1] Der Mann hat so plötzlich gehalten, daß Walter ihn rammen mußte. Der Mann hat Geld; warum soll der 10 einem armen Studenten das Geld aus der Tasche ziehen?" „Ja Kind, du weißt doch, wieviel Papa zu tun hat. Solange er mit dem Prozeß[2] gegen Webers Waren= haus beschäftigt[3] ist, kann man sowieso nicht mit ihm reden. Ich werde es aber versuchen. Na, ich bin neugierig,[4] was für ein junger Mann dieser Walter ist. Guten Geschmack hast du ja,[5] das muß ich sagen. Na, wir werden sehen." 15

Zurück zu Walter! Wir kommen ein bißchen zu spät. Walter hat beschlossen,[6] zu Bett zu gehen, und wie er so friedlich daliegt, denken wir an das schöne Wort Shakespeares vom Schlaf: „Sleep that knits up the ravell'd sleave of care."

Ganz so sorglos war allerdings sein Schlaf nicht. Walter hatte einen sonder= baren Traum. In diesem Traum warf er Lübke einen Fußball zu, den Lübke nicht 20 fangen konnte. Der Fußball flog über Lübkes Kopf auf die Straße, wo er ein Auto traf, das er vollkommen[7] zerschmetterte.[8] Aus dem zerschmetterten Auto stieg Pro= fessor Wilmore, der Shakespearespezialist, aber eigentlich war es nicht Professor Wilmore sondern Gilbert, und schrie so laut er konnte: „Ein Pfund Fleisch für fünfzig Dollar, fünfzig Dollar für ein Pfund Fleisch!" Das schien Walter 25 eine sehr gefährliche Situation zu sein, deshalb lief er so schnell er konnte fort über den Rialto, denn jetzt war er plötzlich auf dem Rialto. Aber wartete nicht Shylock auf ihn auf dem Rialto? Er sprang in das Wasser des Kanals, und Sylvia ruderte[9] eine Gondel[10] auf ihn zu. Er stieg in die Gondel, und sie fuhren über das blaue Meer, bis sie an eine Insel[11] kamen; die[12] war wie eine Insel des Para= 30 dieses. Er nahm Sylvia bei der Hand und wanderte mit ihr unter den Bäumen dahin und erzählte ihr, daß er alles wüßte, was in Professor Hostetts Buch stünde.[13] Da stand plötzlich der breitschultrige Gilbert vor ihm und hatte den Fußball in der Hand, den Lübke nicht gefangen hatte. Gilbert hielt Walter den Fußball unter die Nase, was in Walters Traum soviel bedeutete wie: „Dieser Fußball ist der Beweis, 35

---

[1] sich kümmern um, concern oneself with. [2] der Prozeß, -es, -e, law suit. [3] beschäftigt, occupied, busy. [4] neugierig, curious. [5] ja. This particle is frequently employed to give the sentence an affirmative complexion. The meaning indeed, which seems to be foremost in the student's mind, does not lend itself to a good translation. Here simply stress the English auxiliary: you do have. [6] beschließen, o, o, decide. [7] vollkommen, completely. [8] zerschmettern, smash. [9] rudern, row. [10] die Gondel, —, -n, gondola. [11] die Insel, —, -n, island. [12] die, (see 6, p. 295). [13] stünde, was printed or written. Literally, of course, the word stünde (stehen) means stood, in the sense of stood printed. Thus, Es steht in der Bibel means It says so in the Bible.

daß du mein Auto zerschmettert hast!" Und wie es eben in Träumen geht — plötzlich schien es Walter, als ob er auch für den Pelzmantel bezahlen sollte und er schrie:
„Nein, nein!" Davon wachte er auf. Nun lag er lange wach und wußte nicht, ob er
sich wegen der Geschichte mit dem Buick Sorgen machen sollte oder ob er sich auf den
5 Abend mit Sylvia freuen [1] sollte. Er beschloß, das letztere zu tun und während er
sich überlegte, [2] was er ihr sagen wollte, wenn er sie träfe, und während er sich einen
Dialog mit ihr ausdachte, schlief er wieder ein.

Den Dialog und den Beginn des Abends hatte sich Walter gut ausgedacht. Punkt
drei Viertel sieben würde er an der Haustür des Wendelschen Hauses erscheinen und
10 klingeln. Wahrscheinlich würde das Mädchen aufmachen — Wendels haben, wie
schon erwähnt, [3] viel Geld — und er würde sagen: „Mein Name ist Walter Brooks,
dürfte ich Fräulein Sylvia Wendel sprechen?" Dann würde er eine Weile im Wohnzimmer warten, dann würde Sylvia fünf Minuten später erscheinen und sich entschuldigen, daß sie sich etwas verspätet [4] hatte, und er würde etwa [5] sagen, daß ihr die
15 kleine Unpünktlichkeit genau so gut stehe [6] wie ihr schönes Kleid. Dann würde er
wahrscheinlich der Frau Mama vorgestellt [7] werden. Und er hatte sich auch für sie ein
paar liebenswürdige Worte ausgedacht.

In Wirklichkeit kam aber alles ziemlich anders. Um pünktlich zu sein, fuhr Walter schon kurz nach sechs von Hause fort. Er wollte in der Fordgarage tanken. [8]
20 Jedermann [9] in der Garage kannte ihn, und er erzählte in ein paar Worten seinen
Zusammenstoß mit dem Buick. Erich, einer der Mechaniker, unterbrach ihn und
fragte ihn, ob der Buick schwarz gewesen wäre. Auf Walters bejahende [10] Antwort
zeigte Erich in eine Ecke der Garage und sagte: „Da steht der Buick, in den du gefahren bist." Walter stieg aus seinem Auto und folgte Erich. Der Mechaniker hatte
25 recht, es war der Buick, den Walter gerammt hatte. Erich hatte am Mittag dem
breitschultrigen Gilbert Benzin verkauft und dabei bemerkt, [11] daß der Brennstoffbehälter [12] beschädigt war. Als guter Geschäftsmann [13] hatte er sofort seine Hilfe
angeboten [14] und außerdem auch versprochen, [15] die anderen beschädigten Stellen zu
reparieren. Walter begann nachzudenken. Offenbar [16] hatte Gilbert kein Interesse
30 daran, seiner Versicherung etwas von der Sache zu sagen, und erwartete außerdem
gar kein Geld von ihm. Warum aber nicht? Erich war wieder vor die Garage gegangen, um einem neuen Kunden [17] Benzin zu verkaufen. So hatte Walter Zeit,
sich den Buick gut anzusehen. Er öffnete die Motorhaube, [18] als ob Gilberts Geheimnisse unter der Motorhaube wären, aber er sah nichts als einen starken achtzylindrigen
35 Buickmotor. Er öffnete die Tür zum Hintersitz. Auch hier gab es offenbar keine

---

*1 sich freuen auf, *look forward to.* *2 sich überlegen, *think out, figure out.* *3 erwähnen, *mention.*
4 sich verspäten, *come late.* *5 etwa, *perhaps.* *6 die Unpünktlichkeit steht ihr, *the unpunctuality is
becoming to her.* *7 vorstellen, *introduce.* 8 tanken, *buy gasoline.* *9 jedermann, *everybody.*
10 bejahend, *affirmative.* *11 bemerken, *notice.* 12 der Brennstoffbehälter, —s, —, *fuel tank.* 13 der Geschäftsmann, —es, ...leute, *business man.* *14 anbieten, o, o, *offer.* *15 versprechen, a, o, *promise.*
*16 offenbar, *apparently.* 17 der Kunde, —n, —n, *customer.* 18 die Motorhaube, —, —n, *motor hood.*

Geheimnisse. Eben wollte er die Wagentür schließen, da sah er im Schein [1] des elektrischen Deckenlichtes etwas Glänzendes am Boden des Wagens liegen. Er blickte genauer hin [2] und sah, daß es eine ziemlich große Patrone [3] war. Walter begann zu spekulieren. Wenn Gilbert ein Jäger war, dann mußte sein Wild [4] ziemlich groß sein, denn mit diesem Kaliber hätte er Nashörner [5] schießen können 5 und vielleicht auch das gefährlichste Wild von allen — Menschen! Walter steckte die Patrone, um sie später genauer zu untersuchen, in die Tasche. Glücklicherweise [6] hatte er genug Gangsterfilme gesehen und genug Kriminalgeschichten gelesen, um zu wissen, wie man ein Auto untersucht. Er öffnete die Tür zum Führersitz, zog den Sitz halb heraus und ließ seine Hand umherwandern. Schon wollte er den Sitz 10 wieder zurückschieben, als er etwas sah, das wie ein künstlicher Schnurrbart aussah. Er war grau, grau wie der kurz geschnittene Schnurrbart und das Kopfhaar des Banditen Gilbert, denn daß Gilbert ein Bandit war, daran zweifelte Walter nicht mehr. Er steckte den künstlichen Bart in einen leeren Briefumschlag,[7] den er in der Tasche hatte, und richtete sich auf.[8] Es schien ihm, als [9] sähe er jemand aus der Garage 15 laufen, aber das war wohl seine aufgeregte Phantasie. Als er Erich draußen fragte, sagte der ihm, daß er niemanden gesehen hätte, und Walter lachte über seine Nervosität. Er war ein schöner Privatdetektiv!

Er stieg wieder in seinen Ford und sah auf seine Armbanduhr. „Zum Donnerwetter,“ schrie er laut. Es war beinah drei Viertel sieben, außerdem waren seine 20 Hände schmutzig, und er hatte einen Ölfleck auf seinem weißen Hemd. Er wußte nicht, wie der Ölfleck auf sein neues Hemd gekommen war. Er wußte aber, daß er nicht zu spät kommen wollte. Einen Augenblick überlegte er sich, ob er sich nicht erst die Hände waschen sollte, aber er zog es vor,[10] rechtzeitig und mit schmutzigen Händen zu erscheinen. Er war etwa drei Minuten gefahren, da begann sein Motor 25 zu spucken,[11] und im nächsten Augenblick stand der Wagen still. Walter verstand das nicht. Er hatte doch eben Benzin gekauft. Sollte sein Tank vielleicht auch beschädigt sein? Aus einem Auto hinter ihm stieg ein Mann aus, er sah es nicht. Er bückte [12] sich über seinen Benzintank. Aha, da war etwas nicht in Ordnung, der Tank war naß [13] und tropfte [14] noch, jemand mußte . . .   30

Sylvia wartete bis sieben Uhr. Dann wurde sie ärgerlich; um Viertel nach sieben wurde sie wütend. Sie fragte ihre Mutter: „Glaubst du, er hat es vergessen, Mama?“ „Frag mich nicht, Kind,“ antwortete Mama freundlich. „Ich verstehe euch junge Leute von heute manchmal nicht. Du sagtest mir zwar,[15] der junge Mann hätte gute Manieren,[16] aber vielleicht ist es modern, unpünktlich zu sein oder Verab- 35

---

[1] der Schein, —es, *shine, light.* [2] hinblicken, *look.* [3] die Patrone, —, —n, *cartridge.* [4] das Wild, —es, *game.* [5] das Nashorn, —s, —er, *rhinoceros.* [*6] glücklicherweise, *fortunately.* [7] der Briefumschlag, —es, —e, *envelope.* [8] sich aufrichten, *straighten up.* [*9] als sähe er, *as if he saw.* Als at the beginning of a clause and immediately followed by the verb means *as if;* als with the verb at the end of the clause means *when, as.* [*10] vorziehen, o, o, *prefer.* [11] spucken, *spit.* [12] sich bücken, *bend.* [13] naß, *wet.* [14] tropfen, *drip.* [*15] zwar, *to be sure, of course.* [16] die Manieren (pl.), *manners.*

redungen [1] zu vergessen." „Nein, Mama, es ist nicht möglich. Walter ist so ein
liebenswürdiger Junge und er schien sich so darauf zu freuen, mit mir heute abend
auszugehen; da ist etwas nicht in Ordnung. Mama, ich werde telephonieren."
„Aber Sylvia, du machst dich lächerlich. Wenn er es nun vergessen hat, was soll er
5 von dir denken?" „Das Risiko [2] nehme ich auf mich," sagte Sylvia und ging zum
Telephon.

Wer wagt [3] es, sich über die Intuition der Frauen lustig zu machen? Die innere
Stimme sagte ihr, daß Walter in Gefahr war. Das Telephon klingelte eine ganze
Weile, ehe die aufgeregte Stimme der Studentenmutter, Frau Elise Wetzel, antwor-
10 tete: „Wen? Was? O Gott, unseren armen Walter wollen Sie sprechen? Wer
sind Sie?" Eine männliche Stimme unterbrach sie. „Hier Wachtmeister Wilken,
wer dort?" Sylvia erschrak und gab ihren Namen, Telephonnummer und Adresse.
Der Wachtmeister wollte auch wissen, warum sie diesen Walter Brooks angerufen [4]
hätte. Als sie alles genügend erklärt hatte, erzählte ihr der Wachtmeister, daß man
15 guten Grund habe anzunehmen, daß Walter entweder [5] umgebracht oder entführt [6]
worden sei. Man habe sein Auto bei einem Hydranten stehen gefunden, der Brenn=
stoffbehälter sei durchlöchert [7] gewesen, offenbar ein Trick der Verbrecher, um ihn
zum Halten zu zwingen,[8] das Schlimmste aber sei, man habe Blutflecken am Tank
und auf der Straße gefunden. Die Polizei wisse nur, daß er in der Fordgarage
20 getankt hätte.

Das erste, was Walter nach der schwarzen Nacht wieder fühlte, war kühle Luft,
ein dumpfer [9] Schmerz [10] am Hinterkopf und der Geschmack von Blut auf der
Zunge.[11] Er öffnete die Augen und sah, daß er hinten in einem Auto auf dem
Boden lag. Das Auto hielt, die Vordertür war offen, er hörte die Schritte [12] eines
25 Mannes, der auf das Auto zukam. „Wir sind auf dem richtigen Wege, Nummer
fünfundachtzig, wie ich dir sagte," das war der südländische Akzent und die Stimme
des Morphinisten. Gilberts Stimme antwortete: „Ist er noch nicht zu sich ge=
kommen? [13] Sieh mal nach!" Walter schloß die Augen und atmete [14] kaum. Der
Morphinist faßte ihm ins Gesicht und legte die Hand auf seine Brust. „Ich glaube,
30 er kommt bald zu sich," sagte der Morphinist. Wäre es nicht besser, wenn ich ihn
erledigte?" [15] „Du bist wohl verrückt!" [16] antwortete Gilbert. „Ich will kein Blut
im Auto haben, und der Schuß könnte gehört werden. Setz dich hin und rede
keinen Unsinn! Es sind nur noch drei Meilen bis zum Kanal. Wenn er vorher
aufwacht, gebe ich ihm noch eins." [17]

35 Walter hatte genug gehört, er wußte von Kriminalgeschichten und Gangster=
filmen, daß die Verbrecher ihn mit Eisenstücken [18] an den Beinen ins Wasser werfen

---

[1] die Verabredung, —, -en, appointment. [2] das Risiko, -s -s, risk. [3] wagen, dare. [4] anrufen,
ie, u, call up. *[5] entweder ... oder, either ... or. [6] entführen, kidnap. [7] durchlöchern, perforate.
[8] zwingen, a, u, force. [9] dumpf, dull. *[10] der Schmerz, -ens, -en, pain. *[11] die Zunge, —,
-n, tongue. *[12] der Schritt, -es, -e, footstep. [13] zu sich kommen, a, o (ist), regain consciousness.
*[14] atmen, breathe. [15] erledigen, finish. [16] verrückt, crazy. *[17] noch eins, literally still one thing;
here another blow. [18] das Eisenstück, -s, -e, piece of iron.

wollten. Er vergaß seinen schmerzenden [1] Kopf, er fühlte nichts, als den Willen zu
leben und einen brennenden Haß für die beiden, die ihn ermorden wollten.
In dem kleinen Spiegel [2] über dem Führersitz sah er das Licht von Schein=
werfern,[3] hin und wieder [4] begegneten [5] sie einem anderen Auto, es gab also Verkehr
auf dieser Straße. In der Ferne [6] hörte er einen Zug.[7] Das Geräusch wurde 5
lauter. Jetzt fuhr das Auto unter einer Eisenbahnbrücke [8] durch im gleichen Augen=
blick, in dem der Zug über die Brücke donnerte. Walter wußte: Jetzt oder nie! Er
sprang auf, warf die Decke,[9] unter der er gelegen hatte, über Gilberts Kopf
und hielt sich mit aller Kraft an seinem Halse fest,[10] während er den Mor=
phinisten wegstieß, der das Steuerrad [11] fassen wollte. Der Kampf war kurz. 10
Trotzdem Gilbert auf die Fußbremse trat und die Handbremse zog, fuhr das Auto
in einer scharfen Kurve von der rechten Seite der Straße auf die linke und im nächsten
Augenblick in den Straßengraben,[12] in dem es sich überschlug.[13]

Zwei Autos hielten bald an der Unglücksstelle. Der eine Fahrer parkte sein Auto
so, daß das Licht der Scheinwerfer auf den Graben fiel, in dem der Buick, Räder [14] 15
in der Luft, auf dem Dach lag. Autos kamen von der anderen Richtung und hielten
auch. Mehrere [15] Männer waren inzwischen in den Straßengraben gestiegen und
nahmen das zerbrochene Glas aus den Fenstern, denn die Türen ließen sich nicht
öffnen.[16] Zuerst zogen sie den Morphinisten heraus, dann Walter und schließlich
Gilbert. Ein Arzt war in der Gruppe, der die Drei sofort untersuchte. Das Re= 20
sultat der Untersuchung war das folgende: Der Morphinist war tot, er hatte sich das
Genick [17] gebrochen, und Gilbert hatte schwere innere Verletzungen.[18] Die frische
Nachtluft brachte Walter wieder zum Bewußtsein,[19] er wollte aufspringen, aber der
Doktor verhinderte [20] das. „Vorsicht, junger Mann," sagte er, „seien Sie nicht un=
geduldig, wir möchten erst ein paar Röntgenaufnahmen [21] von Ihnen machen, ehe 25
wir Sie weglaufen lassen. Außerdem möchte ich dies Stück Holz [22] als Schiene [23] für
Ihren gebrochenen Arm benutzen." [24] Jetzt erst fühlte Walter, was der Arzt meinte,
und er fühlte es stark. Ein Motorrad hielt, ein Polizist schob sich durch die Menge.
Von dem Arm des Doktors gestützt,[25] erzählte Walter dem Polizisten alles, was
geschehen war. 30

Hier sollte unsere Geschichte enden, aber, da es eine Art modernes Märchen ist, ist
sie noch nicht ganz zu Ende. Die Bösen haben ihre Strafe,[26] aber die Guten sind

---

[1] schmerzend, *aching.* [2] der Spiegel, –s, —, *mirror.* [3] der Scheinwerfer, –s, —, *head light.*
*[4] hin und wieder, *occasionally, now and then.* *[5] begegnen (ist), *meet.* *[6] die Ferne, *distance.* *[7] der
Zug, –es, ⸚e, *train.* [8] die Eisenbahnbrücke, —, –n, *rail-road bridge.* [9] die Decke, —, –n, *cover, blanket.* [10] sich festhalten, ie, a, *hang on, cling.* [11] das Steuerrad, –es, ⸚er, *steering wheel.* [12] der Straßengraben, –s, ⸚, *ditch.* [13] sich überschlagen, u, a, *somersault.* *[14] das Rad, –es, ⸚er, *wheel.* *[15] mehrere,
several. *[16] ließen sich nicht öffnen, *could not be opened.* The active infinitive (öffnen) with lassen
must be translated by the English passive infinitive. Literally: *did not allow themselves to be
opened.* [17] das Genick, –s, –e, *neck.* [18] die Verletzung, —, –en, *injury.* *[19] das Bewußtsein, –s, consciousness.* [20] verhindern, *prevent.* [21] die Röntgenaufnahme, —, –n, *X-ray photograph.* *[22] das
Holz, –es, *wood.* [23] die Schiene, —, –n, *splint.* *[24] benutzen, *use.* [25] stützen, *support.* *[26] die Strafe,
—, *punishment.*

noch nicht belohnt.[1] Im Märchen heiratet der Held die Prinzessin und bekommt ein
Königreich. Die Analogie zur Prinzessin ist leicht zu sehen, wie steht [2] es aber mit
dem Königreich?

Gilbert und der Morphinist waren beide Verbrecher, die die Polizei schon seit
5 langem suchte. Gilbert war erst achtundzwanzig Jahre alt. Die grauen Haare
waren natürlich künstlich. Gilbert mußte sich etwas maskieren, denn in jedem größeren Postamt konnte man sein Bild sehen. Unter diesen Bildern stand, daß Gilbert
als Führer einer Bande [3] in verschiedenen Städten die Postämter beraubt habe.
Deshalb wolle die Regierung [4] demjenigen [5] zweitausend Dollar geben, der ihn tot
10 oder lebendig fange oder beim Einfangen dieses Verbrechers mithelfe.

Gilberts Kamerad, der Morphinist, war nicht so wertvoll. Er hatte die Post
benutzt, um größere Mengen [6] Morphium in die Staaten zu schmuggeln. Außerdem hatte er einen Briefträger ermordet. Als der arme Mann auf dem Wege zu
einem Dorf den Vorderreifen an seinem kleinen Ford wechselte, hatte ihn der feige
15 Morphinist in den Rücken geschossen, um das Auto stehlen zu können, das er zur
Flucht [7] in einen anderen Staat brauchte. Für ihn wollte die Regierung tausend
Dollar bezahlen. Walter bekam also dreitausend Dollar.

Soviel vom „Königreich.“ Nun zurück zur „Prinzessin.“ Ein paar Wochen nach
diesem ereignisreichen [8] Sonntag war Walter bei Wendels zum Abendessen einge-
20 laden. Herr Wendel hatte eine wichtige Sitzung [9] aufgegeben, um den jetzt berühmten
Freund seiner Tochter persönlich kennenzulernen. Er ließ sich die ganze Geschichte
von Anfang bis zu Ende noch einmal erzählen, trotzdem er das alles in den Zeitungen
gelesen hatte. Frau Wendel lächelte den erzählenden Walter mütterlich an, während
Sylvia das Fleisch auf seinem Teller zerschnitt,[10] denn sein rechter Arm war noch bis
25 zur Schulter im Gipsverband.[11] Jetzt ist es aber genug. Falls Sie noch mehr
wissen wollen, sehen Sie sich ein paar Filme an und achten Sie darauf,[12] wie sie enden.

A. Practice Sentences:

*Translate the following sentences which are based on the idioms explained
in the footnotes:*

1. Sie war vier Monate lang in Südamerika.
2. Herr Lübke hat ein ganzes Jahr lang nicht Fußball gespielt.
3. Der Dampfer kommt erst nächsten Montag zurück.
4. Ich weiß nicht, worüber sie sprachen.
5. Worauf saßen die vier Personen, die Lübke balanzierte?
6. Lassen Sie sich nicht überreden!
7. Der Herr ließ sich den Schaden bezahlen.
8. Der Professor sprach noch immer vor sich hin.
9. Wo haben Sie so etwas gelesen? Es steht in der Zeitung.

*[1] belohnen, *reward.* [2] wie steht es mit, *what about.* [3] die Bande, —, –n, *gang.* *[4] die Regierung, —, –en, *government.* *[5] demjenigen . . . der, *to him who.* *[6] die Menge, —, –n, *quantity.*
[7] die Flucht, —, *escape.* *[8] ereignisreich, *eventful.* [9] die Sitzung, —, –en, *conference.* *[10] zerschneiden, i, i, *cut up.* [11] der Gipsverband, –es, –̈e, *plaster cast.* *[12] achten auf, *pay attention to.*

10. Der weiß das nicht einmal!
11. Sein Begleiter blieb stehen, während die anderen Zuschauer sich setzten.
12. Er blieb stehen, nahm das Geld aus der Tasche und warf es, ohne ein Wort zu sagen, auf den Tisch.
13. Er starrte vor sich hin, als hätte er einen Geist gesehen.
14. Sie ließen sich das Geld zurückgeben.
15. Auf einmal hörte der Richter auf zu sprechen.

B. Securing the Vocabulary:

In Part B of each lesson associated words already used in preceding texts are grouped together. It is expected that this grouping will give the student an insight into certain principles of word formation, thereby enabling him not only to fix the meaning of old words more firmly, but also to recognize new words more readily.

1. antworten
   die Antwort
   beantworten
   die Beantwortung
2. anfangen
   der Anfang
   anfangs
3. kaufen
   der Einkauf
   verkaufen
   der Verkäufer
   die Verkäuferin
4. liegen
   die Lage
5. gründen
   der Grund

6. der Brief
   der Briefkasten
   der Briefträger
   der Briefumschlag
7. früh
   früher
   das Frühjahr
   der Frühling
   der Frühlingstraum
   das Frühstück
   frühstücken
8. bilden
   das Bild
   die Bildung
   der Bildungsroman

   ausbilden
   sich einbilden
   die Einbildungskraft
9. rufen
   der Ruf
   der Beruf
   der Berufsspieler
   anrufen
   aufrufen
10. schreiben
   die Schreibmaschine
   der Schreibtisch
   beschreiben
   die Beschreibung
   aufschreiben
   die Schrift

Siebenundzwanzigste Aufgabe

* *

Der alte Dolch[1]

Erst gegen[2] zehn Uhr verließ[3] Walter Kollmann in schlechter Laune[4] das Bett, denn er hatte keinerlei[5] Grund, sich auf den kommenden Tag zu freuen. Die Büros, wo er sich täglich mit fünftausend anderen Arbeitslosen[6] der mittelgroßen Industrie= stadt nach Stellungen[7] erkundigte,[8] waren geschlossen, denn heute war Sonntag.

5 „Hurra," sagte er laut in sein kleines, kaltes Zimmer hinein. „Heute hat Herr Kollmann Ferien, er braucht sich heute um nichts zu kümmern. Was kann Herr Kollmann mit all der freien Zeit anfangen?[9] — Wie wäre es, wenn wir das Museum besuchten? Da ist es schön warm, und außerdem ist der Eintritt[10] heute frei, was für Herrn Kollmann nicht ganz unwichtig ist. Die Arbeitslosigkeit hat doch wirklich 10 auch ihre guten Seiten. Man kultiviert sich aus Langweile."

Er stellte sich vor den Spiegel und betrachtete sich ernst und lange. Seine Ge= sichtsfarbe war ungesund, und außerdem hatte er einen zwei Tage alten Bart. Er rieb[11] sich das Kinn[12] und sprach wieder laut mit sich selbst. „Walter, du mußt dich rasieren, sonst lassen dich die Museumsdiener nicht ins Museum. Die Museums= 15 diener werden deinen alten blauen Anzug nicht mögen. Die Museumsdiener werden die Köpfe zusammenstecken und sagen: ‚Aha, da ist schon wieder so ein Arbeitsloser,[13] der sich wärmen will. Warum haben wir keine öffentlichen[14] Wärmehallen, so daß diese Leute nicht in die Museen und die öffentlichen Gebäude gelaufen kommen?'

Die Museumsdiener steckten die Köpfe nicht zusammen, als Walter eintrat.[15] Sie 20 unterbrachen nicht einmal ihre Unterhaltung, so daß er ganz sich selbst überlassen war.

Ziellos[16] wanderte er durch die großen Säle[17] voller griechischer Athleten, ägypti= scher Priester und mittelalterlicher[18] Madonnen. Die wenigen Besucher, die an diesem kalten Wintermorgen gekommen waren, sahen klein und unbedeutend[19] aus

---

[1] der Dolch, -es, -e, *dagger.* *[2] erst gegen, *not until around.* In expressions of time erst means *not until* or *only.* The preposition gegen, which usually means *against,* is used in expressions of time to mean *toward, close to, around.* *[3] verlassen, ie, a, *leave.* *[4] die Laune, —, *humor.* *[5] keiner= lei, no . . . *whatsoever.* [6] der Arbeitslose, -n, -n, *unemployed.* *[7] die Stellung, —, -en, *position.* [8] sich erkundigen, *inquire.* *[9] anfangen, i, a, *do.* *[10] der Eintritt, -es, *entrance.* [11] reiben, ie, ie, *rub.* [12] das Kinn, -es, -e, *chin.* *[13] schon wieder so ein Arbeitsloser, *another one of those unemployed.* Literally *already again such an* . . . Note: schon wieder *again so soon,* and so ein *such a.* [14] öffent= lich, *public.* *[15] eintreten, a, e (ist), *enter.* *[16] ziellos, *aimlessly.* [17] der Saal, -e, Säle, *hall, room.* [18] mittelalterlich, *medieval* *[19] unbedeutend, *insignificant.*

304

neben den Riesen aus Stein [1] und Bronze. Walter Kollmann hörte bald auf, an seinen alten Anzug zu denken und begann, die Dinge um sich mit Interesse zu betrachten.

Er war in den Waffensaal [2] gekommen, wo er eine Weile stehen blieb, um sich zu orientieren. Er sah die lange Reihe von Schwertern, Speeren und Panzern [3] und entdeckte,[4] daß sie in der tiefen Stille des Museums fast friedlich aussahen. Jetzt entdeckte Walter auch, daß der Wärter dieses Saales ihn aufmerksam [5] betrachtete. Es war ein alter Mann mit schneeweißem Haar und Schnurrbart und einem etwas roten Gesicht. In dem roten, einfachen Gesicht konnte Walter lesen, daß dieser Mann über ihn Bescheid wußte. ,Wieder so ein armer Kerl, dem es zu Hause zu kalt ist.' Das ärgerte ihn etwas, und er beschloß, den Alten zum besten zu haben.[6]

Erst wollte er ihn in ausländischem Akzent um Auskunft bitten, aber den Gedanken gab er gleich auf, denn selbst für einen sehr exzentrischen Ausländer war er zu schlecht angezogen. So beschloß er denn, den interessierten Kenner [7] zu spielen. Er sah sich langsam im Kreise [8] um und ging dann rasch auf einen Glaskasten [9] zu, vor dem er interessiert stehen blieb. Der Kasten enthielt [10] eine Sammlung von Dolchen aus der Zeit der Renaissance. Walter Kollmann spielte seine Rolle gut. Er beugte sich tief über die Glasplatte [11] und rieb sich mit der Hand nachdenklich [12] das Kinn. Dann trat er einen Schritt zurück, zog ein Notizbuch und einen Bleistift aus der Tasche und begann, einen der Dolche abzuzeichnen.[13] Das mußte dem alten Mann imponieren.[14]

Während er den Dolch abzeichnete, vergaß er aber bald seine Kennerrolle, steckte Bleistift und Notizbuch wieder in die Tasche und lehnte sich mit beiden Händen auf das Glas, um die kleine Waffe genau ansehen zu können.

Der Dolch war aus der Scheide [15] gezogen, die aus massivem Gold gearbeitet war. Der Griff [16] des Dolches bestand aus einer goldenen Schlange,[17] die einen Edelstein [18] im Maul [19] hielt.

Walters Blicke wanderten von der Scheide und dem Griff zur Klinge.[20] Es war ihm, als sähe er Blut daran.

Es war ein kleiner praktischer Dolch, so recht dazu geeignet,[21] versteckt [22] getragen zu werden, um dann in kleinen Gassen,[23] dunklen Korridoren oder festlichen [24] Sälen seine blutige Arbeit schnell und sicher zu verrichten.[25] „Du bist das Symbol der Renaissance," dachte Walter höhnisch,[26] „brutale Gewalt unter goldener Hülle.[27] Nur der Renaissance? Was war Kultur anders als eine schöne Maske, hinter der sich der brutale Wille zur Macht versteckte. So war es damals zur Zeit der Medici,

---

*1 der Stein, -es, -e, stone. 2 der Waffensaal, -es, ...säle, weapon room. 3 der Panzer, -s, —, coat of mail. *4 entdecken, discover. *5 aufmerksam, attentively. 6 den Alten zum besten zu haben, to fool the old man. 7 der Kenner, -s, —, connoisseur, expert. 8 der Kreis, -es, -e, circle. 9 der Glaskasten, -s, ", showcase. *10 enthalten, ie, a, contain. 11 die Glasplatte, —, -n, glass top. *12 nachdenklich, reflecting. 13 abzeichnen, sketch. 14 imponieren, impress. 15 die Scheide, —, -n, sheath. 16 der Griff, -es, -e, hilt. 17 die Schlange, —, -n, snake. 18 der Edelstein, -es, -e, precious stone. 19 das Maul, -es, "er, mouth. 20 die Klinge, —, -n, blade. 21 dazu geeignet, getragen zu werden, suitable to be carried. *22 verstecken, hide. 23 die Gasse, —, -n, side street. *24 festlich, festive. 25 verrichten, perform, accomplish. 26 höhnisch, sarcastic. 27 die Hülle, cover.

so ist es heute zur Zeit der Industriebarone. Ja, die Macht ist wirklich, alles andere ist nur Schein [1] oder Lüge."

„Bitte nicht auflehnen!",[2] sagte der Museumsdiener mit nicht unfreundlicher Stimme und zeigte zugleich [3] auf das Schildchen,[4] das über dem Glaskasten hing.
5 Erschrocken las Walter, was auf dem Schildchen stand. Er murmelte eine verlegene Entschuldigung und lächelte den Wärter schwach an. Sein Trotz [5] war plötzlich gebrochen, es kam ihm vor, als habe er etwas sehr Böses getan. Er konnte die linke Hand nicht sofort vom Glas nehmen, denn ein Knopf [6] seines Jackenärmels [7] war in der schmalen [8] Öffnung zwischen dem Holzrahmen [9] der Glasplatte und der Seite des
10 Glaskastens stecken geblieben.[10] Der Wärter sah, wie verlegen der junge Mann war, und ging weg, zufrieden [11] seine Pflicht [12] getan und soviel Eindruck [13] auf ihn gemacht zu haben.

Walter zog vorsichtig den Knopf heraus und bemerkte dabei,[14] daß sich die Glasplatte ein wenig hob.[15]

15   Der Museumswärter patrouillierte schon wieder an den Fenstern entlang. Walter stand vor dem Glaskasten, ohne sich zu rühren,[16] und folgte dem Wärter mit den Augen. Der war vor einem der ziemlich schmutzigen Fenster stehen geblieben und sah auf die Straße hinaus, wo er etwas Interessanteres entdeckt zu haben schien als diesen fanatischen Waffenfachmann. Walter starrte auf den Rücken des Alten und
20 tastete [17] mit den Fingern nach dem Glasdeckel. Ja, er hob sich. Der Kasten war nicht verschlossen.[18] Vorsichtig ließ er den Deckel wieder sinken.[19]

Er ging zum Nachbarkasten [20] und zum nächsten und zum übernächsten. Er ging in den Nachbarsaal und stand lange vor einem mittelalterlichen Panzer. Er war voll Unruhe und Angst aber gleichzeitig [21] spürte [22] er eine gewisse erwartungsvolle [23]
25 Aufgeregtheit.[24]

Er hörte den Wärter auf sich zukommen, und kalter Schweiß [25] brach auf seiner Stirn [26] aus. „Ja, ja, so ist das Leben," sagte die Stimme des Alten neben ihm. „Dieser Panzer gehörte einem Grafen [27] von Schöneberg, der im Jahre 1568 von einem Fußsoldaten erschossen wurde. Die Kugel . . ." Walter hörte nicht mehr zu.
30 Er starrte auf das Loch [28] im Panzer und dachte an Schmidtchen, an seinen guten Freund, den Infanteristen [29] Peter Schmidt. Ein Jahr lang waren sie zusammen an der Westfront gewesen, bis zu dem Sonntag, an dem Schmidtchen mit drei anderen

---

[1] der Schein, *illusion.* *[2] Nicht auflehnen! *Do not lean!* The infinitive is used to express an impersonal, general command. Compare: Nicht vorsagen! *No prompting!* *[3] zugleich, *at the same time.* [4] das Schildchen, -s, —, *small sign.* *[5] der Trotz, *defiance.* *[6] der Knopf, -es, "e, *button.* [7] der Jackenärmel, -s, —, *coat sleeve.* *[8] schmal, *narrow.* [9] der Holzrahmen, -s, —, *wooden frame.* [10] stecken bleiben, ie, ie (ist), *stick fast.* *[11] zufrieden, *satisfied.* *[12] die Pflicht, —, -en, *duty.* *[13] der Eindruck, -s, "e, *impression.* *[14] dabei, *in doing so.* [15] sich heben, o, o, *can be raised.* [16] sich rühren, *move.* [17] tasten, *grope.* *[18] verschließen, o, o, *lock.* [19] ließ sinken, *lowered.* [20] Nachbarkasten, -s, ", *adjoining case.* *[21] gleichzeitig, *simultaneously.* *[22] spüren, *feel, experience.* *[23] erwartungsvoll, *full of expectation.* *[24] die Aufgeregtheit, —, *excitement.* [25] der Schweiß, -es, *perspiration.* *[26] die Stirn, —, -en, *forehead.* [27] der Graf, -en, -en, *count.* *[28] das Loch, -es, "er, *hole.* [29] der Infanterist, -en, -en, *infantry man.*

auf Patrouille gegangen war. Peter Schmidt kam von dieser Patrouille nicht mehr
zurück. Am nächsten Morgen ging der Feind [1] zurück, und sie konnten ihn suchen.
Er lag mit dem Gesicht nach unten im Schnee. Als sie ihn umdrehten, sah Walter
das Loch in Peters Brust.

Was für ein feiner Kerl das kleine Schmidtchen gewesen war! Wie oft hatte er 5
ein freundliches Wort für ihn, wenn er, Unteroffizier [2] Walter Kollmann, die end=
losen Märsche, den Krieg und das Soldatenleben verfluchte.[3] Doch wenn auch
Schmidtchen oft selber nahe am Zusammenbrechen war, verlor er doch nie den Mut.
Er pflegte [4] dann zu sagen: „Kopf hoch, Walter, das Schlimmste ist vorüber!"

Jetzt erst bemerkte Walter, daß der Wärter aufgehört hatte zu sprechen und ihn 10
verwundert [5] ansah. Walter bewegte die Lippen. „Da hinten ist ein Kasten nicht
verschlossen worden," wollte er sagen, aber etwas ganz anderes kam heraus: „Der
elende [6] Krieg, — es ist mir nicht immer so schlecht gegangen."

Der Alte verstand, er blickte über den alten Anzug, sah die alten Schuhe und sagte
mitleidig: „Tja, ja." 15

Hier brach die Unterhaltung ab, denn Walter fühlte, er werde ein längeres Ge=
spräch [7] nicht aushalten [8] können, ohne sein aufregendes Geheimnis zu verraten. Er
murmelte etwas Unverständliches und begann mit verlegenem Lächeln weiterzuwan=
dern. Er senkte [9] beim Gehen den Kopf auf die Brust, als wolle er dem Blick
des alten Wärters entgehen.[10] Der sah aber schon wieder zu einem der Fenster 20
hinaus und dachte sorgenvoll an seine Tochter, die gern bald heiraten wollte, und
deren Verlobter [11] ein Arbeitsloser war, wie der Herr da in dem alten blauen Anzug,
dem es nicht immer so schlecht gegangen war und der jetzt so viel Zeit hatte. — So
ist das Leben — Tja, ja.

Walter Kollmann war in den Nachbarsaal getreten und versuchte die Glasdeckel [12] 25
der Kästen zu heben. Sie waren alle fest verschlossen. Es konnte unmöglich schwer
sein, den kleinen goldenen Dolch mitzunehmen. Er versuchte zu lächeln, um sich
selber zu beweisen, die ganze Sache sei nur ein Spaß und nicht die erste richtige Ver=
suchung [13] in seinem Leben, etwas zu stehlen.

Es gelang [14] ihm nicht, an diese Lüge zu glauben. Natürlich hatte er daran [15] 30
gedacht, den alten Dolch zu stehlen. Die goldene Scheide und der Edelstein waren
mindestens [16] tausend Mark wert. Hatte er Glück, so konnte er die Waffe einem
Sammler [17] verkaufen.

Walter Kollmann war also ein Dieb,[18] oder besser, er war im Begriff,[19] einer zu

---

*[1] der Feind, —es, —e, *enemy.* [2] der Unteroffizier, —s, —e, *corporal.* [3] verfluchen, *curse.* *[4] pfle=
gen, (with zu and infinitive) *be in the habit of.* *[5] verwundert, *surprised.* *[6] elend, *miserable.*
*[7] das Gespräch, —s, —e, *conversation.* [8] aushalten, ie, a, *bear, stand.* [9] senken, *lower.* *[10] ent=
gehen, entging, ist entgangen, *escape.* [11] der Verlobte, —n, —n, *fiancé.* [12] der Glasdeckel, —s, —, *glasslid.* *[13] die Versuchung, —, —en, *temptation.* *[14] Es gelang ihm nicht, *He did not succeed.* The verb
gelingen (*succeed*) requires an impersonal subject. *Thus* es gelingt mir *means* it succeeds for me
or I succeed. *[15] er hatte daran gedacht zu stehlen, *he had thought of stealing.* The word daran (*of it*)
anticipates the following phrase. *[16] mindestens, *at least.* [17] der Sammler, —s, —, *collector.*
*[18] der Dieb, —es, —e, *thief.* *[19] er war im Begriff einer zu werden, *he was on the point of becoming one.*
Im Begriff sein is often used to mean *to be in the act or process* or *on the point of.*

werden. Er dachte an seinen Vater, der an einem Winterabend bei einem Auto=
unfall das Leben verloren hatte, als er spät abends zu einem seiner armen Bauern=
patienten [1] fuhr, die ihre Rechnung nie bezahlen konnten, aber trotzdem oft krank
wurden. Das Versicherungsgeld hatte kaum gereicht,[2] die hinterlassenen Schulden [3]
5 zu bezahlen. Vater war ein guter Landarzt aber ein schlechter Geschäftsmann ge=
wesen. Mutter hatte ihr ganzes Leben lang gearbeitet und gespart. Nun wohnte
sie bei ihrer verheirateten Tochter.

Kollmann lachte bitter. Unteroffizier Kollmann, der eine Medaille und zwei
Schrapnellkugeln aus dem Krieg mitgebracht hat, Walter Kollmann, Sohn ehr=
10 licher [4] Eltern, geht ins Museum und beginnt die Verbrecherlaufbahn,[5] indem [6] er
einen Dolch stiehlt.

Schön,[7] dann war er eben ein Dieb. — Und was schadete es denn, wenn ein
goldener Dolch aus dem Museum verschwand? Das Museum gehörte dem Staate,
und der Staat hatte Walter Kollmann schlecht genug behandelt.[8] Zwei Jahre an
15 der Front, einmal schwer verwundet,[9] und nun konnte er sich seine Arbeitslosenunter=
stützung [10] abholen [11] und sich von Museumswärtern bemitleiden [12] lassen.

Er schüttelte den Kopf. „So ein Unsinn!“ dachte er. Sollte er vielleicht den alten
ehrlichen Wärter ins Unglück bringen, der doch für unverschlossene Glaskästen ver=
antwortlich [13] war? Das Beste wäre wohl, schnellstens nach Hause zu gehen und die
20 ganze Sache zu vergessen.

„Wie spät [14] war es eigentlich?“ Er zog seine Uhr aus der Tasche, eine alt=
modische [15] Uhr, die er von seinem Vater hatte. Oft genug war er versucht gewesen,
sie zu verkaufen, aber bis jetzt hatte er es nicht getan. Er hielt die Uhr in der Hand
und wie er das tat, fühlte er plötzlich eine unwiderstehliche [16] Begierde,[17] das andere,
25 den Dolch, auch so in der Hand zu haben. Mit zitternden Fingern steckte er die Uhr
in die Tasche zurück und ging schnell auf den unverschlossenen Glaskasten zu.

Mit gesenktem Kopf sah er sich vorsichtig um. Der alte Wärter war im Nachbar=
saal, kein anderer Besucher war zu sehen.[18] Schnell hob er den Glasdeckel auf,
schob den Dolch in die Scheide und steckte ihn in die Hosentasche.

30 Er wollte gehen, aber er konnte nicht. Schatten [19] schwammen ihm vor den
Augen, und in seinen Ohren rauschte [20] es. Er lehnte sich schwer auf die Glasplatte.
Wie im Traum hörte er den Wärter herankommen.

[1] der Bauernpatient, -en, -en, *farmer patient.* *[2] reichen, *be sufficient.* *[3] die Schulden (pl.),
debts. *[4] ehrlich, *honest, honorable.* [5] die Verbrecherlaufbahn, *career of a criminal.* *[6] indem er
einen Dolch stiehlt, *by stealing a dagger.* When the subject of the subordinate clause introduced by the conjunction indem refers to the same thing as does the subject of the main clause,
the most satisfactory way of rendering the subordinate clause usually is to translate the finite
verb of the clause as a verbal noun after the preposition *by,* as shown in the instance above.
[7] schön, here: *all right.* *[8] behandeln, *treat.* [9] schwer verwundet, *seriously wounded.* [10] die Arbeitslosenunterstützung, *unemployment compensation.* *[11] abholen, *call for.* *[12] bemitleiden, *pity.*
*[13] verantwortlich, *responsible.* *[14] Wie spät ist es? *What time is it?* [15] altmodisch, *old-fashioned.*
[16] unwiderstehlich, *irresistible.* [17] die Begierde, *desire.* *[18] war zu sehen, *was to be seen,* or *could be
seen.* Frequently a German active infinitive must be translated by an English passive
infinitive. [19] der Schatten, -s, —, *shadow.* *[20] rauschen, *roar.*

„Aber Sie sollen sich doch nicht auflehnen!" Das klang, als ob es von weit käme. Er richtete sich auf und ließ die Hände von der Glasplatte sinken. „Aber um Himmels=willen,[1] was ist Ihnen?"[2] fragte der alte Mann besorgt. „Sie sind ja blaß[3] wie der Tod!" „Ich . . . mir ist schlecht," flüsterte[4] Walter.

„Und wir haben nicht einen einzigen Stuhl in diesem Saal. — Ich hole Ihnen 5 ein Glas Wasser."

„Nein, bemühen[5] Sie sich nicht, ich werde hinausgehen. In der frischen Luft werde ich mich besser fühlen."

Mit unsicheren Schritten ging er fort. Der alte Wärter sah ihm nach. „Der hat lange nichts zu essen gehabt. Das ist die ganze Krankheit. Tja, ja." Er ging ans 10 Fenster und patrouillierte wieder langsam auf und ab.[6]

Als Walter aus dem Museum heraustrat, mußte er einen Augenblick lang die Augen schließen. Die strahlende[7] Wintersonne auf dem Schnee blendete[8] ihn. Langsam ging er die breite Freitreppe[9] hinab. Unten an der Treppe blieb er wieder einen Augenblick stehen. Er mußte warten, bis der Schwächeanfall[10] vorüber war. 15 Es war kein Wunder. Seit Tagen keine anständige[11] Mahlzeit,[12] heute kein Früh=stück und nun dies!

Er nahm sich zusammen[13] und wollte gerade über den Museumsplatz, als er auf der anderen Seite der Straße einen Soldaten gehen sah. Er starrte ihn wie eine Geistererscheinung[14] an. Der ging ja[15] wie Schmidtchen! Der sah ja wie Schmidt= 20 chen aus! Erschüttert[16] blieb Walter Kollmann stehen und starrte den Mann an. Dann sah er, daß es ein Fremder war. Trotzdem aber sah er ihm nach, bis er um die Ecke verschwunden war. In seinen Ohren aber klang des Freundes Stimme: „Kopf hoch, Walter, das Schlimmste ist vorüber!"

Ohne recht zu wissen, was er tat, drehte er sich um und ging ins Museum zurück. 25 Der alte Wärter stand an seinem Lieblingsfenster und träumte. Walter faßte ihn sanft[17] am Arm. „Kommen Sie bitte mit, ich will Ihnen etwas zeigen, was für Sie sehr wichtig ist." Sprachlos vor Erstaunen folgte ihm der alte Mann.

Vor dem unverschlossenen Glaskasten blieb Walter stehen. Auf der roten Sam=metdecke konnte man deutlich[18] sehen, wo der gestohlene Dolch gelegen hatte. Walter 30 hob den Glasdeckel auf, legte Dolch und Scheide genau dorthin,[19] wo sie gelegen hatten, und machte den Glasdeckel wieder zu.[20]

„Sehen Sie, so einfach ist das," sagte er lächelnd zu dem erschrockenen Museums=wärter, der immer noch verwirrt[21] den zurückgebrachten Dolch anstarrte, als Walter schon wieder im Freien war, in der strahlenden Wintersonne. 35

---

[1] um Himmels willen, *for heaven's sake.* [2] was ist Ihnen? *what is the matter with you?* *[3] blaß, *pale.* *[4] flüstern, *whisper.* *[5] sich bemühen, *trouble oneself.* *[6] auf und ab, *up and down.* *[7] strahlen, *beam.* [8] blenden, *blind.* [9] die Freitreppe, —, -n, *outside staircase.* [10] der Schwäche=anfall, -s, ⸚e, *spell of dizziness.* *[11] anständig, *decent.* *[12] die Mahlzeit, —, -en, *meal.* [13] sich zusam=mennehmen, a, o, *pull oneself together.* [14] die Geistererscheinung, —, -en, *apparition.* [15] Der ging ja! *Why, he walked!* [16] erschüttert, *deeply moved.* *[17] sanft, *gently.* *[18] deutlich, *clearly.* *[19] dorthin, *there* or omit. The words hin and her are used with adverbs of place (wo, dort, hier, etc.) if such words are used with verbs of motion to denote that the motion described proceeds away from (hin) or toward (her) the speaker. *[20] zumachen, *close.* *[21] verwirrt, *bewildered.*

A. Practice Sentences:

1. Einen Augenblick lang dachte er daran, den Dolch in den Glaskasten zurückzulegen.
2. Nicht einmal der alte Wärter war in dem großen Saal zu sehen.
3. Mit so einem wertvollen Dolch könnte er allerlei anfangen.
4. Walter war im Begriff, dorthin zu gehen.
5. Er bleibt auf der großen Treppe stehen.
6. Gelingt ihm der Diebstahl, so kann er wenigstens ein paar Monate lang gut leben.
7. „Nicht vor dem Eingang stehenbleiben!" sagte der Polizist, indem er auf ein Schild über der Tür zeigte.
8. Vielleicht wird es ihm morgen gelingen, eine Stellung zu bekommen.
9. Der Fremde sah wie Schmidtchen aus, aber der war ja lange tot.
10. Vielleicht wollte der alte Wärter ihn nur zum besten haben.
11. Es steht ja in allen Zeitungen, daß ein alter Dolch gestohlen worden ist.
12. Er hatte eben seine Uhr aus der Tasche gezogen, um nachzusehen, wie spät es war.
13. Walter zog den Dolch aus der Scheide und merkte dabei, daß der Griff aus Gold war.
14. Der Wärter tat seine Pflicht, indem er den Besucher beobachtete.
15. Im Nachbarsaal sind keine Waffen zu sehen.

B. Securing the Vocabulary:

1. bedeuten
   die Bedeutung
   deutlich
   undeutlich
2. halten
   die Haltestelle
   erhalten
   enthalten
   aushalten
3. enden
   das Ende
   endlich
   endlos
4. denken
   der Gedanke
   ausdenken
   nachdenken

   nachdenklich
5. sprechen
   die Sprache
   sprachlos
   besprechen
   versprechen
   das Gespräch
6. stellen
   die Stelle
   die Stellung
   anstellen
   (sich) vorstellen
7. lieben
   die Liebe
   lieb
   lieblich
   der Liebling

   liebhaben
   liebenswürdig
   der Liebesroman
8. gehen
   entgehen
   fortgehen
   weggehen
   der Eingang
9. (sich) setzen
   der Satz
   ersetzen
   der Ersatz
   die Ersatzblume
10. das Blut
    blutig

Der Alchimist

Der Augusttag war sehr heiß gewesen, und die Abendluft war warm. Jetzt aber schien es, als ob ein lang erwartetes Gewitter [1] noch vor Mitternacht den erfrischenden Regen bringen werde.

Der Apotheker und Alchimist Bertram hatte die Tür zu seiner Apotheke weit geöffnet, denn das offene Feuer in seinem dahinter liegenden Laboratorium machte 5 an diesem warmen Abend eine fast unerträgliche [2] Hitze. [3] Bertram haßte es, diese Tür offen zu lassen, denn er hatte viel von dem Spott [4] seiner Mitbürger zu leiden, [5] die nichts von seinen alchimistischen Versuchen hielten. [6] Glücklicherweise war es aber schon so spät, daß er sicher sein konnte, die Nachbarn [7] wären schon zu Bett gegangen. Jedermann mochte den fleißigen [8] Apotheker gern, und man verstand es nicht, 10 warum so ein kluger [9] Mensch wie der Apotheker Zeit und Geld über solch nutzloser [10] Arbeit verlor. Im vorigen, im 17. Jahrhundert, da hätte man es verstehen können, daß ein armer Apotheker Gold oder Silber machen wollte, aber im 18. Jahrhundert wußte doch jedermann, daß die Alchimie nur Gold verschlang [11] aber keines hervor= brachte. [12] 15

Diese und ähnliche Dinge mußte Bertram von seinen Nachbarn hören, wenn sie ihn durch die offene Tür in seiner alchimistischen Küche arbeiten sahen. Nicht nur die Nachbarn dachten so. Die eigene Frau [13] sah es nur sehr ungerne, wenn er sich neue Materialien [14] für seine Experimente kaufte.

Von seiner Frau hatte Bertram an diesem Abend keine Kritik zu fürchten. Sie 20 war mit den beiden Söhnchen auf dem Lande, um ihrem alten Vater zu helfen, der krank geworden war. Es würde Wochen dauern, bis sie zurückkam, und in diesen Wochen konnte er jeden Abend ungestört in seinem Laboratorium arbeiten. Vor sich

---

*1 das Gewitter, −s, —, (thunder-)storm. 2 unerträglich, unbearable. *3 die Hitze, —, heat. 4 der Spott, −s, mockery. *5 leiden, i, i, suffer. *6 die nichts von seinen alchimistischen Versuchen hielten, who thought nothing of his alchemistic experiments. The verb halten, especially when used with the preposition von, frequently is used in the sense of believe, consider, have an opinion. *7 der Nachbar, −s, −n, neighbor. *8 fleißig, industrious. *9 klug, clever, smart. 10 nutzlos, useless, unprofitable. 11 verschlingen, a, u, swallow up. 12 hervorbringen, brachte hervor, hervorgebracht, produce. *13 die eigene Frau, his own wife. From the point of view of German the possessive adjective is superfluous in this instance. 14 das Material, −s, −ien, material(s), drugs (pl.).

auf dem mit allerlei sonderbaren Instrumenten bedeckten [1] Tische hatte er ein sehr altes Buch, den „Codicillus" des spanischen Meisters Raimundus Lullus, das schon sein Großvater für seine Experimente gebraucht hatte.

Bertram hatte es schon lange aufgegeben, Gold gewinnen [2] zu wollen, denn die
5 Experimente der Goldgewinnung waren zu teuer. Er hoffte aber bestimmt, eines Tages künstliches Silber produzieren zu können, denn zu diesen Experimenten hatte er trotz des Widerstandes [3] seiner Frau genug Geld.

Gerade an diesem Abend hoffte er auf Erfolg, denn gestern abend [4] schien der Mond,[5] und sein silbernes Licht, so stand es in dem „Codicillus," war günstig [6] für
10 die Kunst [7] des Silbermachens.

Er blickte von seinem Buche auf, in dem er das magische Zeichen [8] des Silbers, die Mondsichel, angestarrt hatte, und jetzt erst merkte [9] er, wie finster [10] es draußen war. Er trat an die Tür und sah, daß dunkle Wolken den ganzen Himmel bedeckten. Ein starker Wind wehte,[11] und die ersten Tropfen schlugen gegen das
15 Fenster. Er horchte [12] auf das Rollen des Donners, das immer näher [13] kam.

Gerade wollte [14] er wieder ins Haus treten, als er einen schwachen Hilferuf hörte, und im Lichte eines fernen Blitzes [15] sah er einen alten Mann, der an der Wand [16] des gegenüberliegenden Hauses zusammengebrochen war. Bertram lief über die Straße, hob den Alten auf und trug ihn in sein Haus.

20 In der Apotheke hatte er für die Kranken, die manchmal zu ihm anstatt [17] zum Doktor gingen, ein Ruhebett, auf das er nun den alten Mann legte. Er kannte ihn; es war der Wucherer [18] Grimaldi, der nur einige Straßen von ihm entfernt in einem elenden Häuschen wohnte, trotzdem er einer der reichsten Bürger der Stadt Augsburg war. Das geübte [19] Auge des Apothekers erkannte [20] sofort, daß er hier nicht viel
25 helfen konnte. Grimaldi hatte einen Schlaganfall,[21] und während er ihm das Hemd am Halse öffnete, seufzte der Alte tief und hatte seinen letzten Atemzug getan.[22]

Bertram legte das Ohr an die Brust des alten Mannes, aber das Herz schlug nicht mehr. Er wollte ihm das Hemd wieder schließen, als er einen Schlüsselring [23] mit einigen Schlüsseln entdeckte, den der alte Wucherer an einem Lederband [24] unter dem
30 Hemd trug.

Fast [25] ohne zu wissen, was er tat, nahm Bertram den Schlüsselring von dem Lederband ab. Dann stand er lange Zeit vor dem Toten, in Gedanken versunken.[26]

---

*[1] bedecken, cover. *[2] gewinnen, a, o, win, produce. [3] der Widerstand, -s, opposition. *[4] gestern abend, last night. [5] der Mond, -s, moon. *[6] günstig, favorable. *[7] die Kunst, —, ⸚e, art. *[8] das Zeichen, -s, —, sign. *[9] merken, notice. *[10] finster, dark. [11] wehen, blow. *[12] horchen, listen. *[13] immer näher, closer and closer. This is a regular use of immer when used with the comparative degree of an adjective or adverb. *[14] Gerade wollte er wieder ins Haus treten. He was just about to step into the house again. Wollen, especially when used with the adverb gerade, very frequently conveys the meaning of being on the point of or just about to. *[15] der Blitz, -es, -e, lightning. *[16] die Wand, —, ⸚e, wall. *[17] anstatt, instead of. [18] der Wucherer, -s, —, usurer. [19] geübt, trained. *[20] erkennen, recognize. [21] der Schlaganfall, -s, ⸚e, stroke. [22] hatte seinen letzten Atemzug getan, had taken his last breath. The verb tun is used in a variety of meanings besides the standard meaning do. [23] der Schlüsselring, -es, -e, key-ring. [24] das Lederband, -es, ⸚er, leather cord. *[25] fast, almost. [26] in Gedanken versunken, lost or absorbed in thoughts.

Solange er zurückdenken konnte, hatte er Grimaldi als ein altes Männchen gekannt, der ohne Frau und Kinder in seinem kleinen Häuschen wohnte, das er nur selten verließ. Grimaldi brauchte nicht viel auszugehen, denn die Leute kamen zu ihm. Sie kamen zu ihm, um sich Geld zu leihen, um ihre Zinsen [1] zu bezahlen oder um ihn zu bitten, noch einen Monat auf sein Geld zu warten. 5

Grimaldi war nicht der Schlimmste unter den Wucherern, aber er war ein un= freundlicher Mensch, der in seinem Leben weder [2] Freundschaft noch Liebe nötig [3] hatte und offenbar zu seinen Mitmenschen [4] nur in geschäftlichen Beziehungen [5] stehen wollte. Bertram erinnerte sich daran,[6] daß sein Vater ihm einst [7] gesagt hatte, Grimaldi sei von politischen Feinden aus Italien vertrieben [8] worden und 10 habe in Augsburg lange Zeit als Juwelier gelebt, ehe er Wucherer geworden war.

Wie oft hatte er sich gewundert, warum der kinderlose Mann reich sein wollte. Wem half der Reichtum dieses Wucherers? Nicht einmal ihm selbst, denn er führte das Leben eines armen Mannes.

Das Gewitter hatte seinen Höhepunkt [9] erreicht.[10] Es donnerte fast ununter= 15 brochen, und der Regen strömte [11] aus den niedrig [12] hängenden Wolken. Ein Windstoß [13] warf die Tür, die Bertram nicht fest geschlossen hatte, mit einem lauten Knall [14] gegen die Wand. Er erschrak und blickte auf die Straße hinaus. Man konnte nicht die Hand vor den Augen sehen, denn es hatte aufgehört zu blitzen.

Einen Augenblick lang horchte er hinaus — nichts als das Geräusch des Regens 20 auf den Steinen und das Heulen [15] des Sturmes war zu hören. Da steckte er die Schlüssel in die Tasche, nahm eine Laterne vom Tisch, über die er ein Tuch warf, und ging aus dem Hause, die Tür sorgfältig hinter sich zuschließend.

Der strömende Regen und die Dunkelheit machten es unmöglich, einen Schritt weit zu sehen, aber er verlor den Mut nicht. Bald fand er das Haus Grimaldis. 25 Mit dem größten Schlüssel öffnete er die schwere Haustür und trat in das Haus. Er sah, daß alle Fenster verhängt [16] waren, und so nahm er das Tuch von seiner Laterne und durchsuchte alle Räume. Er wußte, daß er nicht viel finden werde, denn der alte Geizhals [17] war nicht so dumm, sein Geld in einem Hause liegen zu lassen, in dem er alleine wohnte. Trotzdem mußte er irgendwo Bargeld [18] versteckt haben, denn es 30 verging [19] fast kein Tag, an dem er nicht Geld erhielt oder auslieh. Aber es war zu gefährlich, hier lange herumzusuchen; der tote Grimaldi lag in seiner Apotheke, und irgendjemand, der vor Zahnschmerzen [20] nicht schlafen konnte oder das Opfer einer

---

[1] die Zinsen (pl.), *interest.* *[2] weder ... noch, *neither ... nor.* *[3] nötig hatte, *had need of.* [4] die Mitmenschen (pl.), *fellow-men.* [5] die Beziehung, —, -en, *relation(ship).* *[6] Bertram erinnerte sich daran, *Bertram remembered.* Erinnern means *to remind;* sich erinnern, *to remind oneself* or *to remember.* The word daran anticipates the clause which follows. *[7] einst, *once, one day.* [8] ver= treiben, ie, ie, *banish.* [9] der Höhepunkt, -s, -e, *climax.* *[10] erreichen, *reach.* [11] strömen, *pour.* *[12] niedrig, *low.* [13] der Windstoß, -es, ⸚e, *gust of wind.* [14] der Knall, -s, ⸚e, *bang.* [15] das Heulen, -s, *howling.* [16] verhängen, *cover with a curtain.* [17] der Geizhals, es, ⸚e, *miser.* [18] das Bargeld, -s, *cash(-money).* *[19] vergehen, verging, ist vergangen, *pass.* [20] die Zahnschmerzen (pl.), *toothache.*

Schlägerei [1] war, mochte an seine Tür klopfen. Es war aber doch zu schade,[2] daß er mit leeren Händen gehen mußte. Vielleicht hatte der Alte Geld in der Matratze versteckt. Er beugte sich gerade über das Bett, als er auf dem Fußboden [3] ein metallisches Geräusch hörte. Erschrocken stellte er die Lampe hin und trat leise in eine
5 dunkle Ecke des Zimmers. Wieder hörte er das metallische Geräusch und ein leises Kratzen.[4] Er hielt den Atem an [5] — unter dem Bett bewegte sich etwas — jetzt sah er es und er lachte laut, es war eine junge Katze, die mit irgendetwas gespielt hatte. Trotzdem sah er unter das Bett. Im Licht der Laterne, die er auf den Boden gestellt hatte, entdeckte er einen eisernen [6] Ring.

10 Schnell schob er das Bett auf die Seite und nun sah er, daß der Ring zu einer Falltür [7] gehörte. Vorsichtig zog er an dem Ring, und die Falltür öffnete sich über einem Raum, in den einige Stufen [8] hinabführten. Er hielt die Laterne hinab und sah, daß der Raum voller Kästen war. Nun stieg er hinab und nach einigem Suchen fand er die richtigen Schlüssel, mit denen er die Kästen aufschließen konnte. Sie
15 waren voller Schmucksachen,[9] und in einigen war auch Geld.

Er trug einen Holzkasten, in dem fünf Geldsäcke mit Goldmünzen [10] lagen, in das Schlafzimmer Grimaldis. Sorgfältig schob er das Bett genau auf den gleichen Platz, auf dem es gestanden hatte, schloß alle Türen zu und trug den Kasten aus dem Hause.

Es war eine schwere Last, aber der Apotheker war stark, und die Angst, entdeckt zu
20 werden, gab ihm die nötige Kraft, in kürzester Zeit die kostbare [11] Last in sein eigenes Haus zu tragen.

Sobald [12] er in sein Laboratorium kam, warf er sich auf den Fußboden und lag dort stöhnend [13] und nach Atem ringend,[14] während er sich überlegte, was nun zu tun sei.

Zunächst mußte er den toten Grimaldi loswerden.[15] Nach kurzer Rast stand er
25 auf, trat zu dem Toten und band [16] die Schlüssel wieder an das Lederband. Dann hob er den toten Grimaldi auf seine Schulter und ging mit ihm durch den strömenden Regen ans Ende der Straße, wo er ihn an einer Gartenmauer auf die Erde legte.

Nach Hause zurückgekehrt,[17] versteckte er die Geldsäcke auf dem Boden [18] seines Hauses an Stellen, die nur ihm bekannt waren, und wo er alchimistische Materialien
30 vor seiner Frau versteckt hielt. Den Kasten vergrub [19] er in einer Ecke des Kellers,[20] in der ein Haufen [21] Steine lag, die er sorgfältig wieder auf dieselbe Stelle legte.

Als er alles in Ordnung gebracht hatte, war es Morgen geworden. Es hatte zu regnen aufgehört, und der Himmel war wieder blau. Eben wollte er in seine Küche gehen, um zu frühstücken, als heftig an seine Tür geklopft wurde.[22] Sein Herz stand

---

[1] die Schlägerei, —, -en, *fight(ing)*. [2] es war aber doch zu schade, *but it really was too great a pity*.
*[3] der Fußboden, -s, ⸚, *floor*. [4] das Kratzen, -s, *scratching*. *[5] anhalten, ie, a, *stop*. [6] eisern, *iron*.
[7] die Falltür, —, -en, *trap-door*. *[8] die Stufe, —, -n, *step*. [9] die Schmucksachen (pl.), *jewels*.
[10] die Goldmünze, —, -n, *gold coin*. *[11] kostbar, *valuable*. *[12] sobald, *as soon as*. [13] stöhnen, *groan*.
[14] nach Atem ringend, *gasping for breath*. [15] er mußte Grimaldi loswerden, *he had to get rid of Grimaldi*. *[16] binden, a, u, *bind, tie*. *[17] zurückkehren (ist), *return*. [18] der Boden, -s, ⸚, *attic*. [19] vergraben, u, a, *hide in the ground, bury*. *[20] der Keller, -s, —, *cellar*. [21] der Haufen, -s, —, *pile*.
*[22] als heftig an seine Tür geklopft wurde, *when there was a violent pounding on his door*. The passive voice is often used in an impersonal construction without a subject. Such a clause can be rendered in English only by a complete recasting such as is suggested above.

einen Augenblick still. Aber das war doch[1] unmöglich. Er hatte keinen Fehler
gemacht, keine Spur[2] hinterlassen. Wie gelähmt stand er in der Küche. Das
Klopfen wurde lauter, ungeduldiger, und nun hörte er die Stimme seines Nachbars,
des Bäckermeisters, der ihn laut bei Namen rief. Mit einem Seufzer der Er=
leichterung[3] öffnete er die Tür.   5

Der dicke[4] Bäckermeister setzte sich auf einen Stuhl; er war rot im Gesicht vor
Aufregung. „Bertram, der alte Grimaldi — der Wucherer — mein Geselle[5] hat
es heute morgen selber gesehen — sie haben ihn tot auf der Straße gefunden, auf
unserer Straße." Dann sagte er ruhiger: „Nicht einmal in seinem Bett ist der Alte
gestorben.[6] Was macht er nun mit seinem Geld! Mitnehmen kann er es nicht,   10
haha!" Er lachte laut und schlug auf den Tisch. Jetzt erst sah er, wie blaß der
Apotheker aussah. „Komm mit, Bertram," sagte er gutmütig, „meine Frau hat
Frühstück fertig, iß mit uns." Und Bertram aß mit gutem Appetit.

Die Leute, die während dieses Tages in seinen Laden kamen, erzählten ihm, daß
die Polizei das ganze Haus durchsucht[7] und dabei einen Schatz gefunden hätte, den 15
der alte Grimaldi in einem geheimen Raum seines Hauses versteckt gehalten hätte.

Nach einigen Tagen hatte die Polizei und die neugierige Stadt alles erfahren, was
sie erfahren wollten. Ein reicher Kaufmann[8] berichtete, daß der Wucherer am Tage
seines Todes bei ihm Abendbrot gegessen und sich dann mit ihm über geschäftliche
Dinge unterhalten hätte. Der Kaufmann sagte, der Alte hätte schlecht ausgesehen 20
und auch hin und wieder darüber geklagt,[9] daß er sich nicht wohl fühle. Er habe ihn
darauf eingeladen, die Nacht in seinem Hause zu bleiben, aber Grimaldi hätte diese
Einladung nicht angenommen, da er nie über Nacht wegblieb. Das Gewitter hätte
ihn sicherlich auf dem Wege nach Hause überrascht, und wahrscheinlich wäre er durch
einen plötzlichen Blitz erschreckt worden und hätte einen Schlaganfall gehabt.   25

Wochen waren vergangen, und der Apotheker lebte glücklich[10] und zufrieden mit
seiner Frau und seinen Kindern, ohne von dem Golde Grimaldis den geringsten[11]
Gebrauch zu machen. Aber schließlich hatte er sich einen guten Plan ausgedacht, das
Geld zu gebrauchen, ohne den Verdacht[12] seiner Mitmenschen zu erregen.[13]

Als Apotheker mußte er kleinere Mengen Silber für seine Arzeneien[14] kaufen, und 30
so war es leicht für ihn, etwas mehr Silber zu kaufen, als er für seine Apotheke brauchte.

Zu gleicher Zeit[15] arbeitete er viel in seinem Laboratorium und erzählte seiner
Frau und seinen Freunden, daß er kurz vor einer großen Entdeckung stände. Seine
Freunde lachten, seine Frau war besorgt; sie kannte diese großen „Entdeckungen."

Der Alchimist Bertram hatte aber das Silber, das er für seine alchimistische 35
Küche gekauft hatte, mit anderen Metallen legiert[16] und so eine silberhaltige[17]
Mischung hergestellt, die er in eine Barre[18] goß.

---

*1 doch, *surely.* ² die Spur, —, -en, *trace, clue.* ³ die Erleichterung, —, *relief.* *4 dick, *big, fat.*
⁵ der Geselle, -n -n, *helper.* *6 sterben, a, o (ist), *die.* ⁷ durchsuchen, *search.* *8 der Kaufmann, -es,
. . .leute, *merchant.* *9 klagen, *complain.* *10 glücklich, *happy.* *11 geringst=, *least, slightest.* 12 der
Verdacht, -s, *suspicion.* 13 erregen, *arouse.* 14 die Arzenei, —, -en, *medicine.* *15 zu gleicher Zeit, *at
the same time.* 16 legieren, *alloy.* 17 silberhaltig, *containing silver, argental.* 18 die Barre, —, -n, *bar.*

Nun lud er seine Freunde ein und zeigte ihnen die Barre. Sie lachten. „Das ist schlechtes Silber, guter Bertram,“ sagten sie. „Hast du wie die Kaiserin Barbara Kupfer und Arsenik zusammengeschmolzen [1] und willst jetzt Münzen aus dem weißen Metall machen lassen?“ [2]

5 Bertram hörte geduldig zu. Dann nahm er die Barre Metall in die Hand und sagte: „Liebe Freunde, liebe Frau, ihr habt recht.[3] Ich würde ein Narr sein, wenn ich Nacht für Nacht hier gearbeitet hätte, um euch mit dieser Silberbarre zum besten zu haben. Ich bin kein Narr. Hier in dieser Barre liegt mein zukünftiges Vermögen,[4] und um es aus der Barre herauszudestillieren,[5] brauche ich keine alchimi-
10 stische Kunst. Eine Reise nach Paris wird diese Barre weiches Silber in ein paar tausend Silbertaler [6] verwandeln.[7] Ich selber kann in meiner kleinen alchimi-stischen Küche nicht genug solcher Barren herstellen,[8] um Geld damit zu verdienen. Ich kenne aber Alchimisten in Paris, die reiche Gönner [9] haben und als Fachleute gelten.[10] Die könnten solche Barren in solchen Mengen herstellen, daß sich ein großes
15 Vermögen damit verdienen ließe.[11] Sie könnten es, wenn sie mein geheimes Ver-fahren [12] kennten. Ich werde nach Paris gehen und ihnen mein Geheimnis für ein paar tausend Taler verkaufen. Das ist mein Entschluß,[13] und nun sagt, was ihr wollt, ich ändere ihn nicht.“

Erst lachten die Freunde des Alchimisten, dann versuchten sie ihn davon zu über-
20 zeugen,[14] daß so eine Reise Wahnsinn [15] wäre, denn niemand würde ihm einen Pfennig für seine Erfindung [16] geben. Seine Frau saß in der Ecke des Zimmers und weinte.

Sie weinte den ganzen Abend, sie weinte während der Nacht und am nächsten Tag sah sie krank und blaß aus. Bertram liebte seine Frau und konnte sie nicht leiden sehen; er wollte ihr aber nicht die ganze Wahrheit [17] sagen, damit sie nicht
25 schlecht von ihm denke. Als sie am nächsten Abend zu Bett gegangen war, stieg er auf den Boden hinauf und holte leise den kleinsten der Geldsäcke aus dem Versteck. Er leerte [18] den Sack auf dem Küchentisch aus, schob die Münzen zu einem Haufen zusammen und rief seine Frau.

Die arme Frau weinte schon wieder,[19] denn sie dachte, ihr Mann werde wieder von
30 der Reise sprechen. Als sie den Haufen Goldmünzen sah, stand sie erschrocken still. „Setz dich,“ sagte Bertram, „und laß dir mein Geheimnis erzählen.[20] Ich war der

---

[1] zusammenschmelzen, o, o, *alloy.* [2] willst du jetzt Münzen machen lassen? *do you intend to have coins made?* Where in English we speak of *having something done,* in German we speak of *letting something be done.* [3] ihr habt recht, *you are right.* [4] das Vermögen, –s, *wealth, fortune.* [5] herausdestillieren, *distil (out).* [6] der Silbertaler, –s, —, *silver taler.* [7] verwandeln, *change, transform.* [8] herstellen, *produce.* [9] der Gönner, –s, —, *benefactor.* [10] als Fachleute gelten, *are considered experts.* [11] daß sich ein großes Vermögen damit verdienen ließe, *that a great fortune could be earned in that way.* [12] das Verfahren, –s, *process, method.* [13] der Entschluß, –es, ⸚e, *decision.* [14] überzeugen, *convince.* [15] der Wahnsinn, –s, *insanity, madness.* [16] die Erfindung, —, –en, *invention, discovery.* [17] die Wahrheit, *truth.* [18] leeren, *empty.* [19] die arme Frau weinte schon wieder, *the poor woman was weeping again.* The phrase schon wieder stresses the idea of repetition more than the word wieder by itself would do. [20] laß dir mein Geheimnis erzählen, *let me tell you my secret.* More literally, of course, the words mean: *let my secret be told you.* This is another instance of the active infinitive in German where English requires the passive.

erste, der den toten Grimaldi auf der Straße fand. Er lag beinah vor unserer Tür.
Diesen Geldbeutel [1] hielt er noch im Tode unter den Arm gepreßt. Sollte ich einen
anderen das Gold finden lassen? Sollte die Stadt es bekommen, wie sie alles andere
übernommen hat, was Grimaldi gehörte? Die Nacht war dunkel, und der Regen
strömte. Ich brachte das Geld ins Haus und trug Grimaldi die Straße hinab zu 5
der Stelle, wo ihn der Nachtwächter [2] fand. Du verstehst, daß du niemandem ein
Wort von diesem Geheimnis sagen darfst." Sie küßte und umarmte ihn und war
außer sich vor Freude über das Geld. Sie schwor beim Leben ihrer Kinder, das
Geheimnis niemandem zu verraten.

Als er nun nach Paris fuhr, tat [3] sie, als ob ihr vor Schmerz das Herz bräche. 10
Sie weinte und schrie, daß man es drei Häuser weit hörte, und als ihr Mann ge=
gangen war, ging sie, wie es schien, äußerst betrübt [4] zu ihrem Vater aufs Land.

Bertram reiste mit zwei Geldbeuteln, die er in einem Koffer [5] mit falschem Bo=
den [6] transportierte, nach Paris und zahlte das Geld nach zwei Wochen in eine Bank
ein [7] und ließ sich einen Kreditbrief an eine Augsburger Bank geben. Dann besuchte er 15
die Alchimisten in Paris, erzählte ihnen von seinen Versuchen, Silber herzustellen,
die keinen Erfolg gehabt hätten, und sie erzählten ihm von ihren Versuchen, Gold
herzustellen, die bis jetzt zwar erfolglos geblieben seien, aber bald zu Ergebnissen [8]
führen müßten. Er hatte einen langen Brief an seine Frau geschrieben, in dem er
ihr die freudige [9] Nachricht schickte, daß verschiedene Pariser Alchimisten, deren 20
Namen ein Geheimnis bleiben müsse, von dem Erfolg seines Verfahrens so überzeugt
seien, daß sie die Formel für dreitausend Taler gekauft hätten.

Als er nach etwa [10] einem Monat wieder nach Augsburg zurückkehrte, empfingen [11]
ihn seine Freunde mit Freude und Bewunderung.[12] Er war auf einmal [13] in seiner
Vaterstadt berühmt geworden. Reiche Kaufleute wollten von seinen Experimenten 25
hören, aber er lächelte nur und sagte, daß er seinen Pariser Kollegen das Geheimnis
verkauft hätte, da sich niemand in seiner Heimatstadt dafür interessiert hätte.

Hatte er auch in der Alchimie keinen Erfolg gehabt,[14] so hatte er jetzt um so mehr [15]
Erfolg mit seinem kleinen Kapital. Er kaufte Land und einen Bauernhof [16]; das
ausgegebene Geld kam reichlich [17] wieder zurück, so daß er im Laufe weniger Jahre 30
durch Landkäufe und Geldspekulationen zu einem reichen Manne wurde.[18]

Trotz allem Reichtum gab er aber die Alchimie nicht auf. Im Gegenteil,[19] jetzt
hatte er Zeit und Geld genug, die kompliziertesten und teuersten Experimente zur

---

[1] der Geldbeutel, -s, —, *money-bag.* [2] der Nachtwächter, -s, —, *night-watchman.* *[3] tat sie, *she
acted.* Tun followed by an als ob clause means *act* or *pretend.* *[4] betrübt, *grieved, depressed.* [5] der
Koffer, -s, —, *trunk.* *[6] der Boden, -s, —, *bottom.* [7] einzahlen, *pay in, deposit.* *[8] das Ergebnis, ...nis=
ses, ...nisse, *result.* *[9] freudig, *joyous, cheerful.* *[10] etwa, *approximately.* *[11] empfangen, i, a, *receive.* *[12] die Bewunderung, *admiration.* *[13] auf einmal, *suddenly.* *[14] hatte er auch keinen Erfolg
gehabt, *even though he had had no success.* If the verb is used in inverted word order and is
followed by auch, begin with *even though* or *even if.* *[15] um so mehr, *all the more.* [16] der Bauernhof,
-es, ⸗e, *farm.* [17] reichlich, *abundantly.* [18] zu einem reichen Manne wurde, *became a rich man.* This
construction, *i.e.* zu etwas werden, regularly signifies *to turn into something.* *[19] im Gegenteil,
on the contrary.

Gewinnung von Gold zu machen. Am liebsten war er in dem kleinen Häuschen, in
dem er als Apotheker gewohnt hatte und das er nun vollkommen in ein alchimi=
stisches Laboratorium umgebaut [1] hatte. Dort konnte man ihn oft tagelang und
halbe Nächte lang über seine Retorten gebückt sehen.

5   Er hatte noch einen anderen Grund, sich so mit ganzem Herzen der Alchimie zu
widmen.[2] Der große Reichtum hatte den Charakter der Apothekersfrau verwandelt.
Ehe der Reichtum in ihr Leben kam, war sie eine arbeitsame [3] Frau gewesen, die
ihren Mann und ihre Kinder liebte und sich sonst nicht um die große Welt außer=
halb [4] ihres kleinen Häuschens kümmerte.[5] Jetzt aber wollte sie eine vornehme [6]
10 Dame sein und der großen Welt angehören.[7] Sie trug die teuersten Kleider und
Juwelen, die zu haben waren. Das große Haus, das ihr Mann in einem Park in
der Nähe der Stadt als Sommerhaus [8] für sie hatte bauen lassen, war der Schau=
platz [9] großer Tänze und Festessen.[10] Da war ein ständiges [11] Kommen und Gehen
und Dutzende von Dienern [12] mußten für das Haus und die Gäste sorgen.

15   Das Stadthaus hatte einer alten Augsburger Patrizierfamilie [13] gehört, und
Bertram hatte es auf den Wunsch seiner Frau gekauft, trotzdem er sich in der Stadt
damit keine Freunde machte, denn die Patrizier pflegten gegen Emporkömmlinge [14]
nicht sehr freundlich zu sein.

      Das führte natürlich zu vielen unangenehmen Situationen, und der Streit und
20 die dauernden Kämpfe mit den alten Familien der Stadt verbitterten die reiche
Frau immer mehr. Am meisten litt unter all dem ihr Mann, der ein stiller und
bescheidener [15] Mensch war. Da seine Frau ihn zwingen wollte, das Leben eines
reichen Patriziers zu führen, fühlte er sich sogar im Frieden seines Laboratoriums
gestört, und so begann der arme Bertram, um seiner Frau und ihren ständigen
25 Wünschen und Klagen zu entfliehen,[16] längere Reisen zu machen. Er reiste in Frank=
reich, Italien und Spanien, besuchte überall die Alchimisten und genoß [17] so sein
Leben, bis er wieder nach Hause zurückkehrte.

      Einmal blieb er besonders lange fort. Ein Jahr war vergangen, und seine Frau
verlangte in ihren Briefen, daß er sofort zurückkommen solle. Er antwortete ihr, daß
30 er in Rom den Alchimisten D'Alberto getroffen hätte, den größten Alchimisten dieser
Zeit, und daß er sehr viel von diesem Manne lerne. Er werde erst ein halbes Jahr
später zurückkommen können.

      Frau Bertram war außer sich. Anderthalb [18] Jahre wollte ihr Mann weg=
bleiben, bloß [19] wegen der elenden schwarzen Kunst. Je länger sie darüber nach=
35 dachte, desto [20] wütender wurde sie. In ihrem Haß auf die Alchimie ließ sie das alte

---

[1] umbauen, *rebuild.* [2] widmen, *devote.* *[3] arbeitsam, *hardworking.* *[4] außerhalb, *outside of.*
*[5] sich sonst nicht um die Welt kümmerte, *otherwise paid no attention to the world.* *[6] vornehm,
distinguished. *[7] angehören, *belong to.* [8] das Sommerhaus, -es, ̈er, *summer-residence.* [9] der
Schauplatz, -es, ̈e, *scene.* [10] das Festessen, -s, —, *banquet.* [11] ständig, *constant.* *[12] der Diener,
-s, —, *servant.* [13] die Patrizierfamilie, —, -n, *patrician family.* [14] der Emporkömmling, -s, -e, *upstart.* [15] bescheiden, *modest.* [16] entfliehen, o, o (ist), *escape.* *[17] genießen, o, o, *enjoy.* [18] anderthalb,
one and a half. *[19] bloß, *merely.* *[20] je . . . desto, *the . . . the.*

Häuschen sofort niederreißen,[1] in dem ihres Mannes alchimistische Küche war, das alte Häuschen, in dem sie außerdem die ersten glücklichen Jahre ihrer Ehe [2] verlebt [3] hatte. Sie dachte nicht daran. An Stelle des alten Häuschens wollte sie ein größeres und schöneres Haus bauen [4] lassen, für diejenigen [5] ihrer Gäste, die im Stadthaus nicht untergebracht [6] werden konnten.

So wurde denn das Haus niedergerissen und Bertrams alchimistische Küche zerstört.[7] Als seine Frau kam, um nachzusehen, ob die Arbeit Fortschritte [8] mache, hatten die Arbeiter gerade begonnen, das Fundament zu erweitern,[9] denn das neue Haus sollte viel größer werden als das alte. Zwei Arbeiter ruhten sich gerade ein wenig aus,[10] als von oben [11] die scharfe Stimme der reichen Frau kam. „Ihr Fau= lenzer" [12] schrie sie, „werdet ihr dafür bezahlt, daß ihr euch auf eure Schaufeln [13] lehnt und träumt? Arbeitet, sage ich euch, oder ich werde dafür sorgen,[14] daß ihr diese Woche keinen Lohn [15] bekommt."

Die beiden Arbeiter griffen [16] wieder zu ihren Schaufeln, brummten [17] etwas vor sich hin [18] und begannen wieder zu graben. Plötzlich stießen sie auf etwas Hartes, und bald hatten sie einen Holzkasten ans Licht gebracht.

Die Frau war wieder gegangen, und so untersuchten sie den ausgegrabenen Kasten, während die anderen Arbeiter neugierig herbeiliefen.[19] Der Deckel war eingerostet,[20] und sie mußten ihn mit ihren Schaufeln aufbrechen.[21] Enttäuscht [22] sahen sie, daß der Kasten leer war. Plötzlich rief einer der Arbeiter: „Was ist das?" Er zeigte auf ein kleines, silbernes Schildchen, auf dem der Name „Grimaldi" stand. „Das war das Haus des Apothekers Bertram," sagte er nachdenklich. „Wie kommt [23] ein Kasten mit Grimaldis Namen in Bertrams Keller? Der alte Grimaldi war sehr reich. Ihr jungen Leute werdet euch nicht mehr an den alten Wucherer erinnern, aber wir älteren Leute wissen ganz gut, daß alles, was Grimaldi hinterließ, an die Stadt Augsburg kam." Er pfiff durch die Zähne. „Ich glaube, hier haben wir etwas, was der Dame, die hier eben so geschimpft hat, das Schimpfen [24] abgewöhnen [25] kann." Noch am gleichen Tag brachten die Arbeiter, die den Kasten gefunden hatten, denselben zum Magistrat der Stadt. Der Magistrat bestand aus Patriziern, von denen einige die Familie Bertram grimmig [26] haßten. Sie ruhten nicht, bis der ganze Fall öffentlich bekannt und eine Untersuchung nötig wurde.

Umsonst [27] versuchte Bertram dem Gericht [28] von Augsburg alles zu erklären.

---

[1] niederreißen, i, i, *tear down.* [2] die Ehe, —, -n, *marriage, married life.* *[3] verleben, *spend.* *[4] bauen, *build.* *[5] diejenigen, *those.* [6] unterbringen, brachte unter, untergebracht, *accommodate.* *[7] zerstören, *destroy.* *[8] der Fortschritt, -es, -e, *progress.* [9] erweitern, *enlarge.* *[10] sich ausruhen, *rest.* *[11] oben, *above.* [12] der Faulenzer, -s, —, *lazy fellow.* [13] die Schaufel, —, -n, *shovel.* *[14] ich werde dafür sorgen, *I'll see to it.* [15] der Lohn, -es, ⸚e, *pay, wages.* [16] greifen, i, i zu, *pick up.* [17] brummen, *mutter.* *[18] vor sich hin, *to themselves.* [19] herbeilaufen, ie, au (ist), *come running.* [20] eingerostet, *rusted shut.* [21] aufbrechen, a, o, *break open.* *[22] enttäuscht, *disappointed.* *[23] Wie kommt ein Kasten in Bertrams Keller? *How does a box happen to be in Bertram's cellar?* [24] das Schimpfen, -s, *scolding, using abusive language.* [25] abgewöhnen, *make someone give up.* [26] grimmig, *furiously, violently.* *[27] umsonst, *in vain.* [28] das Gericht, -s, -e, *court of justice.*

Man glaubte ihm nicht. Seine Frau hatte die Geschichte ganz anders erzählt. Das war schon sehr verdächtig.[1] Wahrscheinlich logen sie alle beide.[2] Der Alte war wohl gar nicht am Schlag gestorben. Der Apotheker mochte[3] ihn erwürgt oder vielleicht auch vergiftet[4] haben. Ja, so war es wohl gewesen. Der Kaufmann, den Grimaldi
5 besucht hatte, hatte ausgesagt,[5] daß der Wucherer sich schlecht gefühlt hatte. Auf dem Nachhauseweg hatte er dann wohl Licht im Hause des Apothekers gesehen und ihn um Medizin gebeten. Der Apotheker konnte ihn dann leicht in seiner Apotheke vergiftet und den Toten auf die Straße getragen haben. Das war möglich. Aber vielleicht war es doch so, wie er es behauptete. In dem Fall war er nur ein Dieb und kein
10 Mörder, und die Strafe konnte milder sein. Nun,[6] auf der Folterbank[7] würde der reiche Alchimist wohl die Wahrheit sagen.

Der reiche Alchimist hatte die Wahrheit gesagt und er sagte sie noch einmal, aber nicht auf der Folterbank, die er nicht hätte aushalten können, sondern in einem Brief, den man im Kerker[8] fand, wo er sich während der Nacht erhängt hatte. In
15 dem Brief bat er um Gnade[9] für seine Frau und seine Kinder. Er sei an allem schuld.[10] Man solle besonders die Kinder, die an dem Verbrechen[11] des Vaters unschuldig wären, nicht zu Bettlern[12] machen. Das Augsburger Gericht erfüllte[13] dem Toten diese Bitte.[14] Seine Besitztümer[15] wurden von der Stadt konfisziert, aber eine gewisse Summe wurde der Frau und den Kindern gegeben unter der Be-
20 dingung, Augsburg zu verlassen und nie wieder zurückzukehren.

A. Practice Sentences:

1. Der Alte hatte recht; der Alchimist und seine Frau waren alle beide daran schuld.
2. Es war schade, daß Bertrams Frau nichts von seinen alchimistischen Experimenten hielt.
3. Hin und wieder hatte er größere Mengen Silber nötig.
4. Schließlich ist er den schweren Kasten losgeworden.
5. Sie tat, als ob sie sich um so etwas gar nicht kümmerte.
6. Bertram wollte gerade zu Bett gehen, als heftig an die Tür geklopft wurde.
7. Wie kommt es, daß Grimaldis Name auf dem silbernen Schildchen steht?
8. Laß dir die Geschichte von dem armen Apotheker erzählen, der zu einem reichen Herrn wurde!
9. Der Kasten, den die Arbeiter im Keller fanden, mochte wohl dem alten Grimaldi gehört haben.
10. Je reicher Frau Bertram wurde, desto unfreundlicher wurde sie.

---

[1] verdächtig, *suspicious*. *[2] alle beide, *both*. Alle cannot be translated; it adds emphasis.
[3] mochte ihn erwürgt haben, *probably strangled him*. The imperfect tense of mögen is often used to express probability. [4] vergiften, *poison*. [5] aussagen, *testify*. *[6] nun, *well*. When nun is separated from the rest of the sentence by a comma or commas, it is used as an expletive; otherwise it means *now*. [7] die Folterbank, —, ⸗e, *rack*. [8] der Kerker, –s, —, *prison cell*.
[9] die Gnade, *clemency, mercy*. [10] an allem schuld sein, *to be blamed for everything*. [11] das Verbrechen, –s, —, *crime*. [12] der Bettler, –s, —, *beggar*. [13] erfüllen, *fulfill*. *[14] die Bitte, —, –n, *request*. [15] das Besitztum, –s, ⸗er, *possession*.

11. Er machte eine Geschäftsreise nach Rom und zu gleicher Zeit besuchte er den großen Alchimisten D'Alberto.
12. Als der Apotheker seinen Freunden die Silberbarren zeigte, lächelte er vor sich hin.
13. Kollmann versuchte, den Glaskasten zu öffnen. Der Deckel hob sich.
14. Er galt als einer der besten Chemiker seiner Zeit.
15. Es ist ihm nie gelungen, künstliches Silber zu produzieren.

B. Securing the Vocabulary:

1. fern
   die Ferne
   entfernt
   die Entfernung
2. ziehen
   der Zug
   die Zugbrücke
   sich anziehen
   der Anzug
   abziehen
   vorziehen
   der Vorzug
   die Beziehung
3. der Freund
   die Freundin
   freundlich
   die Freundschaft
4. leiden
   das Leid
   es tut mir leid
   leider

das Mitleid
mitleidig
5. nehmen
   annehmen
   mitnehmen
   zurücknehmen
   abnehmen
   die Aufnahme
6. schließen
   schließlich
   der Schluß
   der Schlüsselring
   aufschließen
   zuschließen
   beschließen
   verschließen
7. arbeiten
   die Arbeit
   arbeitsam
   der Arbeiter
   der Arbeitslose

die Arbeitslosenunterstützung
die Arbeitslosigkeit
8. zahlen
   die Zahl
   zahlreich
   bezahlen
   einzahlen
   die Abzahlung
9. geben
   das Ergebnis
   aufgeben
   die Aufgabe
   angeben
   ausgeben
10. jeder
    jedermann
    jederzeit
    jedenfalls
    jedesmal

Neunundzwanzigste Aufgabe

* *

Das Wirtshaus [1] am Berge [2]

Es war ziemlich leer in der Gaststube.[3] Ein paar Bauern [4] saßen um einen Tisch, spielten Karten und tranken ihr Bier, während an einem anderen Tisch der reiche Bauer Huber saß und mit sichtbarem [5] und hörbarem [6] Appetit zu Mittag aß. Durch das offene Fenster kam Gitarrenmusik und Singen. „Karl! Karl!" rief eine
5 grobe Stimme, die Stimme des Wirtes,[7] der jetzt in die Gaststube trat. „Habt ihr Karl gesehen?" fragte er die Bauern, die kaum von ihrem Spiel aufblickten und nur den Kopf schüttelten. Herr Huber wischte sich das schwitzende [8] runde Gesicht mit dem Mundtuch [9] und sagte: „Vor [10] einer Viertelstunde habe ich ihn hinter der Scheune [11] gesehen. Er lud [12] Kornsäcke [13] auf den Wagen. Zweihundert-Pfund-
10 Säcke sind zu schwer für einen fünfzehnjährigen Jungen!" Der Wirt schwieg und gab seinem Gast einen giftigen [14] Blick,[15] den dieser nicht sah. Nach einer kleinen Pause fuhr Huber fort: „Du solltest Karl nicht die schwere Arbeit tun lassen. So ein intelligenter Junge wie Karl kann hier in deinem . . ." „Was Karl für mich tut oder nicht tut, ist meine Angelegenheit." [16] Der Wirt war blaß geworden. „Sage
15 ich dir etwa, was du tun und lassen [17] sollst? Dann misch dich gefälligst [18] auch nicht in meine Angelegenheiten."

Der Dicke aß immer noch, als Karl in die Gaststube gelaufen kam. „Hast du mich gerufen, Vater?" fragte er noch außer Atem. „Warum bist du nie da, wenn ich dich brauche, du Tunichtgut? Geh in den Hof [19] und sag diesen italienischen
20 Faulenzern, es ist nur eine halbe Stunde von hier bis zur Grenze! Wenn sie noch einmal bei mir im Hof erscheinen, lasse ich die Hunde los."

Der Junge sah seinen Vater erschrocken an und ging mit gesenktem Kopf hinaus. Das Singen und Gitarrespielen hörte auf. Der dicke Gast füllte sich das letzte

---

*[1] das Wirtshaus, -es, ⸗er, *inn.* *[2] der Berg, -es, -e, *mountain.* *[3] die Gaststube, —, -n, *taproom.* *[4] der Bauer, -s, -n, *farmer.* *[5] sichtbar, *visible.* *[6] hörbar, *audible.* *[7] der Wirt, -es, -e, *innkeeper.* [8] schwitzen, *perspire.* [9] das Mundtuch, -es, ⸗er, *napkin.* *[10] vor with an expression of time means *ago.* [11] die Scheune, —, -n, *barn.* [12] laden, u, a, *load.* [13] der Kornsack, -es, ⸗e, *sack of grain.* [14] giftig, *poisonous; angry.* *[15] der Blick, -es, -e, *glance.* [16] die Angelegenheit, —, -en, *affair.* [17] tun und lassen, *do and not do.* [18] gefälligst, which means *most obligingly* or *most kindly,* when used in a command as it is here must be translated by a circumlocution. Thus, in this sentence: *please be so good as not to interfere in my affairs.* *[19] der Hof, -es, ⸗e, *yard.*

Glas Wein aus dem alten Zinnkrug,[1] rauchte seine Pfeife und blickte nachdenklich
vor sich hin.[2]

Die kartenspielenden Bauern hatten ihr Bier ausgetrunken und zahlten Karl, der
wieder ins Zimmer getreten war. Der Junge ging an den Tisch, an dem Herr
Huber saß, um abzuräumen.[3] Da faßte der ihn plötzlich am Arm und sagte: „Karl, [5]
ich brauche einen geschickten[4] und intelligenten Burschen[5] wie dich auf meinem
Bauernhof. Wenn du Lust hast, komm 'rüber,[6] du bist willkommen." Karl
lächelte: „Und am zweiten Tage käme mein Vater und holte mich mit der Hunde=
peitsche[7] zurück. — Ich danke Ihnen,[8] Herr Huber. Ich weiß, wie Sie es meinen,
aber das wird nicht gehen."[9]   [10]

Huber nickte nachdenklich mit dem Kopf, dann sagte er laut: „Bring mir die
Rechnung, Karl, ich will zahlen!" Karl ging und brachte ein Stück Papier, das
Huber sorgfältig nachprüfte.[10] „Deine Mutter hat sich geirrt, Karl," sagte er endlich,
„das war Schweizer Landwein, den ich da[11] getrunken habe und kein feuriger Ita=
liener." Karl wurde rot und ging in die Küche zurück. Man hörte eine scheltende[12] [15]
Frauenstimme, und dann kam Karls Mutter, ihre Hände an der Schürze[13] trock=
nend,[14] aus der Küche. „So," schrie sie den Bauern an,[15] „du bist ein Weinkenner.
Du bist kein Bauer, du bist ein großer Herr, der einen ganzen Keller voll feiner
Weine hat und genau weiß, wo ein Wein herkommt[16] und wie alt er ist." „O, es
ist schon gut[17]; hier ist das Geld, ich gehe," brummte der Dicke. „Glücklicherweise ist [20]
Euer Wirtshaus nicht das einzige in der Schweiz." Ärgerlich ging er zur Tür
hinaus,[18] gefolgt von Karl, der ihm half, sein Pferd vor den Wagen zu span=
nen.[19]

Am Abend dieses Tages, als der Wirt und seine Frau die kleine Summe Geld
zählten, die die Gäste im Wirtshaus am Berge — so nannten es die Leute — aus= [25]
gegeben hatten, setzte sich Karl zu seinen Eltern. „Was willst du hier?" brummte
sein Vater. „Geh zu Bett, damit du morgen nicht so faul bist, wie du heute warst.
Zwei Stunden hat es gedauert, bis du die Kornsäcke auf den Wagen geladen hast.
Man sollte denken,[20] du wärest ein Mädchen und kein Junge." „Vater, wenn ich so
schlechte Arbeit tue, wäre es dann nicht besser, Ihr nähmet Euch einen Knecht,[21] und [30]
ich ginge, mir Arbeit zu suchen? Ich könnte Euch mit meinem Lohn helfen, für den
Knecht zu zahlen." Sprachlos vor Erstaunen starrten der Mann und die Frau ihren

---

[1] der Zinnkrug, -es, ⸚e, *pewter pitcher.* *[2] blickte vor sich hin, *looked into space.* [3] abräumen, *clear
(it) off.* *[4] geschickt, *clever.* [5] der Bursche, -n, -n, *fellow.* [6] 'rüber, short for herüber, *over.* [7] die
Hundepeitsche, —, -n, *dog whip.* [8] ich danke Ihnen, *thank you but I can't accept.* Danken is used
to decline with thanks; acceptance is expressed by bitte. [9] das wird nicht gehen, *that won't be
possible.* Gehen is often used in the sense of *to be possible* or *to work out.* [10] nachprüfen, *check.*
[11] den ich da getrunken habe. The word da is not used here in its usual full significance of *there,
here,* or *then* but has only very weak demonstrative force; it should not be translated.
[12] schelten, *scold.* [13] die Schürze, —, -n, *apron.* [14] trocknen, *dry.* [15] anschreien, ie, ie, *scream at.*
[16] herkommen, a, o (ist), *come from.* *[17] schon gut, *all right.* [18] zur Tür hinaus, *out of the door.* [19] span=
nen, *hitch.* [20] Man sollte denken, *one might think.* [21] Wäre es dann nicht besser, Ihr nähmet Euch einen
Knecht? *Wouldn't it be better then if you hired a man?* This is paratactic order, that is, the idea
which is logically subordinate is syntactically coordinate.

Sohn an. Dann brach ein Sturm von Flüchen [1] und Schimpfnamen [2] über den armen Jungen her, und schließlich schlug ihm der Vater ins Gesicht und warf ihn aus dem Zimmer.

Beschämt [3] und zitternd vor Wut [4] ging Karl in seine Schlafkammer auf dem Boden. Lange stand er an dem kleinen Dachfenster und blickte auf die Berge, die im Mondlicht ungeheuer [5] und geheimnisvoll [6] aussahen. Was für Menschen mochten hinter diesen Bergen wohnen? Er wußte, daß weit, weit im Norden mächtige Flüsse flossen,[7] und ebenes [8] Land war. Dort lebten die Menschen in reichen, großen Städten, und wenn man immer weiter nach Norden wanderte, kam man ans Meer. Es war nicht das erste Mal, daß er hier am Fenster im Mondlicht stand und von fernen Ländern träumte; es war aber das erste Mal, daß er ernstlich daran dachte, von Hause fortzulaufen. Schließlich legte er sich, von Müdigkeit [9] übermannt,[10] auf sein Bett, aber nur zu kurzer Rast. Noch vor Sonnenaufgang [11] suchte er im Dunkeln die paar Sachen, die ihm gehörten, nahm aus einem Versteck in der Mauer [12] eine kleine Geldsumme, die er sich im Laufe der letzten Jahre durch Trinkgelder [13] erspart [14] hatte, und packte alles in ein Bündel.

Er war reisefertig. Lange lauschte [15] er an der Tür, aber nichts regte sich,[16] alle lagen noch im tiefen Schlaf. Mit klopfendem Herzen schlich er die alte Holztreppe [17] hinunter [18] und öffnete leise die Haustür. Die Hunde draußen sprangen hoch, aber Karl rief ihnen etwas Beruhigendes [19] zu, und winselnd [20] ließen sie sich von ihm streicheln.

Ohne sich umzusehen, lief er über den dunklen Hof und ging mit schnellem Schritt die Landstraße [21] hinauf, immer in Furcht, er könnte die grobe Stimme seines Vaters hinter sich hören. Der Weg ging bergauf,[22] und nach etwa zwei Stunden war Karl auf dem Gipfel [23] des Berges angekommen. Jetzt erst hielt er es für sicher auszuruhen. Er setzte sich auf einen Meilenstein und blickte auf das tief unter ihm liegende Heimatdörfchen zurück.

Er sah das Wirtshaus, die Scheune und auf dem Hof konnte er den Wagen mit dem zerbrochenen Rad erkennen, das er heute reparieren sollte. Das winzige [24] Häuschen mit dem roten Dach war das Hühnerhaus,[25] die weißen Pünktchen, die sich da unten bewegten, waren die Hühner.

Er dachte daran, wie er als kleiner Junge seiner Mutter beim Einsammeln [26] der Eier geholfen hatte, und wie sie ihm das Haar streichelte, wenn er ein verstecktes Ei gefunden hatte. Ja, damals waren die Eltern auf ihn stolz [27] gewesen. Als der

---

[1] der Fluch, -es, ⸗e, *curse.* [2] der Schimpfname, -ns, -n, *abusive name.* [3] beschämt, *humiliated.* *[4] die Wut, *rage.* *[5] ungeheuer, *enormous.* *[6] geheimnisvoll, *mysterious.* *[7] fließen, o, o (ist), *flow.* *[8] eben, *flat.* *[9] die Müdigkeit, *fatigue.* [10] übermannen, *overcome.* [11] Noch vor Sonnenaufgang, *even before sunrise.* *[12] die Mauer, —, -n, *wall.* [13] das Trinkgeld, -es, -er, *tip.* [14] ersparen, *save.* *[15] lauschen, *listen.* [16] sich regen, *stir.* [17] die Holztreppe, —, -n, *wooden staircase.* [18] hinunterschleichen, i, i (ist), *sneak down.* [19] etwas Beruhigendes, *something quieting, some quieting words.* [20] winseln, *whine.* *[21] die Landstraße, —, -n, *highway.* *[22] bergauf, *up-hill.* *[23] der Gipfel, -s, —, *top.* *[24] winzig, *tiny.* [25] das Hühnerhaus, -es, ⸗er, *hen-house.* [26] beim Einsammeln, *gathering.* *[27] stolz, *proud.*

Pfarrer [1] ihn lesen gelehrt hatte, und er dem Vater eines Abends nach dem Abendessen einen Psalm vorlas, da war der vom Tisch aufgesprungen, hatte ihn auf den Arm genommen und ihm, was er sonst nie tat,[2] einen Kuß gegeben. Damals sprachen die Eltern sogar davon, ihn einst zur Universität zu schicken.

Die Tränen [3] kamen ihm in die Augen, die Erinnerung [4] machte ihn weich, und 5 fast bereute [5] er, was er getan hatte. Und wenn er jetzt umkehrte,[6] nach Hause ginge und seinem Vater gestände [7]: „Ich wollte fortlaufen aber ich konnte mich nicht von Euch trennen;[8] hier bin ich". — Die Hundepeitsche würde er von der Wand holen und ihn schlagen, bis er den Arm nicht mehr heben konnte.

Nein, seine Eltern liebten ihn nicht mehr. Die dachten an nichts weiter als an ihr 10 Unglück und wie sie wieder zu Geld kommen könnten, seit sie in dem Unglücksjahr 1752 durch Mißernte [9] und durch ein Feuer im Wirtshaus fast alles verloren hatten. Nun, wenn er nichts weiter [10] war, als ein billiger [11] Knecht, dann konnte ja jeder [12] andere seine Arbeit genau so gut, vielleicht sogar noch besser tun.

Trotzig [13] drehte er sich um und ging weiter. Die Straße ging bergab, ein Dorf 15 kam. Er kannte es, es war Bertendorf. Ein paar Mal im Jahr mußte er mit dem Vater nach Bertendorf, wenn sie Vieh,[14] Handwerkszeug [15] und dergleichen kauften. In Bertendorf wohnte auch der Pfarrer, der ihn getauft,[16] und bei dem er lesen gelernt hatte. Mit einem plötzlichen Entschluß ging er die enge [17] Dorfstraße hinab, die zum Pfarrhause [18] führte. Der Pfarrer war schon auf und war dabei,[19] ein paar 20 Rosen zu pflücken, als Karl in den Garten trat.

„Karl, was für eine Überraschung!" sagte er und schüttelte ihm herzlich die Hand. „Was machst du so früh bei uns?" „Ich habe Geschäfte beim Huber in Langental," sagte Karl. Er plante jedoch, in der entgegengesetzten [20] Richtung weiterzugehen. „Ich wollte dem Herrn Pastor nur Guten Tag sagen." Der Pastor wunderte sich 25 ein bißchen, aber da er kurzsichtig [21] war und seine Brille [22] im Hause gelassen hatte, konnte er nicht sehen, wie blaß und unglücklich Karl aussah. So sagte er nur: „Nun, wenn du keine Zeit hast, dich bei uns ein wenig zu erfrischen, so geh nur, und Gott segne [23] dich, mein Sohn!" Karl küßte dem Pfarrer die Hand und verließ den Garten. Der sah ihm noch eine Weile kopfschüttelnd nach. „Da stimmt etwas 30 nicht," [24] sagte er sich, aber dabei blieb es auch.[25]

---

[1] der Pfarrer, -s, —, *parson.* [2] *was er sonst nie tat, something which he usually never did.* The relative pronoun *was* is used with the thought of an entire clause as its antecedent. *[3] die Träne, —, -n, *tear.* *[4] die Erinnerung, —, -en, *memory.* [5] bereuen, *regret.* [6] umkehren, *turn around.* *[7] gestehen, gestand, gestanden, *confess.* *[8] sich trennen, *separate.* [9] die Mißernte, —, -n, *bad harvest, crop failure.* *[10] nichts weiter, *no more.* *[11] billig, *cheap.* *[12] jeder, *every.* [13] trotzig, *defiantly.* [14] das Vieh, -s, *cattle.* [15] das Handwerkszeug, -s, *tools.* [16] taufen, *baptize.* *[17] eng, *narrow.* [18] das Pfarrhaus, -es, -er, *parsonage.* *[19] Der Pfarrer war dabei, ein paar Rosen zu pflücken. *The pastor was busy picking some roses.* The particle da in the compound dabei anticipates the following phrase. [20] entgegengesetzt, *opposite.* *[21] kurzsichtig, *near-sighted.* *[22] die Brille, —, -n, *glasses.* [23] segnen, *bless.* *[24] Da stimmt etwas nicht. *There is something wrong there.* [25] dabei blieb es auch, *and he let it go at that.* Es bleibt dabei, literally: *it remains at that,* is an expression used to signify that no change will be made in the existing situation or agreement.

Karl war wieder auf der Landstraße und er hatte Glück. Der Postwagen [1] nach
Bern hielt gerade vor dem Dorfwirtshaus. Der Platz neben dem Kutscher [2] war
noch frei, und so kam er schneller nach Bern, als er erwartet hatte.

Die Eile [3] war nicht nötig. Als sein Vater ihn fluchend und schimpfend im ganzen
5 Hause gesucht und nicht gefunden hatte, ahnte [4] er sofort das Richtige. Er hatte
plötzlich Angst, einen billigen Knecht zu verlieren. Er vermutete,[5] daß Karl über
die Grenze nach Italien entflohen war. Als schließlich der Pfarrer, der sich wegen
des Jungen Sorgen zu machen begann, nach Karl fragen ließ, erfuhr man die all=
gemeine [6] Richtung, in der er verschwunden war, aber zur Verfolgung [7] war es zu
10 spät.

Eine Zeit lang warteten Karls Eltern und das ganze Dorf auf seine Rückkehr.[8]
Schließlich aber gewöhnte [9] man sich an den Gedanken, daß Karl gegangen war, und
mit Seufzen und Stöhnen mietete [10] sich der Wirt einen Knecht, der ihn zweimal
soviel Geld wie Karl kostete und nicht halb soviel arbeitete.

15 Karls gespartes Geld war bald ausgegeben, und er mußte sich nach Arbeit um=
sehen. Da er lesen und schreiben konnte und außerdem ein intelligenter Junge war,
fiel es ihm nicht schwer,[11] bei vornehmen Familien Arbeit zu finden.

Ein Dutzend Jahre waren so vergangen, als es Karl gelang, bei einem reichen,
alten Edelmann,[12] eine Stellung als Sekretär zu bekommen. Der alte Herr verließ
20 sich bald in fast allen seinen Geschäften auf Karl, den er mehr wie einen Freund als
wie einen Diener behandelte. Da seine Tage gezählt waren, und er keine Kinder
hatte, machte er sein Testament,[13] in dem er Karl zum fast alleinigen [14] Erben [15]
machte. Kurz darauf starb er, und Karl kam in den Besitz eines großen Vermögens.
So war aus dem armen Bauernjungen,[16] der vor Jahren mit ein paar Pfennig in
25 der Tasche und einem Bündel über der Schulter von zu Hause fortgelaufen war, ein
reicher Herr geworden.

Oft hatte Karl an seine Eltern und an sein Heimatdorf gedacht, doch es war ihm
immer unmöglich gewesen, seine Eltern zu besuchen. Schon längst [17] hatte er alles
Böse vergessen, und nun war endlich die Gelegenheit gekommen, zu ihnen zurück=
30 zukehren. Karl beschloß, sie zu sich in sein Landhaus [18] in Bayern zu nehmen, wo sie
ihre alten Tage sorgenfrei und glücklich verleben sollten.

Er machte sich, von einigen Dienern begleitet, auf den Weg [19] und kam nach wenigen
Tagereisen nach der Schweiz. Immer wieder war ihm unterwegs [20] die quälende [21]
Sorge gekommen, ob seine Eltern noch lebten, denn er hatte nicht den Mut gefunden,
35 ihnen oder einem seiner Verwandten während der langen Jahre seiner Abwesen=

---

[1] der Postwagen, —s, —, *stage-coach.* *[2] der Kutscher, —s, —, *driver.* *[3] die Eile, *haste,*
hurry. *[4] ahnen, *suspect.* *[5] vermuten, *suspect.* *[6] allgemein, *general.* [7] die Verfolgung, —,
-en, *pursuit.* *[8] die Rückkehr, —, *return.* *[9] sich gewöhnen an, *get accustomed to.* [10] mieten, *hire.*
*[11] es fiel ihm nicht schwer, *it was not hard for him.* [12] der Edelmann, —es, ...leute, *nobleman.*
[13] das Testament, —es, -e, *testament, will.* [14] alleinig, *sole.* [15] der Erbe, —n, —n, *heir.* [16] der Bauern=
junge, —n, —n, *farm-boy.* *[17] schon längst, *long ago.* [18] das Landhaus, —es, ⸚er, *villa.* *[19] er
machte sich auf den Weg, *he started out.* *[20] unterwegs, *on the way.* [21] quälen, *torture, torment.*

heit ¹ zu schreiben. Möglich war es auch, daß die Armut ² und die harte Arbeit ihr Leben verkürzt ³ hatten. Zwanzig Jahre waren seit seiner Flucht von zu Hause vergangen. Falls sie noch lebten, würden sie ihn wahrscheinlich nicht einmal wieder= erkennen. Mit solchen Gedanken war er bis Bertendorf gekommen, wo er seine Diener im Gasthof ⁴ des Ortes zurückließ.⁵ 5

Bevor er aber seine Eltern wiedersah, wollte er den Pfarrer besuchen, der ihm einen Segen ⁶ mit auf den Weg ⁷ gegeben hatte, der so reichlich in Erfüllung ge= gangen war. Zu seiner Freude erfuhr er, daß der alte Mann noch lebte, und so saß er denn dem Greis ⁸ gegenüber, der ihn verwundert anstarrte und es nicht glauben wollte, daß er Karl vom Wirtshaus am Berge war, der arme Karl, der vor vielen 10 Jahren in die weite Welt gegangen war. Karl, in dessen Erinnerung der Trennungs= tag ⁹ stets weiterlebte, beschrieb dem alten Herrn genau, wie er damals im Garten die Rosen gepflückt hatte und daß er seine Brille im Hause hatte liegen lassen. Der Pastor nickte halb nachdenklich, halb ungläubig.¹⁰ Dann holte er das Kirchenbuch ¹¹ her und verglich die Daten der Geburt und Taufe sowie ¹² die Namen der Tauf= 15 paten ¹³ mit dem, was Karl ihm erzählt hatte. Nun konnte er nicht mehr zweifeln. Er zog Karl ans Fenster und sah ihm ins Gesicht, als wolle er dort das Kindergesicht wiederentdecken, das er vor Jahren gekannt hatte. Erst jetzt wagte Karl nach seinen Eltern zu fragen, denn er schämte sich, nicht einmal zu wissen,¹⁴ ob sie lebten oder tot wären. Da erfuhr er denn, daß sie noch lebten, daß sie aber sehr arm seien. „Warte 20 einen Augenblick, wir können gleich in meinem Wagen zu ihnen fahren. Die Freude, wenn sie ihren Karl als einen erwachsenen Mann wiedersehen, der ein vornehmer Herr geworden ist, die Freude möchte ich mit ansehen.“ ¹⁵ Karl sagte ernst: „Ehr= würdiger ¹⁶ Vater, gerne täte ich Euch den Gefallen, aber einmal ¹⁷ fürchte ich, daß die plötzliche Freude den Alten schaden könnte, und dann möchte ich gerne eine Nacht uner= 25 kannt unter ihrem Dache schlafen. Alles wird sich dann leichter und natürlicher sagen lassen.“ Der Pfarrer sah das ein,¹⁸ und so ritt ¹⁹ Karl dann bei einbrechender Nacht ²⁰ auf seinem Pferd den steinigen Bergweg hinab, der zum Wirtshaus am Berge führte.

Die Freude nahm ihm fast die Stimme, als er in dem weißhaarigen Greise, der 30 auf sein Klopfen an der Tür erschien, seinen Vater wiedererkannte. Mühsam ²¹ beherrschte ²² er sich und fragte: „Kann ich hier Unterkunft für mich und mein Pferd

---

*¹ die Abwesenheit, —, -en, *absence.* *² die Armut, *poverty.* ³ verkürzen, *shorten.* *⁴ der Gast= hof, -es, ⸗e, *inn.* *⁵ zurücklassen, ie, a, *leave behind.* ⁶ der Segen, -s, *blessing.* ⁷ mit auf den Weg, *for his journey.* ⁸ der Greis, -es, -e, *old man.* ⁹ der Trennungstag, *day of separation.* ¹⁰ un= gläubig, *unbelieving, sceptical.* ¹¹ das Kirchenbuch, *parochial register.* *¹² sowie, *as well as.* ¹³ der Taufpate, -n, -n, *godfather,* pl. *godparents.* ¹⁴ er schämte sich, nicht einmal zu wissen, *he was ashamed of not even knowing.* ¹⁵ die Freude möchte ich mit ansehen, *I would like to see that hap- piness too.* Here the word mit gives to the sentence the meaning that the speaker would like to be one of those who see that happiness. A common use of mit. ¹⁶ ehrwürdig, *venerable.* *¹⁷ einmal, *for one thing.* *¹⁸ einsehen, a, e, *understand.* *¹⁹ reiten, i, i (ist), *ride, go on horseback.* ²⁰ bei einbrechender Nacht, *at nightfall.* *²¹ mühsam, *with difficulty.* *²² sich beherrschen, *control one- self.*

finden?" „Freilich,"[1] antwortete der Alte. „Tretet ins Gastzimmer und macht es
Euch bequem,[2] ich werde gleich für Euer Pferd sorgen." Karl trat ins Gastzimmer,
wo er im schwachen Licht zweier Kerzen[3] die alten Stühle und Bänke wiedererkannte.
Er setzte sich an einen der Tische, und da kam auch schon seine Mutter herein und
5 brachte eine Lampe, die sie vor ihn auf den Tisch stellte. „Frau Wirtin," sagte er und
senkte den Kopf, als ob sie ihn wiedererkennen könnte, „falls es Euch nicht zu viel
Mühe[4] macht, möchte ich gern etwas zu essen haben!"

Die alte gebückte Frau ging schweigend in die Küche und kehrte bald mit Brot,
Butter, Schinken[5] und einem Kruge[6] Milch zurück. Es war derselbe Zinnkrug,
10 in dem er manchmal einem Gaste Wein gebracht hatte.

„Ist kein feuriger Italiener in dem Krug?" fragte er scherzend,[7] aber die alte
Frau starrte ihn nur verständnislos[8] an. „Das ist alles, was wir im Hause haben,
Herr," sagte sie unfreundlich. „Es ist gut," sagte Karl. „Morgen könnt Ihr
Wein im Dorfe kaufen."

15 „Kommt, Herr Wirt, setzt Euch zu uns! Ich möchte nicht alleine essen!" rief er
dem Alten zu, der wieder ins Zimmer getreten war. Schweigend saßen die beiden
alten Leute an Karls Tische und sahen vor sich hin. Vorsichtig begann Karl, auf den
Zinnkrug zeigend: „Als ich ein Kind war, habe ich genau so einen Krug gesehen.
Der Griff endete in einen Schlangenkopf. Als Kind habe ich oft meine Freude
20 daran gehabt."[9] Er nahm die Lampe und rückte[10] sie nah an den Krug heran.
„Das ist doch seltsam, dies ist derselbe Krug, an den ich mich erinnere." „Es wird
wohl mehr Krüge dieser Art in der Welt geben," sagte der Alte, indem er in das
dunkle Gastzimmer starrte.

Karl schwieg eine Weile, dann fragte er: „Lebt Ihr hier ganz alleine? Habt Ihr
25 keine Kinder, keinen Sohn, der Euch helfen könnte?" Der Wirt blickte auf: „Wir
hatten einen Sohn, einen faulen Taugenichts,[11] der weder im Hause noch auf dem
Felde zu gebrauchen war. Eines Tages ist er uns davongelaufen, und wir haben nie
wieder von ihm gehört. Wahrscheinlich haben sie ihn schon längst gehängt." „Glaubt
Ihr das auch?" wandte[12] sich Karl an die Alte. „Ich weiß nicht, was aus ihm ge-
30 worden ist. Es kümmert mich auch nicht." Karl aß schweigend den Rest seines
Abendbrotes. „Zeigt mir die Kammer,"[13] sagte er dann, „ich möchte zu Bett
gehen." „Erst müßt Ihr zahlen, Herr," sagte der Alte unfreundlich. „Ich habe
keinen Kredit im Dorf, außerdem sind wir alt und schwach, und wenn ihr morgen
früh fortreitet, ohne zu zahlen, können wir es nicht hindern."[14]

35 Karl stand auf, nahm seinen Geldbeutel aus der Tasche und legte ein Goldstück[15]
auf den Tisch. „Das ist für die Mahlzeit." „Dank, o Dank Herr," stammelte[16]

---

[1] freilich, *certainly*. [2] bequem, *comfortable*. [3] die Kerze, —, -n, *candle*. [4] die Mühe,
trouble. [5] der Schinken, -s, —, *ham*. [6] der Krug, -es, ⸚e, *pitcher*. [7] scherzend, *jovially*. [8] verständnislos, *uncomprehending*. [9] ich habe oft meine Freude daran gehabt, *I have often taken pleasure
in it*. [10] rücken, *move*. [11] der Taugenichts, *good-for-nothing*. [12] sich wenden, wandte, gewandt,
turn. [13] die Kammer, —, -n, *room*. [14] hindern, *prevent*. [15] das Goldstück, -es, -e, *gold coin*.
[16] stammeln, *stammer*

der Alte und steckte das Goldstück schnell in die Tasche. „Seid so gütig [1] und folgt
mir!" Er führte ihn in die Bodenkammer,[2] in der Karl als Junge geschlafen hatte.
Es war der einzige Raum, der für Gäste hergerichtet [3] war. Mit tiefen Verbeu=
gungen [4] verließ ihn der Wirt und wünschte ihm eine gute Nacht.

Karl war zu traurig, um schlafen zu können. Seine Eltern waren dieselben ge= 5
blieben und hatten in all den Jahren nur mit Bitterkeit [5] an ihn gedacht. Er hätte
ebensogut [6] tot sein können.

Er legte sich in seinen Kleidern aufs Bett und dachte über seine Jugend [7] und
sein seltsames Leben nach.

Auch die Alten konnten nicht schlafen. Aufgeregt besahen [8] sie das Goldstück und 10
rieten, wer der reiche Fremde sein möge und wo er herkomme. „Offenbar will er
nicht erkannt werden," flüsterte der Alte. „Würde er sonst ohne Diener reisen?
Würde er in einem ärmlichen [9] Wirtshaus wie dem unseren übernachten,[10] wenn
er ein reines [11] Gewissen [12] hätte?" „Er sieht nicht danach aus,[13] als ob er das Geld
gestohlen hätte," flüsterte die Alte zurück, „aber ein Jammer [14] ist es doch. Wir 15
haben in unserem Leben nichts als [15] Mühe und Arbeit gekannt, und so ein reicher
Herr kann in der Welt herumreisen, für ein paar Schinkenbrote,[16] ein Glas Milch
und eine Nachtherberge [17] ein Goldstück ausgeben und sich für die Abenteuer [18] des
kommenden Tages ausschlafen.[19] Nein, es gibt keine Gerechtigkeit [20] in der Welt!"
Sie schwieg. Ihre Augen leuchteten [21] seltsam im Licht der Kerzen. „Woran 20
denkst du, Frau?" fragte der Alte. „An die Ungerechtigkeit in der Welt. Der eine
muß für jeden Pfennig arbeiten, der andere kann Goldstücke wegwerfen." — „Ja,"
sagte der Alte, „du solltest sein Pferd sehen! Das ist unter Brüdern hundert Taler
wert!" Die Frau legte ihm plötzlich die Hand auf den Mund. „Du sprichst zu
laut," flüsterte sie. „Der Herr muß sich vom Nichtstun [22] ausruhen." Sie rückte 25
näher an ihren Mann heran und wisperte: „Der weiß ja gar nicht, wieviel Geld er
bei sich hat. Auf ein paar Goldstücke mehr oder weniger kommt es so einem Reichen
nicht an.[23] Jetzt wo er schläft, sollte es doch leicht sein. Wacht er auf, so kannst du
sagen: Gnädiger Herr,[24] ich wollte nachsehen, ob Ihr warm genug seid. Ja, so
kannst du es machen. Geh mit der Wolldecke [25] in sein Zimmer, der Beutel wird sicher 30
auf seinen Kleidern liegen."

Dem Alten schien alles nicht so einfach zu sein wie seiner Frau; er brummte etwas
von Diebstahl, und wenn der Herr ihn faßte und dem Gerichte überlieferte, dann

---

*[1] gütig, kind. [2] die Bodenkammer, —, -n, attic room. [3] herrichten, prepare. [4] die Ver=
beugung, —, -en, bow. [5] die Bitterkeit, bitterness. *[6] ebensogut, just as well. *[7] die Jugend,
—, youth. *[8] besehen, a, e, look at, examine. [9] ärmlich, poor, miserable. [10] übernachten,
spend the night. *[11] rein, clear. *[12] das Gewissen, -s, conscience. *[13] Er sieht nicht danach aus, he
doesn't look it. [14] der Jammer, -s, pity. *[15] nichts als, nothing but. [16] das Schinkenbrot, -es, -e,
ham sandwich. [17] die Nachtherberge, night's lodging. *[18] das Abenteuer, -s, —, adventure. [19] sich
ausschlafen, ie, a, sleep one's fill. *[20] die Gerechtigkeit, justice. [21] leuchten, glisten. [22] das Nichtstun,
doing nothing. [23] auf ein paar Goldstücke kommt es nicht an, a few gold coins are of no consequence.
[24] Gnädiger Herr, Sir. Gnädig means gracious; it is not translated when used with Herr, Frau,
or Fräulein. [25] die Wolldecke, —, -n, blanket.

könnte es ihm ſchlimm gehen. Aber ſeine Frau redete ihm zu,[1] und als ſie ſchließlich
ſagte, wenn er ſo ein elender Feigling wäre, dann wollte ſie es ſelber tun, beſchloß er,
es zu wagen.

So ſchlich er denn mit einer Decke in der einen und einer Laterne in der anderen
5 Hand die Treppe hinauf. Lange lauſchte er an der Tür der Schlafkammer, aber
drinnen[2] war alles ſtill. Jetzt öffnete er die unverſchloſſene Tür und wartete wieder.
Er hörte die tiefen regelmäßigen[3] Atemzüge des Mannes auf dem Bette. Karl
hatte ihn kommen hören und, auf das Schlimmſte gefaßt,[4] die Hand am Dolch, tat
er, als ob er ſchliefe.

10 Der Alte wartete ſehr lange, dann leuchtete[5] er vorſichtig mit der Laterne in die
Kammer. Der Gaſt lag auf dem Rücken, ſeine Bruſt hob und ſenkte ſich, ſein Mund
war etwas geöffnet. Auf einem Stuhl neben dem Bett lagen der Mantel und der
Hut des Fremden und daneben der Geldbeutel.

Der Alte hatte genug geſehen. Er ſtellte die Laterne draußen vor die Tür. Dann
15 trat er in die Schlafkammer und machte die Tür hinter ſich halb zu. Wieder wartete
er, aber nichts regte ſich. Langſam legte er ſich auf den Boden[6] und kroch dann, auf
dem Bauche[7] liegend, auf den Stuhl zu. Vorſichtig fühlte er mit der Hand am Stuhl
entlang[8] über die Kleider, bis er den Beutel fand.

Er öffnete die Schnur[9] und griff hinein.[10] Lautlos[11] nahm er einige Goldſtücke
20 heraus, legte ſie auf die Decke, die er vor ſich liegen hatte, und machte wieder einen
Knoten[12] in die Schnur. Dann kroch er, die Goldſtücke in der einen, die Decke in der
anderen Hand, vorſichtig zur Tür zurück. Da ſprang Karl vom Bett, war mit einem
Satz[13] an der Tür und hielt dem zu Tode erſchrockenen Alten die Laterne ins Geſicht.
Der ſaß halb aufgerichtet auf dem Boden und hielt beide Hände flehend[14] aus=
25 geſtreckt.[15] Sein zahnloſer Mund zitterte, als er kaum verſtändlich wimmerte[16]:
„Gnade, Herr, Gnade! Hier iſt das Geld, das ich aus Eurem Beutel genommen
habe. Nie in meinem Leben habe ich Gäſte beſtohlen.[17] Wenn meine Frau nicht — “
„Schon gut, Alter,“ fiel ihm Karl ins Wort, „ich bin auch zum Teil[18] ſchuld daran.[19]
Ich hätte Euch den vollen Geldbeutel nicht zeigen und Euch dadurch nicht in Ver=
30 ſuchung führen ſollen. Geht, es iſt ſchon ſpät, und ich bin todmüde. Damit Ihr
Euch von eurem Schrecken[20] erholt, nehmt den ganzen Beutel mit, der Euch ſo ver=
blendet[21] hat.“

Mit dieſen Worten drückte[22] er dem Greiſe den Beutel in die Hand und ſchob ihn
zur Tür hinaus. Draußen gab er ihm auch noch die Laterne und ſagte: „Vorſicht,
35 die Treppe iſt ſteil,“[23] und Eure Knie[24] zittern! Sattelt[25] morgen früh mein Pferd,

---

[1] zureden, *urge.* *[2] drinnen, *inside.* *[3] regelmäßig, *regular.* [4] gefaßt ſein, *be prepared.* [5] leuchten,
light. *[6] der Boden, –s, „, *floor.* [7] der Bauch, –es, „e, *belly.* [8] entlang, *along.* [9] die Schnur, —, -en,
string, cord. [10] hineingreifen, i, i, *reach inside.* [11] lautlos, *silent, without making a sound.* [12] der
Knoten, –s, —, *knot.* [13] der Satz, –es, „e, *leap.* *[14] flehend, *imploring.* [15] ausſtrecken, *stretch out.*
[16] wimmern, *whimper.* [17] beſtehlen, a, o, *rob.* *[18] zum Teil, *in part.* *[19] ſchuld ſein an, *be guilty.*
*[20] der Schrecken, –s, *fright.* [21] verblenden, *blind.* *[22] drücken, *press.* *[23] ſteil, *steep.* *[24] das Knie,
–s, —, *knee.* [25] ſatteln, *saddle.*

ich werde schon sehr früh weiterreiten." Er schloß die Tür und horchte. Der Alte stand eine Weile schwer atmend an der Treppe, dann ging er langsam und laut schluchzend die Stufen hinab.

Karl legte sich wieder auf das Bett, er versuchte über alles nachzudenken, was eben geschehen war, aber er war zu müde. Seine Gedanken verwirrten sich,[1] und bald   5
war er eingeschlafen.

Er schlief lange und tief. Als er aufwachte, stand die Sonne schon hoch am Himmel. Schnell sprang er auf, warf seinen Mantel über, setzte sich den Hut auf [2] und ging leise die Treppe hinab. Draußen im Hof sah er sein Pferd gesattelt und reisefertig. Er band das Tier los [3] und stieg auf.[4] Die Alten kamen aus der Haustür 10 gelaufen und riefen etwas. Er hörte es nicht. Er hatte seinem Pferd scharf die Sporen [5] gegeben, daß es sich wild aufbäumte [6] und fortgaloppierte. Er erreichte bald den Gipfel des Berges. Ohne sich umzusehen, gab er dem Pferd wieder die Sporen und im Galopp ritt er die Landstraße nach Bertendorf entlang. Vor dem Gasthof empfingen ihn seine Diener mit freudigen Gesichtern. Er blieb ernst. 15 „Macht Euch fertig, wir reisen nach Bayern zurück!" Das war alles, was er ihnen zu sagen hatte. Er ging auf sein Zimmer, und die Draußenstehenden hörten ihn seufzend auf und ab gehen. Bald darauf kam er aus dem Hause. In der Hand trug er einen gefüllten Geldbeutel. Niemand wagte eine Frage an ihn zu richten,[7] denn er sah blaß und bekümmert [8] aus.   20

Statt in den Wagen zu steigen, ging er zum Pfarrhaus. Dort sagte man ihm, daß der Herr Pfarrer gerade nach dem Wirtshaus am Berge abgefahren wäre. Falls der Herr ihm nachreite,[9] werde er ihn leicht einholen.[10] „Das ist nicht nötig," antwortete Karl. „Der Besuch, den der Herr Pfarrer machen will, ist wichtiger als alles, was ich ihm zu sagen habe. Gebt ihm dies Geld für seine Kirche [11] und sagt 25 ihm, ich dankte ihm für alles." Er grüßte [12] und ging langsam die enge Dorfstraße hinauf, an deren Ende der Wagen auf ihn wartete.

A. Practice Sentences:

1. Als sie eintrat, waren die Arbeiter dabei, einen alten Kasten auszugraben.
2. Der Knecht kam nun gelaufen und wollte alles mit ansehen.
3. Seine größte Freude hatte er an seinen Rosen.
4. Es sieht danach aus, als ob in seiner Abwesenheit jemand in dem Haus gewohnt hätte.
5. Das Lesen fiel ihm schwer.
6. Er ist schon längst hier.
7. Es bleibt dabei: Du machst dich auf den Weg nach Bubikon, und ich bleibe zu Hause.

[1] sich verwirren, *become confused.* [2] aufsetzen, *put on.* [3] losbinden, a, u, *untie.* [4] aufsteigen, ie, ie (ist), *mount.* [5] der Sporn, –s, Sporen, *spur.* [6] aufbäumen, *rear up.* *[7] richten, *direct;* eine Frage richten, *ask a question;* *[8] bekümmert, *grieved.* [9] nachreiten, i, i (ist), *ride after, follow.* [10] einholen, *catch up with.* *[11] die Kirche, —, –n, *church.* *[12] grüßen, *greet.*

8. „Das Mädchen macht mir nichts als Sorgen," sagte Frau Schneider und seufzte tief.

9. Gestern früh ist sie um fünf Uhr aufgestanden, was sie sonst nie tut.

10. Man sollte denken, es stimmt da etwas nicht.

11. Es kommt mir nicht darauf an, ob du dableibst oder weggehst.

12. Vor Gericht tat er, als ob er nichts davon wüßte.

13. Kümmern Sie sich gefälligst nicht um meine Angelegenheiten!

14. Schon gut! Ich weiß ganz genau, was ich tun und lassen soll.

15. Er ließ die Kornsäcke auf den Wagen laden und in die Scheune fahren.

B. Securing the Vocabulary:

1. so
   sobald
   sodaß
   sofort
   sogar
   sogleich
   solange
   soviel . . . wie
   sowie
   sowieso

2. die Decke
   der Deckel
   die Deckung
   bedecken
   entdecken
   die Entdeckung

3. bauen
   der Bauer
   der Bauernhof
   der Bauernjunge
   das Bauernpferd
   die Baukosten (pl.)
   das Gebäude
   einbauen

4. sitzen

   der Sitz
   die Sitzung
   besitzen
   der Besitz
   der Besitzer
   das Besitztum

5. sehen
   das Gesicht
   der Gesichtspunkt
   sichtbar
   die Vorsicht
   vorsichtig
   aussehen
   die Aussicht
   (sich) ansehen
   einsehen
   besehen

6. suchen
   besuchen
   der Besuch
   der Besucher
   versuchen
   der Versuch
   die Versuchung
   sich aussuchen

7. der Tag
   täglich
   der Mittag
   der Nachmittag
   tagelang
   die Tagereise

8. stehen
   stehenbleiben
   aufstehen
   bestehen
   gestehen
   verstehen
   verständlich
   das Verständnis
   verständnislos
   anständig

9. sorgen
   sorgfältig
   sorgenfrei
   sorgenvoll
   besorgt

10. sich fürchten
    die Furcht
    furchtbar

Dreißigste Aufgabe

* *

Das Juwelenkästchen[1]

Der Präsident der Pariser Polizei, Henri Desgrais, hatte gerade einen langen
Brief an seine Majestät Ludwig XIV., König von Frankreich, und seinen unmittel=
baren Vorgesetzten beendet und war im Begriff, sich in sein Schlafzimmer zurück=
zuziehen,[2] als an seine Haustür geklopft wurde. Finster vor sich hinblickend, horchte
er auf die aufgeregten Stimmen im Hausflur,[3] dann öffnete er schnell die Tür und 5
rief die Treppe hinunter: „Kommen Sie sofort zu mir, Leutnant Lafalle!" Ein
paar Augenblicke später trat dieser ins Zimmer. Seine Reitstiefel[4] waren mit
Staub[5] bedeckt, und er war atemlos von seinem schnellen Ritt[6] zum Hause des
Präsidenten. Desgrais starrte ihn an: „Wieder ein Kavalier?"[7] fragte er, und
sein Gesicht verriet, daß er nicht daran glauben konnte, daß zum dritten Mal in 10
diesem Monat ein Kavalier in den Straßen von Paris ermordet worden sei.

„Ich wünschte, es wäre nicht so, Herr Präsident," antwortete der junge Leutnant,
auf den Boden blickend. „Vor einer halben Stunde wurde ich nach dem „Goldenen
Krug" gerufen. Im Torweg[8] des Wirtshauses lag ein junger Kavalier, dessen
Namen wir noch nicht wissen, in seinem Blut. Er war wie die anderen mit einem 15
Dolchstoß[9] ins Herz ermordet worden. Ein leerer Beutel, den wir in der Nähe auf
der Straße fanden, macht es wahrscheinlich, daß auch er wie die anderen Opfer des
Raubmörders[10] Juwelen bei sich hatte, deretwegen[11] er sein Leben lassen mußte. Die
Lage[12] des Beutels erlaubt den Schluß, daß er auf dem Bürgersteig[13] erstochen[14]
und dann in den Torweg geschleppt[15] worden war." 20

„Und dieser ganze Vorfall[16] erlaubt den Schluß, daß meine Polizeioffiziere nichts
taugen.[17] Ich kann nicht überall zur gleichen Zeit sein. Ich muß mich auf meine
Offiziere verlassen, aber die gehen spazieren,[18] während der Mörder oder seine Bande

---

[1] das Juwelenkästchen, -s, —, jewel-case. [2] sich zurückziehen, o, o, withdraw. [3] der Hausflur, -s,
-en, hall. [4] die Reitstiefel (pl.), riding-boots. *[5] der Staub, -es, dust. [6] der Ritt, -es, -e, ride.
[7] der Kavalier, -s, -e, cavalier, man of the world. *[8] der Torweg, -es, -e, gateway, archway. [9] der
Dolchstoß, -es, ¨e, thrust of a dagger. [10] der Raubmörder, -s, —, (robbery-) murderer. [11] deretwegen,
because of which. *[12] die Lage, —, -n, location. *[13] der Bürgersteig, -es, -e, sidewalk. [14] erstechen,
a, o, stab. [15] schleppen, drag. *[16] der Vorfall, -es, ¨e, incident. *[17] taugen, be good or fit. .*[18] spazieren
gehen, take a walk.

ein Opfer nach dem anderen überfällt.[1] Nicht einmal den Namen des Ermordeten [2] wissen Sie, Lasalle! Zum Teufel,[3] was kann ich tun, wenn ich so unfähige [4] Helfer habe! — Hier ist ein Bericht, der morgen an den König geschickt werden soll. Ich muß ihn sogleich verbessern [5] und seiner Majestät berichten, daß vom Januar bis zum
5 Oktober des Jahres 1680 siebzehn junge Kavaliere auf dieselbe Weise [6] ermordet worden sind, und zwar drei im Monat Oktober. — Wie oft habe ich Ihnen, meine Herren, befohlen,[7] Spione herumzuschicken, um ausfindig zu machen, wann junge Kavaliere nachts mit Schmuckstücken zu ihrem Rendezvous gehen, ihnen zu folgen und jeden Verdächtigen zu verhaften,[8] der sich spät abends auf der Straße herum=
10 treibt!" [9]

„Aber alle Ihre Befehle [10] sind genau ausgeführt [11] worden, Herr Präsident! Darf ich Sie daran erinnern, daß ich selbst einmal dem Mörder oder einem seiner Helfer auf der Spur [12] war? Nicht dreißig Schritte von mir entfernt, entfloh er durch die Gassen des linken Seineufers.[13] Ich hätte ihn erwischt,[14] wenn er nicht plötzlich im
15 Nebel [15] verschwunden wäre, als ob die Erde ihn verschlungen hätte."

„O ja, ich erinnere mich an Ihre Heldentat,[16] Lasalle. Ganz Paris sang mit den Straßensängern die hübsche Ballade von der tapferen [17] Polizei und ihrer Jagd auf Nachtgespenster,[18] die in die Erde versinken oder durch Mauern verschwinden können. Wenn ich mich nicht irre, kostete Sie diese Gespensterjagd Ihre Beförderung,[19] nicht
20 wahr, Herr Lasalle?"

Der junge Offizier wurde rot, aber ehe er etwas antworten konnte, fuhr Desgrais fort: „Und nun, mein lieber Lasalle, werden wir den Rest der Nacht damit zu= bringen,[20] dieses neue Verbrechen richtig zu untersuchen und vor allem [21] festzustellen, wer der Ermordete ist. Vielleicht lernen selbst [22] Sie auf diese Weise ein paar ele=
25 mentare Regeln [23] Ihres Berufes."

Desgrais hatte nicht geprahlt.[24] Noch vor Tagesanbruch [25] gelang es ihm, den Namen des ermordeten Kavaliers ausfindig zu machen, so daß er ihn in den Bericht an den König einverleiben [26] konnte.

König Ludwig war in schlechter Stimmung, als er den Bericht seines höchsten
30 Polizeibeamten [27] erhielt, denn es war ihm schon ein anderes Dokument überreicht [28] worden, das ihn in sehr liebenswürdiger Weise darauf aufmerksam machte,[29] wie hilflos seine Pariser Polizei gegen diese dauernden Raubmorde war.

---

[1] überfallen, ie, a, *attack.* [2] der Ermordete, —n, —n, *murdered person.* [3] Zum Teufel! *The deuce!* *[4] unfähig, *incapable, incompetent.* *[5] verbessern, *improve, amend.* *[6] die Weise, *way, manner.* *[7] befehlen, a, o, *order, command.* [8] verhaften, *arrest.* [9] sich herumtreiben, ie, ie, *loiter about.* *[10] der Befehl, —s, —e, *order.* *[11] ausführen, *carry out.* *[12] die Spur, —, —en, *track.* [13] das Seineufer, —s, —, *bank of the river Seine.* [14] erwischen, *catch.* *[15] der Nebel, —s, —, *fog.* [16] die Heldentat, —, —en, *heroic deed.* *[17] tapfer, *brave.* [18] das Nachtgespenst, —es, —er, *phantom of the night.* [19] die Beförderung, —, —en, *promotion.* *[20] zubringen, brachte zu, zugebracht, *spend.* *[21] vor allem, *above all.* *[22] selbst, *even; himself.* Observe position and meaning of selbst: selbst Sie, *even you;* Sie selbst, *you yourself.* *[23] die Regel, —, —n, *rule.* [24] prahlen, *boast.* [25] der Tagesanbruch, —s, —e, *day-break.* [26] einverleiben, *incorporate.* [27] der Polizeibeamte, —n, —n, *police official.* [28] überreichen, *hand.* [29] das ihn darauf aufmerksam machte, *which called his attention to the fact.*

Dieses Dokument war eine in Versen und durchaus nicht ohne Witz [1] geschriebene Bittschrift,[2] in der sich die berühmtesten Kavaliere seines Hofes darüber beschwerten, daß des Königs schöne Hauptstadt [3] für sie zu einer Räuberhöhle [4] geworden sei. Ein Kavalier, der der Dame seines Herzens zu später Stunde einen Besuch machen wolle, begebe sich dabei in Lebensgefahr,[5] falls er ein Schmuckstück bei sich hätte. Nun sei 5 es zwar eine Ehre [6] und ein Vergnügen [7] für den großen König sein Leben zu opfern,[8] aber niemand könne von einem Kavalier erwarten, daß er sich bei jedem nächtlichen [9] Spaziergang [10] der Gefahr aussetze,[11] das nächste Opfer dieser Mörderbande zu werden, deren Gier [12] nach Juwelen ebensogroß zu sein scheine wie ihr Haß auf Kavaliere. Da selbst Desgrais vollkommen versagt [13] hätte, bäten die Kavaliere 10 den König, sie zu schützen [14] und, falls nötig, Truppen nach Paris zu schicken.

Ludwig XIV. war ein Liebhaber [15] der Dichtkunst,[16] und diese witzige [17] Bittschrift hatte Eindruck auf ihn gemacht. Er las sie dem Kreise der Damen und Herren vor, die an diesem Nachmittag anwesend [18] waren, und bat um Vorschläge,[19] was in diesem sonderbaren Fall getan werden könnte. Alle schwiegen, denn alles, was sich zum 15 Schutze der bedrohten Kavaliere hätte tun lassen,[20] war von Desgrais schon längst versucht worden.

Der König blickte über die Gruppe der vornehmen Damen und Herren und entdeckte das alte Fräulein von Scudery, die in der Nähe des Kamines [21] saß und still vor sich hin lächelte. Das Fräulein war eine literarische Berühmtheit,[22] was [23] im 20 Paris dieser Zeit viel bedeutete.

Dem König war sie besonders lieb [24] wegen ihres feinen Witzes, mit dem sie die Hofgesellschaft schon oft unterhalten [25] hatte. Er trat vor sie hin und fragte: „Nun, mein Fräulein, was halten Sie von dieser dichterischen [26] Bittschrift?"

Das alte Fräulein stand respektvoll auf, und nach einem Augenblick schweigenden 25 Nachdenkens sagte sie sich verneigend [27]:

„Ein Liebender, der Diebe fürchtet,
Verdient das Glück der Liebe nicht."

Der König war erstaunt über den ritterlichen [28] Geist [29] dieser wenigen Worte, die das ganze Gedicht [30] der Kavaliere mit seinen langen Tiraden zu Boden schlugen, und 30 rief mit blitzenden [31] Augen: „Sie haben recht, Fräulein. Wir werden die Ängst-

---

*1 der Witz, -es, *wit, esprit.* 2 die Bittschrift, —, -en, *petition.* *3 die Hauptstadt, —, ⸚e, *capital.* 4 die Räuberhöhle, —, -n, *den of robbers.* 5 begebe sich dabei in Lebensgefahr, *runs the risk of losing his life.* *6 die Ehre, —, -n, *honor.* *7 das Vergnügen, -s, *pleasure.* *8 opfern, *sacrifice.* *9 nächtlich, *nightly.* *10 der Spaziergang, -es, ⸚e, *walk.* 11 sich aussetzen, *expose oneself.* 12 die Gier, —, *greediness.* 13 versagen, *fail.* *14 schützen, *protect.* 15 der Liebhaber, -s, —, *lover.* *16 die Dichtkunst, —, *poetry.* 17 witzig, *witty.* *18 anwesend, *present.* *19 der Vorschlag, -es, ⸚e, *suggestion.* *20 was sich hätte tun lassen, *that could have been done.* 21 der Kamin, -es, -e, *fireplace.* *22 die Berühmtheit, —, -en, *celebrity.* *23 was, *something which.* 24 Dem König war sie besonders lieb. *The king was especially fond of her.* *25 unterhalten, ie, a, *entertain.* *26 dichterisch, *poetic.* *27 sich verneigen, *bow.* 28 ritterlich, *knightly, chivalrous.* *29 der Geist, -es, -er, *spirit.* *30 das Gedicht, -es, -e, *poem.* 31 blitzend, *flashing.*

lichen [1] nicht schützen. Desgrais' Schutz muß genug für sie sein, wenn sie sich nicht selber verteidigen [2] können."

Einige Tage waren seit dieser kleinen Episode im Versailler Schloß vergangen. Es war tief in der Nacht; das Fräulein von Scudery hatte gerade mit der Arbeit an 5 einem Romanmanuskript aufgehört und wollte zu Bett gehen, als sie heftiges Klopfen an ihrer Haustür hörte. Nun war gerade in dieser Nacht nur ihre alte Dienerin Mathilde bei ihr, denn Theophile, ihr Diener, hatte Urlaub, um bei der Hochzeit [3] seiner Schwester anwesend sein zu können. Das alte Fräulein konnte sich nicht denken,[4] wer der späte Besucher sein möchte, schickte aber dennoch [5] ihre Dienerin 10 ans Fenster.

Als Mathilde das Fenster öffnete, hörte das Fräulein die Stimme eines jungen Mannes unten auf der Straße: „Um aller Heiligen willen,[6] laß mich ins Haus, Alte, es handelt sich um Leben und Tod.[7] Ich muß unbedingt deine Herrin [8] noch heute nacht [9] sprechen. Meinen Namen kann ich ihr leider noch nicht sagen."

15 Mathilde kam blaß vor Angst zu ihrer Herrin zurück. „Es ist ein junger Mensch in einem grauen Montel," berichtete sie.

Das Klopfen begann wieder, diesmal lauter als vorher. Ehe die Scudery etwas sagen konnte, lief Mathilde ins Haus und rief: „Theophile, Pierre, Claude, steht auf und seht, wer der Taugenichts ist, der sich so viel Mühe gibt,[10] unsere Tür ein= 20 zuschlagen! [11]

Der junge Mann rief hinauf: „Alte Mathilde, ich weiß ja, daß du mit deiner Herrin allein bist. Hab keine Angst, ich habe nichts Schlimmes vor! [12] Falls du aber die Tür nicht aufmachen willst, muß ich . . ." Der Jüngling [13] brach mitten im Satz ab und lauschte in die Dunkelheit. Jetzt hörte auch die Dienerin etwas. In 25 der Ferne klapperten [14] Pferdehufe [15] über das Pflaster.[16] Desgrais' Leute machten ihre nächtliche Runde. „Hilfe, Hilfe! Räuber, Mörder! Hilfe, Hilfe!" schrie Mathilde so laut sie mit ihrer alten schwachen Stimme schreien konnte. Ihr Rufen verhallte [17] ungehört. Das Geräusch der Pferde entfernte [18] sich. Dem jungen Mann schien die Sache aber zu gefährlich zu werden. Mit einem grimmigen Fluch 30 nahm er ein Kästchen,[19] das er unter dem Mantel verborgen [20] gehalten hatte, heraus und stieß es durch ein kleines Fensterchen neben der Tür, daß das zerbrochene Glas im Flur [21] auf den Boden klirrte.[22] „Gib das Kästchen deiner Herrin, es enthält Juwelen!" rief er, sprang mit großer Gewandtheit [23] über eine Mauer, hinter der ein leerer Bauplatz lag, und war in der Dunkelheit verschwunden.

35 Das Fräulein war neben ihre Dienerin getreten und hatte die Flucht des selt=

---

[1] der Ängstliche, —n, —n, *timid person.* *[2] sich verteidigen, *defend oneself.* [3] die Hochzeit, —, —en, *wedding.* *[4] sich denken, *imagine.* *[5] dennoch, *nevertheless.* [6] Um aller Heiligen willen! *By all that's holy!* *[7] es handelt sich um Leben und Tod, *it's a matter of life and death.* [8] die Herrin, —, —nen, *mistress.* *[9] heute nacht, *tonight.* [10] sich Mühe geben, a, e, *take pains, try hard.* [11] einschlagen, u, a, *break down.* [12] ich habe nichts Schlimmes vor, *I have no evil intentions.* [13] der Jüngling, -s, -e, *young man.* [14] klappern, *clatter.* [15] der Pferdehuf, -es, -e, *horse's hoof.* [16] das Pflaster, -s, —, *pavement.* [17] verhallen, *die away.* *[18] sich entfernen, *disappear.* [19] das Kästchen, -s, —, *small box, case.* *[20] verbergen, a, o, *hide.* [21] der Flur, -es, -e, *hall.* [22] klirren, *crash, clatter.* [23] die Gewandtheit, *agility.*

famen Fremden beobachtet. „Geh hinunter und hole das Käftchen herauf!" [1] befahl
fie. „Es möchte uns fonft vielleicht geftohlen werden. Morgen können wir es dann
in Ruhe unterfuchen." Sie fah ihre Dienerin an und bemerkte, wie blaß und auf=
geregt fie war. „Nun," fügte fie hinzu,[2] „vielleicht ift es beffer, wir fehen uns den
Inhalt [3] des Käftchens gleich jetzt [4] an, fonft könnten uns Angft und Neugier [5] am 5
Einfchlafen hindern."

Während Mathilde mit zitternder Hand die Lampe trug, brachte die Scudery das
Käftchen in ihr Schlafzimmer und öffnete es mit einem kleinen Schlüffel, der mit
einem Band an das Käftchen gebunden war. Ein goldenes, reich mit Juwelen be=
fetztes [6] Armband,[7] ein Halsband und Ohrringe funkelten [8] im Lampenlicht. Das 10
alte Fräulein nahm die Schmuckftücke mit Ausrufen [9] der Bewunderung in die
Hand und zeigte fie der vor Erftaunen fprachlofen Mathilde. Auf dem Boden des
Käftchens lag ein Brief mit der Anfchrift „Dem Fräulein von Scudery." Haftig
öffnete die alte Dame den Umfchlag [10] und las den wenige Zeilen enthaltenden In=
halt. Sie wurde fchwach und mußte fich auf den Tifch lehnen. „Was ift Ihnen, 15
gnädiges Fräulein?" rief Mathilde erfchrocken. Mit zitternden Lippen las das
Fräulein vor:

> Ein Liebender, der Diebe fürchtet,
> Verdient das Glück der Liebe nicht.

Empfangen Sie diefe Schmuckfachen, liebes Fräulein, zum Zeichen, daß wir Ihnen 20
für Ihren Schutz dankbar find.

Ein Bewunderer

Sie warf den Brief auf den Tifch und weinte. „Warum habe ich es verdient,
daß Räuber und Mörder mich verhöhnen [11] oder mich zu ihresgleichen
rechnen?" [12] Das Lampenlicht, das auf die Edelfteine fchien, gab ihnen ein rotes 25
Feuer, fo daß fie wie Blutstropfen [13] ausfahen. Das Fräulein warf die Juwelen in
das Käftchen zurück und fchickte Mathilde zu Bett.

Sie felbft blieb die ganze Nacht auf,[14] und als am nächften Morgen die Zeit für
Befuche herankam, fchickte fie Theophile nach einem Tragfeffel [15] aus und ließ fich zu
ihrer Freundin, der Marquife de Maintenon, bringen. 30

Die Marquife war überrafcht und beforgt, als fie ihre fonft fo würdevolle [16]
Freundin aufgeregt und blaß ins Zimmer kommen fah. Das Fräulein atmete
fchwer und war kaum imftande [17] ihrer Freundin zu erzählen, wie fehr fie die Frech=
heit der Räuber erfchüttert hätte, und klagte darüber, daß fie für den kleinen Scherz,[18]
mit dem fie die Bittfchrift der Kavaliere beantwortet hatte, fchwer beftraft [19] würde. 35

---

[1] heraufholen, *bring upstairs.* [2] hinzufügen, *add.* *[3] der Inhalt, -es, *contents.* *[4] gleich jetzt,
right now. *[5] die Neugier, *curiosity.* [6] befetzt, *studded.* [7] das Armband, -es, ⸚er, *bracelet.*
[8] funkeln, *sparkle.* [9] der Ausruf, -es, -e, *exclamation.* [10] der Umfchlag, -es, ⸚e, *envelope.* [11] ver=
höhnen, *mock, deride.* [12] mich zu ihresgleichen rechnen, *class me as one of their kind.* [13] der Blutstropfen,
-s, —, *drop of blood.* [14] aufbleiben, ie, ie, (ift), *stay up.* [15] der Tragfeffel, -s, —, *sedan chair.*
[16] würdevoll, *dignified.* *[17] imftande fein, *be capable (of).* *[18] der Scherz, -es, -e, *joke, jest.*
*[19] beftrafen, *punish.*

Die Marquise war eine welterfahrene [1] Dame und schien wenig geneigt,[2] die ernsten Besorgnisse [3] des Fräuleins zu teilen.[4] Sie tröstete ihre Freundin und sagte scherzhaft,[5] daß sie vielleicht trotz ihres vorgerückten [6] Alters [7] einen Bewunderer gefunden hätte, der seine Anonymität allerdings mit wenig Geschmack verkleide,[8]
5 und verlangte schließlich, die Juwelen zu sehen. Mit einem lauten Ausruf der Bewunderung nahm sie die Juwelen aus dem Kästchen und trat ans Fenster, um bald [9] die Edelsteine in der Sonne glitzern [10] zu lassen, bald die feine Arbeit nahe vor die Augen zu halten.

Plötzlich drehte sie sich um und rief dem Fräulein zu: „Wissen Sie, daß niemand
10 anders [11] in Paris so ein Schmuckstück anfertigen [12] kann als René Cardillac, der als der beste Goldschmied im ganzen Königreich gilt? Kein Zweifel, der Meister wird uns sagen können, an wen er diesen Schmuck verkauft hat." Sie klatschte [13] in die Hände, ein Diener erschien. „Robert, geh sofort zur Werkstatt [14] des Meisters Cardillac — Pierre kennt die genaue Adresse — und sag ihm, ich bäte ihn, auf einen
15 Augenblick zu mir zu kommen, um einige Juwelen zu beurteilen." [15]

Nach kurzer Zeit trat Meister Cardillac ins Zimmer und verbeugte [16] sich mit Zeichen sichtbaren Erstaunens vor dem Fräulein von Scudery, die ihn gar nicht gerufen hatte und die außerdem nicht die Dame des Hauses war.

Das Fräulein betrachtete den Schmied erstaunt, denn sie hatte ihn noch nie [17]
20 gesehen und konnte sich sein sonderbares Benehmen [18] nicht erklären. Meister Cardillac war ein Mann in den Fünfzigern,[19] nicht groß, aber breitschultrig und stark gebaut, dessen blitzende Augen und frische Gesichtsfarbe [20] ungewöhnliche geistige und körperliche [21] Energie verrieten.

Die Marquise, die er nun endlich begrüßte, zeigte ihm den Goldschmuck [22] und
25 fragte ihn, ob das eine Arbeit aus seiner Werkstatt sei. Der Meister warf nur einen flüchtigen [23] Blick auf das Geschmeide [24] und sagte mit stolzem Lächeln: „Ich glaube nicht, daß es noch einen anderen Meister in Frankreich gibt, der so eine Arbeit machen könnte. Ja, ich habe diese Sachen vor einiger Zeit zu meiner eigenen Freude angefertigt. Sie verschwanden aber auf unbegreifliche [25] Weise aus meiner Werkstatt."
30 Nun konnte das Fräulein nicht länger schweigen, und sie erzählte dem Meister die Umstände, unter denen die Juwelen in ihre Hände geraten,[26] oder besser, ihr aufgezwungen [27] worden waren. Cardillac hörte alles schweigend an, während er mit den Fingern wie liebkosend [28] über die goldenen Ketten [29] des vor ihm liegenden Hals=

---

[1] welterfahren, *experienced in the (ways of the) world, worldly-wise.* *[2] geneigt sein, *be inclined.*
[3] das Besorgnis, ...nisses, ...nisse, *anxiety, apprehension.* *[4] teilen, *share.* [5] scherzhaft, *joking(ly).*
[6] vorrücken (ist), *advance.* [7] das Alter, —s, *age.* [8] verkleiden, *disguise.* *[9] bald ... bald, *now ... now.* [10] glitzern, *glisten.* *[11] niemand anders, *nobody else.* [12] anfertigen, *make.* [13] klatschen, *clap.*
[14] die Werkstatt, —, ⸗e, *workshop.* [15] beurteilen, *evaluate.* [16] sich verbeugen, *bow.* *[17] noch nie, *never (yet).*
[18] das Benehmen, —s, *behavior.* [19] in den Fünfzigern, *in his fifties.* [20] die Gesichtsfarbe, —, *complexion.*
[21] körperlich, *bodily, physical.* [22] der Goldschmuck, —es, *golden ornament.* [23] flüchtig, *fleeting, casual.*
[24] das Geschmeide, —s, *set of jewelry, jewels.* [25] unbegreiflich, *inexplicable.* *[26] geraten, ie, a (ist), *get or fall into.* [27] aufzwingen, a, u, *force upon.* [28] wie liebkosend, *as though caressing them.* [29] die Kette,
—, —n, *chain.*

bandes glitt.[1] Als das Fräulein geendet hatte, stand er auf, verneigte ſich und ſagte:
„Das Schickſal [2] will offenbar, daß Sie die Juwelen behalten [3] ſollen. Tun Sie es,
wenn ſie auch [4] durch böſe Hände gegangen ſind.“

Bei dieſen Worten war er aufgeſtanden, verbeugte ſich nochmals [5] und ging ver=
wirrt, an Tiſche und Stühle ſtoßend, wieder aus dem Zimmer.   5

Die Scudery blickte dem ſonderbaren Mann erſchrocken und verwundert nach, aber
die Marquiſe lachte. „Machen Sie ſich keine Sorgen wegen dieſes Menſchen, er iſt
ein Künſtler,[6] und Sie wiſſen, wie wunderlich [7] die Künſtler in der Regel [8] ſind.“

So blieb das Schmuckkäſtchen im Beſitz des Fräuleins, die ſich nicht recht über
dieſen Beſitz freuen konnte. Der Gedanke, daß es einſt in den blutigen Händen der 10
Verbrecher geweſen war, und auch das ſonderbare Benehmen Meiſter Cardillacs
machten es ihr unmöglich, die Juwelen zu tragen oder auch ſie zu verkaufen und ſo
ihre beſcheidene Penſion beträchtlich [9] zu vermehren.[10] Es war [11] ihr immer, als ob
das Käſtchen noch einmal zur Auflöſung [12] eines blutigen Geheimniſſes dienen [13]
ſollte, und ſie es deshalb behalten müßte.   15

Mehrere Monate waren ſeit dieſer ſonderbaren Begegnung [14] mit Meiſter Cardillac
vergangen, als Fräulein Scudery in der Glaskutſche [15] der Herzogin von Montaſier
eine Spazierfahrt machte.[16] Glaskutſchen waren zu dieſer Zeit noch ziemlich un=
bekannt, und ſo wurde denn die Kutſche [17] überall von den Leuten angeſtaunt,[18] und
mehr als einmal mußte der Kutſcher langſam fahren, wenn in einer der engeren 20
Straßen die gaffenden [19] Fußgänger den Weg verſperrten. Beſonders ſchlimm
wurde es aber, als ſie auf den Pont=Neuf kamen. Es war kurz vor Mittag, und im
Nu [20] war eine ſo gewaltige [21] Menſchenmenge zuſammengeſtrömt, daß es dem Kut=
ſcher unmöglich wurde weiterzufahren. Während er noch ſchimpfend und mit der
Peitſche [22] knallend [23] verſuchte, ſeinen Pferden Raum zu machen, drängte [24] ſich ein 25
junger Menſch ganz dicht an die Kutſche heran, riß die Tür auf und warf der Scudery
einen Zettel in den Schoß.[25] Ehe das Fräulein ſich von ihrem Schrecken erholen
konnte, hatte ſich der ſtattliche kräftige Jüngling einen Weg durch die Menge ge=
bahnt [26] und war verſchwunden. Dieſer Zwiſchenfall [27] und das drohende [28] Peit=
ſchengeknall des Kutſchers brachten Bewegung in die Menge. Die Pferde bäumten 30
ſich und drängten vorwärts, und endlich konnte der Wagen weiterfahren.

Die alte Mathilde erzählte nun dem Fräulein, daß der junge Menſch, der den
Zettel in den Wagen geworfen hatte, derſelbe geweſen ſei, der das Juwelenkäſtchen
gebracht hatte. „Um Himmels willen, was hat dieſer fürchterliche [29] Menſch vor,
was will er von Ihnen?“   35

---

[1] gleiten, i, i, (iſt), *glide.* *[2] das Schickſal, -s, -e, *fate.* *[3] behalten, ie, a, *keep.* *[4] wenn auch,
even if. *[5] nochmals, *once more.* *[6] der Künſtler, -s, —, *artist.* *[7] wunderlich, *strange, eccentric.*
*[8] in der Regel, *as a rule.* *[9] beträchtlich, *considerably.* *[10] vermehren, *increase.* *[11] es war ihr,
als ob, *it seemed to her as if.* [12] die Auflöſung, —, -en, *solution.* *[13] dienen, *serve.* *[14] die Begeg=
nung, —, -en, *meeting.* [15] die Glaskutſche, —, -n, *glass-enclosed carriage.* [16] eine Spazierfahrt
machen, *be out driving.* *[17] die Kutſche, —, -n, *carriage.* [18] anſtaunen, *gaze at, stare at.* [19] gaffen,
gape, stare. *[20] im Nu, *in no time.* [21] gewaltig, *vast.* [22] die Peitſche, —, -n, *whip.* [23] knallen, *crack.*
[24] ſich drängen, *force one's way.* [25] der Schoß, -es, ˙e, *lap.* [26] ſich bahnen, *make oneself (a path).*
*[27] der Zwiſchenfall, -s, ˙e, *incident.* *[28] drohen, *threaten, menace.* *[29] fürchterlich, *horrible.*

Jetzt erst erinnerte sich die Scudery an den Zettel; sie entfaltete [1] ihn und las: Ich bitte Sie mit verzweifelndem [2] Herzen, ich bitte Sie wie ein Sohn die Mutter bittet, mißtrauen [3] Sie mir nicht! Geben Sie Meister René Cardillac die Juwelen, die ich in Ihr Haus brachte! Sagen Sie, er solle sie umarbeiten,[4] sagen Sie 5 irgendetwas, nur bringen Sie ihm den Schmuck! Ihr Leben hängt davon ab.[5] Wenn Sie die Juwelen nicht zu Meister Cardillac bringen, stürzen Sie nicht nur sich sondern auch andere unschuldige Menschen ins Verderben.[6]

Das Fräulein ließ den Zettel in den Schoß fallen und saß lange schweigend da. Das Gesicht des jungen Menschen hatte einen seltsamen Eindruck auf sie gemacht. 10 Es kam ihr bekannt vor, und doch konnte sie sich nicht daran erinnern, wann sie es gesehen haben könnte. Schließlich seufzte sie tief und sagte, sich zu ihrer Dienerin wendend: „Beruhige dich, Mathilde, der junge Mensch kann unmöglich zu einer Räuberbande gehören. Offenbar will er mich vor einer Gefahr schützen, an die ich selber zu glauben anfange, obwohl es mir ein Rätsel [7] ist, von welcher Seite mir eine 15 Gefahr drohen könne. Es scheint mir fast, ich habe den jungen Mann schon einmal gesehen, aber das ist schon lange her,[8] und es kann deshalb nicht dieselbe Person sein, denn dieser Jüngling ist ungefähr fünfundzwanzig Jahre alt. Ich wünschte nun fast, wir hätten ihn in jener [9] Nacht in unser Haus gelassen. Vielleicht wäre dann das ganze Geheimnis schon jetzt aufgeklärt.[10] — Was es auch sei, das diesen jungen 20 Menschen zwingt, so seltsam zu handeln,[11] ich werde das Kästchen schon morgen zu Meister Cardillac bringen."

Der nächste Tag kam heran, aber Besuche, die sie empfangen und Besuche, die sie machen mußte, verhinderten das Fräulein daran, zu Cardillac zu gehen. Sie verschob [12] deshalb den Besuch auf den folgenden Tag. In der Nacht konnte sie vor 25 innerer Unruhe kaum schlafen. Immer wieder sah sie das bleiche [13] Gesicht des Jünglings vor sich, der sie so verzweifelt [14] um Hilfe gebeten hatte. Vielleicht war es schon zu spät!

Schon am frühen Morgen fuhr sie, das Schmuckkästchen unter dem Arm, zum Goldschmied Cardillac. Als sie in die Nähe seines Hauses kam, mußte der Wagen 30 langsam fahren, denn eine aufgeregte Menschenmenge drängte sich in der engen Straße. Von ihrem Wagen aus sah die Scudery, wie die Tür zur Goldschmiedewerkstatt plötzlich geöffnet wurde, und zwei Soldaten einen blutenden jungen Menschen herausschleppten, den die wütende Menge mit Faustschlägen [15] und Fußtritten [16] mißhandelte [17] und den sie erschlagen hätte, wenn die Soldaten die Angreifer [18] 35 nicht zurückgetrieben [19] hätten.

Obgleich [20] das Gesicht des Unglücklichen blutüberströmt war, erkannte die Scudery

---

[1] entfalten, *unfold.* *[2] verzweifeln, *despair.* *[3] mißtrauen, *mistrust.* [4] umarbeiten, *rework.* *[5] abhängen, i, a, *depend.* [6] ins Verderben stürzen, *plunge into destruction.* *[7] das Rätsel, —s, —, *riddle; puzzle.* *[8] es ist schon lange her, *that was long ago.* *[9] jener, —e, —es, *that.* [10] aufklären, *clear up.* *[11] handeln, *act.* *[12] verschieben, o, o, *postpone.* *[13] bleich, *pale.* *[14] verzweifelt, *desperately.* [15] der Faustschlag, —es, *—e, blow (with the fist).* [16] der Fußtritt, —es, —e, *kick.* *[17] mißhandeln, *abuse.* [18] der Angreifer, —s, —, *attacker.* [19] zurücktreiben, ie, ie, *drive back.* *[20] obgleich, *although.*

ihn wieder. Es war der Jüngling, der ihr den Zettel in den Wagen geworfen
hatte.

Jetzt ſah ſie auch, daß Desgrais anweſend war. Neben ſeinem Pferd ſtehend, gab
er den Soldaten Befehle und wollte gerade aufſteigen, als ſich ein junges Mädchen
von einem Soldaten losriß [1] und Desgrais zu Füßen fiel. Sie umklammerte [2] die
Knie des Polizeipräſidenten, der ärgerlich auf ſie niederſah, und wimmerte: „Er iſt
unſchuldig, Exzellenz, ich ſchwöre es, er iſt unſchuldig! Ich weiß es doch, ich . . .“
Sie konnte vor Schluchzen [3] nicht weiterreden.

Desgrais winkte [4] einem großen Soldaten, der das Mädchen bei den Armen packte
und ſie mit ſolcher Gewalt hochriß,[5] daß ſie gegen die Hauswand geſchleudert [6]
wurde und ohnmächtig [7] zuſammenbrach.

Das konnte die Scudery nicht ertragen, ſie ſtieg aus ihrer Kutſche und ſchritt [8]
durch die Menge, die der weißhaarigen Dame reſpektvoll Platz machte. Schon von
weitem rief ſie: „Desgrais, warten Sie bitte! — Was iſt geſchehen? Erklären Sie
mir dieſe rohe [9] Szene!“

Desgrais lächelte kalt und erklärte: „In dieſem Hauſe liegt René Cardillac tot,
durch einen Dolchſtoß ermordet. Sein Geſelle, Olivier Bruſſon, der junge Burſche,
deſſen Verhaftung Sie eben mitangeſehen [10] haben, iſt unter Verdacht. Wir haben
ihn mit blutigen Kleidern bei der Leiche [11] Cardillacs gefunden; außerdem lag in
ſeinem Zimmer der Dolch, deſſen Griff den Buchſtaben [12] „O“ trägt. Der Dolch
war blutig und paßte genau in die Todeswunde.[13] Das weinende Mädchen, das
offenbar Ihr Mitleid erweckt [14] hat, iſt Madelon, die Tochter des Ermordeten. Sie
behauptet, der Geſelle Olivier Bruſſon ſei unſchuldig. Nun, wir werden das bald
wiſſen.“

Das Fräulein bückte ſich zu Madelon, die mit dem Kopf im Schoß einer mit=
leidigen Nachbarin lag. Das feine Geſicht und die Schönheit [15] des Mädchens
rührten [16] die Scudery. Sie blickte auf und ſah, wie der Jüngling abgeführt [17]
wurde. Wenn ſie nur wüßte, warum er ihr ſo bekannt ſchien! Mit einem plötz=
lichen Entſchluß wandte ſie ſich zu Desgrais: „Exzellenz, laſſen Sie das Mädchen
mit mir gehen! Ich übernehme volle Verantwortung [18] für ſie.“ Desgrais blickte
die alte Dame erſtaunt an und antwortete nicht ſogleich. Der Vorſchlag gefiel ihm
nicht,[19] aber er wußte, in wie hoher Gunſt [20] das Fräulein beim König ſtand; ſo ritt
er mit einem kalten: „Wenn Sie es ſo wünſchen, mein Fräulein,“ davon.

So kam Madelon Cardillac in das Haus des Fräuleins von Scudery, wo ſie ſich
in wenigen Tagen von der rohen Behandlung [21] durch Desgrais’ Soldaten erholte.

---

[1] ſich losreißen, i, i, *break away.* [2] umklammern, *clasp.* [3] das Schluchzen, —s, *sobbing.*
*[4] winken, *beckon; signal.* [5] hochreißen, i, i, *pull up, grasp.* [6] ſchleudern, *throw.* *[7] ohnmächtig,
unconscious. *[8] ſchreiten, i, i (iſt), *step.* [9] roh, *brutal.* [10] mitanſehen, *witness.* [11] die Leiche, —,
-n, *corpse.* *[12] der Buchſtabe, -n, -n, *letter (written character).* [13] die Todeswunde, —, -n, *mortal
wound.* [14] erwecken, *awaken, arouse.* *[15] die Schönheit, *beauty.* [16] rühren, *move.* [17] abführen,
lead away. *[18] die Verantwortung, *responsibility.* *[19] Der Vorſchlag gefiel ihm nicht. He did not
like the proposal.* [20] die Gunſt, *favor, good graces.* *[21] die Behandlung, —, -en, *treatment.*

Das Fräulein, das Madelon ſelber gepflegt hatte, wartete, bis ihr Schützling [1] von
ſelber [2] ſprechen wollte. Sie brauchte nicht lange zu warten. Am vierten Tage
erlaubte der Arzt Madelon, das Bett zu verlaſſen, und als ſie von Mathilde
geführt in den Salon [3] des Fräuleins trat, waren ihre erſten Worte: „Bitte, verehr=
5 tes [4] Fräulein, hören Sie von mir, was ſich in der furchtbaren Nacht ereignet [5]
hatte. Ich könnte den Gedanken nicht ertragen, wenn Sie glauben müßten, eine
Unwürdige [6] in Ihr Haus genommen zu haben.“

Das Fräulein ſetzte ſich neben ſie auf das Sofa und verſicherte [7] dem Mädchen,
daß ſie unerſchütterliches [8] Vertrauen [9] zu ihr hätte, und Madelon begann zu
10 erzählen:

„Mein Vater pflegte früh zu Bett zu gehen, aber manchmal, wenn er eine drin=
gende [10] Arbeit fertigzuſtellen [11] hatte, blieb er bis in die frühen Morgenſtunden auf.
Am Abend ſeines Todes ſagte er, ich ſolle zu Bett gehen, er habe noch an einer wich=
tigen Beſtellung [12] zu arbeiten und werde vielleicht die ganze Nacht aufbleiben
15 müſſen. Kurz nach Mitternacht wachte ich davon auf, daß Olivier an meine Tür
klopfte und mir zurief, ich ſolle mich ſchnell anziehen und in meines Vaters Schlaf=
zimmer kommen, mein Vater liege im Sterben.“ [13] Tränen kamen in Madelons
Augen, und trotz aller Troſtworte [14] des Fräuleins dauerte es eine Weile, bis ſie ſich
ſo weit gefaßt [15] hatte, daß ſie weiterreden konnte.

20 „Als ich in das Schlafzimmer kam, ſah ich meinen Vater auf dem Bett liegen. Er
war totenblaß,[16] und Blut tropfte aus einer Bruſtwunde, das Olivier vergeblich [17]
zurückzuhalten [18] verſuchte. Ich ſchrie vor Entſetzen,[19] aber Olivier bat mich, ſtille zu
ſein, damit die Nachbarn uns nicht hörten. Mein Vater war noch bei Bewußtſein.
Als ich mich über ihn beugte, um ihn zu küſſen, lächelte er und faßte meine Hand.
25 Dann nahm er Oliviers Hand und ſegnete uns mit ſchwacher Stimme. Kurz
darauf ſtarb er in Oliviers Armen.“

„Ich war außer mir vor Schmerz und verlangte zu erfahren, wer der Mörder
wäre. Olivier ſagte, ein Fremder habe meinen Vater ſpät nachts auf der Straße
überfallen. Aber was wollte mein Vater ſpät nachts auf der Straße? Keine Ant=
30 wort! Olivier ſah mich mit dem Ausdruck tiefſten Leidens [20] an und bat mich, nicht nach
den Einzelheiten [21] zu fragen. Ein furchtbares Geheimnis verſchließe ihm den Mund.
Er ſchwor bei ſeiner Liebe zu mir, daß er alles getan habe, um meinen Vater zu
retten,[22] aber es ſei unmöglich geweſen. Ich weiß nicht, warum Olivier nicht ſofort
die Polizei zu Hilfe rief, aber ich weiß eines,[23] Olivier iſt genau ſo unſchuldig am
35 Tode meines Vaters wie ich.“

---

[1] der Schützling, -s, -e, protegee. [2] von ſelber, of her own accord. [3] der Salon, -s, -s, drawing-
room. [4] verehrtes Fräulein, my dear lady, Madam. *[5] ſich ereignen, happen. [6] die Unwürdige,
-n, -n, unworthy or deserving person. *[7] verſichern, assure. [8] unerſchütterlich, unshakable.
*[9] das Vertrauen, -s, confidence. *[10] dringend, urgent, pressing. [11] fertigſtellen, finish. [12] die
Beſtellung, —, -en, order. [13] im Sterben liegen, a, e, be dying. [14] das Troſtwort, -es, -e, word of
comfort. [15] ſich faſſen, compose oneself. [16] totenblaß, deadly pale. *[17] vergeblich, in vain. [18] zurückhalten, ie, a, stop. *[19] vor Entſetzen, horrified. [20] das Leiden, -s, —, suffering. *[21] die Einzelheit,
—, -en, detail. *[22] retten, save. *[23] eines, one thing.

Wieder kamen Madelon Tränen in die Augen, aber ſie erzählte weiter: „Die
Nachbarn kamen früh am Morgen, denn unſer lautes Weinen hatte ſie geweckt, und
fanden uns am Bette meines Vaters knien.[1] Erſt zeigten ſie großes Mitleid mit
uns beiden,[2] als aber die alte Liſette, die Frau unſeres Nachbars, zu ſchreien anfing,
Olivier habe meinen Vater ermordet, glaubten es bald alle! Sie holten die Poli= 5
zei und klagten Olivier des Mordes an.[3] Umſonſt war alles, was ich ſagte, nie=
mand hörte auf mich, niemand. Olivier wurde mißhandelt und fortgeſchleppt und
an das, was ſpäter geſchah, kann ich mich kaum erinnern. Sie haben es ja aber
ſelber geſehen, als Sie wie ein Engel des Himmels zu meiner Rettung[4] erſchienen."
Madelon war auf die Knie gefallen und küßte dem Fräulein die Hände.   10

Hatte die Scudery auch[5] vorher kaum glauben können, daß der unglückliche
Jüngling, der ſo ſtürmiſch[6] in ihr ruhiges Leben eingebrochen war, ein Verbrecher
ſei, ſo war ſie jetzt von Oliviers Unſchuld[7] überzeugt. Sie erkundigte ſich aber
trotzdem bei Madelons Nachbarn und fand, daß das Mädchen in allem die Wahrheit
geſagt hatte. Sie wollte aber auch von anderer Seite etwas über Olivier erfahren, 15
den ſie nur durch die Beſchreibungen der verliebten[8] Madelon kannte. Trotz der
ſonderbaren Umſtände,[9] unter denen ſie mit Olivier in Berührung[10] gekommen war,
fühlte ſie, daß Olivier ein edel[11] denkender Jüngling war, der keinen Mord begehen[12]
könnte. Die Nachbarn, die ihre Willigkeit,[13] den Jüngling zu verdächtigen, bereuten,
lobten[14] ſeinen Fleiß,[15] ſein freundliches Betragen[16] gegen jedermann und erwähnten, 20
wie oft der Meiſter davon geſprochen habe, daß ſeine Madelon bald ſeinen Geſellen
heiraten ſolle. Selbſtverſtändlich[17] hätte Madelon als einziges Kind das ganze
Vermögen ihres Vaters geerbt.[18]

So erzählten die Nachbarn, und das Fräulein war mehr als je[19] von Oliviers
Unſchuld überzeugt, denn was für einen Beweggrund[20] hätte der Jüngling haben 25
können? So ging ſie denn guten Mutes[21] zum Polizeipräſidenten Desgrais und
berichtete ihm alles, was ſie über den Fall Cardillac gehört hatte und fragte ihn, wie
er den armen Jüngling mit ruhigem Gewiſſen im Kerker laſſen könne. Es ſei doch
wirklich kaum möglich, ernſthaft an ſeine Schuld[22] zu glauben.

Desgrais hörte dem Fräulein mit Reſpekt zu, dann aber lächelte er ſein kaltes 30
Lächeln, hinter dem die Scudery die ganze Grauſamkeit[23] und Brutalität ſpürte,[24]
für die er bekannt und gefürchtet war. „Sehr intereſſant, verehrtes Fräulein,"
ſagte er, mit einem Dolch ſpielend, der vor ihm auf dem Schreibtiſch lag, „ſehr in=
tereſſant. Ich muß Ihnen wirklich ein Kompliment machen für Ihre Nachfor=
ſchungen,[25] die mit den unſeren genau übereinſtimmen,[26] aber in unſerem Beruf als 35

*1 knien, *kneel.* *2 mit uns beiden, *with both of us.* 3 anklagen, *accuse.* *4 die Rettung, —, —en,
rescue. *5 auch), inverted word order plus auch is translated by *even if.* 6 ſtürmiſch, *boisterously.*
*7 die Unſchuld, *innocence.* 8 verliebt, *enamored, in love.* 9 der Umſtand, -es, -̈e, *circumstance.*
10 die Berührung, —, *contact.* *11 edel, *noble.* 12 begehen, begeing, begangen, *commit.* 13 die Willigkeit,
—, *willingness.* *14 loben, *praise.* *15 der Fleiß, -es, *industry.* 16 das Betragen, -s, *behavior,
conduct.* *17 ſelbſtverſtändlich, *of course.* 18 erben, *inherit.* *19 je, *ever.* 20 der Beweggrund, -es,
-̈e, *motive.* 21 guten Mutes, *with confidence.* *22 die Schuld, —, *guilt.* 23 die Grauſamkeit, —,
—en, *cruelty.* 24 ſpüren, *notice, perceive.* 25 die Nachforſchung, —, —en, *inquiry, investigation.*
26 übereinſtimmen, *agree.*

Beschützer [1] und Rächer [2] der Untertanen [3] unseres großen Königs denken wir anders als Sie in Ihrem Beruf als Schriftstellerin. [4] Mangel [5] an Beweisen bedeutet für Sie, mein Fräulein, Unschuld des Angeklagten. Wir ziehen aber den Schluß daraus, daß der Verbrecher schlau [6] ist und keine Spuren zu hinterlassen versteht.

5 Wir kennen die Übeltäter [7] aus dem täglichen Kampf mit dem Verbrechen, Sie kennen sie aus der Lektüre [8] von Romanen." Er machte eine Pause, während der er die Spitze [9] des Dolches ansah, dann fuhr er fort: „Es ist Ihres edlen Herzens würdig, daß Sie an Unschuld und Reinheit glauben, wir aber müssen vorsichtiger sein. Wir dürfen uns nicht von den Tränen eines verliebten Mädchens überzeugen

10 lassen, sondern nur von Tatsachen.[10] — Es gibt da noch einige Punkte, verehrtes Fräulein von Scudery, um die Sie sich nicht genug oder überhaupt [11] nicht gekümmert haben. Wie sollen wir es erklären, daß Olivier angeblich [12] spät nachts mit seinem Meister in Paris umherläuft,[13] ohne [14] uns sagen zu können oder zu wollen, was der Zweck [15] dieses nächtlichen Spazierganges war? Auch Sie haben ohne

15 Zweifel gehört, daß Meister Cardillac abends fast nie ausging und nur hin und wieder bis spät nachts aufblieb."

„Wir haben seinen Hausknecht [16] genau verhört.[17] In der Mordnacht hatte der Mann an seiner Gicht [18] zu leiden und hat die ganze Nacht kein Auge zugetan.[19] Außerdem quietscht die schwere Eingangstür im Hause des Goldschmiedes so laut,

20 daß sie den Hausknecht gewöhnlich aus tiefem Schlaf aufweckt, wenn sie nachts geöffnet wird. Kein Mensch hat das Haus nach acht Uhr abends verlassen, sagt er. Madelon ist um zehn Uhr abends zu Bett gegangen und hat noch um diese Zeit mit ihrem Vater gesprochen. Das haben Sie mir eben gesagt, und ich sehe keinen Grund, diese Angabe [20] zu bezweifeln." [21]

25 „Und schließlich," Desgrais stand auf, trat auf das Fräulein zu und hielt den Dolch vor sie hin, „ist dies die Mordwaffe. Wir fanden sie in Oliviers Zimmer. Hier ist der Anfangsbuchstabe seines Namens „O". Sie, verehrtes Fräulein, sagen Olivier könne keinen Grund gehabt haben, seinen Meister zu ermorden! Madelons Hand und das Vermögen des Alten wären ihm sicher gewesen. Ich stimme nicht mit

30 Ihnen überein, ich kann mir sehr gut einen Grund denken. Meiner Meinung nach [22] ist Olivier der Mörder unserer Kavaliere. Durch irgendeinen Zufall [23] hat Meister Cardillac die Verbrechen seines Gesellen entdeckt. Olivier will leugnen,[24] der Meister bringt Beweise für die Richtigkeit seiner Anklage, Olivier in furchtbarer Angst, alles zu verlieren, ersticht den Meister. Was der sterbende Mann gemurmelt

35 oder getan hat, wissen wir nicht. Es kann schon sein, daß Madelon glaubt, er habe

---

[1] der Beschützer, –s, —, protector. [2] der Rächer, –s, —, avenger. [3] der Untertan, –en, –en, subject. [4] die Schriftstellerin, —, –nen, authoress. *[5] der Mangel, –s, ⸗, want, lack. *[6] schlau, clever. [7] der Übeltäter, –s, —, evil-doer, criminal. [8] die Lektüre, reading. *[9] die Spitze, —, –n, sharp point. *[10] die Tatsache, —, –n, fact. *[11] überhaupt, at all. [12] angeblich, allegedly. [13] umherlaufen, ie, au (ist), run around. *[14] ohne . . . zu, without plus verb in –ing. *[15] der Zweck, –s, –e, purpose. [16] der Hausknecht, –es, –e, (house) servant. [17] verhören, question. [18] die Gicht, —, gout. [19] zutun, tat zu, zugetan, close. [20] die Angabe, —, –n, statement. *[21] bezweifeln, doubt. *[22] meiner Meinung nach, in my opinion. *[23] der Zufall, –s, ⸗e, coincidence. [24] leugnen, deny.

sterbend ihre Hand in Oliviers Hand gelegt. Es ist auch möglich, daß das ver=
liebte Mädchen den Mörder ihres Vaters schützen will."

„Nun, bald werden wir wissen, wer recht hat, Sie oder wir, denn in wenigen
Tagen werden wir mit der Folter [1] beginnen, und unsere Polizisten, Fräulein, sind
wahre Künstler, wenn es gilt,[2] einen Sünder [3] dazu zu bringen, ein Geständnis [4] zu   5
machen."

„Doch ich ängstige [5] Sie mit Dingen, die nicht in Ihre klare, reine Welt gehören.
Vergeben Sie mir!" Er küßte dem Fräulein galant [6] die Hand und begleitete [7] sie
zur Tür.

Die Scudery verließ den Polizeipräsidenten verwirrt und beinah davon überzeugt, 10
Olivier müsse Cardillac ermordet haben, wenn auch ihr Herz dem widersprach.

Um so [8] erstaunter war sie, als am Abend dieses Tages Desgrais persönlich bei
ihr erschien und ihr mitteilte,[9] daß Olivier ihn gebeten habe, dem Fräulein ein volles
Geständnis ablegen [10] zu dürfen. Dies Geständnis solle aber nur dem Fräulein be=
kannt werden, die es unter keinen Umständen verraten dürfe. Desgrais fügte hinzu, 15
er habe seine Erlaubnis dazu gegeben, nicht um Olivier, den er für den Schuldigen [11]
hielte, einen Gefallen zu tun, sondern um dem Fräulein von Scudery, die ganz Paris,
ja Frankreich, hochschätze,[12] seinen guten Willen zu zeigen. Er müsse allerdings ver=
langen, daß Olivier nur mit ihr und niemand anderem — ganz besonders nicht mit
Madelon — spreche. Das Fräulein versprach es, und am nächsten Abend wurde 20
Olivier in ihr Haus gebracht. Während die Polizei vor dem Hause Wache hielt,[13]
saßen sich der Goldschmiedegeselle und das alte Fräulein im Salon derselben gegen=
über.

Das Fräulein konnte kaum ihr Mitleid verbergen und je länger sie den Jüngling
betrachtete, der bescheiden auf ihre erste Frage wartete, desto sicherer wurde sie, ihn 25
schon vor Jahren gesehen zu haben.

„Olivier," sagte sie mit gütiger Stimme, „Sie müssen mir vertrauen,[14] wenn ich
Ihnen helfen soll. Antworten Sie mir bitte auf alle meine Fragen! Ich werde von
Ihren Antworten nur dann Gebrauch [15] machen, wenn Sie es gestatten. Das ver=
spreche ich Ihnen."   30

„Zunächst: Warum wollten Sie mich so dringend sprechen in jener Nacht, in der
Sie das Kästchen in mein Haus brachten?"

Der Jüngling blickte zu ihr auf und lächelte: „Erinnern Sie sich noch an den
kleinen Robert?" Das Fräulein sah ihn erstaunt an; dann legte sie die Hand auf
seinen Arm. „Ist es möglich? Sind Sie Robert, Robert der Sohn meiner ge= 35
liebten Anna? Nun bin ich vollkommen verwirrt. Aber natürlich, jetzt sehe ich das
Gesichtchen des kleinen Robert wieder ganz deutlich vor mir. Deshalb also kamen

---

[1] die Folter, —, —n, *torture.* [2] gelten, a, o, *mean.* [3] der Sünder, —s, —, *sinner; culprit.* [*4] das
Geständnis, …nisses,…nisse, *confession.* [5] ängstigen, *frighten.* [6] galant, *courteously.* [*7] be=
gleiten, *accompany.* [*8] um so erstaunter, *all the more astonished.* [*9] mitteilen, *inform.* [10] ablegen,
make. [11] der Schuldige, —n, —n, *guilty person.* [12] hochschätzen, *hold in high esteem.* [13] Wache halten,
ie, a, *keep watch.* [*14] vertrauen, *trust or confide in.* [*15] der Gebrauch, —s, ⸚e, *use.*

Sie mir so bekannt vor. Warum sind Sie nicht gleich zu mir gekommen? Warum
haben Sie Ihren Namen geändert? O Robert, ich kann es nicht von Ihnen
glauben, daß Sie — Sie geben mir Rätsel auf,[1] anstatt sie zu lösen."[2]

„Warum heißen Sie jetzt Olivier? Wo ist Ihre Mutter, meine kleine Anna?
5 Warum habe ich nicht mehr von ihr gehört, seit sie mich verließ und mit Ihnen und
Ihrem Vater nach Bordeaux ging?"

Olivier Brusson schwieg einen Augenblick, dann sagte er: „Meine Eltern sind
beide tot. Sie wissen, daß mein Vater viel philosophierte und seine eigenen Ge=
danken über Gott und die Welt hatte, sodaß er bald als Ketzer[3] galt. Auf einer
10 Reise geriet[4] er mit einigen unbekannten Männern in einem Wirtshaus in
Streit und wurde totgeschlagen.[5] Meine Mutter hat ihn nicht lange überlebt.[6]
Vergeben[7] Sie ihr, daß sie Ihnen nicht mehr schrieb! Alle Freunde unserer
Familie standen im Verdacht, Ketzer zu sein, und meine Mutter fürchtete, die Ver=
bindung[8] mit ihr könnte Ihnen gefährlich werden."

15   Der Jüngling schwieg und starrte an dem Fräulein vorbei ins Leere.[9] Sie
streichelte seine Hand und sagte: „Sie kamen in mein Haus, um sich mir zu erkennen
zu geben,[10] Sie waren in Not[11] und suchten meine Hilfe, und ich habe Ihnen meine
Tür verschlossen. — Verzeihen[12] Sie mir!"

Olivier schüttelte den Kopf. „Ich weiß, Sie konnten nicht anders handeln,
20 aber mir blieb auch kein anderer Weg offen in jener Nacht. Doch lassen Sie mich
Ihnen meine Geschichte erzählen, und Sie werden alles verstehen."

„Nach dem Tode meiner Eltern nahm mich ein Verwandter, der Goldschmied war,
in die Lehre.[13] Ich fühlte mich glücklich und liebte meine Arbeit, aber es konnte mir
nicht verborgen bleiben, daß ihm mein Aufenthalt[14] in seinem Hause schadete. Die
25 Leute von Bordeaux waren nicht gewillt, dem Sohn zu vergeben, daß der Vater ein
Ketzer war. Ich schadete dem guten Mann in seinem Beruf und so ging ich nach
Paris."

„Ich nannte mich jetzt Olivier Brusson, und mit diesem neuen Namen begann für
mich ein neues Leben. Ein Brief meines früheren Meisters führte mich bei Cardillac
30 ein,[15] ein Probestück,[16] das ich für ihn arbeitete, gefiel ihm, und so durfte ich zu meiner
unbeschreiblichen[17] Freude bei ihm bleiben. Wie Sie wohl wissen, gnädiges Fräulein,
galt Cardillac als der beste Goldschmied Frankreichs. Zwei Jahre lang arbeitete
ich in seiner Werkstatt, und er lehrte mich manches Geheimnis seiner Kunst. Das
Unglück wollte es, daß er ein sehr ehrgeiziger[18] Mann war, der für seine Tochter
35 Madelon eine glänzende Zukunft erträumte.[19] Als er merkte, daß ich seine Tochter

---

[1] aufgeben, a, e, *propose.* [2] lösen, *solve.* [3] der Ketzer, –s, —, *heretic.* [4] in Streit geraten, ie, a,
become involved in a quarrel. [5] totschlagen, u, a, *beat to death, kill.* [6] überleben, *survive.* *[7] ver=
geben, a, e, *forgive.* *[8] die Verbindung, —, –en, *connection.* *[9] ins Leere, *into space.* [10] sich zu
erkennen geben, *make one's identity known.* *[11] die Not, —, ⸚e, *trouble.* *[12] verzeihen, ie, ie, *pardon,
forgive.* [13] in die Lehre nehmen, nahm, genommen, *take as apprentice.* *[14] der Aufenthalt, –es, *stay.*
*[15] einführen, *introduce.* [16] das Probestück, –s, –e, *sample.* *[17] unbeschreiblich, *indescribable.* *[18] ehr=
geizig, *ambitious.* [19] erträumen, *dream of.*

liebte, und daß ſie dieſe Liebe erwiderte,[1] war er außer ſich vor Wut. Der Gedanke, daß ein Habenichts [2] wie ich ſeine Tochter zur Frau haben wollte, ſchien ihm eine ſchwere Beleidigung [3] ſeiner Ehre zu ſein, und er warf mich mit Verwünſchungen [4] aus dem Hauſe.“

„Ich lebte eine Zeitlang von dem wenigen Geld, das ich mir erſpart hatte. Es 5 war mir unmöglich, neue Arbeit zu ſuchen, der Gedanke an Madelon ließ mir keine Ruhe, und je länger die Trennung [5] von ihr dauerte, deſto unerträglicher wurde ſie mir.“

„Oft ging ich zur Nachtzeit zu Cardillacs Haus, hoffend, ſie am Fenſter zu ſehen oder ihr irgendwie [6] eine Botſchaft [7] ſchicken zu können. Aber Cardillac, der wohl 10 wußte, wie mir zumute war,[8] hielt ſeine Tochter wie eine Gefangene.“[9]

„So ſtand ich eines Abends ſpät an eine Mauer gelehnt, die ſich an Cardillacs Haus anſchließt.[10] Die Mauer ſteht noch aus der Zeit, in der das Haus Teil eines Kloſters [11] war, und aus derſelben Zeit ſtammen [12] alte Steinbilder [13] in den Niſchen [14] der Mauern. Dicht bei einem ſolchen Steinbild ſtand ich, als ich plötzlich Licht in 15 Cardillacs Werkſtatt ſah. Offenbar war der Meiſter noch einmal in ſeine Werkſtatt gegangen oder er wollte gegen ſeine Gewohnheit [15] zu ſpäter Stunde ausgehen. Von unklarer Hoffnung erfüllt, Madelon zu ſehen, drückte ich mich gegen eines der Stein= bilder und blickte von Zeit zu Zeit über die Mauer nach den Fenſtern der Werkſtatt. Plötzlich war das Licht verſchwunden, und ich nahm an, Cardillac ſei wieder zu Bett 20 gegangen. Dennoch wartete ich eine Weile. Plötzlich fühlte ich, daß ſich das Steinbild, gegen das ich mich lehnte, bewegte. Erſchrocken ſprang ich von der Stelle fort und verbarg mich im Dunkeln.“

„Da ſah ich nun, wie ein Mann aus einer Öffnung in der Mauer hinter der Statue herausſchlüpfte.[16] An der Geſtalt und den Bewegungen [17] erkannte ich 25 Cardillac.“

„Er drehte die Statue wieder in ihre alte Stellung zurück und ging dann, ſich immer im Dunkeln haltend, die Straße hinab. Ich folgte ihm in einiger Ent= fernung und verſuchte zu begreifen,[18] was mein Meiſter zu nächtlicher Stunde auf dieſem ſonderbaren Spaziergang durch die Seitengäßchen [19] von Paris vorhatte. 30 Eine dunkle Ahnung [20] ſagte mir, daß er nichts Gutes plante, und bald ſollte ich ſehen, daß ich mich nicht geirrt hatte.“

„Nach einiger Zeit vernahm [21] ich das Singen und Pfeifen eines Mannes, der uns auf der dunklen Straße entgegenkam. Cardillac ſchlüpfte [22] geſchwind [23] in einen

---

*1 erwidern, *return, reciprocate.* 2 der Habenichts, —, -e, *penniless fellow.* 3 die Beleidigung, —, -en, *insult.* 4 die Verwünſchung, —, -en, *curse.* 5 die Trennung, —, -en, *separation.* *6 irgendwie, *somehow.* 7 die Botſchaft, —, -en, *message.* *8 zumute ſein, war, geweſen (iſt), *feel.* *9 die Ge= fangene, —n, —n, *(woman) prisoner.* *10 ſich anſchließen, o, o, *join.* 11 das Kloſter, -s, ⸚, *monastery.* 12 ſtammen aus, *date from.* 13 das Steinbild, -es, -er, *statue.* 14 die Niſche, —, -n, *niche.* *15 die Gewohnheit, —, -en, *custom.* 16 herausſchlüpfen, *slip out.* *17 die Bewegung, —, -en, *movement, motion.* *18 begreifen, i, i, *understand.* 19 das Seitengäßchen, -s, —, *side-street.* *20 die Ahnung, —, -en, *suspicion.* *21 vernehmen, a, o, *notice, hear.* 22 ſchlüpfen, *slip.* *23 geſchwind, *quickly.*

Hauseingang [1] und stürzte sich auf den nächtlichen Wanderer, als er bei ihm vor=
überging. Der fiel, ohne einen Laut [2] von sich zu geben, auf die Straße hin."

„Ich war entsetzt. [3] Ohne an die sonderbare Lage zu denken, in der ich mich be=
fand, lief ich auf Cardillac zu mit dem Rufe: ‚Meister, was bedeutet dies?'"

5 „Cardillac sprang auf und erwartete mich, einen Dolch in der Hand haltend. Er
sah wie ein Rasender [4] aus, seine Augen blickten wild, und das Haar hing ihm in
die Stirn."

„Ich beugte mich über den Mann, der eben noch gesungen und gepfiffen hatte. Es
war ein junger Kavalier, der da tot in seinem Blute lag. Cardillac stieß mich zur
10 Seite und durchsuchte mit roher Hand die Taschen des Toten, bis er ein goldenes
Halsband fand, das er einsteckte." [5]

„Jetzt schien er ruhiger zu werden und meinen Arm mit eisernem Griff [6] packend,
flüsterte er: ‚Falls du ein Wort von dem sagst, was du hier gesehen hast, siehst du
Madelon nie wieder. Schweigst du aber, so sollst du sie heiraten dürfen und zwar
15 bald. Komm mit, ich nehme dich wieder als Gesellen in mein Haus.'"

„Ich war wie betäubt [7] von alledem und ließ mich fortziehen. [8] Ich schlüpfte mit
ihm durch das Loch in der Mauer, das in einen engen unterirdischen [9] Gang [10]
führte. Jetzt erst wurde mir klar, in welcher Gefahr ich mich befand. Welche
Gelegenheit für den Mörder, den Augenzeugen [11] seiner Tat [12] umzubringen! Ich
20 beschloß, mein Leben so teuer wie möglich zu verkaufen und erwartete mit klopfendem
Herzen seinen Angriff. Cardillac, der in dem engen Tunnel vor mir ging, mußte
meine Gedanken ahnen. Mit leiser und seltsam sanfter Stimme sagte er: ‚Fürchte
nichts, Olivier! Dir droht keine Gefahr. Verurteile [13] mich nicht, bis ich dir alles
erklärt habe!' Ich folgte ihm schweigend in ein kleines Zimmer, in das der enge
25 Tunnel führte. Der Meister öffnete eine Truhe, [14] die voller Schmucksachen war, nahm
das Halsband aus der Tasche, besah es von allen Seiten und legte es dann zu den
anderen Schmucksachen. Er schloß die Truhe und öffnete ein kleines, verborgenes
Türchen in der Wand, das sich als die Rückwand eines Kleiderschrankes [15] heraus=
stellte. [16] Wir zwängten [17] uns durch die enge Öffnung und standen in seinem Schlaf=
30 zimmer."

„Cardillac, dessen sonst so frisches Gesicht blaß wie der Tod war, holte eine Flasche
Wein und zwei Gläser, bat mich zu trinken und begann zu sprechen, als ob er mit sich
selber spräche und ich gar nicht in dem Zimmer wäre. ‚Du tust mir ein großes Un=
recht, [18] wenn du denkst, daß ich diesen Kavalier überfallen habe, um ihm wie ein
35 gemeiner [19] Straßenräuber dies Halsband zu rauben. Du weißt, dies ist nicht der

---

[1] der Hauseingang, -s, ⸚e, entrance (to a house). *[2] der Laut, -es, -e, sound. [3] entsetzt, horrified. [4] ein Rasender, madman, maniac. *[5] einstecken, put in one's pocket. [6] der Griff, -es, -e,
grip. [7] betäubt, stunned. [8] fortziehen, o, o, draw away, pull away. [9] unterirdisch, subterranean.
*[10] der Gang, -es, ⸚e, passage, corridor. [11] der Augenzeuge, -n, -n, eyewitness. *[12] die Tat, —, -en,
deed, action. *[13] verurteilen, condemn. [14] die Truhe, —, -n, trunk, chest. [15] der Kleiderschrank, -es,
⸚e, wardrobe. [16] sich herausstellen als, turn out to be. [17] sich zwängen, squeeze. *[18] das Unrecht, -es,
injustice. [19] gemein, common, ordinary.

einzige Mann, den ich erschlagen habe. Du hast von den nächtlichen Raubmorden gehört, denen so viele Kavaliere zum Opfer gefallen sind. Ich habe sie alle ermordet, alle die jungen Herren. — Ja, da machst du den Mund auf und starrst mich an, als ob ich der Teufel selbst wäre. Das verstehst du nicht und doch solltest du — aber hör mich erst zu Ende!'" 5

„Er schwieg und seufzte, dann fuhr er langsam fort, als ob er die richtigen Worte nicht finden könnte, die mir seine furchtbaren Taten erklären sollten. ‚Mein Vater erzählte mir, daß meine Mutter, ehe ich geboren wurde, bei einem Hoffest [1] im Trianon, dem sie zuschaute,[2] einen Kavalier erblickte,[3] der eine funkelnde Diamanten= kette um den Hals trug. Meine Mutter wurde von einem starken Verlangen [4] ge= 10 packt, diese Kette zu besitzen. Plötzlich ging sie auf den Kavalier zu und faßte nach dem Schmuck. Jeder glaubte, sie sei wahnsinnig [5] geworden. Nach Hause zurück= gekehrt, wurde sie schwer krank. In ihren Fieberträumen [6] sprach sie von nichts als von dieser Diamantenkette. Sie starb, als ich geboren wurde.'

‚Schon als Kind hatte ich ein unbezwingbares [7] Verlangen nach Juwelen. Ich 15 versuchte, sie zu stehlen, und wurde von meinem Vater so grausam [8] geschlagen, daß ich mich aus Furcht beherrschte. Um Juwelen um mich haben zu können, wurde ich Goldschmied. Nun brach das Verlangen, das ich so lange unterdrückt [9] hatte, mit doppelter Gewalt hervor.[10] Jedesmal, wenn ich einen schönen Schmuck angefertigt habe, kann ich mich nicht von ihm trennen. Habe ich ihn an seinen Besitzer abgelie= 20 fert,[11] so quält mich das Verlangen, ihn wieder zu besitzen. Jahrelang [12] habe ich dagegen angekämpft,[13] aber es wurde immer schlimmer. Eine Stimme flüsterte mir ins Ohr: ‚Nimm die Juwelen zurück, sie gehören dir.'

‚Vor einiger Zeit kaufte ich dies Haus und der frühere Besitzer zeigte mir den geheimen Eingang. Die Hölle [14] muß es so gewollt haben, denn jetzt hatte ich eine 25 Möglichkeit, ungesehen das Haus zu verlassen und zurückzukehren.'

‚Noch eins! Du liebst Madelon. Ich liebte Madelons Mutter von ganzem Herzen, aber ein Kavalier stahl sie mir. Wenn ich nun für die edlen Herren arbeitete, und mein wildes Verlangen mich packte, so war es leicht für mich, sie nachts zu über= fallen und den Verhaßten [15] die Juwelen wieder abzunehmen.'[16] 30

‚Madelon weiß nichts von alledem. Du weißt, wie sie mich liebt. Erführe sie, was du weißt, es würde ihr das Herz brechen.'

Olivier schwieg und sah auf den Boden. „Ich weiß, was Sie jetzt sagen werden. Ich hätte den Meister verlassen sollen. Ich wollte es tun, aber der Gedanke, Madelon auf immer zu verlieren, machte es mir unmöglich. Cardillac schien, seit ich um sein 35 Geheimnis wußte, seiner Leidenschaft [17] mehr nachzugeben [18] als bevor. Da erfuhr er

---

[1] das Hoffest, -es, -e, *court-festival.* [2] zuschauen, *watch.* *[3] erblicken, *see, notice.* [4] das Verlangen, -s, —, *desire, craving.* [5] wahnsinnig, *insane.* [6] der Fiebertraum, -es, ⸚e, *feverish dream.* [7] unbe= zwingbar, *uncontrollable.* *[8] grausam, *cruel, terrible.* [9] unterdrücken, *suppress.* [10] hervorbrechen, a, o, (ist), *burst forth.* [11] abliefern, *deliver.* *[12] jahrelang, *for years.* [13] ankämpfen, *fight.* [14] die Hölle, —, *hell.* [15] der Verhaßte, -n, -n, *hated person.* [16] abnehmen, a, o, *take away.* *[17] die Leidenschaft, —, -en, *passion, rage.* [18] nachgeben, a, e, *yield, give in.*

von der Bittſchrift der Kavaliere und Ihrer Antwort. Er gab mir den Auftrag,[1]
Ihnen das Juwelenkäſtchen zu bringen, und in meiner großen Not dachte ich, das
beſte wäre, wenn ich Ihnen alles erzählte. Ihre Dienerin ließ mich in jener Nacht
nicht in Ihr Haus.“

5   „Nach einer Weile begann der Meiſter von den Juwelen zu ſprechen, die er Ihnen
geſchenkt[2] hatte, und ich glaubte, dieſelben Zeichen der Unruhe an ihm zu entdecken,
die gewöhnlich auftraten,[3] wenn er eine ſeiner Mordtaten plante. In tödlicher[4]
Angſt um Ihr Leben, verſuchte ich, Sie auf dem Pont=Neuf zu warnen, als ich den
Zettel in Ihre Kutſche warf. Als der Meiſter wieder ausging, folgte ich ihm, ent=
10 ſchloſſen,[5] Sie mit meinem eigenen Leben zu beſchützen.[6] Doch bald ſah ich, daß ich
mich geirrt hatte. Er ging in eine andere Straße, wo ich bald ſein Opfer, einen
Offizier der königlichen Garde, kommen ſah. Er überfiel den Offizier, der aber
offenbar den Überfall erwartete. Nicht er, ſondern Cardillac empfing den Todes=
ſtoß.“[7]

15   „Als ich meinen Meiſter zuſammenbrechen ſah, lief ich zu ihm, trotzdem der Offi=
zier ſofort den Degen[8] zog. Es wäre mir in dieſem Augenblick am liebſten geweſen,[9]
wenn er mich getötet hätte, denn ich ſah ſofort, daß mein Fall hoffnungslos war.
Gelang es mir auch, den Meiſter ungeſehen nach Hauſe zu tragen, ſo konnte ich doch[10]
nicht erklären, was wirklich geſchehen war. Der Offizier ging langſam fort, und,
20 ohne zu wiſſen, was ich tat, hob ich ſeinen Dolch auf und ſteckte ihn ein. Es iſt der=
ſelbe Dolch, der jetzt der meinige[11] ſein ſoll, und deſſen Beſitz mich in den Augen
meiner Ankläger ſchwerer verdächtig macht als irgendetwas anderes.“

Olivier ſchwieg und ſchloß die Augen. Das Fräulein betrachtete ihn mit tiefem
Mitleid. Leiſe ſtand ſie auf und trat zu ihm. „Sie dürfen nicht verzweifeln, Oli=
25 vier,“ ſagte ſie ſanft und ſtreichelte ihm das Haar. „Ich werde alles tun, was ich
kann, um Sie zu retten, denn Sie ſind unſchuldig.“

Der Jüngling öffnete die Augen weit und ſtarrte ſie entſetzt an. „Nein, verehrtes
Fräulein, Sie haben unrecht.[12] Ich bin ſo ſchuldig, als ob ich das Blut der Ermor=
deten an meinen eigenen Händen hätte. Denken Sie an all die Menſchen, die heute
30 noch lebten, hätte ich Cardillac in jener Schreckensnacht[13] angezeigt,[14] ſtatt ihm in
ſein Haus zu folgen! Ich konnte mich nicht dazu überreden. Ich konnte Cardillac
ebenſowenig[15] anzeigen wie ich mich nach meiner Verhaftung verteidigen konnte.
Madelon hätte die Wahrheit über ihren Vater nicht ertragen können. — Nein,
Fräulein von Scudery, ich kann nicht gerettet werden. Um eins[16] aber bitte ich Sie:
35 Sie werden mein Geheimnis auch nach meinem Tode nicht verraten!“

„Aber Olivier,“ erwiderte das Fräulein, „bedenken[17] Sie doch, was Ihr Tod für

---

[1] der Auftrag, -es, ⸚e, *order, instruction.* *[2] ſchenken, *give (as a present).* *[3] auftreten, a, e (iſt),
appear. [4] tödlich, *deadly, mortal.* *[5] ſich entſchließen, o, o, *decide, determine.* *[6] beſchützen, *protect.*
[7] der Todesſtoß, —es, *death-thrust.* [8] der Degen, –s, —, *sword.* [9] es wäre mir am liebſten geweſen,
I would have liked it best. *[10] doch, *even so.* [11] der meinige, *my own.* *[12] Sie haben unrecht, *you
are wrong.* [13] die Schreckensnacht, —, ⸚e, *terrible night.* [14] anzeigen, *report.* [15] ebenſowenig . . .
wie, *just as little . . . as.* [16] um eins, *for one thing.* [17] bedenken, bedachte, bedacht, *consider.*

Madelon bedeutet! Soll sie nach dem Vater auch noch den Geliebten [1] verlieren? Vielleicht kann sie das auch nicht ertragen!"

Olivier nickte schwach mit dem Kopfe, er konnte nicht sprechen. Endlich flüsterte er: „Ich habe es mir alles im Kerker überlegt. Es ist besser, daß Madelon einen un= schuldigen Vater und einen unschuldigen Geliebten beweint,[2] als daß sie einen blutigen 5 Verbrecher verfluchen muß. Bitte, Fräulein, erfüllen Sie meinen Wunsch; es ist der Wunsch eines Sterbenden. Verzeihung, wenn ich . . ." Er fiel in den Sessel [3] zurück und murmelte unverständliche Worte.

Das Fräulein läutete [4] erschrocken das kleine Glöckchen,[5] das die alte Mathilde herbeirufen sollte, aber statt ihrer kam Desgrais ins Zimmer. „Gestatten Sie, 10 Fräulein, daß ich die Gelegenheit ergreife,[6] meinen Gefangenen abzuholen." Er winkte zwei Soldaten herbei, die den Halbohnmächtigen bei den Armen packten und wegführten. Desgrais verbeugte sich noch einmal tief und folgte dann seinem Ge= fangenen.

Als Mathilde hereintrat, fand sie ihre Herrin wie betäubt auf dem Sofa sitzen. 15 Sie wußte, welchen Anteil [7] sie an dem Schicksal Brussons nahm und so sagte sie nichts sondern ging stillschweigend hinaus, um ihr eine Tasse Schokolade zu bereiten.[8] Als sie mit der dampfenden [9] Schokolade zurückkam, blickte das Fräulein auf.

„Ich danke dir, Mathilde, du errätst meine Gedanken. Hol dir auch eine Tasse und trink mit mir." Die alte Dienerin wußte, daß ihre Herrin sich wieder einmal 20 aussprechen [10] wollte, und wenn sie auch nicht immer verstand, was das Fräulein sagte, so wußte sie doch, daß sie ihr einen großen Dienst erwies,[11] wenn sie zuhörte. Schweigend brachte sie ihre Tasse und setzte sich auf einen Stuhl neben dem Sofa, wo sie zu sitzen pflegte, wenn sie der Scudery Gesellschaft leistete.[12]

Da das Fräulein nichts sagte, sondern nur von Zeit zu Zeit seufzte, begann 25 Mathilde: „Es war recht dumm von mir, daß ich damals Herrn Brusson nicht ins Haus ließ, nicht wahr, gnädiges Fräulein?" „Nein, Mathilde," widersprach die Scudery freundlich. „Weder du, noch sonst jemand [13] in der Welt hätte damals ahnen können, was dieser Besuch bedeutete, und du hast recht gehandelt, einen fremden Menschen zu so später Stunde nicht ins Haus zu lassen. — Ja, ja, Mathilde, man 30 soll nicht Schicksal spielen wollen, das habe ich auf meine alten Tage noch lernen müssen."

„Können Sie denn nicht Ihren Einfluß [14] bei Hofe gebrauchen, gnädiges Fräulein? Man sagt, es gäbe keine Dame in der ganzen Hofgesellschaft,[15] der der König so viel Achtung [16] erzeige,[17] wie Ihnen." 35

„Das ist ein gewagtes [18] Unternehmen,[19] Mathilde. Der König ist mein Trumpf.[20]

---

*[1] der Geliebte, −n, −n, *sweetheart.* [2] beweinen, *mourn, weep over the loss of a person.* [3] der Sessel, −s, —, *arm-chair.* [4] läuten, *ring.* [5] das Glöckchen, −s, —, *small bell.* *[6] ergreifen, i, i, *seize.* [7] der Anteil, −s, −e, *interest.* *[8] bereiten, *prepare, make.* [9] dampfen, *steam.* [10] sich aus= sprechen, a, o, *relieve one's mind.* [11] erweisen, ie, ie, *do (a service).* [12] Gesellschaft leisten, *keep com- pany.* *[13] sonst jemand, *anyone else.* *[14] der Einfluß, −es, ¨e, *influence.* [15] die Hofgesellschaft, —, −en, *court-society.* [16] die Achtung, —, *respect.* [17] erzeigen, *show.* [18] gewagt, *daring.* *[19] das Unterneh- men, −s, —, *undertaking.* [20] der Trumpf, —, ¨e, *trump.*

Habe ich den verspielt,[1] so ist das Spiel verloren. Nein, ein Gesuch [2] beim König ist das letzte Mittel, das ich versuchen kann. Du weißt nicht, wie zornig [3] der König über diese schrecklichen Mordtaten war, die seiner schönen Hauptstadt leicht einen schlechten Namen hätten geben können. Die große Schwierigkeit, die mich hindert, 5 ist nicht Desgrais oder der König, es ist etwas, was ich weder dir noch sonst irgend= jemand sagen darf. Ach Mathilde, ich fürchte, nichts wird den armen Olivier vom Galgen [4] retten. Wenn ich nur . . ." In diesem Augenblick schrie Mathilde laut auf. Der schwere Vorhang,[5] der das Schlafzimmer des Fräuleins vom Salon trennte, bewegte sich, und Madelon trat hervor. Sie kniete vor ihrer Beschützerin nieder, die 10 ärgerlich zu ihr sprach: „Wie soll ich das verstehen, Madelon? Weißt du nicht, daß ich Desgrais versprechen mußte, du würdest nicht im Hause sein, wenn Olivier hierher käme?"

„Ich weiß, ich verdiene Ihren Zorn,[6] aber ich konnte der Versuchung nicht wider= stehen, Olivier noch einmal zu sehen. Ich habe alles gehört. Strafen Sie mich, wie 15 Sie wollen, übergeben [7] Sie mich dem Präsidenten Desgrais! O liebes Fräulein, nichts kann mich mehr schmerzen,[8] denn ich weiß, jetzt kann Olivier gerettet werden. Nichts kann mich mehr schmerzen, nicht einmal die Entdeckung, wie mein Vater lebte und starb! Ich will ihn beweinen und für seine arme Seele beten."

Trotz aller Sorge und dem Ärger über Madelons Betragen, fühlte sich das Fräu= 20 lein plötzlich glücklich, denn Madelons Worte hatten ihr eine Last von der Seele genommen. Sie hob das kniende Mädchen auf, küßte es und besprach noch einmal alles mit ihr im Lichte von Oliviers Geständnis, das sie ja nun nicht mehr geheim zu halten brauchte.

Oliviers Lage konnte durch einen genauen Bericht an die Polizei sofort gebessert [9] 25 werden. War er auch noch nicht gerettet, so bedeutete die offenbare Schuld des toten Cardillacs doch wenigstens neue Untersuchungen, die dem Fräulein mehr Zeit gaben, um für Olivier etwas zu tun. Selbstverständlich kam die Folter nicht mehr in Frage,[10] denn der unterirdische Gang aus der Werkstatt des Meisters war Beweis genug sogar für Desgrais, daß Cardillac der Mörder war. Da war allerdings das 30 Schweigen Oliviers; das genügte, ihm den Kopf zu kosten. Es war nicht von Des= grais zu erwarten, daß er die Gewissensnot [11] des jungen Olivier, die aus seiner Liebe zu Madelon entsprang,[12] als mildernden Umstand [13] würde gelten lassen.

Außerdem bestand die Möglichkeit, daß Desgrais aus Ärger darüber, die ganze Lage falsch verstanden zu haben, neue Schwierigkeiten erfinden [14] würde, nur um 35 nicht zugeben [15] zu müssen, daß er sich geirrt habe.

Das Fräulein sah ein, daß sie ohne die Hilfe eines Advokaten nicht sehr weit kom=

---

[1] verspielen, lose. [2] das Gesuch, –es, –e, petition. *[3] zornig, angry. [4] der Galgen, –s, —, gallows. *[5] der Vorhang, –s, ⸚e, curtain. *[6] der Zorn, –es, anger, indignation. [7] übergeben, a, e, hand over. [8] schmerzen, pain, hurt. [9] bessern, improve. *[10] kam die Folter nicht mehr in Frage, torture was out of the question now. [11] die Gewissensnot, —, ⸚e, qualms of conscience. [12] entspringen, a, u (ist), originate. [13] mildernder Umstand, extenuating circumstance. *[14] erfinden, a, u, invent. *[15] zu= geben, a, e, admit.

men werde,[1] und so beschloß sie denn, Pierre D'Andilly für den Fall zu interessieren.

D'Andilly, der außerdem auch ein begeisteter Leser von Romanen war und die Romane der Scudery besonders gern las, übernahm die Verteidigung [2] Oliviers mit Freuden,[3] teils [4] um dem Fräulein einen Gefallen zu tun, teils um Desgrais, den er grimmig haßte, ein Opfer entreißen [5] zu können. 5

Es kam, wie das Fräulein es erwartet hatte. Zwar sah sich der Polizeipräsident gezwungen, neue Untersuchungen zu unternehmen und das Bestehen des unterirdischen Ganges und der Geheimkammer, in denen die Juwelen der Ermordeten gefunden wurden, als Beweis für die Schuld des Schmiedes anzusehen, er bestand [6] aber immer noch darauf, daß Olivier — vielleicht im Streit über die Beute — den 10 Cardillac erstochen habe.

Es blieb dem Fräulein nichts anderes übrig,[7] als noch einmal zu Desgrais zu gehen und die neue Lage der Dinge mit ihm zu besprechen. Als sie in Desgrais Haus trat, sagten ihr die Diener, der Präsident sei plötzlich zum König nach Versailles gerufen worden. 15

Das Fräulein kehrte mit der unbestimmten [8] Ahnung nach Hause zurück, daß der Befehl des Königs in irgendeinem Zusammenhang mit dem Fall Brusson stehen müsse. Sie sollte bald genug erfahren, daß sie wieder einmal mit ihren Ahnungen recht gehabt hatte, denn vor ihrem Hause stand ein reisefertiger Wagen mit dem königlichen Wappen,[9] und im Hause empfing sie die aufregende Nachricht, daß sie 20 mit Madelon sofort zum König kommen solle. Auf die angstvollen Fragen Madelons, was dies alles bedeute, konnte die Scudery nur antworten, daß der König eine Entscheidung getroffen [10] hätte, denn der König habe es sonst immer vermieden,[11] mit ihr über den Fall Brusson zu sprechen, obwohl es ihm bekannt war, welche Rolle sie in dieser schwierigen Angelegenheit spielte. 25

Viel zu langsam für die Ungeduld der alten Dame und des jungen Mädchens brachte sie der Wagen des Königs nach Versailles, wo die beiden sofort in einen Saal geführt wurden, in dem Desgrais bereits [12] wartete. Sein Lächeln, noch kälter und höflicher als sonst, verriet nichts davon, daß er schon wußte, daß der König sich für Brusson entschieden [13] hatte, und daß Desgrais deswegen [14] äußerst wütend war. 30

Gefolgt von einem jungen Offizier, trat der König bald in den Saal, begrüßte die Damen und Desgrais, stellte dann den jungen Offizier, einen Grafen Oldain, vor und sagte: „Bitte, Graf Oldain, erzählen Sie unserem Polizeipräsidenten, was Sie mir gestern erzählt haben."

Graf Oldain wandte sich zu Desgrais, der ihn mit unbeweglicher [15] Miene [16] ansah. 35

---

[1] sie werde nicht sehr weit kommen, *she would not get far.* [2] die Verteidigung, —, *defense.* [3] mit Freuden, *with pleasure.* *[4] teils . . . teils, *partly . . . partly.* [5] entreißen, i, i, *tear away, snatch away.* [6] bestehen auf, bestand, bestanden, *insist.* *[7] Es blieb dem Fräulein nichts anderes übrig, als . . ., *There was nothing left for the lady to do but . . .* [8] unbestimmt, *vague.* [9] das Wappen, –s, —, *coat of arms.* [10] eine Entscheidung treffen, a o, *make a decision.* [11] vermeiden, ie, ie, *avoid.* *[12] bereits, *already.* [13] daß der König sich für Brusson entschieden hatte, *that the king had decided in favor of Brusson.* *[14] deswegen, *for that reason.* [15] unbeweglich, *fixed.* *[16] die Miene, —, -n, *expression.*

„Herr Präsident," begann er, „ich hätte schon vor langem zu Jhnen kommen sollen. Verzeihen Sie bitte, daß ich es nicht tat und so spät, von meinem Gewissen getrieben,[1] dem König alles entdeckte. Jch bin der Mann, der den Goldschmied Cardillac in der Nähe des Hauses des Fräulein von Scudery getötet hat. Jch weiß selbst nicht,

5 wie es kam, daß ich einen Verdacht auf den Meister hatte, als er mir voll sichtlicher[2] Unruhe einen Schmuck brachte, den ich bei ihm bestellt[3] hatte, und mich fragte, für wen der Schmuck bestimmt[4] sei. Als ich dann erfuhr, daß er auf recht listige[5] Weise meinen Diener ausfragte,[6] wann ich eine gewisse Dame zu besuchen pflegte, war ich sicher, daß er der Mörder und Räuber sei, der immer nur junge Kavaliere überfiel.

10 Jch trug deshalb einen leichten Brustharnisch[7] unter der Weste.[8] Es geschah, wie ich es erwartet hatte. Cardillac fiel mich von hinten an,[9] aber sein Dolchstoß glitt an dem Eisen[10] meines Panzers[11] ab.[12] Nun tötete ich ihn mit meinem Dolche, den ich in Bereitschaft[13] hielt."

„Der Dolch hat auf dem Griff den Buchstaben ‚O‘, und die Jnschrift: ‚Zieh

15 mich nicht ohne Grund, steck mich nicht ohne Ehre in die Scheide.‘ Diesen Dolch, Monsieur Desgrais, haben Sie bei Olivier gefunden. Als der Goldschmied Cardillac tödlich verwundet zusammenbrach, hörte ich jemand gelaufen kommen. Jch dachte, das wird der Helfer des Mörders sein, warf den Dolch hin und zog meinen Degen, um mich besser verteidigen zu können. Jm Mondlicht, nur einen Schritt von mir

20 entfernt, beugte sich ein junger Mensch über den verwundet am Boden Liegenden und versuchte, ihn aufzuheben. Nun hielt ich es für das Beste, mich zurückzuziehen, denn ich hoffte in diesen Tagen auf eine Beförderung, und der Tod des Goldschmiedes hätte mich in große Schwierigkeiten verwickelt.[14] Jch weiß nicht, wie ich Jhnen, Herr Präsident, hätte beweisen können, daß der geachtete[15] Schmied Cardillac in

25 Wirklichkeit ein Mörder war. Jch sagte nichts von der Sache, und als ich hörte, man habe den Gesellen des Schmiedes gefangen und hielte ihn für den Mörder der Kavaliere, dachte ich mir: Auch gut! Jst er nicht der Mörder des Schmiedes, so ist er doch sein Freund und Helfer und hat wahrscheinlich das Leben manches Kavaliers auf dem Gewissen. Trotzdem ließ mir aber der Gedanke keine Ruhe, daß er vielleicht doch

30 unschuldig wäre. Jch hörte von dem Interesse, das das Fräulein von Scudery für diesem Fall zeigte und sagte mir, wenn diese würdige Dame an die Unschuld des jungen Mannes glaubt, so dürfe ich nicht so sicher sein, daß er ein Mörder ist. Meine Nachforschungen schienen darauf hinzuweisen,[16] daß Olivier nichts mit den nächtlichen Raubmorden des Schmiedes zu tun hatte. Schließlich hielt ich es nicht länger aus,[17]

35 denn ich hörte, man werde in diesen Tagen Olivier auf der Folterbank zu einem Geständnis zwingen. Jch gestand Seiner Majestät dem König, daß ich den Schmied in der Notwehr[18] erstochen hatte."

---

[1] treiben, ie, ie, *drive.* [*2] sichtlich, *apparent, obvious.* [3] bestellen, *order.* [4] bestimmt sein, war, gewesen (ist), *be intended.* [5] listig, *sly.* [6] ausfragen, *question.* [7] der Brustharnisch, –s, –e, *breastplate.* [8] die Weste, —, –n, *vest.* [9] anfallen, ie, a, *attack.* [*10] das Eisen, –s, *iron.* [11] der Panzer, –s, —, *armour.* [12] abgleiten, i, i, *glance off.* [13] die Bereitschaft, —, *readiness.* [14] verwickeln, *involve.* [15] geachtet, *respected.* [16] hinweisen auf, ie, ie, *indicate.* [17] aushalten, ie, a, *bear, resist.* [18] die Notwehr, —, *self-defence.*

Graf Oldain schwieg, und der König winkte einem Diener, dem er einen geflüster=
ten Befehl gab. Der Diener entfernte sich sofort, und der König wandte sich an
Desgrais. „Sie sehen nun, Desgrais, daß Cardillac nicht ermordet wurde, sondern
nur seinen gerechten [1] Lohn [2] empfing. Heute morgen war D'Andilly bei mir in
Versailles, und ich habe von ihm die seltsame und traurige Geschichte Olivier Brussons [5]
erfahren. Die Gewissensqualen [3] des jungen Menschen haben unser tiefes Mit=
leid erregt. Die Gewissensnot und die Kerkerhaft [4] sind Strafe genug für Olivier
Brusson, dem hiermit die Gnade seines Königs die Freiheit wiedergibt. Desgrais,
schicken Sie Olivier Brusson in das Haus des Fräuleins von Scudery! Sorgen [5]
Sie dafür, daß er einen Reisepaß [6] erhält, und geben Sie ihm all sein konfisziertes [10]
Eigentum [7] zurück!"

Bei diesen Worten wollte Madelon vor dem König in die Knie fallen, aber der
verhinderte es, und als er Tränen in den Augen des schönen Mädchens sah, sagte er
lächelnd: „Nun ist ja alles gut, und wie hätte es anders sein können, denn wen die
Liebe in Schutz nimmt, der hat den mächtigsten Helfer auf seiner Seite. Ich weiß, [15]
Sie haben schwer gelitten, Madelon, aber bedenken Sie auch dies: In meinem
ganzen Königreich könnte ich keine bessere mütterliche Freundin für Sie finden als
unser Fräulein von Scudery, und deren Liebe hat Ihnen der Himmel in Ihrer
größten Not geschenkt."

In diesem Augenblick erschien der Diener, den der König fortgeschickt hatte, mit [20]
einem Schriftstück.[8] König Ludwig unterzeichnete [9] es und gab es Madelon in die
Hand. „Lassen Sie sich hierfür von meinem Schatzmeister [10] Ihre Mitgift [11] aus=
zahlen,[12] heiraten Sie Ihren Olivier, aber dann verlassen Sie beide Paris! Das ist
mein Wille!"

Wenige Tage später wurde Madelons und Oliviers Hochzeit im Hause des Fräu= [25]
leins von Scudery gefeiert,[13] und dann verließ das junge Paar die Hauptstadt, um
sich in Avignon niederzulassen.[14] Wäre es auch nicht des Königs Wille gewesen,
Brusson hätte doch nicht in Paris bleiben können, wo ihn alles an jene entsetzliche
Zeit der Mordtaten Cardillacs erinnerte. Begabt [15] mit großer Geschicklichkeit [16] in
seinem Handwerk, wurde er bald ein angesehener Meister in Avignon. [30]

Ein Jahr nach der Abreise des jungen Paares erschien eine öffentliche Bekannt=
machung,[17] daß alle, die bis zum Jahre 1680 durch Überfall auf der Straße Schmuck=
stücke verloren hätten, sich bei der Polizei melden sollten, wo man ihnen ihr Eigentum
zurückgeben werde. Die Juwelen der Ermordeten, die von den Angehörigen [18] nicht
abgeholt wurden, übergab der Staat der Kirche St. Eustache. Unter diesen Juwelen [35]
befand sich auch das Juwelenkästchen des Fräuleins von Scudery.

---

*[1] gerecht, *just.* [2] der Lohn, –es, *reward.* [3] die Gewissensqualen (pl.), *anguish of conscience.*
[4] die Kerkerhaft, —, –en, *imprisonment.* [5] sorgen für, *see to.* [6] der Reisepaß, –es, ≈e, *passport.*
[7] das Eigentum, –s, ≈er, *possessions, property.* [8] das Schriftstück, –es, –e, *document.* [9] unter=
zeichnen, *sign.* [10] der Schatzmeister, –s, —, *treasurer.* [11] die Mitgift, —, *dowry.* [12] auszahlen, *pay
out.* *[13] feiern, *celebrate.* *[14] sich niederlassen, ie, a, *settle, establish oneself.* *[15] begabt, *gifted,
endowed.* *[16] die Geschicklichkeit, —, *skill.* *[17] die Bekanntmachung, —, –en, *announcement.*
*[18] der Angehörige, –n, –n, *relative.*

A. Practice Sentences:

1. Im Nu hatte er den Degen gezogen und begann, mit uns beiden zu kämpfen, wie ich noch nie einen Mann habe kämpfen sehen.

2. Hatte er auch in der Regel wenig Geld, so war er doch immer gut angezogen und wurde zu vielen Gesellschaften eingeladen.

3. Es wäre mir am liebsten gewesen, wenn er uns gesagt hätte, worum es sich in diesem Fall handelt.

4. Darf ich Sie darauf aufmerksam machen, daß der Herr im grauen Mantel der König selbst ist?

5. Meiner Meinung nach können wir ihm helfen, ohne ihn wissen zu lassen, woher die Hilfe kommt.

6. Sie können sich nicht vorstellen, wie mir zumute war, als ich das hörte.

7. Der Vorschlag gefiel mir; ich sagte ihm aber, es würde wahrscheinlich niemand anders als Richard geneigt sein, uns das Geld zu geben.

8. Das Fräulein ist im Begriff auszugehen. Können Sie nicht später wieder= kommen?

9. Jahrelang habe ich darauf gewartet, einmal nach Europa fahren zu können. Sie müssen wissen, ich bin in meinem Leben noch nie auf einem großen Dampfer ge= wesen und fremde Länder kenne ich nur aus Büchern und Filmen.

10. Wir brauchen eine intelligente Sekretärin: Fräulein Müller kann nicht steno= graphieren, Fräulein Klein ist nach dem ersten Interview nicht wiedergekommen, Fräulein Witkop kann nachmittags nicht arbeiten — haben Sie sonst jemand auf der Liste, der in Frage käme?

B. Securing the Vocabulary:

1. greifen
   der Griff
   begreifen
   der Begriff
   im Begriff sein
   ergreifen
   angreifen
   der Angreifer
   der Angriff
2. fließen
   der Fluß
   der Einfluß
3. irgendein
   irgendetwas
   irgendjemand
   irgendwie
   irgendwo
4. die Ehre
   ehrgeizig

   ehrlich
   ehrwürdig
   der Ehrentitel
   Geehrtes Fräulein
   verehren
5. dienen
   der Diener
   die Dienerin
   der Dienst
   verdienen
6. binden
   die Verbindung
   das Band
   die Bande
   das Bündel
7. teilen
   der Teil
   zum Teil
   teils . . . teils

   teilweise
   die Abteilung
   der Anteil
   aufteilen
   mitteilen
8. schlagen
   der Schlag
   der Schlaganfall
   der Vorschlag
   der Tennisschläger
   die Schlägerei
   einschlagen
   erschlagen
9. die Schuld
   die Schulden (pl.)
   schuld sein
   der Schuldige
   die Unschuld
   unschuldig

entschuldigen
die Entschuldigung
10. geben
das Ergebnis
angeben
die Angabe
angeblich

aufgeben
die Aufgabe
vergeben
vergeblich
ausgeben
nachgeben

übergeben
zugeben
zurückgeben
mitgeben
die Mitgift
begabt

APPENDIX

1. Pronunciation

The pronunciation of German sounds does not offer insuperable difficulties for the speaker of English. You will be able to acquire a good pronunciation quickly by observing and imitating carefully the pronunciation of your instructor, at the same time bearing in mind the following characteristic features of German pronunciation in general. 1) Your instructor uses his lips more freely; 2) he enunciates words more clearly and distinctly than you do in English; 3) German short sounds are really short, and long sounds lack the gliding sound found in such English words as *so^u*. 4) In speaking or reading a sentence the individual words appear as distinct units and are rarely run together as you do in *That'senough*. In the case of words beginning with a vowel, the air flow is stopped just long enough to prevent the final consonant of the preceding word to merge with the vowel of the following word. Observe what appear to be very short pauses between the words: **Hier / ist / er.**

German and English use the same letters of the alphabet, but these letters do not represent necessarily the same sounds in both languages. For the most part, then, you will have to identify the familiar letters with different sound values. But since German spelling is more nearly phonetic than English you will have to learn in most instances only one sound for each letter. Note that in English the letter *a* has various pronunciations such as *arm, map, care,* etc. This is not the case in German.

Vowels: Accented German vowels are either long or short. They are long when followed by one consonant or **h** (**gut, wahr**) and when doubled **ee** (**Tee**). The combination **ie** (**hier**) represents a long *i* sound as English *ee*. A number of common words, however, have a short vowel, even though only one consonant follows: **an, des, das, es, hat, in, man, mit, um, was.**

a symbolizes the sound of long *a* as in *far* or short *a* as in *artistic*.

e symbolizes the sound of long *a* as in *gate* without the off-glide or short *e* as in *net*.

  In a final syllable and in the prefixes **be-, ge-** the **e** is very short as *a* in *about*.

i symbolizes the sound of long *i* as in *machine* or short *i* as in *it*.

o symbolizes the sound of long *o* as in *old* (but without the *u*-glide) or short *o* as in *Ford* if *o* is pronounced short.

u symbolizes the sound of long *oo* as in *moon* or short *oo* as in *book*.

  Three vowel symbols are new to you; only two, however, represent sounds which do not occur in English.

ö Long ö: Pronounce *a* in *gate*, but without the off-glide; now round and protrude your lips keeping the tongue in the same position. Pronounce long ö in **schön.**

  Short ö: Pronounce *e* in *get* with rounded lips (**öffnen**).

ü Long **ü:** Pronounce *ee* in *bee;* now round and protrude your lips keeping the tongue in the same position. Pronounce long **ü** in **natürlich.**
   Short **ü:** Pronounce *i* in *fin* with rounded lips (**fünf**).
ä You will have no difficulty with the pronunciation of this vowel. The long **ä** symbolizes the *a*-sound in *bear* (**trägt**). The short **ä** sounds like *e* in *net* (**älter**).
   The above three vowels are known as umlaut or modified vowels. The modified vowel is indicated by two dots or, rarely, by the original vowel and **e** (**Goethe**).

The vowel combinations **ei, au, äu** and **eu,** called diphthongs, roughly correspond in sound to the English diphthongs *ai, ou,* and *oi.*

   ei is similar to *ai* in *aisle*
   au is similar to *ou* in *house*
   äu, eu are similar to *oi* in *oil* pronounced with rounded lips.

Incidentally, you may get mixed up in the pronunciation of **ei** and **ie.** Associate in your mind **ei** with English *height* and **ie** with English *field.* This will help you to distinguish between **ei** as *ai* in *aisle* and **ie** as *i* in *machine.*

Consonants
   The consonants **f, h, k, m, n, p, t** are pronounced alike in English and in German: (Note: **h** is silent in German when it appears in medial or final position; in the ending **–tion, t** is pronounced **ts** — **Konversation**).
   b, d and **g** at the beginning of a word or syllable are pronounced as in English; however at the end of a word or syllable and before **–s** or **–t, b** is pronounced like **p** (**halb, Herbst**), **d** like **t** (**gesund**), and **g** like **k** (**Tag**). (Note: **ng** is pronounced as *ng* in *singer*, not as in *finger:* **g** in the uninflected suffix **–ig** is pronounced as **ch** in **ich** (**wenig**).
   There is a distinct difference between the pronunciation of the English and German **l.** Pronounce in succession *full* and *William.* The sound of *l* in *William* resembles very much the German l-sound where the tip of the tongue is pressed against the upper teeth (**Held, alt, lesen**). Can you pronounce the German word **hell,** meaning *bright,* without any resemblance to the *l*-sound in the English word which is spelled the same way?
   German has two pronunciations for **r,** the uvular and the tongue-tip **r.** The latter is recommended because it is easy to acquire. It is produced by placing the tip of the tongue against the palate just above the front teeth and then causing it to vibrate. You will observe varying degrees of clarity of the **r**-sound depending on the position of the **r** in a word. It is most distinct when followed by a vowel. (**Richard, braun, fragen**). It is pronounced less distinctly if it is preceded by a vowel. This is especially the case when it is preceded by a *long* vowel and in the combination **er** in unaccented position when the **r** has a kind of a vowel sound (**wir, nur, natürlich, Geburtstag; aber, Vater, Mutter**).
   s is pronounced like *z* in *zeal* when followed by a vowel (**sagen, sie, lesen**); like *s* in *hiss* at the end of a syllable, before a consonant or when double (**Hans,**

ist, Fuß). Observe the pronunciation of s in the following combinations: **sch** as *sh* in *shy* (**Schulter**); **sp** and **st** at the beginning of a word or syllable as **shp** (**sprechen**) and **sht** (**Student**) respectively.

There are a few letters which represent entirely different sounds in German and deserve your special attention:

j   is similar to *y* in *yes* (**ja, Jahr**).

v   indicates the sound of *f* as in *fine* (**von, Vater**).

w   Whenever you see a **w** in German pronounce it as English *v* in *vain* (**wahr, was**).

z , tz   have the same sound value as *ts* in *rats, nuts* (**Anzug, jetzt**). Pay particular attention to the pronunciation of **z** in initial position (**zehn, zu, Zeit**).

ch   Pronounce the *h* in *hew* with the tip of the tongue pressed against the lower teeth; at the same time raise your tongue and breathe out and pronounce **ich, nicht, sprechen, nächsten**.

The sound you have just practiced (the so-called **ich**-sound) is used in all positions except when preceded by **a, o, u,** and **au**. In the latter position the so-called **ach**-sound is used. It is produced farther back in the mouth with the back part of the tongue raised toward the middle of the soft palate. Now press the tip of your tongue against your lower front teeth, arch your tongue as if you were to say **k**. Then breathe out, allowing the air to pass through the narrow space between the tongue and the roof of the mouth and say: **ach, noch, auch.**

The Alphabet

You are now ready to pronounce and memorize the names of the letters of the alphabet:

a	ah	h	hah	o	oh*	v	fow
b	ba(y)*	i	ee	p	pa(y)*	w	va(y)*
c	tsa(y)*	j	yot	q	koo	x	iks
d	da(y)*	k	kah	r	er (as in errand)	y	ü′psilon
e	a(y)*	l	ell	s	ess	z	tset
f	eff	m	emm	t	ta(y)*		
g	ga(y)*	n	enn	u	oo		

2. German Print

The so-called Gothic type is used in most German books and newspapers.

a) Pay particular attention to the two confusing letters f (f) and ſ (s). Notice the f is crossed.

b) Observe the different symbols which the Gothic type employs for the Roman type **s**.

long ſ is used

1. at the beginning of words not capitalized (ſeit).

* There is no off-glide to **i** or **u**.

2. at the beginning of syllables (le=fen).
3. in the combinations ſch, ſp, ſt (ſchon, ſpät, aufſtehen).

final $ is used
1. at the end of words (etwas).
2. at the end of syllables where the $ marks the end of the word (Aus=ſicht).

double ſſ is used between two vowels, the first of which is short (laſſen).

ß (called eß=tſet) is used in place of double ſſ
1. after a long vowel or diphthong (Straße, außerdem).
2. before t (mußte).
3. at the end of words (weiß).

THE ALPHABET IN GOTHIC AND ROMAN TYPE

𝔄	a	A	a	ℑ	i	J	j	𝔖	s ſ	S	s
𝔅	b	B	b	𝔎	k	K	k	𝔗	t	T	t
ℭ	c	C	c	𝔏	l	L	l	𝔘	u	U	u
𝔇	d	D	d	𝔐	m	M	m	𝔅	v	V	v
𝔈	e	E	e	𝔑	n	N	n	𝔚	w	W	w
𝔉	f	F	f	𝔒	o	O	o	𝔛	x	X	x
𝔊	g	G	g	𝔓	p	P	p	𝔜	y	Y	y
𝔥	h	H	h	𝔔	q	Q	q	ℨ	z	Z	z
ℑ	i	I	i	𝔑	r	R	r				

3. Punctuation

Most marks of punctuation in German are used as in English. Notice, however, the following principal differences:

(1) The **Comma** is used:

(a) between two independent clauses, when the clauses have different subjects:

Richard bleibt zu Hause und schreibt einen Brief.
Anna besucht Richard, und Gretel macht Einkäufe.

(b) to set off all subordinated clauses (relative and dependent clauses):

Das Halsband, das Anna zu jedem Kleid trägt, ist Richards Geschenk.
Richard freut sich, daß Anna zum Galaball kommt.

(c) to set off infinitive phrases if the infinitive is modified:

Anna ist Verkäuferin, um sich ein bißchen Geld zu verdienen.
but:

Er versuchte zu lesen.

Notice that the comma is not used before **und** and **oder** when they connect the last two parts of a series of words:

Sie liest Richards Brief morgens, mittags und abends.
Kaufen Sie ihr ein Kleid, einen Schmuckartikel oder einen Pelzmantel?

The comma is not used with parenthetical words:

Robert ist aber nicht gekommen.

It is not used to set off adverbs and adverbial phrases of time and place at the beginning of a sentence:

Später werde ich den Brief beenden.

(2) The **Exclamation Point** must be used:

(a) after the salutation in a letter:

Lieber Vater!

(b) after commands and requests:

Kommen Sie bitte rechtzeitig!

(3) **Quotation Marks** are used as in English, with the exception that the first ones are placed below at the beginning of the quotation:

Der Fremde sagte: „Sind Sie Berufsspieler?"

(4) A double **Hyphen** (⸗) instead of the single hyphen (-) is used in German print.

4. Syllabification

Words at the end of a line are divided into syllables according to pronunciation.

(a) A single consonant between vowels belongs to the syllable with the second vowel:

le-sen, lau-fen, lie-ber, Va-ter

(b) If two or more consonants stand between vowels, only the last one is carried over:

Mut-ter, fal-len, sin-gen, wach-sen, Verwand-te, Kat-ze, wis-sen

But **ß, ch, ph, st** are never divided:

Stra-ße, la-chen, Fi-sche, Geogra-phie, Fen-ster

If, however, the **t** is part of the ending (past tense of weak verbs), the two are separated: **reis-te.**

ck is separated into **k-k: Zuk-ker.**

(c) Compound words are separated into various elements of which they are made up and according to the rules given above:

Haus-ein-gang, Be-weg-grund, her-auf-ge-holt

5. Normal Word Order (The subject is followed by the verb.)

$\overset{1}{}\quad\overset{2}{}\quad\overset{3}{}\quad\overset{4}{}$

(a) Sie verkaufte der alten Dame einen Pelzmantel.

$\overset{1}{}\quad\overset{2}{}\;\overset{5}{}\;\overset{6}{}\quad\overset{7}{}\quad\overset{8}{}\quad\overset{9}{}$

(b) Sie hat ihn ihr gestern im Warenhaus gezeigt.

    1   2   5   3   9

(c) Sie hat ihn der alten Dame verkauft.

    1   2   7   4   9   10

(d) Er stellt jetzt das Radio im Schlafzimmer an.

    1   2   5   7   10 11

(e) Er kann es jetzt anstellen.

    1   2   4   11   11

(f) Er hat das Radio anstellen wollen.

Note: Each of the numbers used above represents a part of the sentence.

  1 — subject
  2 — inflected part of the verb
  3 — dative (noun) object
  4 — accusative (noun) object
  5 — accusative (pronoun) object
  6 — dative (pronoun) object
  7 — adverb of time
  8 — adverbial expression of place
  9 — past participle
10 — separable prefix
11 — infinitive (In the case of a double infinitive construction, the infinitive of the modal auxiliary stands last.)

General Rules for Position

Verb: The past participle and the infinitive, as well as the separable prefix, must stand in the last place in main clauses and infinitive clauses.

Object: Of two noun objects the dative object precedes the accusative object.

Of two pronoun objects the accusative object precedes the dative object.

Of one pronoun and one noun object the pronoun precedes the noun object.

Adverbs: An adverb of time precedes that of place.

An adverb of time immediately follows the inflected part of the verb; but if the dative or accusative object in the sentence is a pronoun, the latter precedes the adverb of time.

An adverbial expression of place, such as **in der Schule, zu Hause, im Zimmer,** stands as close to the end of the sentence as other rules permit.

6. Inverted Word Order (The finite verb precedes the subject.)

(1) It is used in questions and imperatives of the conventional form.

        2   1

(a) Verkauft sie der Dame den Pelzmantel?

      2   1

(b) Zeigen Sie ihn ihr!

(2) It is used when the subject does not begin the sentence.

          2   1

(a) Der Dame verkaufte sie den Pelzmantel.

        2 1

(b) Gestern hat sie ihn ihr verkauft.

(c) Im Schlafzimmer stellt er das Radio an.

(d) Das Radio hat er im Schlafzimmer anstellen wollen.

Ja and **Nein,** which may precede a sentence, do not change the word order.

Ja, er kann es jetzt anstellen.

(3) Often the dependent clause precedes the independent clause. In such cases, the inverted word order is used in the independent clause.

Als er seinen Freund sah, gab er ihm das Buch.

(4) **Wenn,** introducing a conditional clause, may be omitted. In such a case, the inverted word order must be employed.

Wenn ich das gewußt hätte, wäre ich nicht gegangen.

Hätte ich das gewußt, wäre ich nicht gegangen.

7. Transposed Word Order (The inflected part of the verb stands at the end of the dependent clause.)

(1) Transposed word order is used after subordinating conjunctions:

1. als — when (*referring to a single event in the past*)
2. bis — until, till
3. da — since (*causal*)
4. damit — in order that
5. daß — that
6. ehe, bevor — before
7. nachdem — after
8. ob — whether
9. obgleich, obwohl — although
10. seit — since (*temporal*)
11. trotzdem — in spite of the fact that
12. während — while (*temporal*)
13. weil — because, since (*causal*)
14. wenn — if, when, whenever
15. wie — how (*if used in indirect questions*)
16. wo — where ("   "   )
17. wann — when ("   "   )

als er eintrat.

während mein Bruder arbeitete.

Ich sprach nicht mit meinem Freund, weil er arbeiten mußte.

weil er hat arbeiten müssen.

Note: 1. In clauses with transposed word order separable prefixes are not separated (—, **als er eintrat**).

2. If the double infinitive construction is used, the inflected part of the verb stands in the third place from the end (—, **weil er hat arbeiten müssen**).

3. In an indirect statement the **daß** may be omitted. If this is the case, the normal word order is employed.

Er sagt, daß er mit seinem Freund gesprochen habe.
Er sagt, er habe mit seinem Freund gesprochen.

(2) Transposed word order is used in relative clauses:

Ich sprach mit meinem Freund, der das Buch mitgebracht hat.

(3) Transposed word order is used in indirect questions:

Wissen Sie, wie alt er ist?
Wissen Sie, wo er vor einem Jahr gewohnt hat?

8. Position of *nicht*

The position of **nicht** varies widely.

(a) If it is used to negate the entire sentence, it stands as close to the end of the sentence as rules permit.

(b) If **nicht** modifies a certain element of the sentence, it precedes this element.

Er hat es seinem Freund nicht gegeben.
Er geht heute nicht ins Kino.
Sie hat ihr nicht das Kleid, sondern den Pelzmantel verkauft.
Nicht Neumann, sondern Niemann war Berufsspieler in Florida.

9. Co-ordinating Conjunctions

After the co-ordinating conjunctions **aber** *but*, **allein** *however*, **denn** *for*, **entweder ... oder** *either ... or*, **oder** *or*, **sondern** *but*, **und** *and*, **weder ... noch** *neither ... nor*, normal word order is employed.

Aber ich werde zu Hause bleiben, denn es regnet schon.
Sie weiß, daß er es nicht selbst getan hat, sondern daß wir ihm geholfen haben.

10. Adjectives

Adjectives are divided into (1) limiting and (2) descriptive adjectives.

Limiting adjectives limit an object or person in regard to gender, number, and case. The limiting adjectives are (a) the definite article (§11) and the **der**-words (§12), (b) the indefinite article (§13) and the **ein**-words (§14).

Ordinary adjectives such as **schön, alt,** and **groß** are called descriptive adjectives (§15) because they serve to indicate the quality or condition of an object or a person.

11. The Definite Article

| | SINGULAR | | | PLURAL |
	MASCULINE	FEMININE	NEUTER	ALL GENDERS
NOMINATIVE:	der	die	das	die
ACCUSATIVE:	den	die	das	die
DATIVE:	dem	der	dem	den
GENITIVE:	des	der	des	der

12. The der-Words

The **der**-words are declined like the definite article. In the following the forms of the nominative singular for the three genders are given:

dieser, diese, dieses	*this*
jener, jene, jenes	*that*
jeder, jede, jedes	*each, every*
welcher, welche, welches	*which, what*
solcher, solche, solches	*such a*
mancher, manche, manches	*many a*

	SINGULAR			PLURAL
	MASCULINE	FEMININE	NEUTER	ALL GENDERS
NOMINATIVE:	dieser Bruder	diese Tür	dieses Haus	diese Brüder
ACCUSATIVE:	diesen Bruder	diese Tür	dieses Haus	diese Brüder
DATIVE:	diesem Bruder	dieser Tür	diesem Haus	diesen Brüdern
GENITIVE:	dieses Bruders	dieser Tür	dieses Hauses	dieser Brüder

13. The Indefinite Article

	SINGULAR			PLURAL
	MASCULINE	FEMININE	NEUTER	ALL GENDERS
NOMINATIVE:	ein	eine	ein	keine
ACCUSATIVE:	einen	eine	ein	keine
DATIVE:	einem	einer	einem	keinen
GENITIVE:	eines	einer	eines	keiner

14. The ein-Words

The **ein**-words are declined like the indefinite article. In the following list the forms of the nominative singular for the three genders are given.

kein, keine, kein	*no, not any*
mein, meine, mein	*my*
dein, deine, dein	*your*
sein, seine, sein	*his*
ihr, ihre, ihr	*her*
sein, seine, sein	*its*
unser, unsere, unser	*our*
euer, euere, euer	*your*
ihr, ihre, ihr	*their*
Ihr, Ihre, Ihr	*your*

	SINGULAR			PLURAL
	MASCULINE	FEMININE	NEUTER	ALL GENDERS
NOMINATIVE:	mein Bruder	keine Tür	Ihr Haus	meine Brüder
ACCUSATIVE:	meinen Bruder	keine Tür	Ihr Haus	meine Brüder
DATIVE:	meinem Bruder	keiner Tür	Ihrem Haus	meinen Brüdern
GENITIVE:	meines Bruders	keiner Tür	Ihres Hauses	meiner Brüder

15. Descriptive Adjectives

For the sake of convenience the declension of the descriptive adjective is divided into three classes:

Class I: No limiting adjective precedes the descriptive adjective (**junger Mann**).

Class II: A limiting adjective, namely the definite article or one of the **der**-words, precedes the descriptive adjective (**der junge Mann, dieses schöne Haus**).

Class III: A limiting adjective, namely the indefinite article or one of the **ein**-words, precedes the descriptive adjective (**ein junger Mann, mein schönes Haus**).

Note 1: Every descriptive adjective when used attributively, *i.e.* preceding a noun, whether in the positive, comparative, or superlative, takes an ending.

Note 2: Descriptive adjectives may be used as nouns. They retain their adjective declension.

Class I: **Armer,** *poor man;* **Arme** (pl.) *poor people*
Class II: **der Arme,** *the poor man* (*boy*)
Class III: **ein Armer,** *a poor man*

16. Class I:

No limiting adjective precedes the descriptive adjective. The endings are those of the definite article with the exception of the genitive masculine and neuter.

	SINGULAR			PLURAL
	MASCULINE	FEMININE	NEUTER	ALL GENDERS
NOMINATIVE:	reifer Apfel	rote Tinte	gutes Kind	reife Äpfel
ACCUSATIVE:	reifen Apfel	rote Tinte	gutes Kind	reife Äpfel
DATIVE:	reifem Apfel	roter Tinte	gutem Kind	reifen Äpfeln
GENITIVE:	reifen Apfels	roter Tinte	guten Kindes	reifer Äpfel

17. Class II:

The definite article or one of the **der**-words precedes the descriptive adjective.

	SINGULAR		
	MASCULINE	FEMININE	NEUTER
NOMINATIVE:	der gute Bruder	jene kleine Tür	dieses schöne Haus
ACCUSATIVE:	den guten Bruder	jene kleine Tür	dieses schöne Haus
DATIVE:	dem guten Bruder	jener kleinen Tür	diesem schönen Haus
GENITIVE:	des guten Bruders	jener kleinen Tür	dieses schönen Hauses

PLURAL

ALL GENDERS

NOMINATIVE:	die guten Brüder
ACCUSATIVE:	die guten Brüder
DATIVE:	den guten Brüdern
GENITIVE:	der guten Brüder

18. Class III:

The indefinite article or one of the **ein**-words precedes the descriptive adjective.

SINGULAR

	MASCULINE	FEMININE	NEUTER
NOMINATIVE:	ein guter Bruder	keine kleine Tür	Ihr schönes Haus
ACCUSATIVE:	einen guten Bruder	keine kleine Tür	Ihr schönes Haus
DATIVE:	einem guten Bruder	keiner kleinen Tür	Ihrem schönen Haus
GENITIVE:	eines guten Bruders	keiner kleinen Tür	Ihres schönen Hauses

PLURAL

ALL GENDERS

NOMINATIVE:	meine guten Brüder
ACCUSATIVE:	meine guten Brüder
DATIVE:	meinen guten Brüdern
GENITIVE:	meiner guten Brüder

19. Numeral Adjectives

alle	*all*	etliche	*some*
andere	*other*	manche	*many*
beide	*both*	mehrere	*several*
einige	*a few, some*	viele	*many*
	wenige	*few*	

These numeral adjectives are used mostly in the plural and take the endings of the descriptive adjective of Class I (*see above*).

NOMINATIVE:	einige Bücher
ACCUSATIVE:	einige Bücher
DATIVE:	einigen Büchern
GENITIVE:	einiger Bücher

If any of the above numeral adjectives, except **alle** (*see below*), is followed by a descriptive adjective, the latter may take the plural endings of either Class I or Class II in the nominative or accusative cases. Usage favors the endings of Class II after **beide** and **manche,** the endings of Class I after the others. In the genitive and dative cases the adjective takes the endings of Class II.

NOMINATIVE:	manche guten Bücher	viele gute Bücher
ACCUSATIVE:	manche guten Bücher	viele gute Bücher
DATIVE:	manchen guten Büchern	vielen guten Büchern
GENITIVE:	mancher guten Bücher	vieler guten Bücher

Exception: If **alle** is followed by a descriptive adjective, the latter takes the endings of Class II:

NOMINATIVE:	alle guten Bücher
ACCUSATIVE:	alle guten Bücher

DATIVE: allen guten Büchern
GENITIVE: aller guten Bücher

20. Comparison of Descriptive Adjectives

Formation of the comparative and superlative degrees:

(a) The comparative is formed by adding –er, the superlative by adding –st to the positive. Adjectives ending in d or t or a sibilant (s, ß, tz, z) add –est for the superlative.

POSITIVE: klein   schlecht
COMPARATIVE: kleiner   schlechter
SUPERLATIVE: kleinst–   schlechtest–

(b) Adjectives ending in –el, –en, –er drop the e in the comparative, but retain it in the superlative.

POSITIVE: dunkel
COMPARATIVE: dunkler
SUPERLATIVE: dunkelst–

(c) Many monosyllabic adjectives take on an umlaut in the comparative and superlative, *e.g.* alt, älter, ältest–, am ältesten.

(d) The following forms of comparison are irregular:

POSITIVE		COMPARATIVE	SUPERLATIVE
groß	*big*	größer	größt–
gut	*good*	besser	best–
hoch	*high*	höher	höchst–
nah	*near*	näher	nächst–
viel	*much*	mehr	meist–

21. The Adverb *gern*

The three degrees of gern are: gern, lieber, am liebsten.

Ich trinke Wasser gern.   *I like to drink water.*
Ich trinke Milch lieber.   *I prefer to drink milk.*
Ich trinke Tee am liebsten.   *I like to drink tea best of all.*

22. Declension of the Comparative and Superlative

When a descriptive adjective in the comparative or superlative is used as an attribute, *i.e.* preceding a noun, it takes the same endings as the adjective in the positive degree.

POSITIVE: das alte Haus
COMPARATIVE: das ältere Haus
SUPERLATIVE: das älteste Haus

23. Predicate and Adverbial Forms of the Adjective

(a) in the positive and comparative degrees:

When a descriptive adjective in the positive or comparative is used as a predicate adjective or as an adverb, it is not inflected.

PREDICATE FORM: Die Universität ist alt.
                 Unsere Universität ist älter.
ADVERBIAL FORM: Paul läuft schnell.
                 Richard läuft schneller.

(b) in the superlative degree:

When a descriptive adjective is used as a predicate adjective or as an adverb,
the superlative form consists of **am** + the superlative form with –**en** (**am ältesten,
am schnellsten**).

PREDICATE FORM: Unsere Universität ist am ältesten.
ADVERBIAL FORM: Richard läuft am schnellsten.

24. Personal pronouns

SINGULAR

					MASCULINE	FEMININE	NEUTER
NOMINATIVE:	ich	*I*	du	Sie	er	sie	es
ACCUSATIVE:	mich	*me*	dich	Sie	ihn	sie	es
DATIVE:	mir	*(to) me*	dir	Ihnen	ihm	ihr	ihm
GENITIVE:	meiner	*of me*	deiner	Ihrer	seiner	ihrer	seiner

PLURAL

					ALL GENDERS
NOMINATIVE:	wir	*we*	ihr	Sie	sie
ACCUSATIVE:	uns	*us*	euch	Sie	sie
DATIVE:	uns	*(to) us*	euch	Ihnen	ihnen
GENITIVE:	unser	*of us*	euer	Ihrer	ihrer

Note: If a personal pronoun is governed by a preposition and refers to an inanimate thing, it is replaced by **da**– (**dar**– before a vowel) in both the singular
and plural:

Wir haben eine Villa mit einer Terrasse davor.
Die Bühne; es sind ein paar Bänke darauf.

25. Prepositions with the Genitive

Among the common prepositions that govern the genitive are:

(an)statt	*instead of*	trotz	*in spite of*
außerhalb	*outside of*	oberhalb	*above*
diesseits	*this side*	unterhalb	*below*
innerhalb	*inside of*	während	*during*
jenseits	*beyond*	wegen	*on account of*

26. Prepositions with the Accusative

bis	*until, up to, as far as*	gegen	*towards, against*
durch	*through, by means of*	ohne	*without*
für	*for*	um	*around, about, at*

wider   *against, in opposition to*

27. Prepositions with the Dative

aus	*out of, from*	nach	*after, to, toward, according to*
außer	*besides, except*	seit	*since*
bei	*at, near, with, at the home of*	von	*from, of, by*
mit	*with, together with, at*	zu	*to, at*

28. Prepositions with the Dative or Accusative

an	*at, to, on, near, by*	neben	*beside, close by*
auf	*on, upon, at, in, on top of*	über	*over, above, about, concerning*
hinter	*behind*	unter	*under, among*
in	*in, into, at, within*	vor	*before, in front of, ago*
	zwischen	*between*	

29. Paradigm of *sein,* to be

Principal parts: sein, war, ich bin gewesen, er ist.

	INDICATIVE	SUBJUNCTIVE	
		I	II
PRESENT	*I am,* etc.		
	ich bin	sei	wäre
	du bist	seiest	wärest
	er ist	sei	wäre
	wir sind	seien	wären
	ihr seid	seiet	wäret
	sie sind	seien	wären
SIMPLE PAST	*I was*		
	ich war		
	du warst		
	er war		
	wir waren		
	ihr wart		
	sie waren		
PRESENT PERFECT	*I have been; I was*		
	ich bin gewesen	sei gewesen	wäre gewesen
	du bist gewesen	seiest gewesen	wärest gewesen
	er ist gewesen	sei gewesen	wäre gewesen
	wir sind gewesen	seien gewesen	wären gewesen
	ihr seid gewesen	seiet gewesen	wäret gewesen
	sie sind gewesen	seien gewesen	wären gewesen
PAST PERFECT	*I had been*		
	ich war gewesen		
	du warst gewesen		
	er war gewesen		

wir waren gewesen
ihr wart gewesen
sie waren gewesen

FUTURE   *I shall be*
           ich werde sein   werde sein   würde sein
           du wirst sein   werdest sein   würdest sein
           er wird sein   werde sein   würde sein

           wir werden sein   werden sein   würden sein
           ihr werdet sein   werdet sein   würdet sein
           sie werden sein   werden sein   würden sein

FUTURE   *I shall have been*
PERFECT   ich werde gewesen sein   werde gewesen sein   würde gewesen sein
           du wirst gewesen sein   werdest gewesen sein würdest gewesen sein
                etc.   etc.   etc.

IMPERATIVES: FAMILIAR, SINGULAR: sei! *be*
                         PLURAL: seid!

CONVENTIONAL FORM OF ADDRESS: seien Sie!

30. Paradigm of *haben,* to have

Principal parts: haben, hatte, ich habe gehabt, er hat

| | INDICATIVE | SUBJUNCTIVE | |
		I	II
PRESENT	*I have,* etc.		
	ich habe	habe	hätte
	du hast	habest	hättest
	er hat	habe	hätte
	wir haben	haben	hätten
	ihr habt	habet	hättet
	sie haben	haben	hätten
SIMPLE PAST	*I had*		
	ich hatte		
	du hattest		
	er hatte		
	wir hatten		
	ihr hattet		
	sie hatten		
PRESENT PERFECT	*I have had, I had*		
	ich habe gehabt		
	du hast gehabt		
	er hat gehabt		

wir haben gehabt
ihr habt gehabt
sie haben gehabt

PAST   *I had had*
PERFECT

ich hatte gehabt	habe gehabt	hätte gehabt
du hattest gehabt	habest gehabt	hättest gehabt
er hatte gehabt	habe gehabt	hätte gehabt
wir hatten gehabt	haben gehabt	hätten gehabt
ihr hattet gehabt	habet gehabt	hättet gehabt
sie hatten gehabt	haben gehabt	hätten gehabt

FUTURE   *I shall have*

ich werde haben	werde haben	würde haben
du wirst haben	werdest haben	würdest haben
er wird haben	werde haben	würde haben
wir werden haben	werden haben	würden haben
ihr werdet haben	werdet haben	würdet haben
sie werden haben	werden haben	würden haben

FUTURE   *I shall have had*
PERFECT

ich werde gehabt haben	werde gehabt haben	würde gehabt haben
du wirst gehabt haben	werdest gehabt haben	würdest gehabt haben
etc.	etc.	etc.

IMPERATIVES: FAMILIAR, SINGULAR: habe! *have*
                     PLURAL: habt!

CONVENTIONAL FORM OF ADDRESS: haben Sie!

31. Paradigm of *werden,* to become

Principal parts: werden, wurde, ich bin geworden, er wird

	INDICATIVE	SUBJUNCTIVE	
		I	II
PRESENT	*I become,* etc.		
	ich werde	werde	würde
	du wirst	werdest	würdest
	er wird	werde	würde
	wir werden	werden	würden
	ihr werdet	werdet	würdet
	sie werden	werden	würden
SIMPLE	*I became*		
PAST	ich wurde		
	du wurdest		
	er wurde		

wir wurden
ihr wurdet
sie wurden

PRESENT	*I have become; I became*		
PERFECT	ich bin geworden	sei geworden	wäre geworden
	du bist geworden	seiest geworden	wärest geworden
	er ist geworden	sei geworden	wäre geworden
	wir sind geworden	seien geworden	wären geworden
	ihr seid geworden	seiet geworden	wäret geworden
	sie sind geworden	seien geworden	wären geworden

PAST	*I had become*
PERFECT	ich war geworden
	du warst geworden
	er war geworden
	wir waren geworden
	ihr wart geworden
	sie waren geworden

FUTURE	*I shall become*		
	ich werde werden	werde werden	würde werden
	du wirst werden	werdest werden	würdest werden
	er wird werden	werde werden	würde werden
	wir werden werden	werden werden	würden werden
	ihr werdet werden	werdet werden	würdet werden
	sie werden werden	werden werden	würden werden

FUTURE	*I shall have become*		
PERFECT	ich werde geworden sein	werde geworden sein	würde geworden sein
	du wirst geworden sein	werdest geworden sein	würdest geworden sein
	etc.	etc.	etc.

IMPERATIVES: FAMILIAR, SINGULAR: werde! *become*
               PLURAL: werdet!

CONVENTIONAL FORM OF ADDRESS: werden Sie!

32. Paradigm of *lernen,* to *learn* **(weak verb)**

Principal parts: lernen, lernte, ich habe gelernt, er lernt

INDICATIVE	SUBJUNCTIVE	
	I	II
PRESENT *I learn,* etc.		
ich lerne	lerne	lernte
du lernst	lernest	lerntest
er lernt	lerne	lernte

wir lernen	lernen	lernten
ihr lernt	lernet	lerntet
sie lernen	lernen	lernten

SIMPLE *I learned*
PAST   ich lernte
   du lerntest
   er lernte

   wir lernten
   ihr lerntet
   sie lernten

PRESENT *I have learned; I learned*

PERFECT ich habe gelernt	habe gelernt	hätte gelernt
du hast gelernt	habest gelernt	hättest gelernt
er hat gelernt	habe gelernt	hätte gelernt
wir haben gelernt	haben gelernt	hätten gelernt
ihr habt gelernt	habet gelernt	hättet gelernt
sie haben gelernt	haben gelernt	hätten gelernt

PAST   *I had learned*
PERFECT ich hatte gelernt
   du hattest gelernt
   er hatte gelernt

   wir hatten gelernt
   ihr hattet gelernt
   sie hatten gelernt

FUTURE *I shall learn*

ich werde lernen	werde lernen	würde lernen
du wirst lernen	werdest lernen	würdest lernen
er wird lernen	werde lernen	würde lernen
wir werden lernen	werden lernen	würden lernen
ihr werdet lernen	werdet lernen	würdet lernen
sie werden lernen	werden lernen	würden lernen

FUTURE *I shall have learned*

PERFECT ich werde gelernt haben	werde gelernt haben	würde gelernt haben
du wirst gelernt haben	werdest gelernt haben	würdest gelernt haben
etc.	etc.	etc.

IMPERATIVES: FAMILIAR, SINGULAR: lern(e)! *learn* (in colloquial German without e)

      PLURAL: lernt!

CONVENTIONAL FORM OF ADDRESS: lernen Sie!

33. Paradigm of *sprechen, to speak* (strong verb)

Principal parts: sprechen, sprach, ich habe gesprochen, er spricht

	INDICATIVE	SUBJUNCTIVE I	II
PRESENT	*I speak*, etc.		
	ich spreche	spreche	spräche
	du sprichst	sprechest	sprächest
	er spricht	spreche	spräche
	wir sprechen	sprechen	sprächen
	ihr sprecht	sprechet	sprächet
	sie sprechen	sprechen	sprächen
SIMPLE PAST	*I spoke*		
	ich sprach		
	du sprachst		
	er sprach		
	wir sprachen		
	ihr spracht		
	sie sprachen		
PRESENT PERFECT	*I have spoken; I spoke*		
	ich habe gesprochen	habe gesprochen	hätte gesprochen
	du hast gesprochen	habest gesprochen	hättest gesprochen
	er hat gesprochen	habe gesprochen	hätte gesprochen
	wir haben gesprochen	haben gesprochen	hätten gesprochen
	ihr habt gesprochen	habet gesprochen	hättet gesprochen
	sie haben gesprochen	haben gesprochen	hätten gesprochen
PAST PERFECT	*I had spoken*		
	ich hatte gesprochen		
	du hattest gesprochen		
	er hatte gesprochen		
	wir hatten gesprochen		
	ihr hattet gesprochen		
	sie hatten gesprochen		
FUTURE	*I shall speak*		
	ich werde sprechen	werde sprechen	würde sprechen
	du wirst sprechen	werdest sprechen	würdest sprechen
	er wird sprechen	werde sprechen	würde sprechen
	wir werden sprechen	werden sprechen	würden sprechen
	ihr werdet sprechen	werdet sprechen	würdet sprechen
	sie werden sprechen	werden sprechen	würden sprechen

FUTURE   *I shall have spoken*
PERFECT ich werde gesprochen   werde   gesprochen   würde   gesprochen
            haben   haben   haben
         du wirst gesprochen   werdest gesprochen   würdest gesprochen
            haben   haben   haben
         etc.   etc.   etc.

IMPERATIVES: FAMILIAR, SINGULAR: sprich! *speak*
                        PLURAL: sprecht!

CONVENTIONAL FORM OF ADDRESS: sprechen Sie!

34. Paradigm of *fragen* in the passive voice

	INDICATIVE	SUBJUNCTIVE	
		I	II
PRESENT	*I am asked*, etc.		
	ich werde gefragt	werde gefragt	würde gefragt
	du wirst gefragt	werdest gefragt	würdest gefragt
	er wird gefragt	werde gefragt	würde gefragt
	wir werden gefragt	werden gefragt	würden gefragt
	ihr werdet gefragt	werdet gefragt	würdet gefragt
	sie werden gefragt	werden gefragt	würden gefragt
SIMPLE PAST	*I was asked*		
	ich wurde gefragt		
	du wurdest gefragt		
	er wurde gefragt		
	wir wurden gefragt		
	ihr wurdet gefragt		
	sie wurden gefragt		
PRESENT PERFECT	*I have been asked, I was asked*		
	ich bin gefragt worden	sei gefragt worden	wäre gefragt worden
	du bist gefragt worden	seiest gefragt worden	wärest gefragt worden
	er ist gefragt worden	sei gefragt worden	wäre gefragt worden
	wir sind gefragt worden	seien gefragt worden	wären gefragt worden
	ihr seid gefragt worden	seiet gefragt worden	wäret gefragt worden
	sie sind gefragt worden	seien gefragt worden	wären gefragt worden
PAST PERFECT	*I had been asked*		
	ich war gefragt worden		
	du warst gefragt worden		
	er war gefragt worden		

wir waren gefragt worden
ihr wart gefragt worden
sie waren gefragt worden

FUTURE   *I shall be asked*
          ich werde gefragt wer-   werde gefragt werden   würde gefragt werden
          den
          du wirst gefragt wer-   werdest gefragt wer-   würdest gefragt wer-
          den   den   den
          er wird gefragt werden   werde gefragt wer-   würde gefragt werden
                                      den

          wir werden gefragt   werden gefragt wer-   würden gefragt wer-
          werden   den   den
          ihr werdet gefragt wer-   werdet gefragt wer-   würdet gefragt wer-
          den   den   den
          sie werden gefragt wer-   werden gefragt wer-   würden gefragt wer-
          den   den   den

FUTURE   *I shall have been asked*
PERFECT   ich werde gefragt worden sein   werde gefragt worden sein
          du wirst gefragt worden sein   werdest gefragt worden sein
          etc.   etc.
                    würde gefragt worden sein
                    würdest gefragt worden sein
                    etc.

35. The Seven Ablaut Classes

(1)	ei — i — i	beißen	biß	gebissen	*bite*
	ei — ie — ie	bleiben	blieb	ich bin geblieben	*stay*
(2)	ie — o — o	verlieren	verlor	verloren	*lose*
(3)	i — a — u	singen	sang	gesungen	*sing*
	i — a — o	beginnen	begann	begonnen	*begin*
(4)	e — a — o	sprechen	sprach	gesprochen	*speak*
(5)	e — a — e	sehen	sah	gesehen	*see*
(6)	a — u — a	waschen	wusch	gewaschen	*wash*
(7)	a — ie — a	fallen	fiel	ich bin gefallen	*fall*
	au — ie — au	laufen	lief	ich bin gelaufen	*run*
	ei — ie — ei	heißen	hieß	geheißen	*to be called*
	o — ie — o	stoßen	stieß	gestoßen	*thrust, push*
	u — ie — u	rufen	rief	gerufen	*call*

IRREGULAR STRONG VERBS

gehen	ging	ich bin gegangen	*go*
stehen	stand	gestanden	*stand*
tun	tat	getan	*do*

36. Use of the tenses

(1) The present tense:

(a) The present tense in German has the function of any one of the three English present tense forms:

Herr Schröder macht Gruppenaufnahmen	*Mr. Schröder takes (is taking, does take) group pictures*

(b) It is used with an expression of time to denote action begun in the past and continuing in the present:

Wir sind schon seit Mittwoch hier	*We have been here since Wednesday*

(c) It is used very frequently to express a future meaning:

Morgen abend gehe ich ins Kino	*I am going to the movies tomorrow evening*

(d) It is quite often used as the historical present where English would require the simple past:

Da fragt mich ein Herr: „Wie heißen Sie?"	*Then a gentleman asked me, "What's your name?"*

(2) The simple past tense:

(a) The simple past tense has the function of any one of the three simple past forms in English:

Herr Schröder machte Gruppenaufnahmen	*Mr. Schröder took group pictures* or *Mr. Schröder was taking group pictures* or *Mr. Schröder did take group pictures*

(b) It is regularly used in past narrative:

Die Angeln und Sachsen eroberten Britannien und gründeten dort ein neues Reich	*The Angles and Saxons conquered Britain and founded a new state there*

(c) It expresses continued or customary action:

Ich stand immer früh morgens auf	*I always used to get up early in the morning*

(3) The present perfect tense:

(a) The present perfect tense in German has the function of the perfect tense in English:

Ich habe das Buch schon gelesen	*I have already read the book*

(b) It is regularly used, especially in conversation, to denote past action that is not connected with a longer narrative. This is one of the chief differences from English in the use of tenses. Thus:

Ich bin gestern abend ins Kino ge-   *I went to the movies last night*
gangen

(4) The past perfect tense:

  The past perfect tense is used in German as in English:

Ich wollte mit ihm sprechen, aber er   *I wanted to talk with him, but he had al-*
war schon nach Hause gegangen   *ready gone home*

(5) The future tense:

  (a) The future tense in German has the same use as the English future:

In den nächsten vierzehn Aufgaben   *You will read his letters in the next four-*
werden Sie seine Briefe lesen   *teen lessons*

  (b) It is used, generally with the adverb **wohl,** to express present probability:

Der Elefant wird wohl das stärkste   *The elephant is probably the strongest*
Landtier sein   *terrestrial animal*

(6) The future perfect tense:

  (a) The future perfect tense in German has the same use as the English future
perfect:

Bis zu der Zeit wird er die Fragen be-   *He will have answered the questions by*
antwortet haben   *that time*

  (b) It is used, generally with the adverb **wohl,** to express past probability:

Dieses Rennpferd wird wohl viel Geld   *This race-horse probably cost a lot of*
gekostet haben   *money*

Vocabulary

(Personal and possessive pronouns, numerals and a few words which are almost identical in English and German are omitted)

A

abbrechen, a, o break off
der Abend, -s, -e evening
das Abendbrot, -s supper
das Abendessen, -s dinner
die Abendluft, —, ⁻e evening air
abends in the evening
das Abenteuer, -s, — adventure
aber but, however
abfahren, u, a (ist) depart, leave
der Abfall, -s, ⁻e refuse
abführen lead away
abgewöhnen break, make someone give up
abgleiten, i, i (ist) glance off
abhängen, i, a depend
abholen call for
abkommen, a, o (ist) get away, deviate
ablegen (ein Geständnis) make (a confession)
abliefern deliver
abnehmen, a, o take away, take off
abräumen clear off
die Abreise, — departure
der Absender, -s, — sender
absorbieren absorb
die Abstammung, — descent
die Abteilung, —, -en department
der Abteilungschef, -s, -s department head, boss
die Abwechslung, — change
die Abwesenheit, — absence
die Abzahlung, —, -en instalment (plan)
abzeichnen sketch
abziehen, o, o deduct
achten auf pay attention to

die Achtung, — respect
die Adresse, —, -n address
adressiert (p.p.) self-addressed
der Advokat, -en, -en lawyer
ägyptisch Egyptian
ahnen suspect
ähnlich similar
die Ahnung, —, -n suspicion
akustisch acoustic
der Alchimist, -en, -en alchemist
alle all, everybody; von alledem by all of that; vor allem above all
alleinig sole
allerdings to be sure
allerlei all sorts of, sundry
alles everything
allgemein general
die Allgemeinheit, — general public
allwissend all knowing
als than; as; when; als ob as if
also well, so then
alt old
der Alte, -n, -n the old man
das Alter, -s age
altmodisch old-fashioned
der Amateur, -s, -e amateur
(das) Amerika America
amerikanisch American
amüsieren amuse
an at
anbellen bark at
anbetreffen, a, o concern
anbieten, o, o offer
ander other
ändern change
anders differently
anderthalb one and a half

383

anbrerſeits on the other hand

anfallen, ie, a attack

der Anfang, –s, ⁔e beginning

anfangen, i, a begin, do

anfangs at first

der Anfangsbuchſtabe, –n, –n initial letter

anfertigen make

die Angabe, —, –n statement

angeben, a, e indicate

angeblich allegedly

angehören belong to

der Angehörige, –n, –n relative

der Angeklagte, –n, –n accused person

die Angelegenheit, —, –en affair

die Angeln (pl.) Angles

angenehm pleasant

der Angreifer, –s, — attacker

der Angriff, –s, –e attack

die Angſt, — anxiety, fear; Angſt haben be afraid

ängſtigen frighten

der Ängſtliche, –n, –n timid person

angſtvoll frightened

anhaben have on, wear

anhalten, ie, a stop

ankämpfen fight

die Anklage, —, –n accusation

anklagen accuse

der Ankläger, –s, — accuser

die Ankunft, — arrival

annehmen, a, o accept, assume

anorganiſch inorganic

anrufen, ie, u call up

der Anſager, –s, — announcer

die Anſchauung, —, –en view

ſich anſchließen, o, o join

anſchreien, ie, ie scream at

(ſich) anſehen, a, e look at, consider

anſtändig decent

anſtarren stare at

anſtatt instead of

anſtaunen gaze at, stare at

anſtellen turn on

der Anteil, –s, –e interest, share

die Antwort, —, –en answer

antworten answer

anweſend present

anzeigen report

(ſich) anziehen, o, o put on; get dressed

der Anzug, –s, ⁔e suit

anzünden light

der Apfel, –s, ⁔ apple

die Apotheke, —, –n apothecary's shop

der Apotheker, –s, — apothecary, drug-gist

der Apparat, –s, –e apparatus

der Appetit, –s appetite

die Arbeit, —, –en work

arbeiten work

der Arbeiter, –s, — workman

arbeitſam hard-working

der Arbeitsloſe, –n, –n unemployed

die Arbeitsloſenunterſtützung, — unem-ployment compensation, dole

die Arbeitsloſigkeit, — unemployment

der Ärger, –s vexation

ärgerlich angry, irritated

ſich ärgern be angered

die Arie, —, –n aria

arm poor

der Arm, –s, –e arm

das Armband, –es, ⁔er bracelet

die Armbanduhr, —, –en wrist watch

ärmlich poor, miserable

die Armut, — poverty

die Art, —, –en kind

artig good

der Artikel, –s, — article

die Arznei, —, –en medicine

der Arzt, –es, ⁔e doctor, physician

der Atem, –s breath

atemlos breathless

der Atemzug, –es, ⁔e breath

atmen breathe

auch also, too, even; wenn auch even if

auf on, upon; auf...zu up to; auf und ab up and down

aufbäumen rear up

aufbleiben, ie, ie (iſt) stay up

aufblicken look up

aufbrechen, a, o break open

der Aufenthalt, -es stay

auffallen, ie, a (ist) strike the attention

die Aufgabe, —, -n lesson

aufgeben, a, e give up; propose

aufgeregt excited

die Aufgeregtheit, — excitement

aufhaben have to do

aufheben, o, o pick up, raise

aufhören stop

aufklären clear up

sich auflehnen lean on

die Auflösung, —, -en solution

aufmachen open

aufmerksam attentively; aufmerksam machen auf call attention to

die Aufnahme, —, -n picture

aufpassen pay attention

aufregen excite; aufregend exciting

die Aufregung, — excitement

sich aufrichten straighten up

aufrufen, ie, u call on

der Aufsatz, -es, "e article, essay, composition

aufschlagen, u, a open

aufschließen, o, o unlock, open

aufschreiben, ie, ie write down

aufschreien, ie, ie scream (out)

aufsetzen put on

aufspringen, a, u (ist) jump up

aufstehen, stand auf, aufgestanden (ist) stand up, get up

aufsteigen, ie, ie (ist) rise, mount

aufteilen divide

der Auftrag, -es, "e order, instruction

auftreten, a, e (ist) appear

aufwachen (ist) wake up

aufwachsen, u, a (ist) grow up

aufwärts upward

aufwecken wake up, rouse

aufzwingen, a, u force upon

das Auge, -s, -n eye

der Augenblick, -s, -e moment

der Augenzeuge, -n, -n eyewitness

der August, -s August

aus out, out of, from

ausbilden to train

ausbrechen, a, o (ist) break out

sich ausdenken, dachte aus, ausgedacht think out, figure out

der Ausdruck, -s, "e expression

ausfindig machen find out

ausfragen question

ausführen carry out

ausgeben, a, e spend

ausgehen, i, a (ist) go out

ausgewachsen (p.p.) full grown

ausgezeichnet excellent

ausgraben, u, a dig up, unearth

aushalten, ie, a bear, stand; resist

die Auskunft, —, "e information

das Ausland, -s abroad

der Ausländer, -s, — foreigner

ausländisch foreign

ausleihen, ie, ie lend out

der Ausruf, -es, -e exclamation

sich ausruhen rest

aussagen testify

ausschlafen, ie, a sleep one's fill

aussehen, a, e look, appear

außer besides, outside of

außerdem besides, moreover

außerhalb outside of

äußerst extremely

sich aussetzen expose oneself

die Aussicht, —, -en view

sich aussprechen, a, o relieve one's mind

aussteigen, ie, ie (ist) get out, alight

ausstrecken stretch out

aussuchen select

austrinken, a, u drink up, finish

auszahlen pay out

das Auto, -s, -s car

die Autobremse, —, -n automobile brake

der Autobus, -ses, -se bus

die Autohupe, —, -n automobile horn

der Autor, -s, -en author

die Autorität, —, -en authority

die Autostraße, —, -n highway, road

der Autounfall, -s, "e auto accident

B

die Bade, —, -n cheek

der Bädermeifter, -3, — (master) baker

die Badewanne, —, -n bath tub

die Bahn, —, -en train

fich bahnen make oneself a path

der Bahnhof, -3, ⸗e railroad station

bald soon; bald … bald now … now

baldig prompt, early

der Balfan, -e Balkan countries

die Ballade, —, -n ballad

das Band, -e3, ⸗er ribbon, band

die Bande, —, -en gang

der Bandit, -en, -en bandit

die Bant, —, ⸗e bench

die Bant, —, -en bank

das Bargeld, -3 cash

die Barre, —, -n bar

der Bart, -e3, ⸗e beard

der Bau, -3 construction

der Bauch, -e3, ⸗e belly

bauen build

der Bauer, -3, -n farmer

der Bauernhof, -e3, ⸗e farm

der Bauernjunge, -n, -n farmboy

der Bauernpatient, -en, -en farmer patient

das Bauernpferd, -e3, -e farm horse

die Baufoften (pl.) construction costs

der Baum, -e3, ⸗e tree

beantworten to answer

die Beantwortung, —, -en the answer-
(ing)

bededen cover

bedenken, bedachte, bedacht consider

bedeuten signify, mean

die Bedeutung, —, -en meaning

die Bedingung, —, -en condition

bedrohen threaten

beenden end

fich befaffen concern oneself

der Befehl, -3, -e order

befehlen, a, o order, command

fich befinden, a, u find oneself, be

befördern promote

die Beförderung, —, -en promotion

begabt gifted, endowed

fich begeben, a, e betake; fich in Lebens⸗
gefahr begeben run the risk of losing
one's life

begegnen (ift) meet

die Begegnung, —, -en meeting

begehen, i, a commit

begeiftert enthusiastic

die Begierde, — desire

der Beginn, -3 beginning

beginnen, a, o begin

begleiten accompany

der Begleiter, -3, — companion

der Begriff, -e3, -e idea, conception;
im Begriff fein be in the process of,
be on the point of

begrüßen greet

behalten, ie, a keep

behandeln treat

die Behandlung, —, -en treatment

behaupten to claim, assert

fich beherrfchen control oneself

bei with, at, near

beide both; mit uns beiden with both
of us

beinah(e) almost

das Bein, -e3, -e leg, foot

das Beifpiel, -3, -e example

beißen, i, i bite

bejahen affirm

befannt (well) known, familiar

die Befanntmachung announcement

befommen, a, o receive, get

befümmert grieved

die Beleidigung, —, -en insult

belgifch Belgian

bellen bark

belohnen reward

bemerfen notice

die Bemerfung, —, -en remark

bemitleiden pity

fich bemühen trouble oneself

das Benehmen, -3 behavior

benutzen use
das Benzin, –s gasoline
beobachten watch, observe
bequem comfortable
berauben rob
bereiten prepare, make
bereits already
die Bereitschaft, — readiness
bereuen regret
der Berg, –es, –e mountain
bergab downhill
der Bergweg, –es, –e mountain road
der Bericht, –s, –e report
berichten report
der Beruf, –s, –e profession, vocation
der Berufsspieler, –s, — professional player
beruhigen quiet; sich beruhigen calm oneself
berühmt famous
die Berühmtheit, — celebrity
die Berührung, — touch
beschädigen damage
beschäftigt occupied, busy
beschämt ashamed
Bescheid wissen to be informed
bescheiden modest
beschließen, o, o decide
beschreiben, ie, ie describe
die Beschreibung, —, –en description
beschützen protect
der Beschützer, –s, — protector
sich beschweren complain
besehen, a, e look at, examine
besetzt studded
die Besiedlung, — population, colonization
besiegen defeat
der Besitz, –es possession
besitzen, besaß, besessen possess, own
der Besitzer, –s, — possessor, owner
das Besitztum, –s, ˮer possession
besonders especially
die Besorgnis, —, –se anxiety, apprehension

besorgt worried
besprechen, a, o discuss
bessern improve
best best
zum besten haben fool
bestehen, bestand, bestanden consist of, exist; bestehen auf insist
bestehlen, a, o rob
bestellen order
die Bestellung, —, –en order
bestimmt definitely; bestimmt sein be intended
bestrafen punish
der Besuch, –es, –e visit
besuchen visit
der Besucher, –s, — visitor
betäubt stunned
betrachten look at, consider
beträchtlich considerable
das Betragen, –s behavior, conduct
betragen, u, a amount to
betreffen, a, o concern; was ... betrifft as far as ... is concerned
betrübt grieved, depressed
ein Betrunkener a drunk
das Bett, –es, –en bed
der Bettler, –s, — beggar
sich beugen bend
beurteilen evaluate
die Beute, — booty
bevor before
bewachen guard
bewandert sein be well-versed
(sich) bewegen move
der Beweggrund, –es, ˮe motive
die Bewegung, —, –en movement, motion
beweinen mourn, weep over the loss of
der Beweis, –es, –e proof
beweisen, ie, ie prove
bewölkt cloudy
der Bewunderer, –s, — admirer
die Bewunderung, — admiration
das Bewußtsein, –s consciousness
bezahlen pay

bezeichnen designate

die Beziehung, —, -en relation(ship)

bezweifeln doubt

biegen, o, o turn, bend

die Bierstube, —, -n tavern

das Bild, -es, -er picture

bilden form

der Bildungsroman, -s, -e novel of personality development

billig cheap

binden, a, u bind, tie

biographisch biographical

bis until, to

bißchen: ein bißchen a bit, a little

bitte please

die Bitte, —, -n request

bitten, a, e beg, ask for

die Bitterkeit, — bitterness

die Bittschrift, —, -en petition

blaß pale

blau blue

blenden blind

blond blond

bleiben, ie, ie (ist) remain, stay

bleich pale

der Bleistift, -s, -e pencil

der Blick, -es, -e glance

blicken look

der Blitz, -es, -e lightning

blitzen lighten; es blitzt it is lightening

blitzend flashing

bloß merely

die Blume, —, -n flower

das Blumengeschäft, -s, -e flower shop

das Blut, -es blood

blutend bleeding

blutig bloody

der Blutstropfen, -s, — drop of blood

blutüberströmt covered with blood

der Boden, -s, ⸗ bottom, floor; attic

die Bodenkammer, —, -n attic room

das Bonbon, -s, -s bonbon

die Börse, — stock exchange

böse evil, bad; etwas Böses something bad

die Botschaft, —, -en message

die Bratkartoffeln (pl.) fried potatoes

brauchen need

braun brown

brechen, a, o break

breit broad, wide

breitschultrig broad-shouldered

die Bremse, —, -n brake

brennen, brannte, gebrannt burn

der Brennstoffbehälter, -s, — fuel tank

das Brett, -es, -er board

der Brief, -es, -e letter

der Briefkasten, -s, ⸗ mail box

der Briefträger, -s, — postman

der Briefumschlag, -s, ⸗e envelope

die Brille, —, -n glasses

bringen, brachte, gebracht bring, take something somewhere

(das) Britannien Britain

das Brot, -es, -e bread

der Bruder, -s, ⸗ brother

brüllen roar, bellow

brummen mutter

die Brust, —, ⸗e breast, chest

der Brustharnisch, -s breast plate

die Brustwunde, —, -n chest wound

das Buch, -es, ⸗er book

der Buchstabe, -n, -n letter (written character)

sich bücken bend

die Bühne, —, -n stage

das Bühnenbild, -es, -er scenery, staging

das Bündel, -s, — bundle

der Bürger, -s, — citizen

der Bürgersteig, -es, -e sidewalk

der Burgunder, -s, — Burgundian

das Büro, -s, -s office

der Bursche, -n, -n fellow

der Busch, -es, ⸗e bush

die Butter, — butter

C

der Cent, -s, -s cent

der Chef, -s, -s chief, head

der Chefingenieur, –s, –e chief engineer
die Chemie, — chemistry

D

da there, then; since (conj.)
dabei in doing so, at the same time, moreover
das Dach, –es, ⁓er roof
das Dachfenster, –s, — dormer (garret) window
dafür for it
dagegen against it; on the other hand
dahin there (to); along; bis dahin up to that time
damalig of that time
damals at that time
die Dame, —, –n lady
damit with it; so that
der Dampf, –es, ⁓e steam
dampfen steam
der Dampfer, –s, — steamer
daneben next to it
der Dank, –es thanks
danken thank; danke schön thank you very much
dann then
darauf thereupon
darin in it
darüber over it, about it
das Dasein, –s existence
daß that
das Datum, –s, Daten date
dauern last, take
dauernd continuous
davon from it, about it; away
davonlaufen, ie, au (ist) run away
die Decke, —, –n ceiling; cover, blanket
der Deckel, –s, — lid, cover
die Deckung, — cover
definieren define
der Degen, –s, — sword
der Dekan, –s, –e dean
denken, dachte, gedacht think; sich denken imagine

denn for (do not translate when used as particle in question)
dennoch nevertheless
deretwegen because of which
dergleichen the like
derjenige that one, that
derselbe the same
deshalb for that reason, therefore
deswegen for that reason
der Detektiv, –s, –e detective
deutlich clearly
deutsch German
der Deutsche, –n, –n German
(das) Deutschland, –s Germany
der Dezember, –s December
die Diamantenkette, —, –n diamond chain
dicht close, dense
dichterisch poetic
die Dichtkunst, — poetry
dick big, fat
der Dieb, –es, –e thief
der Diebstahl, –s, ⁓e theft
dienen serve
der Diener, –s, — servant
die Dienerin, —, –nen (woman) servant
der Dienst, –es, –e duty
der Dienstag, –s, –e Tuesday
dieser this
diesmal this time
das Ding, –es, –e thing; (pl.) matters
doch yet, but, nevertheless, of course; in question: don't you? aren't you?
der Doktor, –s, –en doctor
der Dolch, –es, –e dagger
der Dolchstoß, –es, ⁓e thrust of a dagger
der Dollar, –s, — dollar
die Donau, — Danube
der Donner, –s thunder
donnern thunder
der Donnerstag, –s, –e Thursday
doppelt double, two-fold
das Dorf, –es, ⁓er village
die Dorfstraße, —, –n village street
das Dorfwirtshaus, –es, ⁓er village inn

dort there
der Drache, -n, -n dragon
dramatisch dramatic
dramatisieren dramatize
sich drängen force one's way
draußen outside
die Draußenstehenden those standing outside
drehen turn
dringend urgent, pressing
drinnen inside
dritt third
drohen threaten, menace
drüben yonder; **da drüben** over there
drücken press; **sich drücken** squeeze
das Dschungelgeräusch, -es, -e jungle noise
duften smell
dumm stupid
dumpf dull
dunkel dark
das Dunkel, -s dark(ness)
die Dunkelheit, — darkness
durch through
durchaus absolutely, by all means
der Durchgang, -s, ⁻e passage
durchlöchern perforate
das Durchschnittsgewicht, -es, -e average weight
durchsuchen search
dürfen, durfte, gedurft, darf to be permitted, may
das Dutzend, -s, -e dozen

E

eben (*adj.*) flat
eben (*adv.*) just
ebensogroß just as great
ebensogut just as well
ebensowenig . . . wie neither . . . nor
echt real, genuine
die Ecke, —, -n corner
edel noble
der Edelmann, -es, -leute nobleman
der Edelstein, -es, -e precious stone

die Ehe, —, -n marriage, married life
ehe before
ehemalig former
die Ehre, — honor
der Ehrentitel, -s, — honorary title
ehrgeizig ambitious
ehrlich honest, honorable
ehrwürdig venerable
das Ei, -s, -er egg
der Eifer, -s enthusiasm
eigen own
eigentlich really, as a matter of fact, by the way
das Eigentum, -s, ⁻er possessions, property
sich eignen be suitable
die Eile, — haste, hurry
eilen hurry
eilig haben be in a hurry
einbauen build in
sich einbilden imagine
die Einbildungskraft, — imagination
der Einbruch, -s, ⁻e burglary
der Eindruck, -es, ⁻e impression
einfach simple
einfangen, i, a, apprehend, capture
der Einfluß, -es, ⁻e influence
einführen introduce
der Eingang, -s, ⁻e entrance
die Eingangstür, —, -en entrance door
eingerostet rusted shut
einholen catch up with
einige some, a few
der Einkauf, -s, ⁻e purchase
einladen, u, a invite
die Einladung, —, -en invitation
einmal once; **auf einmal** suddenly; **nicht einmal** not even; **noch einmal** once more; **schon einmal** (in a question) ever
einsam lonesome
einsammeln gather
einschicken send in
einschlafen, ie, a (ist) fall asleep
einschlagen, u, a break down

einfehen, a, e understand, realize
einft once, one day
einfteden put in one's pocket
einftellen to tune in; focus
eintreten, a, e (ift) enter
der Eintritt, –es entrance
einverleiben incorporate
einzahlen pay in, deposit
die Einzelheit, —, –en detail
einzeln single, individual
das Einzelspiel, –s, –e singles
einzig single; only
das Eisen, –s iron
die Eisenbahnbrüde, —, –n railroad
  bridge
das Eisenstüd, –s, –e piece of iron
eisern iron
die Elbe, — Elbe river
der Elefant, –en, –en elephant
elementar elementary
elend miserable
die Eltern (pl.) parents
empfangen, i, a receive
der Emporkömmling, –s, –e upstart
das Ende, –s end; zu Ende sein be over
enden end
endlich finally
endlos endless
die Energie, —, –n energy
energisch energetic
eng narrow
der Engel, –s, — angel
der Engländer, –s, — Englishman
(das) Englisch English (language)
entdeden discover; disclose, reveal
die Entdedung, —, –en discovery
entfalten unfold
sich entfernen disappear
entfernt distant, away
die Entfernung, —, –en distance
entfliehen, o, o (ift) escape
entführen kidnap, abduct
entgegengesetzt opposite
entgegenkommen, a, o (ift) come toward
entgehen, entging, (ift) entgangen escape

enthalten, ie, a contain
entlang along
entmutigen discourage
entreißen, i, i tear away, snatch away
entrinnen, a, o (ift) escape
entscheiden, ie, ie decide
die Entscheidung, —, –en decision
sich entschließen, o, o decide, determine
der Entschluß, –es, ˸e decision
entschuldigen excuse
die Entschuldigung, —, –en excuse
das Entsetzen, –s horror
entsetzlich horrible
entsetzt horrified
entspringen, a, u (ift) originate
enttäuscht disappointed
entweder ... oder either ... or
(sich) entwideln develop, evolve
der Erbe, –n, –n heir
erben inherit
erbliden see, notice
der Erdball, –es globe
die Erde, — earth, ground
erdrüden crush
sich ereignen happen
das Ereignis, ...nisse, ...nisse event
ereignisreich eventful
erfahren, u, a find out, hear
erfinden, a, u invent
die Erfindung, —, –en invention
der Erfolg, –s, –e success
erfolglos unsuccessful
erfrischen refresh
erfüllen fill; fulfill
die Erfüllung, — fulfillment
das Ergebnis, ...nisse, ...nisse result
ergreifen, i, i seize
erhalten, ie, a receive
sich erhängen hang
sich erholen recover
erinnern remind; sich erinnern remember
die Erinnerung, — memory, recollection
erkältet ill with a cold
erkennen, erkannte, erkannt recognize
erklären explain

die Erklärung, —, -en explanation
sich erkundigen inquire
erlauben permit
die Erlaubnis, — permission
erleben experience
erledigen finish
die Erleichterung, — relief
ermorden murder
der Ermordete, -n, -n murdered person
der Ernst, -es seriousness
ernst serious(ly)
ernsthaft seriously
der Eroberer, -s, — conqueror
erobern conquer
die Eroberung, —, -en conquest
erraten, ie, a guess
erregen arouse
erreichen reach
der Ersatz, -es substitute
die Ersatzblume, —, -n substitute for a
　　flower
erscheinen, ie, ie (ist) appear
erschießen, o, o shoot
erschlagen, u, a slay, kill
erschrecken, a, o (ist) be startled, fright-
　　ened
erschüttern be deeply moved
ersetzen replace, make up for
ersparen save
erst first; only, not until
das Erstaunen, -s astonishment
erstaunt astonished, in amazement
erstechen, a, o stab
erstklassig first class
ertragen, u, a endure, bear
erträumen dream of
erwähnen mention
erwarten wait for, expect
erwartungsvoll full of expectation
erwecken awaken, arouse
erweisen, ie, ie do (a service)
erweitern enlarge
erwidern return, reciprocate, reply
erwischen catch
erwürgen strangle

erzählen tell
erzeigen show
der Esel, -s, — donkey; So ein Esel!
　　What a dope!
essen, aß, gegessen eat; das Essen eating,
　　meal; zum Essen for dinner
etwa perhaps; approximately
etwas something, some; somewhat

F

die Fabrik, —, -en factory
der Fachmann, -s, -leute expert
die Fähigkeit, — ability
fahren, u, a (ist) travel, drive
der Fahrer, -s, — driver
der Fahrstuhl, -s, ⸗e elevator
die Fahrt, —, -en trip
der Fall, -es, ⸗e case
fallen, ie, a (ist) fall
falls in case
die Falltür, —, -en trapdoor
falsch false, wrong
die Familie, —, -n family
der Familienname, -ns, -n family name
der Fang, -es, ⸗e catch
fangen, i, a catch
die Farbe, —, -n color
der Farmer, -s, — farmer
die Fasanenfeder, —, -n pheasant
　　feather
fassen seize, grasp; sich fassen compose
　　oneself; gefaßt sein be prepared
fast almost
faul lazy
der Faulenzer, -s, — lazy fellow
der Faustschlag, -es, ⸗e blow (of the
　　fist)
der Februar, -s February
die Feder, —, -n pen, spring
fegen sweep
fehlen be absent; ihm fehlt etwas some-
　　thing is wrong with him
der Fehler, -s, — mistake, error
die Feier, —, -n celebration
feiern celebrate

feig cowardly
fein fine
der Feind, -es, -e enemy
das Feld, -es, -er field
das Fenster, -s, — window
die Ferien (pl.) vacation
fern far
die Ferne, — distance
fertig finished, ready; sich fertig machen get ready
fertigstellen finish
fest firm
das Festessen, -s, — banquet
sich festhalten, ie, a hang on, cling to
festlich festive
feststellen determine
das Feuer, -s, — fire; light
feurig fiery
das Fieber, -s fever
der Fiebertraum, -es, ⁻e feverish dream, delirium
der Film, -s, -e film, motion picture
die Filmschauspielerin, —, -nen movie actress
finden, a, u find
der Finger, -s, — finger
finster dark, gloomy
der Fisch, -es, -e fish
der Fleck, -es, -e spot
flehend imploring
das Fleisch, -es flesh, meat
der Fleiß, -es industry
fleißig industrious
fliegen, o, o (ist) fly
fließen, o, o (ist) flow
die Flotte, —, -n fleet
der Fluch, -es, ⁻e curse
flüchtig fleeting, casual
der Flug, -es, ⁻e flight
der Flughafen, -s, ⁻ airport
der Flur, -es, -e hallway
der Fluß, -es, ⁻e river
flüstern whisper
die Folge, —, -n consequence
folgen follow

die Folter, —, -n torture
die Folterbank, —, ⁻e rack
die Form, —, -en form
die Formel, —, -n formula
fort away
fortbleiben, ie, ie (ist) stay away
fortfahren, u, a (ist) leave; continue
fortgaloppieren (ist) gallop away
fortgehen, ging fort, fortgegangen (ist) go away
fortlaufen, ie, au (ist) run away
fortreiten, i, i (ist) ride away
fortschicken send away
fortschleppen drag away
der Fortschritt, -es, -e progress
die Fortsetzung, —, -en continuation
fortziehen, o, o draw away, pull away
die Frage, —, -n question; es kommt nicht in Frage that is out of the question
fragen ask
frankiert (p.p.) stamped
(das) Frankreich, -s France
französisch French
die Frau, —, -en woman; wife; Mrs.
die Frauenhand, —, ⁻e woman's hand
die Frauenkleider (pl.) women's clothes
die Frauenstimme, —, -n woman's voice
das Fräulein, -s, — Miss, young lady
die Frechheit, —, -en impertinence
frei free, im Freien in the open, out-doors
die Freiheit, — freedom
freilich certainly
der Freitag, -s, -e Friday
die Freitreppe, —, -n outside staircase
der Fremde, -n, -n stranger
fressen, a, e eat (used of animals)
die Freude, —, -en joy
freudig joyous, cheerful
sich freuen be glad; sich freuen auf look forward to
der Freund, -es, -e friend
die Freundin, —, -nen girl friend
freundlich friendly, genial
die Freundschaft, — friendship

der Friede, –ns peace
friedlich peacefully
frisch fresh
früh early; früher former(ly)
der Frühling, –s spring
der Frühlingstraum, –s, ⸗e spring dream
das Frühstück, –s, –e breakfast
frühstücken eat breakfast
fühlen feel
führen lead, take
der Führer, –s, — leader
der Führersitz, –es, –e driver's seat
füllen fill
die Füllfeder, —, –n fountain pen
das Fundament, –es, –e foundation
funkeln sparkle
für for
die Furcht, — fear
furchtbar terrible
fürchten fear
fürchterlich horrible
der Fuß, –es, ⸗e foot; zu Fuß on foot
der Fußboden, –s, ⸗ floor
der Fußgänger, –s, — pedestrian
der Fußsoldat, –en, –en footsoldier
der Fußtritt, –es, –e kick
füttern feed

G

gaffen gape, stare
der Galaball, –es, ⸗e gala ball
galant courteous
der Galgen, –s, — gallows
der Galopp, –s gallop
galoppieren gallop
der Gang, –es, ⸗e passage, corridor
ganz whole, all, entirely; quite, very
gar: gar kein no . . . at all; gar nicht
   not at all
die Garde, — guard(s)
der Garten, –s, ⸗ garden
die Gartenmauer, —, –n garden wall
die Gasse, —, –n side street
der Gast, –es, ⸗e guest
der Gasthof, –es, ⸗e inn

die Gaststube, —, –n taproom
geachtet respected
das Gebäude, –s, — building
geben, a, e give; es gibt there is, there
   are, they have
das Gebiet, –es, –e field (of interest)
geboren werden be born
der Gebrauch, –s, ⸗e use
gebrauchen use, make use of; need
die Geburt, —, –en birth
der Geburtsort, –es, –e birth place
der Geburtstag, –es, –e birthday
das Geburtstagsgeschenk, –s, –e birthday
   present
der Gedanke, –ns, –n thought, idea
das Gedicht, –es, –e poem
die Geduld, — patience
geduldig patient
die Gefahr, —, –en danger
gefährlich dangerous
gefallen, ie, a please; es gefällt ihm he
   likes
der Gefallen, –s, — favor
gefälligst please be so good as to
der Gefangene, –n, –n prisoner
die Gefangenschaft, — captivity
gefaßt sein be prepared
das Gefühl, –s, –e feeling
gegen against, toward, close to, around
die Gegenfrage, —, –n counter question
gegenseitig reciprocal
das Gegenteil, –s opposite; im Gegenteil
   on the contrary
gegenüber opposite
gegenüberliegen, a, e lie opposite
der Gegner, –s, — opponent
geheim secret
die Geheimkammer, —, –n secret room
das Geheimnis, . . .nisse, . . .nisses secret,
   mystery
geheimnisvoll mysterious
gehen, ging, gegangen (ist) go; es geht
   um is at stake
gehören belong
das Gehuste, –s coughing

der Geift, –es, –er ghost, spirit
die Geiftererfcheinung, —, –en apparition
geiftig mental
der Geizhals, –es, ⸚e miser
das Gelächter, –s laughter
das Geld, –es money
der Geldbeutel, –s, — moneybag, purse
der Geldfack, –es, ⸚e moneybag
der Geldfchrank, –es, ⸚e safe
die Geldfumme, —, –n sum of money
die Gelegenheit, — opportunity
geliebt beloved, dear
der Geliebte, –n, –n sweetheart
gelingen, a, u (ift) succeed
gelten, a, o be considered, mean
gemein common, ordinary
genau exact(ly); genauer closer
geneigt fein be inclined
das Genick, –es, –e neck
genießen, o, o enjoy
der Genoffe, –n, –n comrade
genug enough
genügen suffice; genügend sufficiently
gepflegt well-cared-for
gerade just
geraten, ie, a (ift) get or fall into, become involved
das Geräufch, –es, –e noise, sound effect
gerecht just
die Gerechtigkeit, — justice
das Gericht, –s court of justice
geringft least, slightest
der Germane, –n, –n Teuton
der Germanenftamm, –s, ⸚e Germanic tribe
gern(e) gladly; *with infinitive:* like to, be fond of
gefamt total
das Gefamtgewicht, –es total weight
das Gefchäft, –es, –e store, business
gefchäftlich business (-like)
der Gefchäftsmann, –es, –leute business man
gefchehen, a, e (ift) happen
das Gefchenk, –s, –e present

die Gefchichte, —, –n history; story, tale, affair
der Gefchichtsroman, –s, –e historical novel
die Gefchicklichkeit, — skill
gefchickt clever, skillful
das Gefchirr, –s table utensils
der Gefchmack, –es taste
das Gefchmeide, –es set of jewelry, jewels
gefchwind quickly
die Gefchwindigkeit, — speed
der Gefelle, –n, –n helper, assistant
die Gefellfchaft, —, –en society, company; Gefellfchaft leiften keep company
der Gefellfchaftsraum, –s, ⸚e social room
das Geficht, –es, –er face
die Gefichtsfarbe, — complexion
der Gefichtspunkt, –es, –e point of view
die Gefpenfterjagd, —, –en ghost chase
das Gefpräch, –s, –e conversation
die Geftalt, —, –en form, shape, stature
das Geftändnis,...niffes,...niffe confession
geftatten permit, allow
geftehen, geftand, geftanden confess
geftern yesterday; geftern abend last night
das Gefuch, –es, –e petition
gefund healthy
geübt skilled
gewagt daring
die Gewalt, —, –en force, power
gewaltig vast
die Gewandtheit, — agility
gewillt fein be willing
gewinnen, a, o win, produce
die Gewinnung, — production
gewiß certain, certainly
das Gewiffen, –s conscience
die Gewiffensnot, —, ⸚e qualms of conscience
die Gewiffensqualen (*pl.*) anguish of conscience

das **Gewitter**, –s, — (thunder-) storm
sich **gewöhnen an** get accustomed to
die **Gewohnheit**, —, –en custom
die **Gewohnheitssache**, — matter of routine
gewöhnlich usually
die **Gicht**, — gout
die **Gier**, — greediness
giftig poisonous; angry
der **Gipfel**, –s, — top
der **Gipsverband**, –s plaster cast
glänzend shining, brilliant, splendid
das **Glas**, –es, ⸗er glass
der **Glasdeckel**, –s, — glasslid
der **Glaskasten**, –s, ⸗ showcase
die **Glaskutsche**, —, –n glass-enclosed carriage
die **Glasplatte**, —, –n glass top
glauben believe, think
gleich like, same, at once, immediately
gleichzeitig simultaneously
gleiten, i, i (ist) glide
glitzern glisten
das **Glöckchen**, –s, — small bell
das **Glück**, –s luck, happiness
glücklich happy, fortunate
glücklicherweise fortunately
die **Gnade**, — clemency, mercy
gnädig gracious; *not translated when used with* Herr, Frau, *or* Fräulein
das **Gold**, –es gold
golden golden
der **Goldfisch**, –es, –e goldfish
die **Goldgewinnung**,—production of gold
die **Goldmünze**, —, –n gold coin
der **Goldschmied**, –es, –e goldsmith
der **Goldschmuck**, –es golden ornament
das **Goldstück**, –es, –e gold coin
die **Gondel**, —, –n gondola
der **Gönner**, –s, — benefactor
der **Gorilla**, –s, –s gorilla
der **Gote**, –n, –n Goth
der **Gott**, –es, ⸗er god
das **Grab**, –es, ⸗er grave
der **Graben**, –s, ⸗ ditch

der **Graf**, –en, –en count
gratulieren congratulate
grau gray
grausam cruel, terrible
die **Grausamkeit**, — cruelty
greifen, i, i pick up
der **Greis**, –es, –e old man
die **Grenze**, —, –n boundary, border
der **Grieche**, –n, –n Greek
griechisch Greek
der **Griff**, –es, –e grip, handle, hilt
grimmig furious, violent
grob rude, rough, heavy
(das) **Grönland**, –s Greenland
groß great, big, tall
die **Größe**, —, –n size
die **Großstadt**, —, ⸗e metropolis
der **Großvater**, –s, ⸗e grandfather
der **Grund**, –es, ⸗e reason
gründen found
gründlich thorough
grunzen grunt
die **Gruppe**, —, –n group
die **Gruppenaufnahme**, —, –n group picture
der **Gruß**, –es, ⸗e greeting
grüßen greet
die **Gunst**, —, favor, good graces
günstig favorable
gut good; well
gütig kind
gutmütig good-natured

H

das **Haar**, –es, –e hair
haben, hatte, gehabt have
der **Habenichts**, —, –e penniless fellow
der **Hafen**, –s, ⸗ harbor
halb half, halfway
halbirisch half Irish
der **Halbohnmächtige**, –n, –n semi-conscious man
die **Hälfte**, —, –n half
hallo! hello!, o say!
der **Hals**, –es, ⸗e neck

halten, ie, a to hold; stop; keep; halten für consider; halten von think of

die Hand, —, ⸗e hand

handeln act; es handelt sich um Leben und Tod it is a matter of life and death

die Handschrift, — handwriting

der Handschuh, -s, -e glove

die Handtasche, —, -n handbag

das Handwerk, -s, -e trade

das Handwerkzeug, -s tools

hängen, i, a hang, dangle

harmlos harmless, innocent

hart hard

der Haß, -es hatred

hassen hate

der Haufen, -s, — pile

die Hauptrolle, —, -n leading rôle

hauptsächlich chiefly

Hauptstadt, —, ⸗e capital

die Hauptstraße, —, -n main street

das Haus, -es, ⸗er house; nach Hause home; zu Hause at home

die Hausarbeit, —, -en housework

der Hauseingang, -s, ⸗e entrance (to a house)

der Hausflur, -s, -e hall

die Hausfrau, —, -en housewife

der Hausknecht, -es, -e (house) servant

das Hausmärchen, -s, — fairytale for the home

die Haustür, —, -en front door

die Hauswand, —, ⸗e wall of the house

die Hautkrem, —, -s skin cream

heben, o, o raise; es hebt sich it can be raised

der Hedonist, -en, -en hedonist

heftig violent

das Heim, -s, -e home

die Heimat, — native-place, homeland

das Heimatdörfchen, -s, — native village

die Heimatstadt, —, ⸗e home town

die Heimreise, —, -n trip home

heimwärts homeward

heiraten marry

heiß hot

heißen, ie, ei be named, called; wenn es heißt if it says

der Held, -en, -en hero

die Heldentat, —, -en heroic deed

helfen, a, o help

der Helfer, -s, — helper

hellblau light blue

das Hemd, -es, -en shirt

der Hengst, -es, -e stallion

herab down; von ... herab from

herankommen, a, o (ist) approach

heraufholen bring upstairs

heraus out

herausdestillieren distil (out)

herausfischen fish (out)

herausschleppen drag out

herausschlüpfen (ist) slip out

sich herausstellen turn out to be

herausziehen, o, o pull out

herbeilaufen, ie, au (ist) come running

herbeirufen, ie, u call in

der Herbst, -es fall

hereinkommen, a, o (ist) come in

hereintreten, a, e (ist) enter

herkommen, a, o (ist) come from

die Herkunft, — origin

der Heroismus, — heroism

der Herr, -n, -en Mr., gentleman, lord

herrichten prepare

die Herrin, —, -nen mistress

herrlich wonderful, splendid

herstellen produce

herumreisen (ist) travel all over

herumschicken send around

herumsuchen look around

sich herumtreiben, ie, ie loiter about

hervorbrechen, a, o (ist) burst forth

hervorbringen, brachte hervor, hervor= gebracht produce

hervorspringen, a, u (ist) jump out

das Herz, -ens, -en heart

die Herzensdame, —, -n lady of one's heart

herzlich heartily

das Heulen howling

heute today; heute abend this evening; heute morgen this morning; heute nacht tonight

heutig present-day

hier here

hierher over here

hiermit herewith

die Hilfe, — help

der Hilferuf, -s, -e cry for help

hilflos helpless

der Himmel, -s sky, heaven; Um Him=mels willen! For heaven's sake!

hin there; hin und her back and forth; hin und wieder now and then

hinabführen lead down

hinabsteigen, ie, ie (ist) climb down, descend

hinauf up

hinblicken look

hindern hinder, prevent

hineingreifen, i, i reach inside

hinfallen, ie, a (ist) fall down

hingehen, ging hin, hingegangen (ist) go (there)

sich hinsetzen sit down

hinten behind

hinter behind; hinter ... her behind; hinter ... hervor out from behind

hinterher afterwards

hinterlassen, ie, a leave behind

der Hintersitz, -es, -e back seat

hinunterschleichen, i, i (ist) sneak down

hinweisen ie, ie auf indicate

hinwerfen, a, o throw down

hinzufügen add

historisch historical

die Hitze, — heat

hoch high

die Hochbahn, —, -en elevated train

der Hochgenuß, -es rare delight

hochreißen, i, i pull up, grasp

hochschätzen admire

die Höchstgeschwindigkeit, — top speed

die Hochzeit, —, -en wedding

der Hof, -es, ⸚e court, yard

hoffen hope

hoffentlich I hope

das Hoffest, -es, -e court festival

die Hoffnung, —, -en hope

hoffnungslos hopeless

die Hofgesellschaft, —, -en court society

der Höhepunkt, -s, -e climax

höhnisch sarcastic

holen carry off, fetch, get

(das) Holland, -s Holland

die Hölle, — hell

das Holz, -es, ⸚er wood

der Holzkasten, -s, ⸚ wooden box

der Holzrahmen, -s, — wooden frame

die Holztreppe, —, -n wooden staircase

hörbar audible

horchen listen

hören hear, listen to

der Hörer, -s, — listener

die Hosen (pl.) trousers

die Hosentasche, —, -n trouser pocket

das Hotel, -s, -s hotel

hübsch pretty

das Huhn, -es, ⸚er chicken, hen

das Hühnerhaus, -es, ⸚er hen-house

die Hülle, —, -n cover

der Humor, -s humor

der Hund, -es, -e dog

die Hundepeitsche, —, -n dog whip

hungrig hungry

husten cough

das Hustenbonbon, -s, -s cough drop

der Hut, -es, ⸚e hat

J

die Idee, —, -n idea

die Immatrikulation, —, -en registra-tion

immer always; immer noch still; immer wieder again and again

imponieren impress

imstande sein be capable (of)

in in, into

indem while (by *plus verbal noun*)

der **Industriebaron,** –s, –e industrial baron, tycoon of industry

der **Infanterist,** –en, –en infantryman

informieren inform

der **Ingenieur,** –s, –e engineer

das **Ingenieurwesen,** –s engineering

der **Inhalt,** –es contents

die **Innenseite,** —, –n inside

inner inner

innig tenderly

die **Insel,** —, –n island

intelligent intelligent, smart

interessant interesting

das **Interesse,** –s, –n interest

das **Interessengebiet,** –s, –e field of interest

sich **interessieren für** be interested in

das **Interview,** –s, –s interview

interviewen interview

inzwischen meanwhile

der **Ire,** –n, –n Irishman

irgendein any

irgendetwas anything

irgendjemand someone

irgendwie somehow

irgendwo somewhere

sich **irren** make a mistake, be mistaken

(das) **Island,** –s Iceland

der **Isländer,** –s, — Icelander

italienisch Italian

J

ja yes, indeed

der **Jackenärmel,** –s, — coat sleeve

die **Jagd,** —, –en chase

jagen chase

der **Jäger,** –s, — hunter

das **Jahr,** –es, –e year

jahrelang for years

das **Jahrhundert,** –s, –e century

die **Jahrhundertfeier,** —, –n centennial celebration

der **Jammer,** –s pity

der **Januar,** –s January

jawohl indeed, yes

je ever; **je . . . desto** the . . . the

jedenfalls in any case

jeder, –e, –es each, every

jedermann everyone, everybody

jederzeit any time

jedesmal each time

jeher: von jeher always

jemand somebody

jener, –e, –es that

jetzt now

der **Jubiläumsball,** –s, ⸚e anniversary ball

die **Jugend,** — youth

der **Juli,** –s July

jung young

der **Junge,** –n, –n boy, fellow

der **Jüngling,** –s, –e young man

der **Juni,** –s June

das **Juwel,** –s, –en jewel

das **Juwelenkästchen,** –s, — jewel-case

der **Juwelier,** –s, –e jeweller

K

der **Kaffee,** –s coffee

das **Kalbfleisch,** –es veal

kalt cold

die **Kameradin,** —, –nen girl friend

der **Kamin,** –s, –e fireplace

die **Kammer,** —, –n room

der **Kampf,** –es, ⸚e struggle, fight

die **Kampfkraft,** — fighting strength

der **Kanarienvogel,** –s, ⸚ canary (-bird)

die **Kapelle,** —, –n orchestra

die **Karte,** —, –n card

die **Kartoffel,** —, –n potato

das **Kästchen,** –s, — small box, case

der **Kasten,** –s, ⸚ box; case

der **Kater,** –s, — tomcat

die **Katze,** —, –n cat

kaufen buy

der **Kaufmann,** –es, –leute merchant

kaum hardly, scarcely

der **Kavalier,** –s, –e cavalier, man of the world

fein no, not any

feinerlei no . . . whatsoever

der Keller, –s, — cellar

fennen, fannte, gefannt know, be acquainted with

fennenlernen become acquainted

der Kenner, –s, — connoisseur, expert

der Kerfer, –s, — prison cell

die Kerferhaft, — imprisonment

der Kerl, –s, –e fellow

das Kerlchen, –s, — little fellow

die Kerze, —, –n candle

die Kette, —, –n chain

der Ketzer, –s, — heretic

fichern giggle

das Kind, –es, –er child

das Kindergesicht, –es, –er child's face

finderlos childless

das Kindermärchen, –s, — fairy-tale for children

die Kinderpsychologie, — child psychology

das Kinn, –es, –e chin

das Kino, –s, –s movies

der Kinobesucher, –s, — movie patron

die Kirche, —, –n church

das Kirchenbuch, –es, –er parochial register

die Kirschblüte, —, –n cherry blossom

die Kirschblütenseife, — Cherry Blossom Soap

die Kirschblütenseifenflocken (pl.) Cherry Blossom Soap Flakes

die Klage, —, –n complaint

flagen complain

das Klangbild, –es, –er sound picture

flappern clatter

flar clear

die Klasse, —, –n class

der Klassengenosse, –n, –n classmate

das Klassenzimmer, –s, — classroom

flatschen clap

das Kleid, –es, –er dress; (pl.) clothes

fleiden clothe

der Kleiderschrank, –es, –e wardrobe

flein small, little; Kleiner little boy, youngster

flettern climb

der Klient, –en, –en client

das Klima, –s climate

die Klinge, —, –n blade

flingeln ring, clang

flingen, a, u sound

flirren crash, clatter

flopfen knock, beat, pound

das Klopfen, –s knocking

das Kloster, –s, – monastery

flug clever, smart

der Knabe, –n, –n boy

der Knall, –s, –e bang

fnallen burst, explode, crack (a whip)

der Knecht, –es, –e hired man

die Kneipe, —, –n beer joint

das Knie, –s, — knee

fnien kneel

der Knopf, –es, –e button

der Knoten, –s, — knot

fochen cook

der Koffer, –s, — suitcase

der Kollege, –n, –n colleague

fommen, a, o (ist) come; wie fommt es how does it happen; zu sich fommen regain consciousness

das Komitee, –s, –s committee

die Kommode, —, –n dresser

fompliziert complicated

fonfiszieren confiscate

der König, –s, –e king

die Königin, —, –nen queen

föniglich royal

das Königreich, –s, –e kingdom

fönnen, fonnte, gefonnt, fann be able, can; know

der Kopf, –es, –e head

fopfschüttelnd shaking his head

der Kornsack, –es, –e sack of grain

förperlich bodily, physical

fostbar valuable

fosten cost

die Kosten (pl.) expenses

das Koſtüm, –s, –e costume, costuming
die Kraft, —, ⁼e strength, might
kräftig strong, powerful
der Kraftmenſch, –en, –en "strong man"
krank sick
der Kranke, –n, –n sick person
die Krankheit, —, –n illness
kratzen scratch
das Kratzen, –s scratching
der Kreditbrief, –es, –e letter of credit
der Kreis, –es, –e circle
kriechen, o, o (iſt) creep
der Krieg, –es, –e war
kriegen get
der Krieger, –s, — warrior
der Kriegsroman, –s, –e war novel
der Kriminalroman, –s, –e crime novel
die Kritik, —, –en criticism
der Krug, –es, ⁼e pitcher
die Küche, —, –n kitchen
der Küchentiſch, –es, –e kitchen table
kühl cool
die Kultur, —, –en culture
ſich kümmern um concern oneself with
der Kunde, –n, –n customer
die Kunſt, —, ⁼e art; profession
der Künſtler, –s, — artist
künſtlich artificial
kurz short
kurzſichtig near-sighted
der Kuß, –es, ⁼e kiss
küſſen kiss
die Küſte, —, –n coast
die Kutſche, —, –n carriage
der Kutſcher, –s, — driver

L

das Laboratorium, –s, –ien laboratory
lächeln smile; das Lächeln, –s smile
lachen laugh
lächerlich ridiculous
laden, u, a load
der Laden, –s, ⁼ store
das Ladenfräulein, –s, — girl store clerk
der Ladentiſch, –s, –e counter

die Lage, –e location, situation
lähmen lame, paralyze
die Lampe, —, –n lamp
das Lampenlicht, –es lamp-light
das Land, –es, ⁼er land; auf dem Lande
  in the country
der Landarzt, –es, ⁼e country doctor
das Landhaus, –es, ⁼er villa
der Landkauf, –es, ⁼e land purchase
die Landſtraße, —, –n highway
das Landtier, –es, –e terrestrial animal
der Landwein, –s common wine (of the
  country)
lang(e) long; ſeit langem for a long
  time
langſam slowly, gradually
längſt long ago
die Langweile, — boredom
langweilen bore
langweilig boring, tedious
laſſen, ie, a let, allow
die Laſt, —, –en load
die Laterne, —, –n lantern, lamp post
der Laternenpfahl, –s, ⁼e lamp post
der Lauf, –es, ⁼e course, run
laufen, ie, au (iſt) run
die Laufmaſche, —, –n run (in stockings)
die Laune, — mood, humor
lauſchen listen
der Laut, –es, –e sound
laut loud
läuten ring
lautlos silent, without making a sound
leben live
das Leben, –s life
lebendig alive
die Lebensgefahr, — danger of life
die Leber, —, –n liver
der Lebertran, –s cod liver oil
das Lebeweſen, –s, — living being
lebhaft energetic
das Lederband, –es, ⁼er leather cord
leer empty

das **Leere,** –n emptiness; ins **Leere** into space

leeren empty

legen lay, put; sich **legen** lie down

legieren alloy

die **Legierung,** —, –en alloy

lehnen lean

die **Lehre,** —, –n apprenticeship; in die **Lehre** nehmen take as apprentice

lehren teach

der **Lehrer,** –s, — teacher

die **Leiche,** —, –n corpse

leicht light; easy

das **Leid,** –es, –en sorrow

leid: es tut mir **leid** I am sorry; er tut mir **leid** I feel sorry for him

leiden, i, i suffer

das **Leiden,** –s, — suffering

die **Leidenschaft,** —, –en passion, rage

leider unfortunately

leihen, ie, ie lend, borrow

leise soft, quietly

sich **leisten** afford

die **Leistung,** —, –en achievement

die **Lektüre,** — reading

lesen, a, e read

der **Leser,** –s, — reader

letzt last

leuchten light, glisten

leugnen deny

die **Leute** (*pl.*) people

das **Licht,** –es, –er light

lieb dear; dem König war sie **lieb** the king was fond of her; es ist mir **lieb** I like

die **Liebe,** — love

lieben love

der **Liebende,** –n, –n lover

liebenswürdig kind, amiable

der **Liebesroman,** –s, –e novel of love

liebhaben love

der **Liebhaber,** –s, — lover

liebkosen caress

lieblich lovely, sweet

der **Liebling,** –s, –e darling

das **Lieblingsfenster,** –s, — favorite window

die **Lieblingsmarke,** —, –n favorite brand

das **Lied,** –es, –er song

liefern furnish

liegen, a, e lie

link– left; **links** left

die **Lippe,** —, –n lip

listig sly

literarisch literary

loben praise

das **Loch,** –es, ⸚er hole

der **Lohn,** –es, ⸚e pay, wages, reward

die **Lokomotive,** —, –n locomotive

lösen solve

losgehen, ging los, losgegangen (ist) commence, begin, start

loslassen, ie, a let loose

sich **losreißen, i, i** break away

losschießen, o, o fire away

lossein: Was ist denn los? What's the matter?

die **Lösung,** —, –en solution

loswerden, u, o (ist) get rid of

der **Löwe,** –n, –n lion

die **Luft,** —, ⸚e air; **Luft holen** inhale

die **Lüge,** —, –n lie

lügen, o, o lie, tell a lie

die **Lungenentzündung,** — pneumonia

die **Lust,** —, ⸚e pleasure, desire; **Lust haben** want, feel like

lustig gay, funny; sich **lustig machen über** make fun of

der **Luxusartikel,** –s, — luxury article

M

machen make, do

die **Macht,** —, ⸚e power

mächtig powerful, mighty

das **Mädchen,** –s, — girl; maid

der **Mädchenname,** –ns, –n maiden name

magisch magic

der **Magistrat,** –s magistrate, municipal council

die **Mahlzeit,** —, –en meal

der **Mai**, –s May

das **Mal**, –s time; **ein paar Mal** a few times

mal once

die **Mama**, —, –s mother

man one, they

mancher, –e, –es many (a)

manchmal sometimes

der **Mangel**, –s, ⸗ want, lack

die **Manieren** (*pl.*) manners

der **Mann**, –es, ⸗er man, husband

männlich male

die **Mannschaft**, —, –en team

der **Mantel**, –s, ⸗ topcoat

das **Märchen**, –s, — fairy-tale

die **Mark**, —, — mark (*unit of money*)

die **Marke**, —, –n brand

der **Marsch**, –es, ⸗e march

martern torture

der **März**, –es March

die **Masche**, —, –n stitch, mesh

die **Maske**, —, –n mask

maskieren disguise

das **Material**, –s, –ien material, drugs (*pl.*)

die **Mathematik**, — mathematics

die **Matratze**, —, –n mattress

die **Mauer**, —, –n wall

das **Maul**, –es, ⸗er mouth (of animals)

mäuschenstill absolutely quiet

der **Mechaniker**, –s, — mechanic

das **Meer**, –es, –e ocean, sea

mehr more; **nicht mehr** no longer; **um so mehr** all the more

mehrere several

der **Meilenstein**, –s, –e milestone

meinen mean, think

der **Meinige** my own

die **Meinung**, —, –en opinion

meist– most; **am meisten** most; **meistens** mostly

der **Meister**, –s, — master

die **Meisterschaft**, —, –en mastery, championship

der **Meisterschaftskampf**, –es, ⸗e championship contest

sich melden volunteer, report

die **Menge**, —, –n crowd; quantity

der **Mensch**, –en, –en human being; fellow, man

die **Menschenmenge**, —, –n crowd of people

merken notice

merkwürdig remarkable

das **Metall**, –s, –e metal

metallisch metallic

die **Miene**, —, –n expression

die **Miete**, —, –n rent

mieten hire

der **Mieter**, –s, — renter

die **Mikrobe**, —, –n microbe

das **Mikrophon**, –s, –e microphone

die **Milch**, — milk

mild mild, gentle; **mildernder Umstand** extenuating circumstance

das **Militär**, –s military, service

mindestens at least

die **Minute**, —, –n minute

sich mischen in interfere with

die **Mißernte**, —, –n bad harvest, crop failure

mißhandeln abuse

mißtrauen mistrust

mit with

mitansehen, a, e witness

mitbringen, **brachte mit**, **mitgebracht** bring along

der **Mitbürger**, –s, — fellow citizen

die **Mitgift**, — dowry

mithelfen, a, o cooperate, assist, help

mitkommen, a, o (ist) come along

das **Mitleid**, –es pity, sympathy

mitleidig compassionate, sympathetic

die **Mitmenschen** (*pl.*) fellow-men

mitnehmen, a, o take along

mitschicken send along

der **Mitspieler**, –s, — team mate

der **Mittag**, –s, –e noon; **zu Mittag essen** have lunch

die Mitte, — middle, center
mitteilen inform
das Mittel, –s, — means
mittelalterlich medieval
(das) Mitteleuropa, –s Central Europe
mittelgroß of medium size
das Mittelmeer, –s Mediterranean
mitten in the middle of
die Mitternacht, —, ⸚e midnight
der Mittwoch, –s Wednesday
das Möbelgeschäft, –es, –e furniture store
modern modern
mögen, mochte, gemocht, mag may, like
möglich possible
die Möglichkeit, —, –en possibility
der Monat, –s, –e month
der Mond, –es, –e moon
das Mondlicht, –es moonlight
die Mondsichel, —, –n crescent or sickle of the moon
der Montag, –s Monday
der Mord, –es, –e murder
der Mörder, –s, — murderer
die Mörderbande, —, –n gang of murderers
die Mordnacht, —, ⸚e night of murder
die Mordtat, —, –en murderous deed, murder
die Mordwaffe, —, –n murder-weapon
der Morgen, –s, — morning
morgen tomorrow; morgens in the morning; morgen früh tomorrow morning
die Morgenstunde, —, –n morning hour
das Motiv, –s, –e motif
die Motorhaube, —, –n motor hood
das Motorrad, –es, ⸚er motorcycle
müde tired
die Müdigkeit, — fatigue
die Mühe, — trouble; sich Mühe geben take pains, try hard
mühsam with difficulty
der Mund, –es, ⸚er mouth

das Mundtuch, –es, ⸚er napkin
die Munition, — ammunition
die Münze, —, –n coin
murmeln mumble, mutter
der Museumsplatz, –es Museum Square
die Musik, — music
der Musiklehrer, –s, — music teacher
die Muskel, —, –n muscle
müssen, mußte, gemußt, muß have to
der Mut, –es courage; guten Mutes in high spirits, confident
die Mutter, —, ⸚ mother
mütterlich motherly, maternal

N

na well
nach after, to; according to
der Nachbar, –s, –n neighbor
der Nachbarkasten, –s, ⸚ adjoining case
der Nachbarsaal, –es, –säle adjoining room
nachdem after
nachdenken, dachte nach, nachgedacht think about
nachdenklich reflecting, pensive
der Nachdruck, –s emphasis
die Nachforschung, —, –en inquiry, investigation
nachgeben, a, e yield, give in
der Nachhauseweg, –es way home
nachkommen, a, o (ist) follow after
nachmachen imitate
der Nachmittag, –s, –e afternoon
nachprüfen check
nachreiten, i, i (ist) ride after, follow
die Nachricht, —, –en news
nachsehen, a, e look, see, check
nächst– next; nearest
die Nacht, —, ⸚e night
das Nachtgespenst, –es, –er phantom
die Nachtherberge, —, –n night's lodging
nächtlich nightly
die Nachtmusik, — serenade
nachts at night

der Nachtwächter, –s, — night-watchman
die Nachtzeit, — night-time
nah near, close
die Nähe, — vicinity
der Name, –ns, –n name
nämlich namely, you see
der Narr, –en, –en fool
die Nase, —, –n nose
das Nashorn, –s, ⸚er rhinoceros
naß wet
die Nation, —, –en nation
die Natur, — nature
natürlich natural, naturally, of course
der Nebel, –s, — fog
neben next to, beside
der Nebenberuf, –s, –e secondary occupation
nehmen, nahm, genommen take
nennen, nannte, genannt name, mention
nervös nervous
nett nice
neu new
die Neugier, — curiosity
neugierig curious
der Nibelungenhort, –es Nibelung treasure
nichts nothing
das Nichtstun, –s doing nothing
nicken nod
nie never
der Niederländer, –s, — Netherlander
sich niederlassen, ie, a settle, establish
oneself
niederreißen, i, i tear down
niedersehen, a, e look down
niedrig low
niemand no one, nobody; niemand
anders nobody else
die Nische, —, –n niche
noch still; noch ein another; noch eins
one thing more; noch nie never yet
nochmals once more
der Norden, –s North
der Nordgermane, –n, –n North Teuton

nördlich northerly, north
der Nordmann, –s, ⸚er Norseman
die Nordsee, — North Sea
die Normandie, — Normandy
das Normannenreich, –es Norman Kingdom
die Not, — trouble
die Note, —, –n note
nötig necessary; nötig haben need, have
need of
die Notwehr, — self-defense
nu well; im Nu in no time
die Null, —, –en zero
die Nummer, —, –n number
nun now; well
nur only
nutzlos useless, unprofitable

O

ob if, whether
oben above; da oben up there
obgleich although
oder or
offen open
offenbar apparently
öffentlich public
öffnen open
die Öffnung, —, –en opening
oft often
ohne without; ohne . . . zu without
plus verbal noun
ohnmächtig unconscious
das Ohr, –es, –en ear
der Ohrring, –es, –e ear-ring
der Oktober, –s October
der Ölfleck, –es, –e oil spot
der Onkel, –s, — uncle
die Oper, —, –n opera
der Opernkomponist, –en, –en opera com-
poser
das Opfer, –s, — victim
opfern sacrifice
die Orchidee, —, –n orchid
die Ordnung, —, –en order
der Organismus, —, . . .smen organism

originell original

der Ort, –es, ⸗er place

der Osten, –s east

(das) Österreich, –s Austria

der Ostgermane, –n, –n East Teuton

ostgermanisch East Germanic

die Ostsee, — Baltic

die Ouvertüre, —, –n overture

P

das Paar, –es, –e pair, couple

paar few

das Päckchen, –s,— small package, pack

packen pack (up), grasp, seize

das Packen, –s packing

die Packung, —, –en wrapper

das Paket, –es, –e package

das Palastkino, –s Palace movie theatre

panamerikanisch Pan-american

das Panorama, –s, –s panorama

der Panzer, –s, — coat of mail, armour

der Papa, –s, –s daddy

der Papagei, –en, –en parrot

das Papier, –s, –e paper

parfümiert (p. pl.) perfumed

passen fit

die Patrizierfamilie, —, –n patrician family

die Patrone, —, –n cartridge

die Pause, —, –n pause

die Peitsche, —, –n whip

das Peitschengeknall, –s cracking of the whip

der Pelzmantel, –s, ⸗ fur coat

die Person, —, –en person

die Personenaufnahme, —, –n picture of a person or persons

persönlich personally

der Pfarrer, –s, — parson

das Pfarrhaus, –es, ⸗er parsonage

die Pfeife, —, –n pipe

pfeifen, i, i whistle

das Pferd, –es, –e horse

der Pferdehuf, –es, –e horse's hoof

das Pferderennen, –s, –n horse race

das Pflaster, –s, — pavement

pflegen take care of; *with* zu *plus the infinitive* be in the habit of

die Pflicht, —, –en duty

pflücken pick

das Pfund, –es, –e pound

die Phantasie, — imagination

der Photograph, –en, –en photographer

die Photographie, —, –n photograph

photographieren photograph, take pictures

die Photographierstellung, —, –en position for having a picture taken

der Pirat, –en, –en pirate

planen plan

der Platz, –es, ⸗e place, seat; room; square

plaudern chat

plötzlich sudden(ly)

politisch political

die Polizei, — police

der Polizeibeamte, –n, –n police official

der Portraitphotograph, –en, –en portrait photographer

die Post, — post office; mail

das Postamt, –es, ⸗er post office

postlagernd in care of general delivery

der Postwagen, –s, — stagecoach

prahlen boast

der Präsident, –en, –en president

der Preis, –es, –e price, prize

preiswert reasonable

pressen hold tightly

primitiv primitive

die Probe, —, –n sample

das Probestück, –s, –e sample

der Professor, –s, –en professor

das Programm, –s, –e program

prophezeien prophesy

die Provinz, —, –en province

das Prozent, –es, –e percent

der Prozeß, –es, –e law suit

die Psychologie, — psychology

das Publikum, –s audience

der Punkt, –es, –e point, dot; Punkt

fieben Uhr at seven o'clock sharp
die Puppe, —, –n doll

Q

quälen torture, torment
quietfchen squeak

R

der Rächer, –8, — avenger
das Rad, –e8, ⁗er wheel
das Radio, –8, –8 radio
der Radioapparat, –e8, –e radio
der Radiointerviewer, –8, — radio interviewer
rafch rapidly
ein Rafender madman, maniac
fich rafieren shave
die Raft, — rest
der Rat, –e8 advice
raten, ie, a guess
das Rätfel, –8, — riddle, puzzle
rattern rattle
rauben rob
der Räuber, –8, — robber
die Räuberhöhle, —, –n den of robbers
der Raubmord, –e8, –e (robbery-) murder
der Raubmörder, –8, — (robbery-)
murderer
rauchen smoke
der Raum, –e8, ⁗e room
raufchen roar
rechnen count, class
die Rechnung, —, –en bill
das Recht, –e8, –e right, law
recht right, really; recht haben be right
rechts to the right
rechtzeitig on time, punctually
die Rede, —, –n speech
reden talk
der Redner, –8, — speaker
die Regel, —, –n rule; in der Regel as a
rule
regelmäßig regular
fich regen stir

der Regen, –8 rain
der Regenfchirm, –8, –e umbrella
die Regierung, —, –en government
reiben, ie, ie rub
reich rich
das Reich, –e8, –e empire, realm
reichen be sufficient
reichlich abundantly
der Reichtum, –8, ⁗er riches, wealth
der Reifen, –8, — tire
die Reihe, —, –n series, line; an der
Reihe fein, an die Reihe kommen to
have one's turn
der Reim, –e8, –e rhyme, jingle
rein clear, pure
reinigen clean
die Reife, —, –n journey, trip
reifefertig ready to start
die Reifekoften (pl.) travelling expenses
reifen (ift) travel
der Reifepaß, –e8, ⁗e passport
reißen, i, i, tear
reiten, i, i, (ift) ride, go on horseback
die Reitftiefel (pl.) riding boots
reizend charming
die Reklame, — advertisement
die Reklamefirma, —, –firmen advertising company
rennen, rannte, (ift) gerannt run
das Rennpferd, –e8, –e race horse
reparieren repair
der Refpekt, –e8 respect
refpektvoll respectfully
der Reft, –e8, –e rest
das Reftaurant, –8, –8 restaurant
die Reftaurantrechnung, —, –en restaurant check
das Refultat, –e8, –e result
retten save
die Rettung, —, –en rescue
der Revolver, –8, — revolver
der Revolverfchuß, –e8, ⁗e revolver shot
das Rezept, –e8, –e recipe
rezitieren recite, declaim
der Rhein, –8 Rhine

die Rheintochter, —, ⸚ daughter of the
  the Rhine

richten direct; eine Frage richten ask a
  question

der Richter, -s, — judge

richtig right, correct; real

die Richtigkeit, — correctness

die Richtung, —, -en direction

der Riese, -n, -n giant

die Riesenschlange, —, -n python

riesig gigantic, huge

der Ring, -es, -e ring

ringen, a, u struggle; nach Atem ringend
  gasping for breath

das Risiko, -s, -s risk

riskieren risk

der Ritt, -es, -e ride

ritterlich knightly, chivalrous

der Rock, -es, ⸚e coat; skirt

roh brutal

die Rolle, —, -n roll; part

(das) Rom, -s Rome, Roman Empire

der Roman, -s, -e novel

romanisch Romance

der Römer, -s, — Roman

römisch Roman

die Röntgenaufnahme, —, -n X-ray
  photograph

die Rose, —, -n rose

rostig rusty

rot red

'rüber (short for herüber) over

der Rücken, -s, — back

rücken move

die Rückwand, —, ⸚e backwall

die Rückkehr, — return

rückwärts backward

rudern row

der Ruf, -es, -e cry, reputation

rufen call; das Rufen calling

die Ruhe, — quiet, rest, peace

das Ruhebett, -es, -en couch

ruhen rest

ruhig quiet, calm

(sich) rühren move

rund round

die Runde, —, -n round

'runter (short for herunter) down

S

der Saal, -es, Säle hall, room

die Sache, —, -n thing, matter

der Sachse, -n, -n Saxon

sagen say

der Salon, -s, -s drawing-room

das Salz, -es salt

der Sammler, -s, — collector

die Sammlung, —, -en collection

der Samstag, -s, -e Saturday

sanft gently

sarkastisch sarcastic

satteln saddle

der Satz, -es, ⸚e sentence; set; leap

die Schachtel, —, -n box

schade (too) bad

schaden harm, hurt, injure; das schadet
  nichts that does not matter

der Schaden, -s, ⸚ damage

schälen peel

sich schämen be ashamed

scharf sharp

der Schatten, -s, — shadow

der Schatz, -es, ⸚e treasure; sweetheart

der Schatzmeister, -s, — treasurer

die Schaufel, —, -n shovel

das Schaufenster, -s, — show window

der Schauspieler, -s, — actor

schauspielerisch like an actor, acting
  (adj.)

der Schauplatz, -es, ⸚e scene

der Scheck, -s, -s check

die Scheide, —, -n sheath

der Schein, -e shine, light; illusion; bill
  (money)

scheinen, ie, ie shine; seem

der Scheinwerfer, -s, — head light

schelten, a, o scold

schenken give (as a present)

der Scherz, -es, -e joke, jest

scherzend joking(ly)

ſcherzhaft joking(ly)

die Scheune, —, -n barn

ſchicken send

das Schickſal, -s fate

ſchieben, o, o shove, push

die Schiene, —, -n splint

ſchießen, o, o shoot

das Schiff, -s, -e ship

das Schildchen, -s, — small sign

ſchimpfen bawl out; scold

das Schimpfen, -s scolding, using abusive language

der Schimpfname, -ns, -n abusive name

der Schinken, -s, — ham

das Schinkenbrot, -es, -e ham sandwich

der Schlaf, -es sleep

ſchlafen, ie, a sleep

die Schlafkammer, —, -n (small) bedroom

das Schlafzimmer, -s, — bedroom

der Schlag, -es, ⸗e blow, slap, stroke

der Schlaganfall, -es, ⸗e stroke

ſchlagen, u, a strike, hit, beat

die Schlägerei, —, -en fight(ing)

die Schlange, —, -n snake

der Schlangenkopf, -es, ⸗e snake's head

ſchlank slender

ſchlau clever

ſchlecht bad

ſchleudern throw

ſchleppen drag

ſchließen, o, o close, lock

ſchließlich after all, finally

ſchlimm bad; das Schlimmſte worst

das Schloß, -es, ⸗er castle

das Schluchzen, -s sobbing

das Schlummerlied, -es, -er lullaby

ſchlüpfen slip

der Schluß, -es, ⸗e end, conclusion;
Schluß machen stop

der Schlüſſel, -s, — key

der Schlüſſelring, -es, -e key ring

ſchmal narrow

der Schmerz, -ens, -en pain

ſchmerzen pain, hurt

ſchmerzend aching

der Schmetterling, -s, -e butterfly

der Schmuck, -es adornment, jewels

der Schmuckartikel, -s, — decorative
article

die Schmuckſachen (pl.) jewels

das Schmuckſtück, -s, -e piece of jewelry

ſchmutzig soiled, dirty

der Schnee, -s snow

ſchneeweiß snow-white

das Schneewittchen, -s Snow White

ſchneiden, i, i cut, trim

ſchnell fast, quick; ſchnellſtens as
quickly as possible

der Schnupfen, -s, — head cold

die Schnur, —, ⸗e string, cord

der Schnurrbart, -es, ⸗e mustache

die Schokolade, -e chocolate

ſchon already; ſchon einmal (in question) ever

ſchön beautiful, pretty

die Schönheit, — beauty

die Schönheitskrem, — beauty cream

der Schoß, -es, ⸗e lap

das Schoßhündchen, -s, — lap dog

der Schotte, -n, -n Scot, Scotsman

der Schrank, -es, ⸗e closet

die Schrapnellkugel, —, -n shrapnel
bullet

der Schrecken, -s fright

die Schreckensnacht, —, ⸗e terrible night

ſchrecklich terrible, horrible

der Schrei, -s, -e scream

ſchreiben, ie, ie write

die Schreibmaſchine, —, -n typewriter

der Schreibtiſch, -es, -e writing desk

ſchreien, ie, ie scream

ſchreiten, i, i (iſt) step

die Schrift —, -en writing

die Schriftſtellerin, —, -nen authoress

das Schriftſtück, -es, -e document

der Schritt, -es, -e footstep, step

der Schuh, -s, -e the shoe

die Schuld, — fault; debt; guilt; die
Schulden (pl.) debts

schuld sein be guilty

der Schuldige, –n, –n guilty person

die Schule, —, –n school

die Schulkameradin, —, –nen schoolmate

die Schulter, —, –n shoulder

die Schürze, —, –n apron

der Schuß, –es, ⁻e shot

schütteln shake

der Schutz, –es protection

schützen protect

der Schützengraben, –s, ⁻ trench

der Schützling, –s, –e protégé

der Schutzmann, –s, –leute policeman

schwach weak

der Schwächeanfall, –es, ⁻e spell of
dizziness

schwächlich weakly, sickly

der Schwager, –s, ⁻ brother-in-law

schwänzen cut class

schwarz black

das Schwarze Meer, –s Black Sea

der Schwarzkopf, –es, ⁻e brunette

schweigen, ie, ie be silent

das Schweigen, –s silence

schweigend silent(ly)

das Schweinefleisch, –es pork

der Schweinsfuß, –es, ⁻e pig's foot

der Schweiß, –es perspiration, sweat

die Schweiz, — Switzerland

schwer heavy, difficult; serious

das Schwert, –es, –er sword

die Schwester, —, –n sister

schwierig difficult

die Schwierigkeit, —, –en difficulty

schwimmen, a, o (ist) swim

der Schwimmer, –s, — swimmer

schwitzen perspire

schwören, o, o swear

der See, –s, –n lake

der Seehund, –es, –e seal

die Seele, —, –n soul

der Segen, –s, — blessing

segnen bless

sehen, a, e see

sehr very

die Seide, — silk

der Seidenstrumpf, –es, ⁻e silk stocking

die Seife, —, –n soap

sein, war, (ist) gewesen, ist be

das Seineufer, –s, — bank of the river
Seine

seit since; seit langem for a long time

die Seite, —, –n side

das Seitengäßchen, –s, — side street

der Sekretär, –s, –e secretary

die Sekretärin, —, –nen secretary

die Sekunde, —, –n second

selber myself, *etc.;* von selber of his own
accord

selbst myself; even

selbstverständlich of course

selten seldom

seltsam odd, strange

die Semantik semantics (*science of
meaning of words*)

semantisch semantic

senden, sendete (sandte), gesendet
(gesandt) send

der Sender, –s, — transmitter, radio
station

die Sendestation, —, –en broadcasting
station

senken lower

der Sessel, –s, — arm-chair

setzen set; sich setzen sit down

seufzen sigh

der Seufzer, –s, — sigh

sicher safe, certain, sure; no doubt

sicherlich undoubtedly

sichtbar visible

sichtlich apparent, obvious

der Sieg, –es, –e victory

das Silber, –s silver

der Silberdollar, –s, — silver dollar

silberhaltig containing silver, argental

der Silberlöwe, –n, –n cougar

silbern of silver

der Silbertaler, –s, — silver taler

singen a, u sing; das Singen singing

sinken, a, u (ist) sink, drop

der Sinn, –es meaning
der Sitz, –es, –e seat
sitzen, saß, gesessen sit; to be in jail
die Sitzung, —, –en meeting
(das) Skandinavien, –s Scandinavia
der Skandinavier, –s, — Scandinavian
so so; so ein such a; so... wie as ...
   as; so viel... wie as much ... as
sobald as soon as
die Socke, —, –n sock
sodaß so that
das Sofa, –s, –s davenport
sofort at once
sogar even
sogleich at once
der Sohn, –es, ⸚e son
das Söhnchen, –s, — small son
solange as long as
solcher such
der Soldat, –en, –en soldier
sollen, sollte, gesollt, soll shall, have to,
   be supposed to
das Sommerhaus, –es, ⸚er summer resi-
   dence
sonderbar strange, odd
sondern but
der Sonnabend, –s, –e Saturday
die Sonne, — sun
der Sonnenaufgang, –es, ⸚e sunrise
der Sonntag, –s, –e Sunday
sonst otherwise; sonst jemand anyone
   else
die Sorge, —, –n worry, care; sich
   Sorgen machen to worry
sorgen worry; care for, see to
sorgenfrei free of care
sorgenvoll worried
sorgfältig careful(ly)
soviel... wie as much as
sowie as well as
sowieso anyhow
das Spanisch, –en Spanish (language)
spannen hitch
sparen save
der Spaß, –es, ⸚e fun

spät late
spazieren gehen take a walk
die Spazierfahrt, —, –n drive
der Spaziergang, –es, ⸚e walk
der Speck, –es bacon
der Speer, –es, –e spear, lance
der Speisesaal, –es, –säle dining room
das Spezialgebiet, –es, –e special field
der Spiegel, –s, — looking glass
das Spiegelbild, –es reflection
sich spiegeln be reflected
das Spiel, –es, –e play, game
spielen play
der Spieler, –s, — player
der Spion, –es, –e spy
die Spitze, —, –n sharp point
der Sporn, –s, Sporen spur
der Sport, –es sport
der Sportanzug, –es, ⸚e sport suit
der Spott, –es mockery
die Sprache, —, –n language
sprachlos speechless
sprechen, a, o speak
springen, a, u (ist) jump
spritzen splash
spucken spit
spülen rinse
die Spur, —, –en trace, track; clue
spüren feel, notice, perceive; experience
der Staat, –es, –en state
die Stadt, —, ⸚e city
das Städtchen, –s, — small town
der Stahl, –s steel
der Stamm, –s, ⸚e tribe
stammeln stammer
stammen: stammen aus date from, come
   from
ständig constant
stark strong
die Stärke, — strength
starren stare
die Station, —, –en station
statt instead of
stattfinden, a, u take place
stattlich stately, sturdy

der Staub, –es dust

stecken stick, put; stecken bleiben stick fast; stecken lassen leave sticking

stehen, stand, gestanden stand; be written, occur; es steht ihr gut it is becoming to her; wie steht es mit what about

stehen bleiben, ie, ie (ist) remain standing; stop

steigen, ie, ie (ist) climb

steil steep

der Stein, –es, –e stone

das Steinbild, –es, –er statue

steinig stony

die Stelle, —, –n place, spot

stellen place, put; eine Frage stellen to ask a question; sich stellen stand

die Stellung, —, –en position

sterben, a, o (ist) die

das Sterben: im Sterben liegen be dying

das Steuerrad, –es, –er steering wheel

still still, quiet

stillschweigend silently

stillstehen, stand still, stillgestanden (ist) stop

die Stimme, —, –n voice

stimmen be correct

die Stimmung, —, –en mood

die Stirn, —, –en forehead

der Stock, –es, –e floor

der Stoff, –es, –e material

stöhnen groan

stolz proud

stören disturb

stoßen, ie, o hit, knock, push

die Stoßstange, —, –n bumper

die Strafe, —, –n punishment

strahlen beam

die Straße, —, –n street

die Straßenbahn, —, –en streetcar

der Straßengraben, –s, – ditch

der Straßenköter, –s, — street cur

der Straßenlärm, –s street noise

der Straßenräuber, –s, — street robber

der Straßensänger, –s, — street singer

die Strecke, —, –n stretch

streicheln stroke, pat

das Streichholz, –es, –er match

der Streit, –es, –e quarrel

streiten, i, i quarrel

streng strict

strömen pour

der Strumpf, –es, –e stocking

das Stück, –es, –e piece

der Student, –en, –en student

die Studentin, —, –nen girl student

studieren study

die Stufe, —, –n step

der Stuhl, –es, –e chair

die Stunde, —, –n hour; class

der Stundenplan, –s, –e class schedule

der Sturm, –es, –e storm

stürmisch boisterous

stürzen (ist) rush, plunge

stützen support

suchen search, seek

(das) Südamerika, –s South America

der Süden, –s South

südländisch southern

südlich southern

der Südstaat, –es, –en southern state

der Sünder, –s, — sinner, culprit

süß sweet

die Szene, —, –n scene

T

das Tablett, –s, –e tray

die Tafel, —, –n board

der Tag, –es, –e day

tagelang for days

die Tagereise, —, –n day's journey

der Tagesanbruch, –s daybreak

täglich daily

das Talent, –es, –e talent, ability

tanken buy gasoline

der Tanz, –es, –e dance

tanzen dance

die Tänzerin, —, –nen dancer (feminine)

die Tanzkapelle, —, –n dance band

die Tanzmusik, — dance music

tapfer brave

die Taſche, —, -n pocket
das Taſchentuch, -es, -er handkerchief
die Taſſe, —, -n cup
taſten grope
die Tat, —, -en deed, action
die Tatſache, —, -n fact
die Taufe, —, -n baptism, christening
taufen baptize
der Taufpate, -n, -n godfather; pl.
  godparents
taugen be good or fit
der Taugenichts, — good-for-nothing
das Taxi, -s, -s taxi
der Teddybär, -en, -en Teddy Bear
der Tee, -s tea
der Teil, -s, -e part; zum Teil in part
teilen share
teils . . . teils partly . . . partly
teilweiſe partly
das Telephon, -s, -e telephone
das Tennis, — tennis
der Tennislehrer, -s, — tennis instructor
der Tennismeiſter, -s, — tennis cham-
  pion
die Tennismeiſterſchaft, —, -en tennis
  championship
der Tennisplatz, -es, -e tennis court
der Tennisſchläger, -s, — tennis raquet
der Tennisſchuh, -s, -e tennis shoe
der Tennisſpieler, -s, — tennis player
der Tenor, -s, -e tenor
die Terraſſe, —, -n terrace
das Teſtament, -s, -e testament, will
die Tetralogie, —, -n tetralogy
teuer expensive
der Teufel, -s, — devil
das Theater, -s, — theatre
das Theaterpublikum, -s audience
der Thron, -es, -e throne
der Thronſaal, -s, -ſäle throne room
tief deep, sound
das Tier, -es, -e animal
der Tierarzt, -es, -e veterinary
die Tieraufnahme, —, -n picture of an
  animal

die Tierfabel, —, -n animal fable
der Tierfilm, -s, -e animal film
der Tierliebling, -s, -e animal pet
der Tiger, -s, — tiger
der Tiſch, -es, -e table
der Titel, -s, — title
die Tochter, —, - daughter
der Tod, -es death
der Todesſtoß, -es, -e death-thrust
die Todeswunde, —, -n mortal wound
tödlich deadly, mortal
todmüde dead tired
die Tomate, —, -n tomato
der Torweg, -es, -e gateway, archway
tot dead; der Tote dead man
töten kill
totenblaß deadly pale
totſchlagen, u, a beat to death, kill
tragen, u, a carry, wear
der Träger, -s, — wearer
der Tragſeſſel, -s, — sedan chair
trainieren train
der Tran, -s fish oil
die Träne, —, -n tear
der Traum, -s, -e dream
träumen dream
die Träumerei, —, -en reverie
träumeriſch dreamy
traurig sad
treffen, a, o meet; hit
treiben, ie, ie drive, perform
ſich trennen separate
die Trennung, —, -en separation
der Trennungstag, -es, -e day of separation
die Treppe, —, -n stairs
treten, a, e (iſt) step; kick
treu faithful, loyal
trinken, a, u drink
das Trinkgeld, -es, -er tip
trocknen dry
trommeln drum, tap
der Tropfen, -s, — drop
tropfen drip
tröſten console

das Trostwort, -es, -e word of comfort
der Trotz, -es defiance
trotz in spite of
trotzdem in spite of the fact that, nevertheless
trotzig defiantly
die Truhe, —, -n trunk, chest
der Trumpf, -es, ⸚e trump
die Truppen (pl.) troops
das Tuch, -es, ⸚er cloth
tun, tat, getan do
der Tunichtgut, -es, -e good-for-nothing
der Tunnel, -s, — tunnel, underground
passage
die Tür, —, -en door
das Türchen, -s, — small door
die Türöffnung, —, -en doorway
typisch typical

U

der Übeltäter, -s, — evil-doer, criminal
über over
überall everywhere
übereinstimmen agree
der Überfall, -s, ⸚e attack
überfallen, ie, a attack
übergeben, a, e hand over
überhaupt at all
sich überlassen sein be left to oneself
überleben survive
sich überlegen think about, figure out
überlegen sein be superior to
die Überlieferung, —, -en tradition
übermannen overcome
übernachten spend the night
übernehmen, a, o take over, assume;
accept
überraschen surprise
die Überraschung, —, -en surprise
überreden persuade
überreichen hand (over)
sich überschlagen, u, a somersault
übertreiben, ie, ie exaggerate
überzeugen convince
übrig left over, remaining

übrigens incidentally, by the way
das Ufer, -s, — shore
die Uhr, —, -en watch, clock, o'clock
um around; by; um sein be up; um so
all the; um ... zu in order to
umarbeiten rework
umarmbar embraceable
umarmen to embrace
umbauen rebuild
umbringen, brachte um, umgebracht kill
sich umdrehen turn around
umherlaufen, ie, au (ist) run around
umherwandern (ist) wander around
umkehren (ist) turn around
umklammern clasp
umkommen, a, o (ist) perish
der Umschlag, -es, ⸚e envelope
sich umsehen, a, e look around
umsonst in vain
der Umstand, -es, ⸚e circumstance
unangenehm unpleasant
unbeantwortbar unanswerable
unbedeutend insignificant
unbedingt absolutely
unbegreiflich inexplicable
unbeschreiblich indescribable
unbesiegbar invincible
unbestimmt vague
unbeweglich fixed
unbezwingbar uncontrollable
unerkannt unrecognized, incognito
unerschütterlich unshakable, firm
unerträglich unbearable, intolerable
unfähig incapable, incompetent
unfreundlich unfriendly
der Unfug, -es mischief
die Ungeduld, — impatience
ungeduldig impatient
ungefähr about, approximately
ungeheuer enormous
ungehört unheard
die Ungerechtigkeit, —, -en injustice
ungern(e) unwillingly, do not like to
ungesehen unseen, unnoticed
ungestört undisturbed

ungefund unhealthy, sickly
ungewöhnlich unusual
ungläubig unbelieving, skeptical
das Unglück, –s bad luck, misfortune
unglücklich unhappy, unfortunate
das Unglücksjahr, –es, –e unlucky year
die Unglücksstelle, —, –n place of the accident
die Universität, —, –en university
das Universitätsjubiläum, –s, . . .äen university anniversary
der Universitätsprofessor, –s, –en university professor
unklar unclear, obscure
die Unkosten (pl.) expenses
unmittelbar direct, immediate
unmöglich impossible
die Unpünktlichkeit, — unpunctuality
das Unrecht, –es injustice
unrecht haben be wrong
die Unruhe, — unrest
die Unschuld, — innocence
unschuldig innocent
unsicher uncertain
der Unsinn, –s nonsense
der Unsterbliche, –n, –n immortal
unten below, down
unter under
unterbrechen, a, o interrupt
unterbringen, accommodate
unterdrücken suppress
untergehen, ging unter, untergegangen (ist) submerge
die Untergruppe, —, –n subgroup
sich unterhalten, ie, a converse, entertain
die Unterhaltung, —, –en conversation
unterirdisch subterranean
die Unterkunft, —, ‑e lodging
der Unteroffizier, –s, –e corporal
unternehmen, a, o undertake
das Unternehmen, –s, — undertaking
der Unterschied, –es, –e difference
untersuchen examine
die Untersuchung, —, –en examination
der Untertan, –en, –en subject

unterwegs on the way
unterzeichnen sign
ununterbrochen uninterrupted
unverheiratet sein be single
unvernünftig unreasonable, senseless
unverschlossen unlocked
unverständlich unintelligible
unwichtig unimportant
unwiderstehlich irresistible
unwillig unwilling
der Unwürdige, –n, –n unworthy, undeserving person
der Urlaub, –s furlough, vacation
der Ursprung, –s, ‑e origin
das Urteil, –s, –e judgment
usw. and so on

V

der Vandale, –n, –n Vandal
der Vater, –s, ‑ father
der Venezianer, –s, — Venetian
die Verabredung, —, –en appointment
verantwortlich responsible
die Verantwortung, —, –en responsibility
verbergen, a, o hide
verbessern improve, amend
sich verbeugen bow
die Verbeugung, —, –en bow
die Verbindung, —, –en connection
verbittert grown bitter, embittered
verblenden blind
das Verbrechen, –s, — crime
der Verbrecher, –s, — criminal
die Verbrecherlaufbahn, — career of a criminal
verbrennen, verbrannte, verbrannt burn
der Verdacht, –es suspicion
verdächtig suspicious
der Verdächtige, –n, –n suspect, suspicious person
verdächtigen suspect
verdanken owe
das Verderben, –s destruction
verdienen earn, deserve

verdoppeln double

verehren worship; **Verehrtes Fräulein** my dear lady, madamoiselle

das Verfahren, -s, — process, method

der Verfasser, -s, — author

die Verfilmung, —, -en film version

verfliegen, o, o (ist) fly away, vanish

verfluchen curse

die Verfolgung, —, -en pursuit

vergeben, a, e forgive

vergeblich in vain

vergehen, verging, vergangen (ist) pass away

vergessen, a, e forget

vergiften poison

vergleichen, i, i compare

das Vergnügen, -s, — pleasure

vergraben, u, a hide in the ground, bury

verhaften arrest

die Verhaftung, —, -en arrest

verhallen (ist) die away

die Verhältnisse (*pl.*) conditions

verhängen cover with a curtain

der Verhaßte, -n, -n hated person

sich verheiraten get married; **verheiratet sein** be married

verhindern prevent

verhöhnen mock, deride

verhören question

verkaufen sell

der Verkäufer, -s, — salesman

die Verkäuferin, —, -nen salesgirl

der Verkehr, -s traffic

der Verkehrsstrom, -s, ⸚e stream of traffic

verkleiden disguise

verkürzen shorten

verlangen demand

das Verlangen, -s desire, craving

verlassen, ie, a leave; **sich verlassen auf** depend upon

sich verlaufen, ie, au lose one's way

verleben spend

verlegen misplace

verlegen embarrassed

die Verletzung, —, -en injury

verliebt enamored, in love

verlieren, o, o lose

der Verlobte, -n, -n fiancé

vermehren increase

vermeiden, ie, ie avoid

das Vermögen, -s, — wealth, fortune

vermuten suspect

vernehmen, a, o notice, hear

sich verneigen bow

verraten, ie, a betray

verrichten perform, accomplish

verrückt crazy

der Vers, -es, -e verse

versagen fail

verschieben, o, o postpone

verschieden different, various

verschießen, o, o use up (ammunition)

verschließen, o, o lock, close

verschlingen, a, u swallow up

verschwinden, a, u (ist) disappear

versichern assure

die Versicherung, — insurance (company)

das Versicherungsgeld, -es, -er insurance money

versinken, a, u (ist) sink; **in Gedanken versunken** lost or absorbed in thoughts

sich verspäten come late

versperren block

verspielen lose

versprechen, a, o promise

verständlich intelligible

das Verständnis, . . . nisses understanding

verständnislos uncomprehending

das Versteck, -es, -e hiding place

verstecken hide

verstehen, verstand, verstanden understand

verstorben (*p.p.*) deceased, late

der Versuch, -s, -e attempt; experiment

versuchen try, attempt, tempt

die Versuchung, —, -en temptation

sich verteidigen defend oneself

die Verteidigung, — defense

vertrauen trust, confide in

das Vertrauen, –s confidence

vertreiben, ie, ie banish

verurteilen condemn

verwandeln change, transform

verwandt related

der Verwandte, –n, –n relative

verwechseln confuse

verwickeln involve

sich verwirren become confused; verwirrt confused

verwunden wound; schwer verwundet seriously wounded

verwundert surprised

die Verwünschung, —, –en curse

verzeihen, ie, ie pardon, forgive

die Verzeihung, — pardon

verzweifeln despair; verzweifelt desperately

das Vieh, –s cattle

viel much, a great deal; viele many; sehr viel a great deal of

vieldeutig ambiguous

vielleicht perhaps

die Vierdollarfrage, —, –n four dollar question

das Viertel, –s, — quarter

die Viertelstunde, —, –n quarter of an hour

die Villa, —, Villen villa

die Völkergruppe, —, –n group of people

die Völkerwanderungszeit, — era of tribal migrations

die Volkswirtschaft, — economics

voll full; voller filled with

vollkommen entirely, completely

von of, from; by

vor in front of; vor sich hin to oneself

voraus ahead; im voraus in advance

vorbei past

vorbeidonnern thunder past

das Vorderrad, –es, –er front wheel

der Vorderreifen, –s, — front tire

der Vorfahr, –en, –en ancestor

der Vorfall, –s, –e incident

der Vorgesetzte, –n, –n superior

vorhaben have plans, intend

der Vorhang, –es, –e curtain

vorher before (that), a short time ago

vorig previous, last

vorkommen occur, seem, appear

vorlesen, a, e read aloud

der Vorname, –ns, –n first name

vornehm distinguished

vorrücken (ist) advance

vorsagen prompt

der Vorschlag, –es, –e suggestion, proposal

der Vorschuß, –es, –e advance

Vorsicht! Careful!

vorsichtig carefully

vorstellen present, introduce; sich vorstellen imagine

der Vortrag, –s, –e lecture; einen Vortrag halten deliver a lecture

vorüber past, over

vorübergehen, ging vorüber, vorübergegangen (ist) pass

das Vorwort, –es, –e foreword, preface

vorwärts forward, ahead

vorziehen, o, o prefer

der Vorzug, –es, –e excellence

W

wach awake

die Wache, —, –n guard, watch; Wache halten keep watch

der Wachtmeister, –s, — sergeant, policeman

die Waffe, —, –n weapon *pl.* arms

der Waffensaal, –es, ...säle weapon room

der Wagen, –s, — wagon, car, carriage

wagen dare

wählen choose, elect

der Wahnsinn, –s insanity, madness

wahnsinnig insane

wahr true, real

während during; while

die Wahrheit, —, –en truth

wahrscheinlich probably, probable

der Wald, -es, ⸚er woods, forest

der Walfisch, -es, -e whale

der Walzer, -s, — waltz

die Wand, —, ⸚e wall

der Wanderer, -s, — wanderer

wandern (ist) migrate, wander

wann when; dann und wann now and then

das Wappen, -s, — coat of arms

das Warenhaus, -es, ⸚er department store

warm warm

die Wärmehalle, —, -n warming room

sich wärmen warm oneself, get warm

warnen warn

warten wait

der Wärter, -s, — keeper, guard

warum why

was what; was für ein what kind of

die Wäsche, — wash, laundry; lingerie, linen

waschen, u, a wash

das Wäschepaket, -es, -e laundry package, laundry box

das Wasser water

wechseln change, exchange

wecken wake, awaken

weder . . . noch neither . . . nor

der Weg, -es, -e way, path, road

weg gone, off

wegbleiben, ie, ie (ist) stay away

wegen because of

wegführen lead away

weggehen, ging weg, weggegangen (ist) go away

weglaufen, ie, au (ist) go away

wegstoßen, ie, o push away

wegwerfen, a, o throw away

wehen blow

weiblich feminine, female

weich soft

weichen, i, i (ist) give way

die Weihnachten (pl.) Christmas

die Weihnachtsferien (pl.) Christmas vacation

das Weihnachtsgeschenk, -s, -e Christmas present

der Weihnachtsmann, -es, ⸚er Santa Claus

weil because

die Weile, — while

der Wein, -es, -e wine

weinen cry; das Weinen crying

weinerlich weepy

die Weise, — way, manner

weiß white

weißhaarig white-haired

weit wide; far; weiter further; und so weiter and so on

weiterfahren u, a (ist) drive on

weiterfragen keep on asking

weitergehen, ging weiter, weitergegangen (ist) go on

weiterleben live on

weiterlesen, a, e read further

weiterreden talk on

weiterreiten, i, i (ist) ride on

welcher, -e, -es which, what

die Welle, —, -n wave; wave-length

die Welt, —, -en world

die Weltanschauung, —, -en view of the world, philosophy of life

welterfahren experienced in the (ways of the) world

der Weltkrieg, -es, -e World War

sich wenden, wendete (wandte), gewendet (gewandt) turn

wenig little, few

wenigstens at least

wenn when, if, whenever

wer who

werden, wurde, geworden (ist) become, get

werfen, a, o throw, put

das Werk, -es, -e work

die Werkstatt, —, ⸚e workshop

der Wert, -es, -e worth, value

wert worth

wertvoll valuable
das Wesen, -s, — being
die Weste, —, -n vest
der Westen, -s West
der Westgermane, -n, -n West Teuton
westgermanisch West Germanic
wetten bet
das Wetter weather
der Wetterbericht, -es, -e weather report
wichtig important
wickeln wrap
widersprechen, a, o contradict; widersprechend contradictory
der Widerstand, -es, -e opposition
widerstehen, widerstand, widerstanden resist
widmen devote
wie as; how; like; as if
wieder again
wiederentdecken rediscover
wiedererkennen recognize
wiedergeben, a, e return, restore
wiederholen repeat
wiedersehen, a, e see again
das Wiedersehen, -s seeing again, reunion; auf Wiedersehen good-bye
wiegen, o, o weigh
das Wien, -s Vienna; Wiener (adj.) Viennese, Vienna
wieviel how much
der Wikingerzug, -es, -e Viking expedition
wild wild
das Wild, -es game
die Wildnis, — wilderness
die Wildtieraufnahme, —, -n wild animal shot
der Wille, -ns will
die Willigkeit, — willingness
wimmern whimper
der Wind, -es, -e wind
der Windstoß, -es, -e gust of wind
winken beckon, signal
der Winter, -s, — winter

der Wintersturm, -es, -e winter-storm
winseln whine
winzig tiny
wirklich real, really
die Wirklichkeit, — reality
die Wirkung, —, -en effect
der Wirt, -es, -e innkeeper
die Wirtin, —, -nen landlady, wife of the innkeeper
das Wirtshaus, -es, -er inn
wispern whisper
wissen, wußte, gewußt, weiß know
die Wissenschaft, —, -en science
der Witz, -es, -e wit, esprit; joke
witzig witty
wo where
die Woche, —, -n week
das Wochenende, -s, -n week-end
woher whence, from where
wohin where (to)
wohl probably, I suppose
das Wohlergehen, -s welfare
wohlverdient well-deserved
wohnen live, dwell
das Wohnzimmer, -s, — living room
die Wolke, —, -n cloud
die Wolldecke, —, -n blanket
wollen want to, wish, intend
der Wonnemond, -es, -e moon of bliss
das Wort, -es, -e or -er word
die Wortzusammensetzung, —, -en word compound
der Wucherer, -s, — usurer
das Wunder, -s, — wonder
wunderbar wonderful
wunderlich strange, eccentric
sich wundern be surprised
der Wunsch, -es, -e wish
wünschen wish
würdevoll dignified
würdig worthy
das Würstchen, -s, — sausage
die Wut, — rage
wütend furious, raging

3

die Zahl, —, –en number; figure

zahlen pay

zählen count

zahlreich numerous

der Zahn, –es, ⸚e tooth

zahnlos toothless

die Zahnschmerzen (pl.) toothache

zärtlich tenderly

die Zauberflöte, — 'Magic Flute'

zauberhaft magic

die Zauberkraft, —, ⸚e magic power

das Zeichen, –s, — sign, symptom

zeigen show, point

die Zeile, —, –n line

die Zeit, —, –en time; zur Zeit at the time

die Zeitung, —, –en newspaper

der Zeitungsverkäufer, –s, — newspaper vendor

die Zensur, —, –en grade

zerbrechen, a, o break

zerschmettern smash

zerschneiden, i, i cut up

zerstören destroy

zerstreut absent minded

der Zettel, –s, — piece of paper

ziehen, o, o move, pull, draw

zielen aim

ziellos aimlessly

ziemlich rather, quite

die Zigarre, —, –n cigar

das Zimmer, –s, — room

der Zimmergenosse, –n, –n roommate

der Zinnkrug, –es, ⸚e pewter pitcher

die Zinsen (pl.) interest

der Zirkuslöwe, –n, –n circus lion

zischen hiss

zittern tremble, shake

zoologisch zoological

der Zorn, –s anger, indignation

zornig angry

zu at; to; too

zubringen, brachte zu, zugebracht spend

zuerst first (of all)

der Zufall, –s, ⸚e coincidence

zufrieden satisfied

der Zug, –es, ⸚e train

die Zugbrücke, —, –n drawbridge

zugeben, a, e admit

zugleich at the same time

die Zugkraft, —, ⸚e tractive power

zuhören listen to

zukommen auf, a, o (ist) come up to

die Zukunft, — future

zukünftig future

der Zukunftstraum, –s, ⸚e dream of the future

zuletzt last

zumachen close

zumute: ihm ist ... zumute he feels

zunächst first of all

die Zunge, —, –n tongue

zureden urge

zurück back

zurückbringen, brachte zurück, zurückgebracht bring back

zurückfahren, u, a (ist) drive back

zurückfallen, ie, a (ist) fall back

zurückgeben, a, e return

zurückhalten, ie, a hold back, stop

zurückkehren (ist) return

zurückkommen, a, o (ist) come back, return

zurücklassen, ie, a leave behind

zurücknehmen, a, o take back

zurücktreiben, ie, ie drive back

zurücktreten, a, e (ist) step back

sich zurückziehen, o, o withdraw

zurufen, ie, u call to

zusammen together

das Zusammenbrechen, –s collapse

der Zusammenhang, –s, ⸚e context, connection

sich zusammennehmen, a, o pull oneself together

zusammenschieben, o, o push together

zusammenschmelzen, o, o melt (down)

zusammenstoßen, ie, o (ist) clash, collide

zuſammenſtrömen (iſt) crowd together, throng

zuſchauen watch

der Zuſchauer, –s, — spectator

zuſchließen, o, o lock

zutun, tat zu, zugetan close

ſich zwängen squeeze

die Zwanzigdollarfrage, —, –n twenty-dollar question

zwar to be sure, of course

der Zweck, –s, –e purpose

der Zweifel, –s, — doubt

zweifeln doubt

zweimal twice

der Zwerg, –es, –e dwarf

zwingen, a, u force

zwiſchen between

zwiſchendurch in the intervals

der Zwiſchenfall, –es, ‥e incident

Addenda

allein alone

angeſehen (p.p.) respected

die Anſchrift, —, –en address

aufreißen, i, i jerk open

aufſitzen, a, e sit up

austrinken, a, u drink up, finish

austrommeln tap away

bäumen rear

der Bauplatz, –es, ‥e lot

das Beſtehen existence

der Beutel, –s, — bag

die Blondine, —, –n blond (girl)

brauchbar useable

die Brücke, —, –n bridge

das Bücherpaket, –es, –e bundle of books

das Büchlein, –s, — small book

dahinter behind it

dankbar grateful

daſtehen, ſtand da, dageſtanden stand there

das Deckenlicht, –es dome light

das Denkproblem, –s, –e philosophical problem

deprimieren depress

diskutieren discuss

Donnerwetter: Zum —! Confound you

einbrechen, a, o break in, disturb

das Elternhaus, –es, ‥er home (of one's parents)

erwachſen (p.p.) grown up

etwas: ſo — such a thing

fallen: ins Wort — interrupt

der Feigling, –s, –e coward

das Fenſterglas, –es window-pane

die Flaſche, —, –n bottle

das Flugzeug, –es, –e airplane

die Frage: eine — ſtellen ask a question

der Franzoſe, –n, –n Frenchman

freuen: ſich — über be happy about

froh happy

das Ganze all, the entire amount

das Garagendach, –es, ‥er garage roof

die Geldſorge, —, –n financial worry

gern haben like

gießen, o, o pour, cast

grün green, immature

das Halsband, –es, ‥er necklace

haſtig hasty

der Hauptexportartikel, –s, —chief article of export

das Hausdach, –es, ‥er house roof

herausnehmen, a, o take out

heraustreten, a, e (iſt) step outside

hervortreten, a, e (iſt) step forward, emerge

die Herzogin, —, –nen duchess

hierfür for this

hinab down

hinaufſchleichen, i, i sneak up(stairs)

hinaus outside

hinausgehen (ift) go outside
hinein in(side)
hineinfahren, u, a (ift) drive into, run into
hinunterrufen, ie, u call down
höflich polite
hundertmal a hundred times
inmitten in the midst of
jedoch however
die Kaiferin, —, -nen empress
die Kampffront,—,-en line of scrimmage
die Kenntnis knowledge, understanding
die Kugel, —, -n bullet
das Kupfer, -s copper
der Lärm, -s noise
laffen: fein Leben — die
das Literaturdenkmal, -s, ⁻er literary monument
der Maskenball, -s, ⁻e masked ball
die Menfchheit, — humanity, mankind
die Mifchung, —, -en mixture
das Mufeum, -s, Mufeen museum
der Mufeumsdiener,-s,—museum guard
die Nachtluft, —, ⁻e night air
niederknien kneel down
noch: noch nicht not yet
das Notizbuch, -es, ⁻er notebook
obwohl although
der Parkplatz, -es, ⁻e parking lot
patrouillieren patrol
praktifch practical
rammen ram, run into
das Regenwaffer rain water
regnen rain
die Reinheit, — purity
die Reparatur, —, -en repair
die Sammetdecke, —, -n velvet cover

der Schmied, -es, -e (gold)smith
die Schularbeiten (pl.) homework
die Seitenfprünge (pl.) side stepping
fiegen be victorious
finnlos senseless, meaningless
forglos without worries
foviel that much
das Spielfeld, -es, -er playing field
die Spielfront, —, -en line
ftehlen, a, o steal
ftets always, continually
ftrafen punish
die Studien (pl.) studies
der Taler, -s, — taler; old silver coin, originally worth three marks.
der Teller, -s, — plate
der Ton, -es, ⁻e tone, sound
das Tor, -es, -e goal (post)
überliefern turn over
der übernächfte the one after that
die Übertreibung, —, -en exaggeration
die Umfitzenden (pl.) people sitting near him
die Vaterftadt, —, ⁻e native town, home town
vereinigt (p.p.) united
vollfpritzen splash
vorbereiten prepare
der Waffenfachmann, -es, -leute expert of arms
das Wägelchen, -s, — little car
wefentlich essential
wifchen wipe
eine Zeitlang for a time
zufammenbringen bring together, raise
der Zufammenftoß, -es, ⁻e collision
zweit- second

Index

(Numbers refer to pages; § refers to sections in the appendix)

ablaut classes, § 35
accusative
  after prepositions, 33
  direct object, 23, 33
  idiomatic uses, 33, 284
adjectives
  as adverbs, § 23
  as nouns, 218
  comparison, 265, § 20
  declension, 15, 74, § 16–18
  description, § 15–18
  limiting, § 11–14
  numeral, § 19
  possessive, 44
  predicate, 74, § 23
adverbs
  comparison, § 20
  position, § 5
am- phrases, § 23
article
  contraction, 97
  definite, 7, 23, § 11
  indefinite, 15, 23, § 13
attribute, the long, 206, 277
auxiliaries
  haben, sein, werden, § 29–31
  modal, 129, 233, 234
capital letters, 7, 32
cases
  accusative, 23, 33
  accusative of time, 33, 284
  dative, 23
  dative of possession, 291
  genitive, 107
classes of verbs, § 35
comparative, 265, § 20
comparison of adjectives, 265, § 20
compounds
  inseparable, 232
  separable, 54, 232
conditional, 141
conjugation; paradigm of
  sein, haben, lernen, sprechen, werden,
    § 29–33
conjunctions
  co-ordinating, § 9
  subordinating, 180, § 7

contractions, 97
da- compounds, 98
  introducing dependent clauses or infinitive
    clauses, 283, 307, 313, 319, 325
dates, 108
dative, 23
  after prepositions, 23, 97
  indirect object, 23
  of possession, 291
dative plural, 65
days of the week, 35
declension
  adjective, 74, § 16–18
  nouns, 23, 65, 107, 108
der- words, 24, § 12
direct object, 15
double infinitive, 234
ein- words, 44, § 14
erst, 284, 290, 304
future, 119
future perfect, 249
ge- omitted, 233
gender of nouns, 7
  rules for determining, 7, 206
genitive, 107
  after prepositions, 107
  idiomatic uses, 296
German print, § 2
gern, § 21
Gothic type, § 2
her, 309, 323
hin, 309
imperative
  conventional, 14
  familiar, 23
  formation, 192
  infinitive as, 205, 306
indem, 308
indirect statement, 266
indirect object, 23
infinitive
  as noun, 205
  double, 234
  for imperative, 205
  position, 86
  present, 119
  passive, 308

past, 233
interrogative pronouns, 152
intransitive verbs, 86
inverted word order, 7, 266, 299, 317, 343, § 6
lassen, 170, 286, 288, 316
long attribute, 206, 277
mixed verbs, 249
modal auxiliaries, 129, 233, 234, 294
months, 35
nouns
    declension, 23, 65, 107, 108
    formation of plural, 64
    principal parts, 107
    rules for determining gender, 206
    rules for determining plural, 218
numerals, 56, 67
ohne zu, 286
omission of 'wenn', 317, 343
participles
    present, 170
    past, 170, 233
passive voice, 108, 153, 219, 314, § 34
past infinitive, 233
past participle, 170
    idiomatic use of, 233
past perfect, 85
past tense
    strong verbs, 180
    weak verbs, 169
personal pronouns, 33, 43, § 24
plural of nouns, 64
    rules for determining, 218
possessive adjectives, 44
predicate adjective, 74
prefixes
    inseparable, 232
    separable, 54, 232
    variable, 232
prepositions with
    accusative, 33, 97, § 26
    dative, 23, 97, § 27
    genitive, 107, § 25
    dative or accusative, 97, § 28
present participle, 170
present perfect, 85
present tense, 7, 14, 33
principal parts of nouns, 107
principal parts of verbs, 180
pronouns
    demonstrative, § 12
    interrogative, 152
    personal, 33, 43
    reflexive, 53
    relative, 152, 325

pronunciation, § 1
punctuation § 3
questions, formation of, 7
reflexive pronouns, 53
relative pronouns, 152
schon, 304
selbst, 334
separable prefixes, 54
simple past of
    strong verbs, 180
    weak verbs, 169
subjunctive
    I, 193
    II, 129, 141
    indirect statement, 266
subordinating conjunctions, 180
superlative, 265
syllabification, § 4
tense
    future, 119
    future perfect, 249
    past perfect, 85
    present, 7, 14, 33
    present perfect, 85
    simple past, 169, 180
    use of tenses, § 36
transposed word order, 98
use of tenses, § 36
variable prefixes, 232
verbs
    ablaut classes, § 35
    classes of strong verbs, § 35
    conjugation, 7, 14, 33, 85, 119, 169, 180,
        § 29–34
    imperative, 14, 23, 192, 306
    infinitive, 205
    inseparable prefixes, 232
    mixed verbs, 249
    modal auxiliaries, 129, 233, 234, 294
    passive voice, 219, 108, 153, § 34
    present and part participles, 170
    principal parts, 180
    reflexive, 53
    subjunctive, 129, 141, 193
    vowel change, 14
wissen, 131
wo- compounds, 98, 152, 284
word order
    inverted, 7, 142, 266, 299, 317, 343, § 6
    normal, 7, § 5
    position of infinitive, 86
    nicht, § 8
    past participle, 86
    transposed, 98, 142, § 7